www.milady.fr

LES ROYAUMES OUBLIÉS

R.A. SALVATORE

GAUNTLGRYM

Neverwinter™

LIVRE I

Traduit de l'anglais (États-Unis) par Éric Betsch

Milady est un label des éditions Bragelonne

Licensed By:

Originally published in the USA by Wizards of the Coast LLC
Originellement publié aux États-Unis par Wizards of the Coast LLC

FORGOTTEN REALMS, NEVERWINTER,
DUNGEONS & DRAGONS, D&D, WIZARDS OF THE COAST,
THE LEGEND OF DRIZZT and their respective logos are trademarks
of Wizards of the Coast, LLC in the USA and other countries.
© 2012 Wizards of the Coast LLC. All rights reserved. Licensed by Hasbro.

Titre original : *The Neverwinter Trilogy, Book I, Gauntlgrym*
© 2010 Wizards of the Coast LLC

© Bragelonne 2012, pour la présente traduction

Illustration de couverture : Todd Lockwood
© 2010 Wizards of the Coast LLC

ISBN : 978-2-8112-0690-1

Bragelonne – Milady
60-62, rue d'Hauteville – 75010 Paris

E-mail : info@milady.fr
Site Internet : www.milady.fr

Prologue

Année des Présages avérés (1409 CV)

I l y avait beaucoup à dire au sujet du roi Bruenor Marteaudeguerre de Castelmithral, à qui de nombreux titres pouvaient être conférés de façon légitime : guerrier, diplomate, aventurier, meneur des nains, et même des elfes. Bruenor avait tenu un rôle clé dans la réorganisation des Marches d'Argent en l'une des régions les plus pacifiques et les plus prospères de tout Faerûn. On le qualifiait également de « visionnaire », avec raison, car quel autre nain serait parvenu à conclure une trêve avec le roi Obould, du royaume orque des Flèches ? D'autant que cette paix avait perduré après la mort d'Obould, puis l'avènement de son fils, Urlgen, sous le nom d'Obould II.

Cet authentique exploit avait assuré à Bruenor une place dans la légende naine, même si bon nombre d'habitants de Castelmithral rechignaient à avoir affaire aux orques autrement que sur le champ de bataille. À vrai dire, on entendait depuis des années Bruenor s'interroger à ce propos. Néanmoins, en définitive, les faits parlaient d'eux-mêmes : non seulement le roi Bruenor avait reconquis Castelmithral pour le compte de son courageux clan mais, grâce à sa sagesse, il avait changé la face du Nord.

Cependant, de toutes les appellations méritées par Bruenor Marteaudeguerre, celles de père et d'ami étaient celles qu'il portait

5

avec le plus de fierté sur ses robustes épaules. En amitié, Bruenor était sans égal ; ceux qui bénéficiaient de la sienne savaient tous sans le moindre doute que, pour eux, le roi nain était prêt à se jeter avec joie sous une volée de flèches ou face à une ombre des roches, sans hésitation ni regrets. Quant à la paternité…

Bruenor, qui ne s'était jamais marié et n'avait jamais engendré de descendance, avait fini par considérer deux humains comme ses enfants adoptifs.

Deux enfants qu'il avait perdus depuis.

— J'ai fait d'mon mieux, dit-il à Drizzt Do'Urden, l'improbable conseiller drow du trône de Castelmithral, en l'une de ces occasions, de plus en plus rares, où Drizzt était présent au castel. J'leur ai appris tout c'que mon père m'a appris.

— Personne n'aurait l'idée de prétendre le contraire, lui assura Drizzt.

Installé dans un confortable fauteuil, près de l'âtre d'une petite pièce latérale des appartements de Bruenor, le drow observa longuement son plus vieil ami. L'immense barbe de celui-ci était moins rousse qu'avant, car de plus en plus de gris apparaissait parmi ses mèches flamboyantes, tandis que sa tignasse hirsute se clairsemait quelque peu. Malgré cela, l'éclat de ses yeux gris était la plupart du temps aussi intense que des décennies auparavant, sur les pentes du Cairn de Kelvin, au Valbise.

Mais pas en ce jour, ce qui était bien compréhensible.

La mélancolie si évidente dans son regard ne se reflétait toutefois pas dans ses gestes. Avec vivacité et assurance, il fit basculer son siège et se leva d'un bond, puis il se saisit d'une bûche, qu'il lança adroitement dans le feu. Le projectile émit quelques craquements et fumées de protestation mais ne s'enflamma pas.

— Foutu bois humide, ronchonna le nain.

Il sauta sur le soufflet à pied qu'il avait installé dans le foyer, envoyant ainsi un long filet d'air sur les braises et bûches qui brûlaient faiblement. Il s'activa avec zèle un bon moment, ajustant le bois, actionnant le soufflet, démonstration dont Drizzt songea qu'elle représentait parfaitement son ami. Car c'était ainsi que le nain agissait en toutes circonstances, que ce soit pour maintenir la paix hésitante avec le royaume des Flèches ou pour faire vivre son clan en une efficace harmonie. Tout allait bien, à l'image du feu, enfin ravivé. Bruenor se rassit dans son fauteuil et attrapa son énorme chope d'hydromel.

— J'aurais dû tuer cet orque puant, lâcha-t-il en secouant la tête, le visage figé dans un masque de regrets.

Drizzt avait l'habitude d'entendre ce couplet, qui minait Bruenor depuis qu'il avait signé le traité du Défilé de Garumn.

— Non, réagit le drow, sur un ton peu convaincant.

— Tu l'as laissé mourir de vieillesse, l'elfe, alors qu't'avais juré d'le tuer, pas vrai ? railla méchamment le nain.

— Attention, Bruenor.

— Ah ! Mais il a coupé en deux ton ami elfe, non ? Et ses lanciers ont tué ta chère copine elfe, et l'cheval ailé qu'elle montait.

Dans le regard de Drizzt, la douleur se mêlait à une colère bouillonnante, avertissant son ami qu'il allait trop loin.

— Et pourtant, tu l'as laissé vivre ! cria Bruenor, en abattant le poing sur le bras de son fauteuil.

— Oui, et toi tu as signé le traité, répondit Drizzt, d'une voix aussi calme que son visage, sachant qu'il était inutile de hurler ces mots pour qu'ils aient un effet dévastateur.

Bruenor poussa un soupir et s'affala, le front dans la paume de la main.

Au bout de quelques instants passés à le laisser ainsi maugréer, Drizzt ne résista pas et rompit le silence :

— Tu n'es pas le seul, loin de là, à enrager d'avoir vu Obould confortablement profiter de ses vieux jours. Personne ne voulait le tuer autant que moi.

— Mais on l'a pas fait.

— Nous avons bien agi.

— Tu crois, l'elfe ? demanda Bruenor, très sérieux. Il est mort et y disent vouloir rester en paix, mais l'pensent-ils vraiment ? Quand est-ce qu'ça va craquer ? Quand est-ce qu'les orques vont agir en orques et déclencher une nouvelle guerre ?

Drizzt haussa les épaules ; que pouvait-il répondre à cela ?

— Et voilà, l'elfe ! T'en sais rien et j'en sais rien. Tu m'as dit d'signer c'foutu traité et j'ai signé c'foutu traité… et on sait rien du tout !

— On sait que beaucoup d'humains, d'elfes et – oui, Bruenor – de nains vivent désormais dans la paix et la prospérité parce que tu as eu le courage de signer ce foutu traité. Parce que tu as choisi de ne pas provoquer la guerre qui menaçait.

— Bah ! grogna le nain, en levant les mains. Ça m'reste en travers d'la gorge depuis c'jour. Maudite odeur d'orque. Et maintenant, y commercent avec Lunargent, avec Sundabar et même avec ces foutus lâches de Nesmé ! J'aurais dû tous les tuer au combat, par Clangeddin !

Drizzt hocha la tête, ne trouvant rien à redire à cela. Comme sa vie aurait été plus facile si le Nord avait été plongé dans un éternel combat ! Du fond du cœur, Drizzt était de l'avis de Bruenor.

Mais s'il réfléchissait, il en allait tout autrement. Obould ayant proposé la paix, une intransigeance de la part de Castelmithral aurait valu au clan de Bruenor d'affronter seul les dizaines de milliers de soldats du roi orque, un combat dont jamais les nains ne seraient sortis vainqueurs. En revanche, si le successeur d'Obould décidait aujourd'hui de ne pas respecter le traité, la guerre qui en résulterait opposerait l'ensemble des royaumes de bien des Marches d'Argent au royaume des Flèches isolé.

Sur le visage du drow se dessina un sourire cruel, qui se mua aussitôt en une grimace quand il songea aux nombreux orques devenus pour lui des amis – enfin, plus ou moins – au cours des dernières… Cela faisait-il déjà près de quarante ans ?

— Tu as bien agi, Bruenor, dit-il. Grâce à ta signature sur ce parchemin, dix, vingt, cinquante mille personnes ont vécu longtemps, alors qu'elles auraient dans le cas inverse connu une fin prématurée au cours d'une guerre sanglante.

— J'pourrais plus l'faire, répondit Bruenor, en secouant la tête. J'en peux plus, l'elfe. J'ai fait tout c'que j'pouvais ici, et j'ai pas envie d'recommencer.

Il plongea sa chope dans le tonneau ouvert disposé entre les deux fauteuils et avala une grande gorgée d'hydromel.

—Tu crois qu'il est toujours là-bas? reprit-il, la barbe pleine de mousse. Dans l'froid et dans la neige?

—Si tel est le cas, sache que Wulfgar se trouve où il en a envie, répondit Drizzt.

—Oui, mais j'parie qu'à chacun d'ses pas, ses vieux os s'plaignent à sa tête obstinée! dit Bruenor, ce qui apporta aux deux amis une note légère bienvenue en ce jour.

Drizzt sourit, tandis que le nain gloussait, mais un mot de la plaisanterie de ce dernier résonna d'une façon différente: «vieux». Il songea au calendrier; si, en tant que drow bénéficiant d'une longue vie, il avait à peine vieilli physiquement, Wulfgar, s'il était encore en vie là-bas, dans la toundra du Valbise, devait approcher de son soixante-dixième anniversaire.

Cet état de fait frappa profondément l'elfe noir.

—Et elle, tu l'aimerais toujours? s'enquit Bruenor, faisant référence à son autre enfant perdu.

Drizzt le dévisagea comme s'il venait de le gifler, puis un éclat de colère bien trop familier froissa ses traits encore sereins quelques instants plus tôt.

—Je l'aime encore.

—Si ma gamine était toujours avec nous, j'veux dire. Elle serait vieille aujourd'hui, comme Wulfgar, et beaucoup d'gens la trouveraient laide.

—Beaucoup de gens disent ça de toi, et le disaient déjà quand tu étais jeune, s'amusa le drow, de façon à mettre un terme à cette conversation absurde.

Il est vrai que Catti-Brie aurait également été âgée de soixante-dix ans, si elle n'avait pas été emportée par le fléau magique, vingt-quatre ans auparavant. Elle serait alors âgée, pour une humaine, aussi âgée que Wulfgar. Mais laide? Drizzt était incapable d'imaginer sa bien-aimée Catti-Brie laide; au cours de ses cent douze ans de vie, le drow n'avait jamais vu rien ni personne de plus beau que sa femme. Dans les yeux lavande de Drizzt, le reflet de Catti-Brie ne pouvait être terni par la moindre imperfection, quels que soient les ravages du temps sur son visage humain, les cicatrices dues aux combats ou la couleur de ses cheveux. Pour lui, elle resterait pour l'éternité celle qu'elle était quand il avait pour la première fois pris conscience qu'il l'aimait, si longtemps auparavant, lors de ce périple qui les avait conduits jusqu'à Portcalim, lointaine cité du Sud, où ils étaient partis secourir Régis.

Régis. Drizzt grimaça en évoquant le souvenir du halfelin, un autre ami cher perdu en ces temps de chaos, quand le roi fantôme avait fait son apparition au-dessus de l'Envol de l'Esprit, l'une des plus merveilleuses structures de ce monde, qu'il avait malmenée, présageant les ténèbres qui allaient se déployer sur Toril.

Le drow avait autrefois reçu le conseil de considérer sa longue vie comme une série de périodes plus courtes, afin de s'adapter au sentiment d'urgence des humains qui l'entouraient, puis d'aller de l'avant, et de retrouver vie, désir et amour. C'était une bonne suggestion, il le reconnaissait, mais, au cours du quart de siècle écoulé depuis la perte de Catti-Brie, il en était venu à comprendre que les conseils étaient parfois plus faciles à entendre qu'à mettre en pratique.

— Elle est toujours avec nous, reprit Bruenor peu après. (Il vida sa chope et la lança dans la cheminée, où elle se brisa en mille morceaux.) C'est juste que c'fichu Jarlaxle pense comme un drow et prend son temps, comme si les années signifiaient rien pour lui.

Sur le point de répondre, par réflexe, afin de calmer son ami, Drizzt ravala ses mots et se contenta de regarder les flammes. Bruenor et lui avaient tous deux demandé, supplié Jarlaxle, cet elfe noir des plus expérimentés, de retrouver Catti-Brie et Régis – en tout cas de retrouver leurs esprits, qu'ils avaient vus chevaucher une licorne fantomatique, laquelle avait disparu dans les murs de pierre de Castelmithral en cette funeste aurore. La déesse Mailikki avait pris ces deux êtres aimés, estimait Drizzt, mais elle ne se montrerait pas cruelle au point de les garder à ses côtés. Hélas, Mailikki elle-même n'était peut-être pas en mesure de reprendre à Kelemvor, le dieu des morts, son butin durement gagné.

Drizzt repensa à ce terrible matin, comme s'il datait de la veille. Il avait été réveillé par les cris de Bruenor, après une tendre nuit passée à faire l'amour avec sa femme, qu'il avait crue retrouvée, sortie des profondeurs de l'incompréhensible mal dont elle souffrait.

Ce jour maudit, lorsqu'il s'était éveillé à côté d'elle, il l'avait sentie froide au toucher.

— Romps la trêve, marmonna Drizzt, en pensant au nouveau roi des Flèches, un orque loin d'être aussi intelligent et aussi prévoyant que son père.

La main du drow se porta d'instinct à sa hanche, alors qu'il ne portait pas ses cimeterres. Il voulait de nouveau sentir le poids de ces lames mortelles dans ses mains. Penser aux combats et à la puanteur de la mort, même à la sienne, ne le dérangeait pas. Pas ce matin-là. Pas avec des visions de Catti-Brie et de Régis flottant autour de lui, comme pour se moquer de son impuissance.

— Je n'aime pas venir ici, dit l'orque, en tendant le sac d'herbes.

Bien que pas très grande pour une orque, elle dépassait nettement son minuscule vis-à-vis.

— Nous sommes en paix, Jessa, répondit le gnome, nommé Nanfoodle. (Il ouvrit le sac et en sortit une racine, qu'il approcha de son long nez et renifla profondément.) Ah! Douce mandragore… Il en faut peu pour faire fuir la douleur.

— Et les pensées douloureuses, ajouta l'orque. Et pour rendre fou… comme un nain nageant dans un bassin d'hydromel, persuadé de le vider en en buvant le contenu.

— Seulement cinq? s'étonna Nanfoodle, en farfouillant dans le grand sac.

— Les autres plantes sont en pleine floraison, expliqua Jessa. Seulement cinq, dis-tu! Je ne m'attendais même pas à en trouver, ou peut-être une seule… En trouver une deuxième relevait du rêve, et je comptais adresser une prière à Gruumsh pour une troisième.

Nanfoodle leva les yeux, sans pour autant les poser sur l'orque. Son regard absent dériva dans le vague, suivi de près par son esprit vagabond.

—Cinq? réfléchit-il, en considérant ses coupes et ses tubes à essais.

D'un doigt osseux, il tapota sa courte barbe blanche pointue et resta songeur quelques instants, son visage tout en rondeurs chiffonné de grimaces.

—Cinq suffiront à accomplir notre tâche, estima-t-il au bout du compte.

—Accomplir? répéta Jessa. Tu vas donc oser le faire?

Nanfoodle la dévisagea comme si elle avait énoncé une absurdité.

—Jusqu'au bout, lui assura-t-il.

Un sourire mauvais se dessina sur les lèvres de Jessa, qui parurent accrocher sa chevelure jaune, dont deux mèches bouclées retombaient de chaque côté de son visage rond et plat, comme pour encadrer son nez porcin. Ses yeux marron clair se mirent à briller de malice.

—Te crois-tu obligée d'y prendre du plaisir? lui reprocha le gnome.

Jessa se détourna en riant, insensible à ces mots.

—J'aime ressentir cette excitation, expliqua la jeune prêtresse. La vie est si ennuyeuse, après tout. (Elle se figea et désigna le sac rempli de plantes, toujours dans les mains de Nanfoodle.) Toi aussi, tu aimes ça, visiblement.

Le gnome baissa les yeux sur les racines potentiellement vénéneuses.

—Je n'ai pas le choix, dit-il.

—As-tu peur?

—Je devrais?

—Moi, j'ai peur, dit Jessa, sur un ton brusque évoquant plutôt une délivrance qu'un aveu. (Elle hocha la tête, l'air grave, puis s'inclina.) Longue vie au roi.

Puis elle s'en alla, prenant soin de rejoindre l'ambassade du royaume des Flèches sans se faire davantage remarquer que n'importe quel orque déambulant dans les couloirs de Castelmithral.

Nanfoodle ramassa les racines et se dirigea vers ses pots et tubes à essais, disposés sur une large paillasse, d'un côté de son laboratoire. Quand il aperçut son reflet dans le miroir fixé au-dessus de l'établi, il prit la pose, estimant son allure plutôt distinguée pour quelqu'un dans la force de l'âge – ce qui, bien entendu, signifiait qu'il avait depuis longtemps dépassé ce stade de son existence ! Il était presque chauve, si l'on exceptait les grosses touffes blanches perchées au-dessus de ses oreilles, mais il entretenait soigneusement ses rares cheveux, ainsi que sa barbe et sa fine moustache, et se rasait de près le reste du crâne. *Bon, sauf pour les sourcils*, peut-être, gloussa-t-il en pensée, en remarquant qu'ils étaient si longs qu'ils commençaient à friser.

Nanfoodle se saisit d'une paire de lunettes, qu'il se coinça sur le nez, tandis qu'il s'éloignait enfin du miroir. Il pencha la tête en arrière, afin de bénéficier d'un meilleur angle de vue, à travers ces petites loupes rondes, et ajusta le poids de la mèche huilée.

La chaleur devait être parfaite, se rappela-t-il, pour extraire la bonne quantité de poison de cristal.

Il devait faire preuve de précision ; cependant, quand il lança un regard en direction du sablier posé à l'extrémité de la paillasse, il se rendit compte qu'il devait également se dépêcher.

La chope du roi Bruenor attendait.

Gaspard Pointepique ne portait pas son armure hérissée de piques et d'arêtes, événement dont on n'était que très rarement témoin. C'est à vrai dire pour cette raison qu'il ne s'était pas vêtu comme à son habitude : il ne voulait pas qu'on le reconnaisse ou, plus précisément, qu'on l'entende.

Se faufilant dans l'ombre, il avança jusqu'au bout d'une galerie et se tapit derrière une pile de tonnelets, depuis laquelle on pouvait apercevoir la porte du laboratoire de Nanfoodle.

Le guerroyeur effréné serra les dents pour retenir le flot d'injures qui lui vinrent quand, après avoir jeté des coups d'œil des deux côtés du couloir, afin de s'assurer que personne ne l'observait, Jessa Dribble-Obould entra dans cette pièce.

—Des orques à Castelmithral…, articula Gaspard en silence, avant de secouer sa tête poilue et crasseuse et de cracher par terre.

Comme il avait hurlé de rage quand avait été prise la décision d'accorder au royaume des Flèches une ambassade dans le castel nain ! Oh, il ne s'agissait que d'une délégation limitée, bien sûr – il était interdit aux orques de séjourner à Castelmithral à plus de quatre individus à la fois, lesquels n'étaient en outre pas autorisés à accéder à l'ensemble du domaine. Une horde de gardes nains, souvent les guerroyeurs de Pointepique, étaient toujours prêts à escorter leurs « invités ».

Cette petite prêtresse sournoise avait visiblement enfreint la règle, ce qui ne surprenait pas Gaspard.

Il envisagea de bondir pour enfoncer la porte, prendre cette sale orque en flagrant délit et l'expulser ainsi une bonne fois pour toutes de Castelmithral. Mais, pour une fois, il se montra réfléchi et se força à être patient. Malgré la rage qui couvait en lui, Gaspard Pointepique demeura silencieux. Quelques instants plus tard, Jessa réapparut dans le couloir, regarda à droite et à gauche, puis repartit en trottinant par où elle était arrivée.

—Qu'est-ce que ça veut dire, le gnome ? murmura Gaspard, pour qui cela n'avait aucun sens.

Nanfoodle n'était évidemment pas un ennemi de Castelmithral ; il s'était toujours comporté en indéfectible allié depuis son arrivée, quelque quarante ans auparavant. Les nains Marteaudeguerre évoquaient encore l'« heure elminsterienne » de Nanfoodle, en souvenir du jour où, grâce à un ingénieux système de canalisations, il avait rempli des cavernes de gaz explosif. La déflagration qu'il avait ensuite provoquée avait réduit en miettes le sommet d'une crête montagneuse – ainsi que les géants ennemis qui y étaient postés.

Pourquoi donc cet ami du castel avait-il rencontré une prêtresse orque avec une telle discrétion ? Nanfoodle aurait pu convoquer Jessa par les moyens conventionnels, par l'intermédiaire de Gaspard lui-même, qui l'aurait aussitôt escortée jusqu'au laboratoire.

Il retourna un bon moment ces questions dans sa tête, si longtemps que Nanfoodle finit par sortir à son tour et partit précipitamment. Ce n'est qu'à cet instant que le guerroyeur étonné se rappela que l'heure de la cérémonie commémorative avait sonné.

— Par les fesses rocailleuses de Moradin ! lâcha-t-il, en sortant de sa cachette.

Après avoir songé une seconde à gagner directement les quartiers de Bruenor, il s'arrêta devant la porte du laboratoire, lança un regard de chaque côté, comme l'avait fait Jessa, et entra dans la pièce.

Tout lui sembla normal. À l'exception de quelques récipients sur un établi, remplis d'un liquide blanchâtre, dont l'ébullition était due à la chaleur résiduelle de braises récemment éteintes, tout lui parut dans le désordre le plus total – conformément à la manière dont cet hurluberlu de Nanfoodle conservait ses affaires.

— Hmm…, marmonna Gaspard.

Il se mit à déambuler dans la pièce, en quête d'indices – peut-être un endroit dégagé où Nanfoodle et Jessa auraient…

Non, impossible d'imaginer une chose pareille.

— Bah, t'es bête, Gaspard Pointepique, et ton frère aussi, si t'en avais un ! se sermonna-t-il.

Il s'apprêtait à repartir, s'estimant brusquement un piètre ami pour avoir ainsi espionné Nanfoodle, quand il remarqua quelque chose sous le bureau du gnome : un tapis de couchage. L'affreuse vision d'un rendez-vous galant entre le gnome et l'orque s'imposa dans l'esprit du nain, qui chassa aussitôt cette pensée quand il remarqua que le tapis était roulé et attaché depuis un bon moment. Derrière se trouvait un sac à dos, sur lequel étaient fixées toutes sortes d'équipements, comme des bandages et un pic d'escalade.

— Tu comptes aller t'balader au royaume des Flèches, p'tit gars ? lâcha Gaspard à haute voix.

Il se redressa et haussa les épaules, songeant aux explications possibles. Il espérait que Nanfoodle serait suffisamment intelligent pour se faire escorter de gardes s'il prévoyait une telle excursion. Le roi Bruenor avait géré avec tact la transition du pouvoir d'Obould à son fils et avait réussi à éviter les tensions. Cependant les orques restaient des orques, après tout, et personne ne savait vraiment jusqu'à quel point ce fils d'Obould était digne de confiance, ni même s'il possédait le charisme et la force brute nécessaires pour contrôler ses soldats, comme l'avait fait son puissant père.

Pointepique décida qu'il s'entretiendrait avec Nanfoodle, en amis, la prochaine fois qu'il le croiserait seul, puis il oublia ce problème en retournant dans le couloir. Il était en retard, une cérémonie des plus importantes allait débuter, et il savait que le roi Bruenor ne pardonnerait pas de sitôt un manque de ponctualité en cette occasion.

—… vingt-cinq ans, disait Bruenor, quand Gaspard Pointepique se joignit aux personnes rassemblées dans la petite salle d'audience.

Il n'y avait là que quelques invités : Drizzt, bien entendu, Cordio, le premier prêtre du castel, Nanfoodle, ainsi que le vieux Banak Lenclume dans sa chaise roulante, accompagné de son fils Connerad, qui grandissait et devenait un séduisant jeune nain. Connerad, qui s'entraînait même avec la Brigade Tord-boyaux de Gaspard, faisait mieux que de se débrouiller face à des guerriers beaucoup plus chevronnés que lui. Enfin, plusieurs autres nains entouraient le roi.

—Tu m'manques, ma fille, et toi aussi, Régis, mon ami, dit le roi nain. Sachez que même si j'vis encore cent ans, y s'passera pas une journée sans qu'j'pense à vous.

Bruenor leva ensuite sa chope et la vida d'un trait, immédiatement imité par l'assistance, puis son regard se posa sur Gaspard.

—J'm'excuse, mon roi, dit le guerroyeur effréné. J'ai raté tous les toasts ?

—Non, uniquement le premier, lui répondit Nanfoodle.

Le gnome s'activa et récupéra les chopes, puis il s'approcha du tonneau installé à l'écart, avant d'ajouter, toujours à l'intention de Pointepique :

—Aide-moi.

Nanfoodle remplit les chopes et Gaspard les distribua. Ce dernier trouva étrange que le gnome délaisse celle de Bruenor, qui pourtant se distinguait des autres. Il s'agissait d'un énorme récipient orné sur le côté du blason de la chope débordante de mousse, l'emblème du clan Marteaudeguerre, et dont l'anse était pourvue de deux cornes en son sommet, entre lesquelles le roi pouvait caler son pouce. À l'image du casque de Bruenor, l'une de ces cornes avait été brisée. Cet objet lui avait été offert des années auparavant, à l'occasion du dixième anniversaire de la signature du traité du Défilé de Garumn, par les nains de la citadelle d'Adbar, en signe de solidarité et pour illustrer l'éternelle amitié qu'ils vouaient à Castelmithral. Personne d'autre que Bruenor n'aurait osé boire dans cette chope, comme le savait Gaspard, qui comprit donc que Nanfoodle comptait servir personnellement son hydromel au roi, et en dernier. Il n'y pensa pas davantage, en vérité, bien qu'il fût tout de même étonné de voir le gnome soigneusement éviter de lui demander de s'en charger.

S'il avait observé Nanfoodle avec davantage d'attention, Gaspard aurait sans doute noté un autre détail, qui lui aurait à coup sûr fait hausser ses sourcils broussailleux. Après avoir rempli sa propre chope, le gnome tourna le dos aux personnes rassemblées, qui de toute façon évoquaient des souvenirs de Catti-Brie et de Régis sans lui prêter attention. D'une poche secrète de sa ceinture, le petit être sortit une minuscule fiole, dont il ôta le capuchon en prenant garde de ne faire aucun bruit, après quoi il jeta un coup d'œil en direction du groupe et versa les cristaux contenus dans l'ampoule dans la chope décorée de Bruenor.

Il laissa quelques secondes au mélange pour s'effectuer, puis hocha la tête et rejoignit la cérémonie.

— Puis-je porter un toast à ma chère dame Shoudra ? demanda-t-il.

Cette jeune femme, émissaire de Mirabar, l'avait accompagné jusqu'à Castelmithral, plusieurs décennies auparavant, et avait été tuée par Obould en personne, au cours de cette terrible guerre.

— Les anciennes blessures sont guéries, ajouta le gnome, en brandissant sa chope.

— Oui, à Shoudra et à tous ceux qui sont tombés en défendant l'clan Marteaudeguerre, dit Bruenor, qui avala une grande gorgée de son hydromel.

Nanfoodle acquiesça et sourit, espérant que le roi nain ne sentirait pas la légère amertume du poison.

— Un grand malheur s'est abattu sur Castelmithral ! hurlèrent les crieurs à travers le complexe nain, à peine quelques heures après la cérémonie commémorative. Prévenez les seigneurs, rois et reines des Marches d'Argent qu'le roi Bruenor est tombé malade cette nuit !

Les chapelles du castel se remplirent aussitôt, ainsi que celles de toutes les cités du Nord, quand elles eurent vent de la nouvelle. Le roi Bruenor était adoré, sa puissante voix avait accompagné tant de changements bienvenus intervenus sur les Marches d'Argent. Chaque conversation évoquait des craintes de guerre contre le royaume des Flèches, forcément, quand on songeait que le second signataire du traité du Défilé de Garumn aurait peut-être bientôt rejoint le premier dans la mort.

À Castelmithral, la veillée fut pleine de solennité mais pas morbide. Bruenor avait profité d'une bonne et longue vie, au bout du compte, et s'était entouré de nains dotés de personnalités extraordinaires. Le clan était l'essentiel, le clan survivrait et prospérerait longtemps après la mort du grand roi Bruenor.

Néanmoins, les larmes coulèrent en abondance quand un prêtre de Cordio annonça que le roi était gravement malade, et que Moradin ne répondait pas à leurs prières.

— On peut rien faire pour lui, dit Cordio à Drizzt et quelques autres, au cours de la troisième nuit après que Bruenor eut sombré dans un sommeil agité. Il est tombé sous nos yeux.

Il décocha un petit rictus désapprobateur à l'intention de Drizzt, qui resta inébranlable.

— Ah, mon roi…, gémit Pointepique.

— Malheur sur Castelmithral, ajouta Banak Lenclume.

— Pas tant que ça, tempéra le drow. Bruenor n'a pas délaissé ses responsabilités vis-à-vis du castel. Son trône sera occupé par quelqu'un de valeur.

— Tu parles comme s'il était déjà mort, foutu elfe! gronda Gaspard.

Ne trouvant rien à répondre à cette réprimande, Drizzt s'excusa simplement d'un signe de la tête.

Ils entrèrent dans la chambre royale et s'assirent près du lit de Bruenor. Drizzt prit la main de son ami et, juste avant l'aube, le roi Bruenor rendit son dernier soupir.

— Le roi est mort, vive le roi, dit l'elfe noir, en se tournant vers Banak.

— Ainsi débute le règne de Banak Lenclume, onzième roi de Castelmithral, déclara Cordio.

— En toute humilité, prêtre, répondit le vieux Banak, le regard baissé et le cœur lourd. (Derrière sa chaise, son fils lui tapota l'épaule.) Si j'suis la moitié du roi qu'était Bruenor, alors mon règne sera perçu dans l'monde entier comme un bon... non, comme un grand règne.

Gaspard Pointepique tituba et posa un genou à terre devant Banak.

— Ma... ma vie pour toi, mon... mon roi, bégaya-t-il, à peine capable d'articuler ces mots.

— Bénie soit ma cour, répondit Banak, en posant la main sur la tête chevelue de Gaspard.

Le robuste guerroyeur leva l'avant-bras devant les yeux, se retourna et se jeta sur Bruenor, qu'il étreignit avec force, avant de se redresser et de sortir de la pièce, gémissant et la démarche vacillante.

Le tombeau de Bruenor, érigé à côté de ceux de Catti-Brie et de Régis, devint le plus imposant mausolée jamais bâti dans l'ancien complexe nain. Les uns après les autres, les anciens du clan Marteaudeguerre contèrent avec enthousiasme les nombreux exploits du puissant roi Bruenor qui, au cours de sa longue vie, avait conduit son peuple des ténèbres du castel en ruine jusqu'à une nouvelle demeure, au Valbise, avant de personnellement redécouvrir l'ancien complexe, qu'il avait ensuite reconquis pour le clan. Des voix plus hésitantes évoquèrent le diplomate qu'avait été Bruenor, lui qui avait changé de façon si spectaculaire l'allure des Marches d'Argent.

Les discours se poursuivirent sans discontinuer pendant trois jours pleins, les hommages se succédant les uns aux autres, tous se concluant par un toast sincère en l'honneur du successeur méritant, le grand Banak Lenclume, qui avait désormais ajouté Marteaudeguerre à son nom : roi Banak Lenclume Marteaudeguerre.

Des émissaires arrivèrent en provenance de chaque royaume voisin. Les orques des Flèches se manifestèrent également, en la personne de la prêtresse Jessa Dribble-Obould. Celle-ci offrit une longue oraison funèbre, qui ne fut rien de moins qu'élogieuse à l'égard de ce remarquable souverain. Au nom de son peuple, elle déclara espérer que le roi Banak se montrerait aussi sage et bien disposé que son prédécesseur, et que Castelmithral prospérerait sous son règne. Il n'y eut dans les paroles de la jeune orque aucun sujet à controverse, aucune fausse note. Pourtant, parmi les milliers de nains qui l'écoutaient, nombreux furent ceux qui grognèrent ou crachèrent, rappelant ainsi durement à Banak et aux autres dirigeants que les efforts de Bruenor pour combler le fossé qui séparait orques et nains étaient loin d'avoir porté leurs fruits.

Épuisés, tant physiquement que sur le plan émotionnel, Drizzt, Nanfoodle, Cordio, Gaspard et Connerad se laissèrent tomber dans les fauteuils disposés devant l'âtre qui avait été le coin préféré de Bruenor. Ils portèrent quelques toasts supplémentaires en hommage à leur ami et échangèrent de nombreux souvenirs, des actes bienveillants et héroïques qu'ils avaient partagés avec ce nain exceptionnel.

Gaspard fut celui qui parla le plus, exagérant sans arrêt, bien entendu, contrairement à Drizzt Do'Urden qui, curieusement, ne dit pas grand-chose.

— Je dois présenter mes excuses à ton père, dit Nanfoodle à Connerad.

— Des excuses ? s'étonna le jeune prince de Castelmithral. Non, l'gnome, il apprécie autant tes conseils qu'ceux d'n'importe quel autre nain.

— C'est justement pour cette raison que je dois lui présenter mes excuses, insista Nanfoodle, que toutes les personnes présentes dans la pièce écoutaient. Quand je suis venu ici, avec dame Shoudra, je n'avais pas pour projet de m'y établir. Pourtant, je constate que les décennies se sont écoulées. Je ne suis plus très jeune – je fêterai mon soixante-cinquième anniversaire dans un mois.

— Bravo ! l'interrompit Cordio, qui ne laissait jamais passer une occasion de porter un toast.

Ils burent tous à la santé éternelle de Nanfoodle.

— Merci à tous, reprit le gnome, quand ils eurent vidé leur chope. Vous avez été une famille pour moi, c'est évident, et je suis resté ici aussi longtemps que chez moi durant la première moitié de ma vie. Et de celle à venir, je n'en doute pas.

— Qu'est-ce que tu racontes, p'tit gars ? demanda Cordio.

— J'ai une autre famille, répondit le gnome. Des êtres chers que je n'ai vus qu'à l'occasion de courtes visites, au cours de ces trente et quelques dernières années. Il est temps pour moi de partir, j'en ai peur. Je souhaite finir mes jours dans ma vieille demeure de Mirabar.

Ces mots donnèrent l'impression d'aspirer tous les bruits de la pièce, tandis que les personnes présentes gardaient un silence stupéfait.

— Tu dois pas d'excuses à mon père, Nanfoodle d'Mirabar, finit par réagir Connerad, qui leva sa chope pour porter un nouveau toast. Castelmithral oubliera jamais l'aide du grand Nanfoodle !

Ils partagèrent tous cet hommage avec entrain, cependant quelque chose chiffonna Gaspard Pointepique, même si, épuisé et bouleversé comme il l'était, il ne comprit pas quoi.

En tout cas, pas sur le moment.

Soufflant péniblement, le gnome se contorsionna et se glissa parmi un éboulis de rochers, d'immenses pierres lisses et grises disposées comme si elles avaient été empilées par une équipe de titans en charge d'une catapulte. Cela dit, Nanfoodle connaissait bien le secteur – c'était en fait lui qui avait fixé le rendez-vous en ce lieu. Il ne fut donc pas surpris quand, après avoir suivi un étroit passage entre trois rochers, il aperçut Jessa, assise sur une pierre plus petite, dans une clairière, son déjeuner installé sur une couverture étalée devant elle.

—Il te faudrait de plus longues jambes, lui dit-elle en guise de salut.

—Il me faudrait surtout trente ans de moins, répondit Nanfoodle.

Il laissa glisser son lourd paquetage de ses épaules et s'assit sur un rocher, en face de Jessa, puis il se saisit du bol de ragoût qu'elle lui avait préparé.

—C'est fait ? demanda-t-elle. Tu en es certain ?

—Ça fait trois jours qu'on pleure le roi mort… trois jours et pas un de plus – ils sont pressés. Banak est donc enfin roi, un titre qu'il mérite depuis longtemps.

—Il endosse peut-être un costume trop grand pour lui.

Nanfoodle chassa cette remarque d'un geste.

—La plus grande réussite du roi Bruenor est d'avoir assuré l'ordre au sein de Castelmithral. Banak se montrera à la hauteur, et même si tel n'est pas le cas, il est entouré de nombreux sages conseillers. (Il s'interrompit et observa plus attentivement l'orque, dont le regard était tourné vers le nord, vers le royaume encore jeune de son peuple.) Le roi Banak poursuivra l'œuvre de Bruenor, de même qu'Obould II honorera les souhaits et la vision de son prédécesseur.

—Comme tu es calme, dit Jessa, en regardant le gnome avec curiosité, voire incrédulité. Tu passes trop de temps dans tes ouvrages et tes manuscrits, et pas assez à regarder les visages de ceux qui t'entourent. (Nanfoodle afficha un air étonné.)

Comment peux-tu rester si calme ? Ne te rends-tu pas compte de ce que tu viens de faire ?

— Je n'ai fait que suivre les ordres qui m'ont été donnés, s'indigna Nanfoodle, qui ne comprenait pas pourquoi l'orque prenait un ton si grave.

Jessa était sur le point de le réprimander davantage, dans l'intention de lui faire prendre conscience du poids des sentiments, de lui rappeler que le monde ne pouvait pas être systématiquement décrit par des théorèmes logiques, que d'autres facteurs devaient être pris en considération, quand un choc, un bruit de métal raclant la roche un peu plus loin, brisa son élan.

— Que dis-tu ? lui dit Nanfoodle, tout en avalant son ragoût, tandis que l'orque se levait.

— Qu'est-ce qu'on t'a ordonné d'faire ? intervint la voix bourrue de Gaspard Pointepique.

Nanfoodle se retourna au moment où le guerroyeur effréné, équipé de son armure au grand complet, se dégagea des rochers, ses arêtes métalliques rayant les pierres.

— Je m'demande bien qui t'a donné cet ordre ! ajouta-t-il, avant de frapper ses poings gantés de métal l'un contre l'autre. Et sois sûr qu'j'ai l'intention de l'apprendre, espèce de sale petit rat ! (Il avança et Nanfoodle recula, lâchant le bol de ragoût.) Vous avez nulle part où fuir, ni l'un ni l'autre. Mes jambes sont assez longues pour qu'j'vous poursuive et ma colère largement suffisante pour qu'j'vous rattrape !

— Qu'est-ce que ça veut dire ? dit Jessa, à qui Gaspard jeta un regard haineux.

— Si t'es encore vivante, c'est uniquement parce que j'ai besoin d'renseignements, expliqua le nain cruel. Et si tes réponses me conviennent pas, j'ai un siège pour toi.

Il désigna l'énorme pointe qui ornait son casque. Jessa savait parfaitement que plus d'un orque avait agonisé dans d'atroces souffrances, empalé sur cette pique.

— Gaspard, non ! couina Nanfoodle, en levant les bras afin de ralentir le nain. Tu ne comprends pas.

— Oh, j'en sais plus que tu l'crois, dit le guerroyeur effréné. J'suis entré dans ton atelier, l'gnome.

— J'ai prévenu le roi Banak de mon départ, se défendit Nanfoodle, les mains toujours tendues.

— Tu comptais déjà partir avant la mort du roi Bruenor, l'accusa Pointepique. Ton paquetage était prêt pour un voyage.

— Oui, c'est vrai. Ça fait un moment que je pense à…

— Prêt et rangé sous la paillasse sur laquelle t'as préparé l'poison qui a tué mon roi ! hurla Gaspard, qui se jeta sur Nanfoodle.

Le gnome se montra suffisamment vif pour s'abriter derrière un rocher, tout juste hors de portée du nain aux envies de meurtre.

— Gaspard, non ! s'écria-t-il.

Alors qu'elle s'apprêtait à intervenir, Jessa vit Pointepique se tourner vers elle et serrer les poings, ce qui fit jaillir les pointes rétractables de ses gants.

— Combien t'as payé c'sale rat, espèce de chienne ? cracha-t-il.

Jessa recula, jusqu'à se trouver acculée à un rocher. Elle changea aussitôt d'attitude et fit apparaître une fine baguette métallique.

— Un pas de plus…, gronda-t-elle, en visant le nain.

— Gaspard, Jessa, non ! hurla Nanfoodle.

— C'est une grosse explosion d'magie qu't'as dans cette pauvre baguette ? demanda le guerroyeur, loin d'être effrayé. Parfait. Ça m'rendra encore plus fou d'rage, et donc j'te frapperai encore plus fort.

Il fit un pas de plus, ou du moins il en esquissa le geste, et, de son côté, Jessa entama une incantation, sa baguette explosive braquée sur le visage crasseux du nain, quand ils se figèrent tous les deux, tandis que le cri que Nanfoodle était sur le point de lâcher restait coincé dans sa gorge. De guillerets tintements de clochettes se répandirent autour d'eux.

— Oh ! Tu vas prendre une raclée ! dit Gaspard, avec un sourire narquois, car ce bruit ne lui était pas inconnu.

Tout le monde, à Castelmithral, connaissait les clochettes de la licorne magique de Drizzt Do'Urden.

Élancé et gracieux malgré les puissants muscles dessinés sous son manteau blanc, doté d'une corne d'ivoire à pointe dorée et d'un regard bleu perçant qui ridiculisait le soleil lui-même, et paré d'une armure couverte de clochettes qui annonçaient joyeusement son arrivée, Andahar trotta jusqu'au bord d'un amas de rochers, sauta et se réceptionna au sol sur ses solides sabots.

—T'as bien fait d'venir, l'elfe ! cria Gaspard à Drizzt, qui, juché sur l'animal, le regardait, bouche bée. J'allais écraser à coups d'poing cette…

Gaspard Pointepique se retourna et fit un bond, soudain nez à nez avec une panthère de trois cents kilos, qui montrait les dents !

Il en fit un autre quand, alors qu'il reprenait son équilibre, il vit Bruenor Marteaudeguerre, installé derrière Drizzt, descendre de la licorne.

—Par les Neuf Enfers…, balbutia-t-il, en se tournant vers Nanfoodle. (Le gnome ne trouva rien d'autre qu'un haussement d'épaules pour lui répondre.) Mon… mon roi ? Mon roi ! C'est bien mon roi ? Mon *roi* !

—Oh ! Par les fesses de Moradin, qu'est-ce que tu fiches ici, espèce d'idiot ? se lamenta Bruenor. T'es censé rester auprès du roi Banak.

—Qui doit pas être l'*roi* Banak ! protesta Gaspard. Pas si l'roi *Bruenor* est vivant !

Bruenor se précipita sur Pointepique et plaqua son nez sur celui du guerroyeur :

—Bon, écoute-moi bien, l'nain, et fais plus jamais l'erreur d'répéter c'qu'tu viens d'dire. L'roi Bruenor est mort. L'roi Bruenor a disparu pour toujours, et c'est l'roi Banak qui règne sur Castelmithral !

—Mais… mais… mais mon roi… Mais t'es pas mort !

Bruenor poussa un soupir.

Derrière lui, Drizzt passa une jambe par-dessus la selle et se laissa glisser au sol en souplesse. Il caressa le cou massif d'Andahar, puis se saisit de l'amulette en forme de licorne montée sur une chaîne en argent qu'il portait autour du cou et, d'un léger souffle dans la corne creuse, il mit fin à l'invocation de l'étalon.

Andahar se cabra, fouettant l'air de ses sabots antérieurs, et lâcha un hennissement sonore avant de s'élancer au galop. Il donna l'impression de parcourir une distance immense à chaque foulée, puisque dès la première sa taille diminua de moitié, puis de nouveau sur la deuxième, et ainsi de suite, jusqu'à disparaître, ne laissant dans son sillage que des ondes d'énergie magique.

Gaspard, qui avait entre-temps repris ses esprits, se tenait devant Bruenor, les mains sur les hanches.

—T'étais mort, mon roi, affirma-t-il. J'ai vu mort, j'ai senti mort. T'étais vraiment mort.

—Y fallait que j'sois mort, répondit Bruenor, lui aussi les mains sur les hanches. (Il plaqua de nouveau le nez sur celui de Pointepique et poursuivit, très lentement et d'une voix posée.) Pour pouvoir m'en aller.

—T'en aller ? répéta Gaspard, qui se tourna vers Drizzt.

L'elfe noir ne réagit pas, ou simplement en esquissant un sourire révélateur, plus amusé qu'il n'aurait dû l'être par ce spectacle. Pointepique interrogea ensuite Nanfoodle, qui haussa les épaules, puis Jessa, qui, derrière la panthère, se moquait de lui en agitant sa baguette.

—Mais bien sûr, ton crâne épais facilite pas la tâche d'Dumathoïn, lui reprocha Bruenor, évoquant le dieu nain plus communément appelé le Gardien des Secrets sous la Montagne.

Gaspard se récria, cette remarque, si souvent entendue, étant une façon plutôt impolie pour un nain d'en traiter un autre d'idiot.

—T'étais mort, insista le guerroyeur.

—Oui, et c'est le p'tit gars qui m'a tué.

—Avec le poison, précisa Nanfoodle. Un poison mortel, certes, mais pas administré dans de bonnes proportions. La dose dont je me suis servi a simplement fait paraître Bruenor mort, ou pas loin, aux yeux de presque tous les prêtres les plus compétents – qui pourtant connaissaient leur boulot.

— Pour qu'tu puisses t'enfuir ? dit Gaspard, qui commençait à comprendre.

— Pour qu'je cède vraiment l'trône à Banak, au lieu d'lui faire tenir un rôle d'intendant, pendant qu'tout l'clan attend mon retour. Y aura pas d'retour. C'est pas une première, Gaspard. C'est un secret qu'partagent les rois nains, une façon d'finir ses jours sur la route quand on a fait tout c'qu'on pouvait faire pendant qu'on était au pouvoir. Mon arrière-arrière-arrière-grand-père a fait la même chose, et ça s'est aussi produit à Adbar, par deux rois dont j'connais les noms. Et y en aura d'autres, tu peux m'croire, ou j'suis un gnome barbu.

— Tu t'es enfui du castel ?

— C'est c'que j'viens d'dire.

— Pour toujours ?

— Pour un vieux nain comme moi, ce sera pas longtemps.

— Tu t'es enfui, répéta Pointepique, agité de tremblements. Tu t'es enfui et tu m'as rien dit ? (Bruenor lança un regard à Drizzt, derrière lui, et se retourna quand Gaspard jeta avec fracas son plastron à terre.) T'as prévenu une orque puante mais pas l'chef d'ta Brigade Tord-boyaux ?

Il retira un gant, s'en débarrassa, fit de même avec l'autre, puis se pencha et entreprit de détacher ses jambières hérissées de piques.

— Tu ferais une chose pareille à ceux qui t'aiment ? Tu nous ferais pleurer ? Tu briserais nos cœurs ? Mon roi !

Les traits crispés, Bruenor ne répondit rien.

— Ma vie pour mon roi, conclut Pointepique.

— J'suis plus ton roi, lâcha Bruenor.

— C'est justement c'que j'étais en train d'me dire ! rétorqua Gaspard, avant d'enchaîner avec un coup de poing qui atteignit Bruenor à l'œil. Sous la violence du choc, le nain à la barbe orangée tituba en arrière, son casque à une corne s'envola et sa hache mille fois ébréchée tomba par terre.

Pointepique déboucla son casque et l'ôta. Il l'avait tout juste lancé sur le côté quand Bruenor se jeta sur lui et le plaqua au sol. Les nains roulèrent ainsi dans la poussière, se démenant et échangeant des coups.

—Ça fait cent ans qu'j'rêve de faire ça! cria Gaspard, dont les mots furent étouffés quand Bruenor lui glissa la main dans la bouche.

—Et moi, cent ans qu'je veux t'laisser une chance d'le faire! hurla Bruenor, dont la voix s'éleva de plusieurs octaves quand le guerroyeur le mordit sauvagement.

—Drizzt! glapit Nanfoodle. Sépare-les!

—Non! s'écria Jessa, qui applaudissait, ravie.

Le drow prit un air qui indiqua sans ambiguïté au gnome qu'il n'avait aucune intention de se mêler à ce tas de nains en furie. Les bras croisés, adossé contre un rocher massif, il semblait plus amusé qu'inquiet.

Les duettistes s'en donnèrent à cœur joie encore un moment, chacun lâchant des torrents de jurons uniquement interrompus par d'occasionnels grognements, quand l'un ou l'autre portait un solide coup.

—Bah, t'es qu'un sale fils d'orque! beugla Bruenor.

—Bah, au moins j'suis pas ton fils puant, espèce d'foutu orque! riposta Gaspard.

À cet instant précis, ils roulèrent chacun d'un côté et furent suffisamment séparés pour apercevoir Jessa, qui, bras croisés et dressée de toute sa taille, leur lançait un regard furieux.

—Euh… d'gobelin, rectifièrent-ils en chœur, en se relevant, l'un à côté de l'autre.

Après quelques vagues gestes d'excuse à l'intention de Jessa, ils bondirent l'un sur l'autre et reprirent leur lutte, se frappant sans retenue. De l'amas de rochers, ils basculèrent sur le sommet d'un modeste promontoire recouvert d'herbe, où Bruenor prit un léger avantage en coinçant le bras de son adversaire dans son dos. Ce dernier poussa un cri d'horreur quand il vit ce qui se trouvait au-delà de ce perchoir.

—Et ça fait cent ans qu'j'rêve de t'voir prendre un bain! dit Bruenor.

Il poussa Gaspard en courant vers le bas de colline, puis il le jeta – et plongea lui-même dans la foulée – dans un torrent montagneux, aussi clair que glacial.

Pointepique se redressa d'un bond. On aurait cru que le pauvre nain avait été projeté dans de l'acide. Debout dans le courant, le malheureux s'agitait en tous sens afin de se débarrasser de cette eau. Le stratagème avait fonctionné ; il n'avait plus envie de se battre.

— Pourquoi t'as fait ça, mon roi ? dit-il dans un murmure, le cœur brisé.

— Parce que tu pues, et j'suis pas ton roi, répondit Bruenor, qui regagnait la rive dans de grandes éclaboussures.

— Pourquoi ? demanda Pointepique, d'une voix si emplie de confusion que Bruenor s'arrêta net. (Toujours dans l'eau froide, ce dernier se retourna et considéra son fidèle guerroyeur effréné.) Pourquoi ?

Bruenor leva les yeux vers les trois autres – quatre, en comptant Guenhwyvar –, qui s'étaient juchés sur le promontoire pour observer les deux nains. Feu le roi de Castelmithral poussa un profond soupir et se retourna vers son soldat d'élite, à qui il tendit la main.

— C'était la seule façon, expliqua-t-il, alors qu'ils remontaient tous les deux la pente. La seule façon honnête vis-à-vis d'Banak.

— Banak avait pas besoin d'être roi, fit remarquer Gaspard.

— C'est vrai, mais moi j'voulais plus être roi. J'en ai fini avec ça, mon ami.

Ce dernier mot les arrêta et, comme si ce qu'il impliquait les avait soudain frappés, ils passèrent chacun un bras sur les massives épaules de l'autre et reprirent l'ascension de la colline.

— Ça fait trop longtemps qu'j'me traîne les fesses sur un trône, expliqua Bruenor, alors qu'ils passaient devant les autres et se dirigeaient vers l'amas de rochers. J'sais pas combien d'temps y m'reste à vivre, mais y a des choses que j'veux trouver, et j'les trouverai pas à Castelmithral.

— Ta fille et l'nabot halfelin ? hasarda Pointepique.

—Ah, m'fais pas pleurer. Si Moradin l'veut, j'ferai ça un jour, dans sa grande Forge si c'est pas dans cette vie, mais pour l'moment, j'pense à autre chose.

—À quoi donc ?

Les mains sur les hanches, Bruenor laissa son regard s'égarer sur les terres sauvages qui s'étendaient à l'ouest, bordées par d'imposantes montagnes au nord et par des contreforts, également impressionnants, au sud.

—J'rêve de Gontelgrime, avoua-t-il. Mais sois sûr qu'les routes infinies et l'vent sur mon visage m'suffiront déjà.

—Alors tu t'en vas ? Tu t'en vas pour toujours, tu reviendras jamais au castel ?

—Non, affirma Bruenor. Sache que j'reviendrai pas. Jamais. L'castel est à Banak, maintenant, et j'peux pas changer ça. Mon peuple – notre peuple – et tous les souverains des Marches d'Argent doivent croire, pour toujours, qu'le roi Bruenor Marteaudeguerre est mort le cinquième jour du sixième mois d'l'Année des Présages avérés. Qu'il en soit ainsi.

—Et tu m'as rien dit, se lamenta Gaspard. T'as prévenu l'elfe, t'as prévenu l'gnome, t'as prévenu une orque puante, mais tu m'as rien dit.

—J'ai prévenu ceux qui devaient partir avec moi, expliqua Bruenor. Personne n'est au courant au castel, à part Cordio ; j'avais besoin d'lui. Y s'est arrangé pour qu'les prêtres découvrent pas la vérité. Y sait garder un secret, tu peux en être sûr.

—T'as pas fait confiance à ton Pointepique.

—T'avais pas besoin d'le savoir, dans ton intérêt !

—C'était dans mon intérêt d'voir mon roi, mon ami, enseveli sous des pierres ?

Bruenor soupira, ne trouvant rien à répondre à cela.

—Bon, j'te fais confiance, maintenant, vu qu'tu m'donnes pas l'choix. Tu sers désormais Banak, mais comprends bien qu'lui dire la vérité rendrait service à personne au castel.

Gaspard secoua vigoureusement la tête quand il entendit la dernière partie de cette phrase.

—J'étais au service du roi Bruenor… d'mon ami Bruenor, dit-il. J'ai voué ma vie à mon roi et ami.

Cette déclaration surprit Bruenor. Il se tourna vers Drizzt, qui haussa les épaules et sourit, puis vers Nanfoodle, qui acquiesça avec enthousiasme, et enfin vers Jessa, qui répondit :

—Seulement si vous promettez de vous battre régulièrement. J'aime tant voir des nains se mettre des raclées !

—Bah ! grogna Bruenor.

—Bon, on va où, mon r… mon ami ? s'enquit Gaspard.

—Vers l'ouest, répondit Bruenor. Loin vers l'ouest. Pour toujours.

Première partie

Réveil d'un dieu fou

Il est temps de laisser couler les flots du passé vers de lointains rivages. Même si je ne les oublierai jamais, ces amis disparus depuis longtemps ne doivent plus hanter mes pensées jour et nuit. Ils seront en moi, cela me rassure de le savoir, prêts à sourire quand mon esprit aura besoin de cette vision apaisante, prêts à crier un chant dédié à un dieu de la guerre, à l'approche de la bataille, prêts à me rappeler ma folie, quand je serai incapable de voir ce qui se trouve devant moi, et prêts, toujours prêts, à me faire sourire, à me réchauffer le cœur.

Ils seront toutefois également présents, j'en ai peur, pour me rappeler la souffrance, l'injustice et les dieux insensibles qui m'ont pris mon amour alors que j'avais enfin trouvé la paix. Je ne leur pardonnerai pas.

« *Vis ta vie par segments* », m'a dit un jour une elfe sage. En effet, le fait d'être une créature dotée d'une longue espérance de vie, de voir la naissance et la mort de plusieurs siècles, serait une véritable malédiction si j'en venais à oublier le sentiment d'immédiateté et d'intensité de la vieillesse et de l'inévitable mort.

Ainsi, après plus de quarante ans, je lève mon verre en hommage à ceux qui sont partis : à Deudermont, à Cadderly, à Régis, peut-être à Wulfgar, j'ignore tout de son sort, et, plus que tout, à Catti-Brie, mon amour, ma vie – non, l'amour de ce segment de ma vie.

En dépit des circonstances, du destin et des dieux…

Je ne leur pardonnerai jamais.

Ces mots semblent refléter une certitude et une confiance immenses, pourtant ma main tremble en les écrivant. Malgré les deux tiers de siècle écoulés depuis la catastrophe du roi fantôme, la chute de l'Envol de l'Esprit et la m… la perte de Catti-Brie, cette funeste matinée est encore toute fraîche dans ma mémoire. Alors que tant de souvenirs de ma vie en compagnie de Catti-Brie me semblent aujourd'hui si lointains, presque comme si j'observais la vie d'un autre drow, dont j'aurais hérité des bottes, ce matin-là, quand les esprits de mon amour et de Régis ont quitté Castelmithral, juchés sur une licorne irréelle, en se fondant dans les murs de pierre, cet instant où je les ai perdus, où j'ai connu la douleur la plus vive de ma vie, demeure une blessure jamais refermée.

Mais pas davantage.

Je place aujourd'hui ce souvenir sur les eaux mouvantes, sans regarder derrière moi tandis qu'il s'éloigne.

Je vais de l'avant, sur les routes, accompagné d'amis, anciens et nouveaux. Mes lames n'ont pas parlé depuis trop longtemps, mes bottes et ma cape sont trop propres. Guenhwyvar est trop agitée. Le cœur de Drizzt Do'Urden est trop agité.

Nous sommes en route pour Gontelgrime, Bruenor est intraitable sur ce point, même si c'est à mes yeux improbable. Mais cela importe peu, car en vérité il arpente les pistes pour achever sa vie, tandis que je suis en quête de nouveaux rivages – vierges et détachés du passé, un nouveau segment de vie.

C'est cela, être un elfe.

C'est cela, être en vie, car, même si cette pratique est plus émouvante et plus nécessaire pour les races aux longues vies, les humains eux-mêmes, en dépit de la brièveté de leur existence, divisent leurs vies en segments, même s'ils ont rarement conscience de la vérité du moment, quand ils évoluent d'une période à une autre. Chaque personne dont j'ai croisé le chemin se berce d'illusions en songeant que la façon dont vont les choses se poursuivra, année après année. Il est si facile de parler d'espérances, de ce qui sera dans une décennie, peut-être, et de se convaincre que les aspects les plus importants de sa vie resteront tels qu'ils sont, ou s'amélioreront, comme on le désire.

« Telle sera ma vie dans un an ! »

« Telle sera ma vie dans cinq ans ! »

« Telle sera ma vie dans dix ans ! »

Nous entretenons tous avec conviction ces espoirs, ces rêves, ces attentes, car l'objectif à atteindre est nécessaire pour faciliter le périple. Mais à la fin de cette période, qu'elle s'étende sur un, cinq, dix ou cinquante ans, c'est le trajet parcouru, et non le but, atteint ou pas, qui définit ce que nous sommes. Ce voyage constitue l'histoire de notre vie, contrairement à la réussite ou à l'échec qui le suit. Ainsi, la déclaration la plus importante, et de loin, qu'il m'ait été donné d'entendre est : « Telle est ma vie aujourd'hui ».

Je suis Drizzt Do'Urden, autrefois de Castelmithral, autrefois fils maltraité d'une Mère Matrone drow, autrefois le protégé d'un extraordinaire maître d'armes, autrefois mari heureux, autrefois ami d'un roi et d'autres compagnons non moins merveilleux et importants. Ces souvenirs forment les rivières de ma mémoire, qui coulent désormais vers de lointains rivages, car aujourd'hui je reprends la route… pour retrouver mon cœur.

Mais pas mon objectif, comme je le constate avec étonnement, car le monde a changé et ne ressemble plus à celui que j'ai connu. Ce royaume a donné une nouvelle dimension aux ténèbres et rit de ceux qui osent essayer d'agir au nom du bien.

En d'autres temps, je me serais équipé de lumière, afin de percer ces ténèbres. Aujourd'hui, je porte mes lames, qui n'ont pas servi depuis trop longtemps, et j'accueille avec plaisir cette obscurité.

C'est terminé ! Je suis débarrassé de la blessure ouverte due aux cruelles pertes.

Tout cela n'est que mensonge…

Drizzt Do'Urden

1

LES DAMNÉS

Année de la Connaissance exhumée
(1451 CV)

Ce dispositif, qu'elle avait elle-même conçu, était très ingénieux : un genre de dé à coudre conique en cèdre lissé, doté d'une pointe en forme de lance et d'une ouverture qui lui permettait de le glisser sur son doigt. Elle l'enfila de cette façon et fit doucement tourner un nœud du bois ; cet artefact d'apparence banale révéla sa nature magique quand, à mesure que la pointe se rétractait, il prit la forme d'une splendide bague ornée d'un saphir.

Cet ornement étincelant correspondait à merveille à l'allure majestueuse de Dahlia Sin'felle. Sa grande et souple silhouette d'elfe se terminait par un crâne impeccablement rasé, à l'exception d'une unique tresse composée de mèches noir de jais et pourpres, qui retombait sur le côté de sa tête bien proportionnée, jusque dans le creux de son cou faussement délicat. Ses longs doigts, qui portaient nombre de joyaux montés sur des bagues, étaient pourvus d'ongles parfaits, colorés en blanc et arborant de minuscules diamants. D'un simple regard, ses yeux bleu de glace étaient capables de geler ou de faire fondre un cœur masculin. Dahlia représentait la quintessence idéalisée de l'aristocratie thayenne, c'était une grande parmi les grandes, une jeune femme capable, quand elle entrait dans une pièce, de faire tourner toutes les têtes en suscitant le désir, l'admiration ou une jalousie meurtrière.

Elle portait sept diamants à l'oreille gauche, un pour chaque amant qu'elle avait assassiné, et deux autres à l'oreille droite, pour ceux qu'il lui restait encore à tuer. À l'instar de certains hommes, mais contrairement à la majorité des femmes thayennes, pour ne pas dire toutes, Dahlia s'était tatoué la tête avec des pigments bleus de guède. Des points bleus et violets décoraient le côté droit de son crâne presque entièrement chauve et de son visage, formant ainsi un motif subtil et fascinant, enchanté par un maître des arts de façon à prendre des formes variées pour ceux qui l'observaient. Quand cette elfe tournait gracieusement la tête vers la gauche, on discernait une gazelle lancée parmi les points bleus. Quand Dahlia, furieuse, pivotait brusquement la tête vers la droite, il était possible d'y voir un félin se dresser sur ses membres postérieurs, prêt à frapper. Quand ses yeux bleus s'emplissaient de désir, sa cible, quel que soit son sexe, avait de grandes chances de sombrer, impuissante, dans les étourdissants motifs de guède de Dahlia, où elle restait piégée, hypnotisée, pour parfois ne plus jamais en ressortir.

Elle était vêtue d'une robe rouge cramoisi dépourvue de manches et de dos, et fort décolletée sur l'avant. Les douces courbes de ses seins contrastaient furieusement avec les traits de couture, très marqués, du riche tissu. Touchant presque le sol et fendue très haut sur le côté droit, cette robe attirait des regards chargés de désir – de la part d'hommes comme de femmes – qui, partant de ses ongles d'orteil d'un rouge brillant, s'attardaient sur les fines lanières de ses sandales couleur rubis, puis montaient le long de sa jambe bien galbée, dont la peau de porcelaine était visible jusqu'à la naissance de la hanche. De là, on était inévitablement attiré par la base du décolleté, puis par l'extrémité étincelante de la tresse noire et rouge peu ordinaire. Enfin, un col largement ouvert dévoilait son cou gracieux et sa tête parfaitement rasée, tel un vase coloré contenant un bouquet de fleurs.

Dahlia Sin'felle savait ce qu'était la puissance de la séduction.

L'expression affichée par Korvin Dor'crae, quand il entra dans la chambre de Dahlia, ne fit que le confirmer. Il se précipita sur elle, fou de désir, et l'enveloppa de ses bras. Malgré sa taille modeste et ses muscles fins, il l'agrippa avec une certaine force, qu'il devait à sa détresse, et la plaqua rudement contre lui pour lui couvrir la joue de baisers.

— Tu trouveras rapidement ton plaisir, c'est certain, mais moi ? demanda l'elfe, d'une voix dont l'innocence ne fit qu'accentuer le sarcasme.

Dor'crae s'écarta, afin de la regarder droit dans les yeux, et lui offrit un grand sourire, dévoilant ses dents de vampire.

— Je pensais que tu appréciais mon festin, ma dame, dit-il, avant de lui mordiller le cou.

— Du calme, cher amant, murmura-t-elle, avec des gestes si séducteurs qu'elle était certaine que Dor'crae serait incapable de lui obéir.

Elle fit courir ses doigts le long de l'oreille du vampire, puis elle les égara dans sa longue chevelure noire. Elle avait joué toute la nuit avec le désir de cette créature. Le lever du soleil approchant, il n'avait plus beaucoup de temps devant lui – pas dans cette tour percée de nombreuses fenêtres. Elle ne bougea pas quand il tenta de la repousser vers le lit, aussi insista-t-il, en la mordant un peu plus fort.

— Doucement…, chuchota-t-elle, avec un gloussement qui ne fit que davantage encourager son amant. Tu ne feras pas de moi une de tes semblables.

— Joue avec moi pour l'éternité, répondit Dor'crae, qui osa mordre encore plus fort.

Ses crocs finirent par percer la splendide peau de Dahlia. L'elfe baissa la main droite le long du corps et, du pouce, tapota la gemme montée sur la bague trompeuse qu'elle portait à l'index. Elle passa ensuite les deux mains sur le torse de Dor'crae et dénoua les lacets de cuir de sa tunique, dont elle écarta les pans, avant de faire courir ses doigts sur la peau du vampire. Celui-ci se mit à grogner, serra sa partenaire contre lui et mordit plus fort encore.

Dahlia fit doucement glisser sa main droite jusqu'au creux du torse de Dor'crae et, en ce point précis, elle redressa l'index, telle une vipère prête à frapper.

—Rentre tes crocs, ordonna-t-elle, d'une voix pourtant toujours rauque et aguicheuse.

Le vampire émit un grognement… et la vipère frappa.

Dor'crae retint sa respiration, qui de toute façon lui était inutile, lâcha le cou de Dahlia et recula, grimaçant quand la pointe en bois s'enfonça dans sa chair et s'appuya sur son cœur. Il chercha à s'écarter, mais Dahlia avança dans le même temps, maintenant la pression de façon à provoquer une douleur aussi insoutenable que paralysante, sans cependant tout à fait tuer la créature qui lui faisait face.

—Pourquoi me pousses-tu ainsi à te torturer, mon amant? demanda-t-elle. Qu'ai-je fait pour mériter un tel plaisir de ta part?

Tout en parlant, elle tourna légèrement la main. Le vampire, les jambes cotonneuses, donna l'impression de se flétrir devant elle.

—Dahlia! parvint-il à supplier.

—Cela fait une semaine que je t'ai confié une mission.

Dor'crae écarquilla les yeux d'horreur.

—Un Anneau de Terreur, lâcha-t-il. Szass Tam veut les multiplier.

—Je le sais, évidemment!

—Sur de nouvelles zones!

Dahlia poussa un grondement et tourna la minuscule pointe, contraignant Dor'crae à poser un genou à terre.

—Les Shadovars sont puissants dans le bois du Padhiver, au sud de la cité! grogna le vampire. Ils ont chassé les paladins du fort de Heaum et patrouillent librement dans la forêt.

—Quelle surprise! s'exclama Dahlia d'un ton ironique à l'annonce de cette nouvelle que personne n'ignorait.

—On entend des grondements… la Tour des Arcanes… des protections magiques et des jets d'énergie…

La cruelle Dahlia ne put se retenir de dresser la tête, relâchant quelque peu la pression de son doigt.

—Je n'ai pas encore connaissance de l'intégralité de l'affaire, continua le vampire, à qui les mots venaient un peu plus facilement. Elle est nimbée d'un mystère plus ancien que le plus âgé des elfes. Cela remonte à très longtemps, à l'époque de la construction de la Tour des Arcanes de Luskan. Il y a…

Il s'interrompit et lâcha un grognement, alors que le doigt prolongé de bois de Dahlia s'enfonçait de nouveau en lui.

—Viens-en au fait, vampire, je n'ai pas l'éternité devant moi, dit-elle, avec un regard entendu. Et si tu essaies encore une fois de me la proposer, précisément, je mets un terme brutal à la tienne.

—Il y a là-bas une instabilité magique, due à la chute de la Tour des Arcanes, reprit Dor'crae. Il est possible que nous puissions provoquer un carnage à une échelle suffisante…

Une fois de plus, l'elfe fit taire le vampire d'une torsion du doigt. Luskan, Padhiver, la côte des Épées… Cette région n'avait rien de mystérieux pour Dahlia. Sa simple évocation ravivait en elle des souvenirs d'enfance, qu'elle conservait au fond du cœur et qui lui rappelaient en permanence la cruauté du monde.

Elle chassa ces visions obsédantes – ce n'était pas le moment, pas alors qu'un dangereux vampire se trouvait au bout de son bras.

—Quoi d'autre? demanda-t-elle.

Soudain pris de panique, Dor'crae, n'ayant de toute évidence rien d'important à ajouter, s'attendit à voir son existence s'achever brutalement, entre les mains de cette elfe sans pitié.

Mais Dahlia éprouvait plus d'intérêt qu'elle n'en montrait. Elle retira si brusquement sa main que Dor'crae tomba à quatre pattes sur le sol et ferma les yeux, en guise de remerciement silencieux.

—Jamais tu ne m'approcheras sans que je sois en mesure de te tuer, dit l'elfe. La prochaine fois que tu l'oublies et que tu tentes de me contaminer, je te tue avec grand plaisir.

Dor'crae leva les yeux sur cette redoutable créature, son expression révélant qu'il ne doutait pas un instant de cette menace.

—À présent, fais-moi l'amour, et fais-le bien, dans ton intérêt, conclut l'elfe.

La promenade jusqu'au torrent avait été plaisante. Les têtards étant tout juste éclos, la fillette de douze ans avait observé avec ravissement des heures durant leurs évolutions. Sa mère lui avait dit de ne pas se presser pour rapporter son seau, puisque son père était parti chasser, ce jour-là, et que l'eau ne serait pas nécessaire avant le dîner.

Quand elle parvint au sommet de la colline, Dahlia vit la fumée, entendit les cris. Elle comprit que les hommes de l'ombre étaient venus.

Elle aurait dû s'enfuir. Elle aurait dû faire demi-tour et courir jusqu'au torrent, puis le traverser. Elle aurait dû abandonner son village perdu et songer à sa vie, avec l'espoir de retrouver son père plus tard.

Mais elle se précipita vers sa maison, appelant sa mère en hurlant.

Les barbares nétherisses l'attendaient.

Dahlia chassa ces souvenirs. Elle les contint, comme toujours, illustrant son besoin de se contrôler. D'une gifle, elle écarta le vampire et se jucha sur lui, prenant le contrôle des opérations. Dor'crae était un amant remarquable – ce qui expliquait que Dahlia l'ait conservé si longtemps en vie – et la distraction de son amante lui avait permis de prendre l'initiative. Mais seulement pour un bref moment. Elle le harcela avec fureur, faisant de leur étreinte quelque chose de violent. Elle le frappa, le griffa, puis fit de nouveau intervenir sa pointe en bois, afin de l'empêcher de prendre du plaisir alors qu'elle s'abandonnait au sien.

Enfin, elle se dégagea et lui ordonna de s'en aller, non sans l'avertir que sa patience touchait à ses limites ; il ne devait plus revenir la trouver, ni même entrer dans son champ de vision, à moins d'avoir davantage d'informations à révéler au sujet de la Tour des Arcanes et de l'éventualité d'une catastrophe à l'ouest.

Le vampire sortit furtivement de la pièce, tel un chien battu, laissant Dahlia seule avec ses souvenirs.

Ils assassinèrent les hommes. Ils assassinèrent les femmes les plus âgées et les plus jeunes, qui n'étaient pas en âge de porter un enfant en leur sein. Les deux malheureuses villageoises enceintes connurent le sort le plus cruel ; les barbares leur arrachèrent leur enfant des entrailles et les laissèrent toutes deux mourir à même le sol.

Les Nétherisses offrirent aux autres leur semence, violemment et à de nombreuses reprises. La fascination démentielle qu'ils éprouvaient pour la mort les poussait vers les ventres d'elfes, comme si cela revenait à absorber un élixir de jeunesse éternelle.

Sa robe ressemblait beaucoup à celle que portait Dahlia ce même jour, le col relevé, la gorge dévoilée et le dos dénudé. Ainsi vêtue, Sylora Salm était séduisante, c'était indéniable. À l'image de sa rivale, elle arborait un crâne parfaitement rasé. Bien que plus âgée que Dahlia de plusieurs années, cette humaine était d'une beauté qui n'avait rien perdu de son éclat.

Elle se trouvait à l'orée d'une forêt morte, où les restes agonisants d'arbres autrefois majestueux touchaient presque le bord du dernier Anneau de Terreur, un cercle de dévastation totale qui se développait. Rien ne survivait à l'intérieur de cette noire perversion, où les cendres n'étaient que cendres, la poussière que poussière. Bien que vêtue comme si elle se rendait à un bal royal, Sylora ne déparait pas en ce lieu, sa froideur se mariant assez bien avec la mort environnante.

—Le vampire a enquêté, lui dit son unique compagnon, Themerelis, un jeune homme de forte carrure d'à peine plus de vingt ans.

Il ne portait qu'un kilt court, des bottes qui remontaient à mi-mollets et une veste en cuir ouverte qui ne cachait rien de son extraordinaire musculature. Ses larges épaules étaient en outre mises en valeur par son épée à deux mains attachée en diagonale dans son dos.

—Pourquoi cette sorcière est-elle à ce point fascinée par la Tour des Arcanes ? dit Sylora, s'adressant surtout à elle-même, tandis qu'elle se détournait de Themerelis. Cela fait près d'un siècle que cette monstruosité s'est effondrée, et ce qui reste de la Confrérie des Arcanes n'a montré aucune intention de la rebâtir.

—Ils en seraient incapables, dit Themerelis. Les dweomers qui la maintenaient en place dépassaient leur compréhension, même avant le fléau magique. Que de magie perdue en ce monde…

—Tu as entendu ça à la bibliothèque, pendant que tu espionnais Dahlia? lui demanda Sylora, avec un regard railleur. (D'une main levée, elle fit taire son compagnon, qui s'apprêtait à répondre, trop stupide pour avoir saisi l'insulte.) Pour quelle autre raison te serais-tu rendu à la bibliothèque?

Elle leva les yeux au ciel, dégoûtée, quand il la considéra, tout à fait perplexe.

—Ne te moque pas de moi, ma dame, avertit le guerrier.

Sylora se tourna vivement vers lui.

—Et pourquoi, je te prie? Comptes-tu dégainer ton épée et me couper en deux?

Le regard furieux que lui lança Themerelis ne déclencha qu'un éclat de rire de la part de la sorcière thayenne.

—Je préfère d'autres armes, roucoula-t-elle, en laissant sa main caresser le puissant bras de Themerelis.

Quand celui-ci avança d'un pas, elle l'arrêta, la main levée.

—Si tu remportes le combat, dit-elle.

—Ils partent aujourd'hui.

—Alors mets-toi rapidement au travail.

Après l'avoir repoussé, elle lui fit signe de s'en aller.

Themerelis émit un grognement de frustration et fit demi-tour. Il s'enfonça d'un pas lourd sous les arbres, vers la colline lointaine et la porte du château.

Sylora le regarda s'éloigner. Elle savait qu'il avait facilement tendance à s'approcher de la méfiante et dangereuse Dahlia, ce pour quoi elle aurait voulu le haïr, voire le tuer, cependant elle était incapable de le lui reprocher. Elle plissa ses yeux emplis de haine. Elle voulait tant être débarrassée de Dahlia Sin'felle!

—Ces pensées ne t'aident en rien, ma jolie, intervint une voix familière, depuis l'intérieur de l'Anneau de Terreur.

Même si elle n'avait pas reconnu ces intonations, elle ne se serait posé aucune question ; il n'existait qu'une seule créature susceptible d'oser entrer dans un anneau si récent.

—Pourquoi la tolérez-vous ? dit Sylora, en se retournant face au mur de cendres virevoltantes qui délimitait le périmètre de cette zone de puissance nécromantique.

Elle sentait la présence de Szass Tam, invisible derrière ce voile opaque, telle une rafale de vent hivernal porteur de neige piquante.

—Ce n'est qu'une enfant, répondit Szass Tam. Elle n'a pas encore appris l'étiquette de la cour thayenne.

—Cela fait six ans qu'elle est ici, protesta l'humaine, dont la colère fut raillée par un gloussement de Szass Tam.

—Elle contrôle l'*Aiguille de Kozah*, ce n'est pas rien.

—Ce bâton en morceaux, commenta avec dédain Sylora. Une arme. Une arme banale.

—Pas si banale pour qui en subit la morsure.

—Ce n'est qu'une arme, dépourvue de la beauté des sorts purs et du pouvoir de l'esprit.

—Bien plus que cela…, murmura Szass Tam, que Sylora ignora.

—Je n'y vois que de l'esbroufe de combattante. Cette arme ne sert qu'à éblouir et porte des coups qu'un enfant peut esquiver.

—Elle compte tout de même sept victimes à son actif, dont trois de renom, rappela la liche. Si je n'étais pas capable de rappeler mes soldats à mes côtés, sous une forme plus efficace, je redouterais que dame Dahlia décime trop rapidement mes rangs.

La façon dont cette créature évoqua si tranquillement sa capacité à réanimer les morts fit naître des frissons dans le dos déjà glacé de Sylora.

—Elle n'a aucun mérite. Elle les a tous séduits, puis coincés dans des positions vulnérables. Sa jeunesse et sa beauté les ont bernés, mais je sais maintenant à quoi m'en tenir. Nous savons tous à quoi nous en tenir.

— Même dame Cahdamine ?

Sylora tressaillit. Sans avoir jamais été une véritable amie, Cahdamine avait été son égale. Elles avaient partagé de nombreuses aventures, notamment quand elles avaient chassé les paysans de cette terre, pour le compte de l'Anneau de Terreur devant lequel elle se trouvait en cet instant – enfin, chassé les âmes des paysans, en tout cas, car leur chair pourrissante avait nourri l'anneau. Au cours de cette agréable période, trois ans auparavant, Cahdamine avait souvent parlé de dame Dahlia, et de la façon dont elle avait pris cette jeune elfe sous son aile, afin de lui enseigner convenablement les arts charnels et martiaux.

Cahdamine avait-elle sous-estimé Dahlia ? Son arrogance l'avait-elle aveuglée au point de l'empêcher de remarquer le danger représenté par cette elfe sans cœur ?

Cahdamine était devenue le diamant du milieu, sur l'oreille gauche de Dahlia, le quatrième sur sept, comme le savait Sylora, qui avait percé à jour le symbolisme de l'elfe. Cette dernière arborait deux autres bijoux à l'oreille droite. Dor'crae était l'un de ces amants, bien entendu, tandis que… Elle se tourna vers le lointain château et son regard se perdit sur la piste suivie par Themerelis.

— Tu n'auras plus à la supporter pendant quelques mois – et même plus vraisemblablement pendant quelques années, dit Szass Tam, comme s'il avait lu dans les pensées de Sylora. Elle est sur le point de partir pour Luskan, sur la côte des Épées.

— Pourvu que les pirates la découpent en morceaux.

— Dahlia m'est très utile, rappela la voix désincarnée de Szass Tam.

— Vous dites cela pour m'empêcher de la tuer.

— Tu m'es également très utile, répondit la liche. J'ai dit la même chose à Dahlia.

Furieuse, Sylora s'en alla. Comment Szass Tam osait-il aussi ouvertement la comparer à cette gamine indisciplinée !

Cette nuit était importante, elle en était consciente, et elle se devait d'avoir le physique de l'emploi. Ce n'est pas la vanité qui avait conduit Dahlia devant le miroir, mais la technique. Son art devait atteindre la perfection, sans quoi elle se condamnait à mort.

Ses bottes de cuir noires montaient au-dessus de ses genoux, jusqu'à toucher sa jupe noire, taillée dans la même matière, sur le côté extérieur de la cuisse gauche. Le cuir ne touchait le cuir nulle part ailleurs, la jupe étant fendue très haut sur l'autre jambe, au-delà de mi-cuisse. Sa ceinture, une corde rouge, était pourvue de bourses en cuir sur chaque hanche, toutes deux noires et cousues de fil rouge. L'elfe portait également un chemisier aux manches bouffantes en soie très fine, dont les poignets ornés de diamants étaient resserrés, de façon à ne pas entraver les mouvements. Une légère veste en cuir noire la protégeait quelque peu, toutefois elle devait sa réelle armure à une bague magique, une cape enchantée et de petits bracelets magiques dissimulés sous les poignets de son chemisier.

Comme elle en avait l'habitude, Dahlia laissa le haut de sa veste déboutonné, le col raide relevé encadrant sa tête délicate. Se lancer sur les routes sous le soleil sans chevelure pour lui protéger le crâne n'étant pas conseillé, elle se coiffa d'un chapeau en cuir à large bord, relevé sur le côté droit et qui laissait voir sa tresse noire et rouge. Ce couvre-chef était orné d'un bandeau de soie rouge et d'une élégante plume de la même couleur.

Quand elle pliait la jambe droite et la tournait légèrement vers l'extérieur, prenant une pose des plus séduisantes, quel homme pouvait lui résister ?

Cela dit, l'image qu'elle contemplait dans le miroir ne reflétait pas vraiment la réalité de sa beauté.

Ils l'attrapèrent facilement et la plaquèrent au sol, mais ils ne la chevauchèrent pas les uns après les autres, comme ils l'avaient fait avec les villageoises. Dahlia surprit le regard d'un imposant barbare, le Shadovar, aussi grand que puissant, qui avait mené le raid. Tandis que la plupart des pillards ressemblaient à des humains à la peau basanée, leur chef, de toute évidence originaire d'ailleurs, était un demi-démon cornu – un tieffelin.

Il décréta que la jeune et délicate captive, tout juste femme, serait sienne.

C'est quand ils la dénudèrent et la tinrent prête pour le sacrifice que Dahlia, pour la première fois, comprit la folie dont elle avait fait preuve en se précipitant vers le village. Elle entrevit surtout ce qu'elle – et non pas seulement son Peuple – avait à perdre.

Elle entendit sa mère crier son nom et, du coin de l'œil, elle la vit courir vers elle, pour aussitôt être plaquée par un envahisseur, qui la bloqua en s'asseyant sur elle.

C'est alors que l'immense tiefelin se pencha au-dessus d'elle, les yeux chargés de concupiscence.

— Calme-toi, fillette, et ta mère vivra, promit-il.

Puis il la posséda. Elle parvint à tourner la tête pour regarder sa mère, quand il se jucha sur elle, et à se mordre les lèvres pour ne pas hurler quand il la pénétra, malgré la sensation de déchirure. Si l'acte en lui-même fut rapidement terminé, l'humiliation ne faisait que commencer.

Deux barbares l'attrapèrent par les chevilles et la soulevèrent, la tête en bas.

— Ainsi, tu garderas en toi la semence d'Herzgo Alegni, ricanèrent-ils, en la rudoyant et la giflant.

Enfin, ils baissèrent les bras, de façon à lui faire douloureusement heurter la tête contre le sol. Elle se retourna suffisamment pour bénéficier d'une vue inversée sur sa mère... et aperçut le tiefelin, Herzgo Alegni, dans son champ de vision.

Il lui rendit son regard, lui sourit – pourrait-elle jamais oublier ce sourire? – et, le plus tranquillement du monde, il abattit le pied sur la nuque de sa mère. Les os fins de l'elfe se brisèrent sous ce coup.

Dahlia prit une profonde inspiration et ferma les yeux, luttant pour conserver son équilibre. Sa faiblesse fut toutefois passagère; elle n'était plus cette enfant – ces atrocités dataient d'une décennie. Cette jeune elfe avait été tuée, tuée par Dahlia, intérieurement assassinée et remplacée par la créature exquise et mortelle qu'elle apercevait dans le miroir.

Elle porta la main sur son ventre ferme et se rappela, l'espace d'un bref instant, l'époque à laquelle elle avait été enceinte – de l'enfant de ce barbare qui lui avait souri.

Après une nouvelle inspiration, elle ajusta son chapeau et s'éloigna du miroir, afin de se saisir de l'*Aiguille de Kozah*. Ce fin bâton de métal de près de deux mètres cinquante semblait lisse, même quand on l'observait de près, pourtant il tenait solidement en main quand on l'empoignait. Ses trois jointures étaient presque invisibles, néanmoins Dahlia les connaissait aussi bien que ses propres poignets ou coudes.

D'une torsion de la main, elle scinda son arme en son milieu et la replia sur elle-même, ce qui lui donna un agréable bâton de marche d'environ un mètre vingt. Elle sentit la légère décharge d'énergie émise quand l'artefact s'actionna, et s'en nourrit, les muscles de l'avant-bras contractés sous les plis délicats de sa manche.

Elle parcourut une dernière fois sa chambre des yeux. Dor'crae avait déjà porté ses sacs les plus volumineux sur le chariot, mais elle laissa son regard s'attarder quelques secondes, voulant être certaine de ne rien oublier.

Quand elle partit enfin, elle ne se retourna pas, alors qu'elle s'attendait pourtant à ne plus revenir avant des années, peut-être nombreuses, en cet endroit, son foyer depuis plus d'une demi-décennie.

Les racines avaient un goût amer – elle ne pouvait s'empêcher d'avoir des haut-le-cœur en les enfournant dans la bouche, les unes après les autres –, mais les Nétherisses reviendraient, comme le lui avaient assuré les anciens. Ils savaient où elle se trouvait et n'ignoraient pas qu'elle portait l'enfant de leur chef.

Une vieille elfe lui avait suggéré de se donner la mort, afin d'en finir.

Or la fillette qui était retournée au village sur une impulsion stupide, au lieu de s'enfuir, était déjà morte.

Elle ne tarda pas à éprouver des tiraillements dans le ventre, de terribles convulsions, puis la douleur déchirante de la mise au monde pour son corps trop jeune pour l'accepter.

Dahlia n'émit pas un son, en dehors de sa lourde respiration, tandis qu'elle contractait au maximum ses muscles et poussait de toutes ses forces pour expulser d'elle cet enfant bestial. Ruisselante de sueur et épuisée, elle fut enfin soulagée et entendit les premiers cris de son bébé, du fils d'Herzgo Alegni. Quand la sage-femme lui déposa le nouveau-né sur la poitrine, elle fut assaillie par un mélange de dégoût et de chaleur inattendue, qui la brisa aussi sûrement que les Shadovars lui avaient brisé les reins, aussi sûrement que son fils l'avait fait souffrir pour naître.

Ne sachant que penser, elle puisa un peu de réconfort en entendant les femmes commenter leur réussite ; elle avait en effet devancé le retour du père et de ses acolytes brutaux de plusieurs semaines.

Dahlia se laissa aller et ferma les yeux. Elle n'allait pas attendre leur retour. Elle n'allait pas les laisser déterminer son destin.

—Tu n'es pas encore partie ? dit Sylora Salm, surprenant Dahlia à la sortie de sa chambre. Je t'imaginais déjà à mi-chemin de la côte des Épées.

—Tu viens voir si tu peux récupérer des objets que je n'emporte pas, Sylora ? répondit Dahlia, qui prit un instant une pose pensive, avant de poursuivre. Prends le miroir, il te sera utile.

—Je suis certaine qu'il préférera mon reflet, dit Sylora, en riant au visage de sa rivale.

—Possible, même si je doute que ce soit l'avis de beaucoup de personnes. Peu importe, humaine, car très bientôt tu seras vieille, les cheveux gris, la mine défaite, alors que je serai encore jeune et fraîche.

Les yeux de Sylora lancèrent de dangereux éclairs, et Dahlia agrippa un peu plus fermement l'*Aiguille de Kozah*, bien qu'elle sache que la magicienne ne prendrait pas le risque de provoquer la colère de Szass Tam.

— Pauvre paysanne…, rétorqua Sylora. Il existe des moyens d'éviter ce problème.

— Ah oui, la solution de Szass Tam, marmonna Dahlia, avant de s'approcher soudain de l'humaine, si près de son visage que cette dernière sentit son souffle chaud. Quand tu étreins Themerelis et que tu l'absorbes intensément, n'as-tu pas la sensation que je me trouve dans la chambre, à côté de toi ?

Haletante, Sylora eut un léger mouvement de recul, puis fit mine de gifler l'elfe, qui se montra plus vive et anticipa cette réaction.

— Tu seras blafarde, tu ne respireras plus, continua Dahlia, en agrippant l'entrejambe de Sylora. Tu seras froide et sèche, tandis que je resterai chaude et…

Sylora lâcha un gémissement et Dahlia, qui riait, s'éloigna dans le couloir.

Quand elle entendit la magicienne gronder de rage, l'elfe fit volte-face, le visage soudain dépourvu de la moindre hilarité.

— Frappe vite et juste, sorcière, avertit-elle, en brandissant l'*Aiguille de Kozah* devant elle. Tu n'auras l'occasion de lancer qu'un unique sort, avant que je t'envoie dans un royaume si sombre que Szass Tam lui-même ne pourra t'en faire sortir.

Les mains tremblantes, Sylora éprouvait toutes les peines du monde à contrôler sa fureur. Elle ne disait rien, bien entendu, mais Dahlia percevait à coup sûr ses pensées : cette enfant ! Cette impertinente jeune elfe ! Sa maigre poitrine soulevée par ses halètements alors qu'elle tentait de retrouver son sang-froid, Sylora ne se calma que peu à peu, puis finit par laisser retomber les mains le long du corps.

— Je plaisantais ! s'exclama en riant Dahlia, avant de filer.

Alors qu'elle approchait de la sortie du fort, deux couloirs se présentèrent à l'elfe. Sur sa gauche se trouvait la cour, où Dor'crae l'attendait, avec les chariots, tandis que la voie de droite conduisait au jardin et à son autre amant.

Elle avait bien choisi l'endroit, ce qui lui fut confirmé dès qu'elle parvint au bord de l'escarpement qui surplombait le campement des barbares d'Herzgo Alegni. Ils ne pouvaient la rejoindre sans parcourir un peu plus d'un kilomètre vers le sud, pas plus qu'ils n'étaient en mesure d'atteindre le sommet de cette paroi de trente mètres avec une arme ou un sort.

— Herzgo Alegni! cria-t-elle.

Bras tendus, elle tenait le bébé devant elle. Sa voix se répercutait sur les pierres, résonnant dans le ravin et portant au-delà du campement.

— Herzgo Alegni! Voici ton fils!

Elle continua ainsi de crier, jusqu'à déclencher de l'agitation en contrebas.

Dahlia ne s'inquiéta pas quand elle vit deux Shadovars s'élancer vers le sud. Elle se remit à crier. Voyant un groupe approcher, beaucoup plus bas, les yeux levés vers elle, elle imagina leur surprise de découvrir cette folle venue les trouver.

— Herzgo Alegni, voici ton fils! hurla-t-elle, en levant plus haut le bébé.

Ils l'entendirent, malgré la distance, trente mètres en hauteur et plus encore en profondeur.

Elle fouilla la foule du regard, à la recherche de la silhouette du tieffelin, tout en criant le nom du père de son enfant. Elle voulait qu'il l'entende. Elle voulait qu'il voie.

Elle eut du mal à déchiffrer l'expression affichée sur le visage carré de Themerelis, quand elle sortit dans le jardin. En cette nuit sombre, rares étaient les étoiles à se frayer un chemin entre les épais nuages qui s'étaient installés dans la soirée. Plusieurs torches brûlaient dans le vent soutenu, baignant les environs d'ombres dansantes agitées.

— Je ne savais pas si tu viendrais, dit le guerrier. Je craignais que...

— Que je m'en aille sans te dire adieu comme il convient? (Incapable de trouver une réponse, Themerelis haussa les épaules.) Voudrais-tu que nous fassions l'amour une dernière fois?

—Je te suivrai à Luskan, si tu me le demandais.

—Mais puisque tu ne peux pas…

Il avança vers elle, bras tendus, réclamant une étreinte, mais Dahlia s'écarta d'un pas, conservant sans peine ses distances.

—Je t'en prie, mon amour, dit-il. Un moment dont nous pourrons chérir le souvenir, avant de nous retrouver.

—Une dernière pique plantée dans le flanc de Sylora Salm?

Le visage de Themerelis se froissa de perplexité puis, quand il eut assimilé ces paroles, sa curiosité céda la place à de l'incrédulité.

—Oh, je la frapperai cette nuit, promit Dahlia, avec un rire moqueur. Mais toi, tu ne me frapperas pas.

D'un mouvement circulaire, elle tendit un bras devant elle, puis, d'une torsion du poignet, elle déplia son bâton, qui retrouva sa longueur maximale.

Themerelis chancela en arrière, les yeux écarquillés sous le choc.

—Viens, mon amant, le taquina l'elfe, en élevant son arme à l'horizontale, à hauteur de la poitrine.

D'un geste imperceptible, elle actionna deux articulations, ce qui divisa le bâton en une section centrale, qu'elle tenait en main, et en deux autres, deux fois plus courtes, suspendues de chaque côté à une courte chaîne. Presque immobile, Dahlia fit tourner ces parties latérales, dans un premier temps toutes deux vers l'avant, puis l'une vers l'avant et l'autre vers l'arrière. Enfin, elle fit bouger la portion centrale devant elle, abaissant alternativement chaque extrémité, ce qui eut pour effet d'augmenter la rotation des bâtons adjacents.

—Inutile de…

—Oh si! assura l'elfe.

—Mais notre amour…

—Notre désir, rectifia-t-elle. Je m'ennuie déjà, et je pars d'ici pour des années. Avance donc, lâche. Tu prétends être un grand guerrier ; tu ne redoutes certainement pas une faible créature comme Dahlia.

Elle actionna alors son triple bâton sur un rythme encore plus soutenu, la barre centrale tournant sur elle-même, sans que les deux autres cessent leur rotation.

Les mains sur les hanches, Themerelis posa sur son amante un regard dur.

Dahlia bloqua net le bâton central d'une main. L'impact des portions latérales, quand elles percutèrent la partie du milieu, déclencha des éclairs que l'elfe orienta de façon experte sur son adversaire.

Themerelis fut à deux reprises soulevé en arrière par ces décharges successives. Ni l'une ni l'autre ne le blessèrent vraiment, contrairement au rire de Dahlia, qui le toucha profondément. Il dégaina son immense épée et la brandit à deux mains, puis inspira et écarta les pieds… à la seconde où Dahlia chargea.

Elle bondit en avant, tout en agitant la barre centrale de l'*Aiguille de Kozah*, ce qui relança la rotation des bâtons latéraux, puis elle recula le pied et la main gauches, avant de tendre le bras droit et de se tourner de façon à projeter la portion tournoyante de droite vers la tête de Themerelis.

Loin d'être novice en matière de combat, le guerrier bloqua ce coup avec son épée, puis il porta sa lame de l'autre côté, juste à temps pour dévier l'autre extension, quand Dahlia inversa sa position et donc sa frappe.

L'elfe écarta son arme et modifia sa prise, tout en faisant tourner la barre centrale, avec laquelle elle frappa Themerelis en pleine poitrine.

Il tituba de nouveau en arrière.

— Pathétique, railla-t-elle, reculant d'un pas, afin de permettre à l'humain de reprendre une position de combat.

Le guerrier s'élança avec furie, fendant l'air à grands coups d'épée.

Mais il ne frappa rien d'autre que l'air.

Dahlia bondit sur le côté, décrivant un salto complet, et se réceptionna sur ses pieds, dos à Themerelis. Quand l'humain se jeta sur elle, son arme en avant, elle pivota et frappa l'épée avec le côté gauche de son bâton, avant de dévier la lame de la barre centrale, puis enfin de la percuter de nouveau, cette fois de la partie droite tournoyante de l'*Aiguille de Kozah*. Ces trois impacts furent accompagnés de décharges électriques, qui transitèrent par l'épée avant de se propager à travers le corps de Themerelis.

L'humain recula, serrant la mâchoire pour encaisser ce choc.

Dahlia fit une nouvelle fois tourner son bâton devant elle à une vitesse étourdissante, au point que les parties latérales se brouillèrent. Après avoir simulé une charge, elle recula et tendit les bras, son arme maintenue à l'horizontale devant elle. Elle avança ensuite d'un pas et plia les bras pour se frapper la poitrine de la portion centrale, qui se brisa en deux.

Themerelis fut à peine capable de suivre les mouvements de l'elfe, quand celle-ci lança dans un ballet tout en violence ses deux nouvelles armes, chacune constituée de deux barres métalliques de soixante centimètres reliées par une chaîne de trente centimètres. Dahlia les fit tourner de chaque côté, puis en fit passer une, puis l'autre, parfois les deux, ou aucune, sous et par-dessus les épaules – ou encore l'une derrière le dos, pour être reprise par l'autre main, tandis que l'autre effectuait une manœuvre similaire sur le ventre de l'elfe.

Sans une pause, sans jamais ralentir la cadence, elle commença à faire en sorte que les bâtons tournoyants se percutent chaque fois qu'ils se croisaient. Chaque impact fit grésiller des éclairs.

Au-dessus des combattants, les nuages s'épaissirent et le tonnerre se mit à gronder, comme si le ciel lui-même répondait à l'appel de l'*Aiguille de Kozah*.

Enfin, sa furie toujours aussi enragée, Dahlia attaqua Themerelis d'un coup circulaire.

Elle manqua nettement sa cible.

Volontairement.

Themerelis s'élança aussitôt et frappa.

Dahlia, qui n'avait pas freiné son mouvement, poursuivit sa rotation, reculant cependant d'un pas pour rester hors de portée de la lame mortelle, puis elle refit face à son adversaire avec une double parade, ses armes s'abattant l'une après l'autre sur l'épée à deux mains.

Curieusement, ces deux chocs ne libérèrent ni l'un ni l'autre de décharge dans l'épée, ce que ne releva pas Themerelis. L'efficace double défense l'avait toutefois ralenti et forcé à retirer sa lame, mais, quand Dahlia s'immobilisa et inversa le sens de rotation de l'arme qu'elle tenait de la main gauche, il se rua de nouveau sur elle.

Les parades intervinrent simultanément ; les barres de métal frappèrent chacune d'un côté l'épée, celle de droite plus bas sur la lame que celle de gauche. C'est alors que Dahlia libéra la charge accumulée de l'*Aiguille de Kozah*.

La puissante secousse affaiblit la prise de Themerelis, tandis que l'elfe frappait de plus belle. L'humain perdit son épée, qui vola plus loin, tournoyant sur elle-même.

Il chercha à la récupérer, mais Dahlia l'en empêcha en enchaînant plusieurs frappes. Elle touchait un bras, puis l'autre, et ainsi de suite, cela uniquement quand il parvenait à bloquer un coup. Quand ce n'était pas le cas, le bâton s'écrasait sur sa poitrine ou sur son abdomen. Il fut même en une occasion touché au visage, ce qui lui valut d'avoir les lèvres tuméfiées.

Elle ne tarda pas à déborder les parades de sa victime, le harcelant de tous côtés, le meurtrissant, l'entaillant, laissant de nombreuses marques. À un moment, il fut frappé si violemment sur l'avant-bras gauche qu'ils entendirent tous deux le craquement de l'os avant même que Themerelis ne prenne conscience du fait qu'il venait d'encaisser un nouveau coup.

Déboussolé, déséquilibré et à bout de forces, le guerrier lança un dernier coup de poing, désespéré, sur Dahlia.

Celle-ci se baissa et pivota, puis elle leva le bras droit et enroula l'une de ses chaînes autour de l'épaule avancée de l'humain.

Poursuivant sa rotation, elle se retrouva dos à Themerelis. Elle se pencha et, tirant brusquement sur son arme coincée, elle fit basculer son amant par-dessus l'épaule.

Il retomba sur le dos, le souffle coupé, les yeux et les pensées dans le flou.

Toujours aussi vive, Dahlia décrivit quelques cercles avant de s'immobiliser devant le malheureux, à la seconde où elle joignait les mains devant elle, reformant le bâton central de l'*Aiguille de Kozah*. D'un geste assuré, elle leva son arme d'un côté, puis de l'autre, en faisant ainsi se rejoindre les différentes parties. Dès qu'elle se retrouva avec une longue perche en mains, elle en planta un bout au sol et s'en servit pour se propulser dans les airs, puis, tout en faisant pivoter son arme, elle hurla « *Yee-Kozah!* » aux nuages noirs.

Elle atterrit juste à côté de Themerelis et abattit comme une lance le bout de l'*Aiguille de Kozah* sur la poitrine de l'humain, impact qui produisit des éclairs. L'arme s'enfonça dans sa cible, sectionna la colonne vertébrale et se planta dans la terre.

Dahlia poussa un nouveau hurlement dédié à l'ancestral dieu des éclairs oublié depuis si longtemps, alors qu'elle se dressait, victorieuse, une main au milieu de l'arme plantée, l'autre tendue de l'autre côté et la tête rejetée en arrière, les yeux levés vers le ciel.

Accompagnée d'un retentissant coup de tonnerre, la foudre s'abattit alors sur l'extrémité du bâton et se propagea vers le bas. Une partie de sa force brûlante se diffusa en Dahlia, qui fut parcourue de lignes d'énergie bleutée ; mais cette puissance se déversa essentiellement sur Themerelis, avec un effet dévastateur. Les bras et les jambes du guerrier se tendirent à leur maximum, et même au-delà, rotules et coudes claquant sur le coup. Ses yeux se firent si globuleux qu'ils donnèrent l'impression de vouloir s'extraire de leurs orbites, tandis que ses cheveux, raidis, s'agitaient violemment. Il y avait désormais un large trou à l'endroit où l'humain avait été empalé.

Quant à Dahlia, elle conservait sa position, jouissant de la puissance qui inondait sa silhouette agile.

Elle baissa les yeux vers les barbares.

Enfin, elle aperçut Herzgo Alegni parmi eux, qui avançait dans leurs rangs.

— Herzgo Alegni, voici ton fils ! cria-t-elle.

Elle jeta le bébé dans le vide.

2

La dernière route d'un vieux nain

—Ce n'était qu'un gamin…, dit la femme. C'était il y a si longtemps.

Elle frotta les épaules de son vieux père, qui n'était de toute évidence pas très à l'aise face à la contradiction criante entre son récit et la réalité de la situation présente.

Drizzt Do'Urden leva ses mains sombres pour les rassurer tous les deux, et montrer au vieillard qu'il le croyait.

—Il était là, dit l'homme, nommé Lathan Obridock. Le bois le plus merveilleux que j'aie jamais vu ou dont j'aie jamais entendu parler. Le printemps, la chaleur, des cloches qui résonnaient… Nous l'avons tous vu, moi, Spragan, Addadearber et… comment s'appelait le capitaine, déjà ?

—Ashelia, répondit Drizzt.

—C'est ça ! Ashelia Larson, qui connaissait le lac mieux que quiconque. Un grand capitaine, cette dame. On était juste partis pêcher, vous savez. On a traversé le lac… (Il désigna les eaux noires du lac Dinneshere, puis son doigt se porta sur les restes délabrés de ce qui avait été un quai, au bout duquel se trouvaient les ruines d'une vieille cabane, face au lac.) On transportait ce rôdeur… Tourny. Oui, Tourny. Il avait payé Ashelia pour qu'elle lui fasse traverser le lac, j'imagine. Vous devriez l'interroger.

—Je l'ai fait, répondit Drizzt, en tâchant de ne pas laisser transparaître son exaspération dans sa voix.

Il avait déjà dit cela à Lathan au moins dix fois ce jour, et au moins vingt fois la veille, et encore d'autres fois auparavant. L'année précédente, Drizzt avait rencontré le rôdeur communément appelé Tourniquet, ou Tourny, au sud du Valbise, suivant les plus vifs conseils de Jarlaxle.

La description que lui avait faite Tourniquet du bois était en tout point identique à celle de Lathan : un endroit magique, habité par une splendide sorcière aux cheveux auburn et un gardien halfelin qui vivait dans une maison creusée à flanc de colline, près d'un petit étang. D'après Tourniquet, seul le magicien Addadearber avait vraiment vu le halfelin, tandis que seuls le rôdeur lui-même et un homme nommé Spragan avaient aperçu la femme. Ils en avaient conçu des impressions différentes. Tourniquet avait cru voir en elle une déesse dansant sur une échelle d'étoiles, tandis que Spragan, si l'on en croyait Tourniquet, dont les propos étaient confirmés par Lathan, ne s'était jamais remis de l'horreur que lui avait inspirée cette rencontre.

Drizzt soupira quand son regard se posa sur les rares arbres disséminés sur le sol rocailleux de ce recoin abrité, astucieusement dissimulé par des affleurements rocheux, au fond d'une petite crique. Un peu plus haut, sur la colline, poussaient quelques pins typiques du Valbise.

—C'était peut-être plus au nord, dit le drow. Il existe de nombreuses vallées cachées par le relief, sur la rive nord-est du lac Dinneshere.

Le vieil homme secoua la tête sur chaque mot, puis il désigna la cabane.

—Juste derrière cette maisonnette, insista-t-il. Il n'y en a pas d'autre dans les environs. C'est ici. Vraiment. La forêt était ici.

—Mais il n'y a pas de forêt, rétorqua Drizzt. Ni la moindre trace de présence d'une forêt dans le passé, en dehors de ces quelques arbres.

—Je vous ai déjà expliqué, s'entêta Lathan.

—Ils sont revenus, après la rencontre, rappela sa fille, Tulula. Ils voulaient la retrouver, évidemment, comme beaucoup d'autres.

Tourny était venu très souvent avant ce jour, puis au moins autant de fois ensuite, mais jamais il n'a revu cette forêt, pas plus que la sorcière ou le halfelin.

Une main sur la hanche et l'air dubitatif, Drizzt continua d'examiner le paysage, à la recherche de quelque chose, n'importe quoi, à rapporter à Bruenor qui, en compagnie de Gaspard, était parti rendre visite à quelques clans nains installés dans les tunnels situés sous le mont solitaire qu'était le Cairn de Kelvin. Ce complexe avait abrité le clan Marteaudeguerre quelques décennies durant, avant que Bruenor reconquière Castelmithral.

Castelmithral. Quatre décennies s'étaient écoulées depuis qu'ils avaient quitté cet extraordinaire royaume nain, depuis que Bruenor avait abandonné son trône d'une façon aussi extrême qu'irréversible. Que d'aventures les trois compagnons avaient-ils partagées avec le gnome Nanfoodle et l'orque Jessa. Drizzt ne put s'empêcher de sourire en songeant à ces deux-là, qui les avaient quittés plus de vingt ans auparavant.

Une fois de plus, il s'était retrouvé au Valbise, la région qui abritait sa première véritable demeure, la région des compagnons du castel, la région de Catti-Brie, de Régis, de Wulfgar, d'un roi exilé et d'un elfe noir errant en quête, éternellement en quête, semblait-il, d'un endroit qu'il pourrait de droit considérer comme son foyer. Quelle bande ils avaient formée! Quelles aventures ils avaient vécues!

Drizzt et Bruenor avaient laissé ces trois amis disparus derrière eux, bien entendu, et depuis longtemps renoncé à tout espoir de retrouver les esprits envolés de Catti-Brie et de Régis, ou de revoir Wulfgar. En effet, le temps écoulé depuis correspondait à une vie humaine, plus de deux tiers de siècles, et ces trois amis n'étaient déjà plus très jeunes à l'époque de ces funestes événements, si longtemps auparavant. Avec Gaspard, Nanfoodle et Jessa, il avait fouillé les zones vallonnées situées à l'est de Luskan, ainsi que les contreforts de l'Épine dorsale du Monde, à la recherche de Gontelgrime, l'insaisissable patrie ancestrale des nains

Delzoun, autrefois appelée Gauntlgrym. Mille cartes les avaient conduits sur mille pistes, fait plonger dans cent profondes grottes, l'esprit exclusivement tourné vers Gontelgrime, à l'exception des moments où Bruenor et Drizzt évoquaient à mi-voix les enfants adoptifs du nain et leur ami halfelin, uniquement pour partager ces si chers souvenirs.

Quelques années auparavant, une rencontre inattendue avec Jarlaxle, à Luskan, avait ravivé de grands espoirs et de vives douleurs. Aussitôt après la perte de Catti-Brie et de Régis, Drizzt et Bruenor avaient chargé le mercenaire aguerri de les retrouver à tout prix. Le passage de plus de sept décennies n'avait visiblement pas découragé l'ingénieux elfe noir, ou peut-être ne s'était-il agi que d'un coup de chance, toujours est-il que Jarlaxle avait eu vent d'une légende qui se répandait au nord-ouest de Faerûn, et qui évoquait une forêt magique habitée par une splendide sorcière, laquelle ressemblait apparemment de façon frappante à la fille humaine du roi Bruenor Marteaudeguerre.

Cette piste avait mené Drizzt, Bruenor et Gaspard jusqu'à Tourniquet, dans le petit village montagneux d'Auckney. Le rôdeur les avait orientés vers le lac Dinneshere, l'une des trois étendues d'eau autour desquelles étaient installées les communautés qui donnaient son nom à Dix-Cités.

Drizzt se tourna vers Lathan, dont le récit confirmait les dires du vieux rôdeur d'Auckney. Mais où se trouvait la forêt ? Le Valbise avait peu changé au cours du dernier siècle. Dix-Cités ne s'était pas développée – à vrai dire, il semblait à Drizzt que ces communautés étaient moins peuplées qu'à l'époque où il y avait vécu.

—Vous m'écoutez, au moins ? le réprimanda Tulula, sur un ton qui indiqua au drow rêveur qu'elle lui avait déjà répété plusieurs fois sa question.

—J'étais en train de réfléchir, s'excusa-t-il. Ainsi, ce groupe, comme d'autres, a cherché à retrouver la forêt, sans jamais la trouver ? Pas une trace, pas un indice ?

Tulula haussa les épaules.

— Uniquement des rumeurs, répondit-elle. Quand je n'étais encore qu'une fillette, un bateau a accosté, dont l'équipage était très agité. Tu t'en souviens, papa?

— Le bateau de Barley Loincrochet, dit Lathan, en hochant la tête. Oui, et Spragan a aussitôt voulu prendre la mer, après toutes ces années passées à entendre les gens se moquer de notre histoire. Oui, nous sommes donc partis, à quelques embarcations, mais nous n'avons rien trouvé là-bas, et les gens ont de nouveau ri de nous.

— Que sont devenus vos compagnons? demanda Drizzt.

— Bah, tous morts, répondit Lathan. Addadearber a été fauché par le fléau magique, le bateau d'Ashelia a sombré dans le lac, avec également Spragan à bord. Ils sont tous morts il y a très longtemps.

Drizzt observa encore la construction en ruine, ainsi que la vallée qui s'étendait au-delà, cherchant à déterminer s'il avait encore quelque chose à faire. Il ne s'était pas attendu à dénicher quoi que ce soit, bien sûr – le monde pullulait de légendes toutes plus extraordinaires les unes que les autres, en particulier depuis que le fléau magique s'était abattu sur Faerûn, soixante-six ans auparavant, depuis la mort de Mystra et l'apparition de l'agitation et de la souffrance qui avaient secoué jusqu'aux fondations de la civilisation.

Cela dit, le monde recélait aussi une foule d'authentiques surprises.

— Vous en avez vu assez? s'impatienta Tulula, en regardant de l'autre côté du lac. La route jusqu'à la maison est longue, et vous avez promis que nous serions de retour à Caer-Dineval dès demain.

Drizzt hésita un instant, scrutant désespérément l'horizon, avant d'opiner du chef.

— Aidez votre père à remonter dans le chariot, dit-il. Nous allons bientôt repartir.

Le drow trottina jusqu'à la cabane, dont il inspecta les alentours, avant de se diriger vers le bois désordonné, qui était loin de constituer une forêt, marchant sur les aiguilles de pin séchées des saisons précédentes. Là, il se mit en quête d'indices, de n'importe quel détail, une trace de porte à flanc de colline, une dépression susceptible d'avoir autrefois contenu un étang, des notes de musique dans la brise…

Depuis une éminence, il aperçut Tulula, dans le chariot, son père installé derrière elle. Prête à partir, elle appela Drizzt d'un geste de la main.

Il avança encore un peu, espérant contre toute logique découvrir quelque chose qui lui donnerait l'espoir que cet endroit – Iruladoon, comme l'avait appelé Tourny – avait à une autre époque été la forêt qu'on lui avait décrite, que son gardien avait été Régis et cette merveilleuse sorcière Catti-Brie. Il songea à son retour au Cairn de Kelvin, redoutant d'annoncer à Bruenor que leur voyage au Valbise n'avait servi à rien.

Où iraient-ils, à présent ? Le vieux Bruenor serait-il capable d'arpenter d'autres pistes ?

—Allez, venez ! s'écria Tulula, depuis le chariot.

À contrecœur, le drow se dirigea vers le pied de la colline, sans cesser de fouiller d'un œil affûté le sol et les arbres à la recherche d'un signe, de n'importe quel signe.

Drizzt avait une bonne vue, mais pas au point de tout remarquer. En effleurant quelques vieilles branches, il fit tomber quelque chose derrière lui. Il ne s'en rendit pas compte et poursuivit sa marche jusqu'au chariot. Le trio se mit en route sur la longue piste qui contournait le lac et qui les conduirait jusqu'à Caer-Dineval.

Tandis que le soleil plongeait dans le ciel, au-dessus du lac, un rayon fit briller un os sculpté – ou plutôt une arête de poisson, représentant une femme brandissant un arc magique.

Un arc identique à celui que Drizzt portait sur le dos.

L'air était frais pour la saison, et des nuages d'orage s'étaient accumulés au nord-ouest, le lendemain du retour de Drizzt à Caer-Dineval, rappel que le changement de saison était proche. Les yeux rivés sur le lointain pic du Cairn de Kelvin, l'elfe noir songeait à rester un jour de plus dans le village en attendant que l'orage passe.

Drizzt laissa échapper un rire, se moquant de sa propre lâcheté, qui n'avait rien à voir avec le temps. Il ne voulait pas dire à Bruenor qu'il n'avait rien trouvé, absolument rien. Il savait ne pas devoir s'éterniser, évidemment ; l'automne approchait et, dans quelques semaines, les premières neiges se déposeraient sur le Valbise, obstruant l'unique col permettant de franchir les montagnes qui se dressaient au sud.

Sur l'escarpement rocheux qui séparait l'accueillante auberge du village du vieux château de la famille Dinev, le drow porta à la bouche son pendentif en forme de licorne, puis il souffla dans la corne. Il aperçut sans tarder Andahar, minuscule tache blanche devant lui, approchant rapidement.

L'étalon doubla de taille à chaque foulée le long de la faille, si bien que, quelques instants plus tard, la puissante bête s'immobilisa devant Drizzt. Andahar frappa le sol des sabots et secoua son épaisse encolure, ce qui fit voler sa crinière blanche.

Drizzt entendit les cris d'étonnement des gardiens de la porte du caer, mais il ne se retourna même pas, aucunement surpris par leur réaction. Qui n'aurait pas été stupéfait en apercevant pour la première fois Andahar, sellé et sanglé de lanières ornées de rangées de clochettes et de bijoux étincelants ?

Drizzt attrapa la crinière de l'animal et se jucha avec adresse sur la selle. Après avoir salué les gardes abasourdis, il orienta sa magnifique licorne vers le nord et s'élança vers le Cairn de Kelvin.

Quel fantastique cadeau qu'Andahar, songea-t-il, certainement pas pour la première fois. Le conseil régnant de Lunargent lui avait offert cette monture pour le remercier de son travail, tant lames en main que par des voies plus diplomatiques, au cours de la troisième guerre orque.

Le vent sifflait à ses oreilles, tandis qu'Andahar avalait les kilomètres, mais le drow n'avait pas froid, grâce à la chaleur générée par les muscles massifs de la licorne. Ses cheveux et sa cape flottant derrière lui, il incita les clochettes à tinter en harmonie avec la chevauchée. Elles se plièrent à sa volonté. Faisant entièrement confiance à Andahar, Drizzt laissa ses pensées se replonger dans d'agréables souvenirs de ses vieux amis. Bien entendu, il était déçu de ne pas avoir trouvé de trace de la mystérieuse sorcière du bois, ou de ce curieux gardien halfelin, déçu par la confirmation de ce qu'il savait déjà être la vérité.

Il lui restait tout de même ses souvenirs. En pareilles occasions, seul sur la piste, il les recherchait et les retrouvait. Il ne pouvait réprimer un sourire en songeant à la vie qu'il avait connue à cette époque-là.

Cette vie antérieure qu'il savait devoir oublier.

Cette vie antérieure qu'il était incapable d'oublier.

Le soleil était encore haut dans le ciel quand il renvoya Andahar et plongea dans les tunnels nains. Ce complexe ayant autrefois constitué le foyer du clan Marteaudeguerre, les quelques dizaines de nains qui y étaient restés se considéraient toujours comme faisant partie du clan. Ils connaissaient Drizzt, même si seuls deux d'entre eux avaient rencontré le drow, et ils avaient également entendu parler de Gaspard et de la légendaire Brigade Tord-boyaux. Ils étaient donc ravis d'accueillir des voyageurs venus de Castelmithral, y compris celui qui s'était présenté comme un lointain cousin de l'ancien roi Bruenor Marteaudeguerre en personne.

—Au roi Connerad Lenclume Marteaudeguerre! s'exclama en guise de salut Stokely Torrent d'Argent, le chef des Marteaudeguerre du Cairn de Kelvin, quand Drizzt fit son apparition dans la principale zone de forge.

Stokely leva sa chope et porta un toast, puis il fit signe à un jeune nain, qui se hâta d'offrir une boisson à l'elfe noir.

—J'espère qu'il se débrouille bien, répondit Drizzt, pas surpris d'apprendre qu'au bout de quatre décennies Connerad avait succédé à son père Banak. Du bon sang coule dans ses veines.

—Tu t'es battu aux côtés d'son père.

—Un nombre incalculable de fois, répondit Drizzt, en acceptant la chope, avant d'avaler une gorgée bienvenue.

—Tu bois à qui? demanda Stokely.

—Ce ne peut être en l'honneur que d'une seule personne, déclara le drow, qui leva sa boisson et attendit que les nains présents dans la pièce se soient tous tournés vers lui.

—Au roi Bruenor Marteaudeguerre! déclamèrent en chœur Drizzt et Stokely, ce qui déclencha un tonnerre d'acclamations.

Les nains vidèrent leurs godets et les remplirent de nouveau aussitôt après.

—J'étais qu'un nanillon quand mon père nous a fait venir au Valbise, expliqua Stokely. Mais j'l'aurais connu si j'avais pas été stupide au point d'jamais m'éloigner d'ici.

—Tu as servi ton propre clan, rappela Drizzt. Les répits sont de courte durée au Valbise. Ton père s'en serait-il si bien sorti si toi et quelques autres, avides de découvertes, aviez voyagé jusqu'à Castelmithral?

—Bah, c'est vrai! Mes gars et moi, on s'contentera d'écouter tes récits, l'elfe, et on compte bien t'voir tenir cette promesse, avec le vieux Gaspard et Bonnego Hachedeguerre, des Hachedeguerre d'Adbar.

—Ce soir même, promit Drizzt.

Il reposa sa chope et, après avoir gratifié Stokely d'une petite tape sur l'épaule en passant près de lui, il se dirigea vers les tunnels inférieurs, dans lesquels il savait retrouver ses amis.

—Bonjour, Bonnego, dit-il à Bruenor, en entrant dans une petite pièce latérale.

Comme toujours, il trouva son ami occupé à prendre des notes, entouré de cartes déployées à même le sol.

—Alors, quoi d'neuf, l'elfe? répondit Bruenor, avec un peu trop d'espoir. (Cet optimisme fit grimacer Drizzt, qui laissa son expression confirmer la rumeur.) Uniquement quelques pins et deux ou trois rochers, c'est ça?

Le nain poussa un soupir et secoua la tête; ces mots reflétaient ce que leur avait répondu à peu près la totalité des personnes interrogées au Valbise, au sujet de cette forêt que l'on disait magique.

—Ah, mon roi, dit Gaspard Pointepique, entré en boitillant derrière Drizzt.

—Tais-toi, crétin! le gronda Bruenor.

—Il y a peut-être eu une forêt à cet endroit, autrefois, dit l'elfe noir. Peut-être enchantée, d'une façon ou d'une autre, avec une superbe sorcière et un gardien halfelin. Le récit de Lathan confirme celui de Tourniquet, et tous deux me semblent crédibles.

—Crédibles et faux, dit Bruenor. Comme j'm'en doutais.

—Ah, mon roi, dit Gaspard.

—Arrête de m'appeler comme ça!

—Ce n'est pas parce que leurs paroles ne reflètent plus la vérité que leurs mémoires se trompent, fit observer Drizzt. Tu as vu les regards de ces deux hommes, quand ils se sont remémoré cette époque, cette rencontre. Rares sont les personnes capables de simuler une telle expression, et plus rares encore celles à même de livrer deux récits si semblables, alors que des kilomètres et des décennies les séparent.

—Tu penses qu'y l'ont vue?

—Je pense qu'ils ont vu quelque chose. Quelque chose d'intéressant.

Bruenor s'emporta et repoussa une table sur le côté.

—J'aurais dû venir ici, l'elfe! À l'époque, quand ma gamine a disparu. On a envoyé c'rat d'Jarlaxle, mais c'était à moi d'me mettre en route.

—Jarlaxle lui-même, malgré ses ressources, qui dépassent tout ce que l'on peut imaginer, n'a trouvé aucune piste, rappela Drizzt. Nous ignorons quelles sont les parts de réalité et d'imaginaire à propos de cette forêt nommée Iruladoon, mon ami, et nous aurions été incapables de la trouver à temps, dans tous les cas de figure. Tu as agi comme l'exigeait ton rang, en intervenant sur deux guerres qui se seraient développées jusqu'à engloutir les Marches d'Argent, si le sage roi Bruenor n'avait pas été présent pour y mettre un terme. Le Nord tout entier t'est redevable.

Nous avons vu de nos yeux le monde situé au-delà de la région qui était autrefois notre foyer, et c'est un endroit bien sombre.

Bruenor médita quelques secondes sur ces mots, puis il hocha la tête.

—Bah! grogna-t-il, presque par réflexe. J'compte bien voir Gontelgrime avant qu'mes vieux os cèdent face au poids des ans. (Il désigna quelques cartes, par terre, à l'autre bout de la pièce.) J'pense qu'la bonne est dans l'tas, l'elfe. La bonne carte est là.

—Quand est-ce qu'tu comptes reprendre la route? s'enquit Gaspard Pointepique, d'une voix teintée d'une nuance qui surprit Drizzt.

—Très bientôt, forcément, répondit le drow, en observant Gaspard à chaque mot.

Jusqu'à présent, le guerroyeur effréné avait toujours fait preuve d'enthousiasme, voire d'un besoin quasi fanatique de suivre son roi Bruenor. En de nombreuses occasions, en particulier au cours de leurs peu fréquents passages à Luskan, Bruenor avait cherché à éviter de se faire accompagner de Gaspard. À lui seul un spectacle, le nain crasseux attirait systématiquement l'attention, or dans la Cité des Navigateurs, où pullulaient les pirates, un tel manque de discrétion n'était pas toujours bienvenu.

Mais il y avait eu autre chose dans les yeux de Gaspard, dans son attitude ainsi que dans le timbre de sa voix, quand il avait posé sa question.

—Bon, on part dès aujourd'hui, décréta Bruenor, qui se mit à rouler un parchemin pour le remiser dans son énorme sac.

Drizzt acquiesça et s'approcha afin d'aider son ami, puis, une nouvelle fois, il remarqua l'hésitation du guerroyeur.

—Qu'est-ce qu'y s'passe? finit par lui demander Bruenor, quand il se rendit compte que Gaspard ne s'activait pas.

—Ah, mon roi…, répondit le nain, d'une voix teintée de regrets.

—J't'ai dit d'pas m'appeler…, commença à lui reprocher Bruenor, aussitôt interrompu par Drizzt qui lui posa une main sur l'épaule.

Le drow regarda Gaspard un long moment, puis, d'un signe de la tête, lui indiqua qu'il avait compris.

—Il ne vient pas, expliqua-t-il.

—Eh ? Qu'est-ce qu'tu racontes ? s'exclama Bruenor, perplexe.

Le drow se tourna vers Gaspard.

—Ah, mon roi, répéta ce dernier. J'ai peur d'pas pouvoir venir. Mes vieux genoux…

Il lâcha un soupir, le visage défait, tel un chien incapable de participer à une chasse.

Gaspard Pointepique n'était pas aussi âgé que le vieux Bruenor Marteaudeguerre, cependant les années, ainsi que des milliers de combats particulièrement violents, n'avaient pas été tendres pour le guerroyeur effréné. Le périple jusqu'au Valbise lui avait coûté cher, même si, bien entendu, il ne s'était jamais plaint. Gaspard ne se plaignait jamais, à moins d'être privé d'un combat ou d'une aventure, ou de recevoir l'ordre de prendre un bain.

Toujours aussi stupéfait, Bruenor leva les yeux vers Drizzt, qui hocha la tête. Ils savaient tous deux que Gaspard Pointepique n'aurait jamais énoncé ces propos s'il n'avait pas été certain, au plus profond de son vieux cœur, qu'il lui était tout simplement impossible d'entreprendre ce voyage, que ses jours d'aventure touchaient à leur fin.

—Bah, mais t'es encore un gamin ! dit Bruenor, davantage pour remonter le moral de son ami que pour lui faire changer d'avis.

—Ah, mon roi, pardonne-moi, dit Gaspard.

Bruenor observa son compagnon un moment, puis il s'en approcha et le broya dans une formidable étreinte.

—T'as été l'meilleur garde du corps, l'meilleur ami qu'un vieux nain puisse connaître, dit-il. Tu m'as toujours suivi, malgré les dangers. Comment peux-tu imaginer une seconde avoir besoin qu'j'te pardonne ? C'est moi qui devrais t'le demander ! Car toute ta vie…

—Non ! intervint Gaspard. Non ! C'était un bonheur pour moi, mon roi. Un vrai bonheur. C'est pas comme ça qu'ça devait s'terminer. J'attendais c'grand combat, c'dernier combat. Mourir pour mon roi…

— J'préfère qu'tu vives pour moi, idiot.

— Tu as donc pour projet de finir tes jours ici, au Valbise ? demanda Drizzt. Avec Stokely et son clan ?

— Oui, s'y veulent bien d'moi.

— Y seraient stupides d'refuser, dit Bruenor. Et Stokely est pas stupide. (Il se tourna vers Drizzt.) On part demain, pas aujourd'hui. (Le drow donna son accord.) Aujourd'hui, et ce soir, on boit et on discute du bon vieux temps. Aujourd'hui, et ce soir, chaque gorgée sera bue en l'honneur d'Gaspard Pointepique, l'plus grand guerrier qu'Castelmithral aura jamais connu !

Il y avait peut-être dans ces mots une légère exagération, tant l'histoire de la forteresse naine regorgeait de héros légendaires, parmi lesquels le roi Bruenor lui-même figurait en bonne place. Néanmoins, il était certain que tout ennemi ayant affronté Gaspard au combat ne trouverait rien à redire à cela, même si les individus encore en vie après avoir subi la rage de Gaspard Pointepique étaient rarissimes.

Les trois amis passèrent la journée et la nuit ensemble, à boire et se souvenir. Ils évoquèrent la reconquête de Castelmithral, l'invasion des drows, leurs aventures sur les pistes, les sinistres jours vécus par la bibliothèque de Cadderly, l'arrivée d'Obould et les trois guerres qu'ils avaient subies et auxquelles ils avaient survécu. Ils portèrent des toasts en hommage à Wulfgar, à Catti-Brie et à Régis, ces vieux amis disparus, et à Nanfoodle et Jessa, amis plus récents mais également perdus, ainsi qu'à une vie bien remplie de combats rondement menés.

Et surtout, Bruenor leva sa chope en l'honneur de Gaspard Pointepique qui, avec Drizzt, était son plus ancien et plus cher ami. Le vieux roi eut presque honte quand il prononça quelques mots de gratitude et d'amitié, tout en se reprochant intérieurement d'avoir parfois été gêné par le comportement bourru et les extravagantes singeries du guerroyeur effréné.

En fin de compte, Bruenor prit conscience que rien de tout cela n'importait. Ce qui comptait, c'était le cœur de Gaspard Pointepique, un cœur authentique et courageux. Ce nain n'hésitait pas à se jeter au-devant d'une lance projetée pour sauver un ami – n'importe quel ami, pas simplement son roi. Ce nain, comme le comprenait enfin Bruenor, avait pleinement saisi ce que c'était que d'être un nain, de faire partie du clan Marteaudeguerre.

Il serra de nouveau son ami dans les bras un long moment le lendemain matin, avec force. Les yeux du roi Bruenor étaient chargés d'humidité quand Drizzt et lui quittèrent les tunnels de Stokely Torrent d'Argent. Gaspard resta à l'entrée des galeries et les regarda s'éloigner, murmurant encore « mon roi » bien après les avoir vus disparaître de son champ de vision.

—Sacré nain qu'Bruenor Marteaudeguerre, pas vrai ? dit Stokely Torrent d'Argent, en s'approchant de Gaspard.

Ce dernier le considéra, étonné, puis il écarquilla les yeux, sur le point de céder à la panique, quand il se rendit compte que ses stupides murmures venaient de dévoiler l'identité de Bruenor.

—J'l'ai deviné à la seconde où vous êtes arrivés, lui assura Stokely. Qui d'autre qu'Bruenor lui-même ça pouvait être, accompagné d'Drizzt et d'toi ?

—Bruenor est mort y a bien des années, répondit Gaspard.

—Oui, et vive le roi Connerad, ajouta Stokely, qui hocha la tête en souriant. Personne n'a besoin d'croire autre chose, mais crois-moi, mon nouvel ami, ça m'réchauffe le cœur d'savoir qu'il est toujours là, à mener l'combat des Marteaudeguerre. J'espère seulement l'revoir, et qu'y vienne finir ses jours au Valbise.

Stokely posa la main sur l'épaule de Gaspard, une épaule secouée de sanglots.

3

Le Gris dans l'ombre

En passant devant le miroir, Herzgo Alegni ne put réprimer un léger grognement. Sa peau, autrefois d'un rouge si superbe, hommage étincelant à ses ancêtres démoniaques, avait été ternie par l'influence grisâtre de son côté shadovar. Ses yeux avaient toutefois échappé à ce changement, remarqua-t-il, satisfait ; ses iris rouges conservaient toute leur splendeur infernale.

Alegni acceptait cependant ce compromis. La décoloration de sa peau était un prix bien faible à payer en échange d'une espérance de vie prolongée, ainsi que des nombreux autres bénéfices que lui garantissait son existence parmi les Shadovars. Malgré les penchants xénophobes de ces derniers – ce en quoi ils ressemblaient à tant d'autres races à l'esprit étroit de Faerûn –, il s'était tracé un chemin dans les rangs de son peuple adoptif. En moins d'une décennie, Herzgo Alegni était devenu chef de bataillon, et à peine une autre décennie plus tard, on lui avait confié l'impressionnante responsabilité de mener l'expédition nétherisse sur le bois du Padhiver, en quête de l'enclave déchue de Xinlenal.

Il s'attarda devant le miroir, admirant sa nouvelle cape noire, l'aspect satiné et miroitant de son tissu, l'intérieur de son col relevé, d'un rouge très brillant qui rappelait la lame de sa large épée et se mariait si bien avec ses longs cheveux violets, lesquels flottaient librement autour de ses cornes de bélier. Du fait de ce col, la chevelure d'Herzgo ne lui tombait pas dans le dos, mais plutôt autour du cou et sur son torse massif. Il ne boutonnait jamais complètement sa veste, évidemment, afin de mettre en valeur ses pectoraux bien dessinés.

Convaincu de l'importance de l'apparence, Herzgo Alegni n'avait en outre jamais été du genre à éviter les miroirs. Il était un chef, et l'intimidation jouait en sa faveur, d'autant plus qu'il avait rendez-vous avec Barrabus le Gris. Alegni n'avait pas confiance en ce personnage. Il savait que ce dernier, plus que tous les autres dont il avait la charge, chercherait un jour à le tuer, et pour de bonnes raisons.

Or Barrabus était très doué dans l'art du meurtre.

Ce matin-là, les talons de ses grandes bottes de cuir résonnant sur les pavés, Herzgo Alegni sortit de chez lui décidé et pétri d'un sentiment de puissance. Il ne cherchait même pas à dissimuler son évidente origine nétherisse. Une telle précaution était désormais inutile à Padhiver, l'expédition d'Alegni étant déjà couronnée d'un tel succès que personne n'aurait osé se dresser contre les ombres.

Dernier bâtiment érigé à Padhiver, le *Drake chanceux* était situé au sommet d'une colline et surplombait la cité et les vagues assourdissantes de la côte des Épées. En observant la cité depuis le porche de l'auberge, Alegni songea une fois de plus à la considérable expansion vécue à Padhiver au cours des dernières décennies, depuis la chute de Luskan, vaincue par les capitaines pirates, et les difficultés rencontrées par Port Llast. Combien de personnes vivaient-elles à l'intérieur des murs de Padhiver, et juste à l'extérieur de la cité proprement dite ? Trente mille, peut-être ?

Malgré cette population, les habitants constituaient assurément une masse dépourvue d'organisation, avec une milice faiblarde et un seigneur davantage soucieux de son plaisir permanent que de la protection de sa ville. Le seigneur Hugo Babris profitait de sa position depuis trop longtemps pour s'inquiéter. Située entre la sauvage Luskan au nord et la puissante Eauprofonde au sud, Padhiver jouissait ces derniers temps d'une grande sécurité. Aucun vaisseau aux intentions belliqueuses n'était capable d'esquiver l'armada d'Eauprofonde, ou alors seulement pour être attaqué par les nombreux navires corsaires qui évoluaient librement le long de la côte, au nord de cette immense cité.

Tous ces éléments avaient laissé Padhiver mal préparée à l'invasion des Nétherisses – mais qui pouvait être préparé à la venue des ténèbres ? –, une faiblesse qu'Herzgo avait été prompt à exploiter. Padhiver n'ayant jamais été l'objectif de sa mission, laquelle visait la forêt qui se trouvait au sud-est, le tieffelin avait laissé à Hugo Babris l'illusion de toujours contrôler sa ville. Le regard d'Alegni dériva jusqu'aux quais, les structures qui avaient le moins changé au cours de ces quelques décennies agitées. La *Cruche engloutie* était toujours là – Barrabus avait à coup sûr passé la nuit dans cette auberge. Alegni ne put s'empêcher de sourire quand il se remémora de très anciens souvenirs, qui dataient d'avant le fléau magique ; il était alors un jeune guerrier venu dénicher trésors et destinée, à l'image de tant d'autres aventuriers confiants. À l'époque, les tieffelins devaient se tapir dans les ombres, afin de dissimuler leur fier héritage. Quelle chance, songea-t-il, d'avoir trouvé, précisément dans ces ombres, quelque chose d'autre, quelque chose de plus grand, de plus ténébreux.

Le seigneur de guerre se tira de ses pensées nostalgiques et baissa les yeux sur la rivière Padhiver, ainsi que sur les trois ponts décorés qui l'enjambaient. Ils étaient tous les trois magnifiques – les artisans locaux étaient très fiers de leurs ouvrages –, en particulier l'un d'eux, orné d'ailes déployées de chaque côté, qui attira l'attention d'Alegni. Des trois passerelles qui reliaient les moitiés nord et sud de la cité, celle-ci était la plus impressionnante, car sculptée de façon à évoquer une wiverne prenant son envol, immense et gracieuse. Ce pont résistait solidement depuis de nombreuses décennies, son infrastructure soutenue par une grille métallique forgée par les nains et sans cesse renforcée. De loin, il était somptueux à admirer, sensation qui ne faisait que s'accentuer à mesure que l'on s'en approchait. Cette œuvre d'art avait été façonnée à la perfection jusque dans son moindre détail – si l'on exceptait son nom : le pont de la Wiverne ailée.

On avait bêtement privilégié la simple description physique, au détriment de l'aspect artistique, pour donner à cette structure sa banale appellation.

Alegni se mit en marche sur la route pavée, déterminé à rejoindre ce pont, où était fixé son rendez-vous, avant Barrabus. Il n'avait pas vu son assassin depuis des mois, après tout, aussi tenait-il à ce que la première vision qu'il lui offrirait rappelle à Barrabus le Gris pourquoi il n'avait pas encore osé se dresser contre le grand Alegni.

Il atteignit bientôt le pont, puis grimpa la douce pente décrite par l'échine de la wiverne, non sans prendre plaisir à voir la plupart des humains de Padhiver s'écarter en toute hâte devant lui, leurs regards se posant avec méfiance sur la splendide épée à lame rouge accrochée à sa hanche. Il avança jusqu'au milieu du pont, qui était également son sommet, juste derrière les points d'attache des ailes, et posa les mains sur la rambarde de pierre, côté ouest. De là, il aperçut les deux autres passerelles, le Dauphin et le Dragon dormant, tout en notant intérieurement, et avec une joie considérable, que le trafic s'était calmé sur la Wiverne ailée.

Il est vrai que ce n'était pas une des innombrables ombres nétherisses rôdant dans Padhiver qui s'était engagée sur le pont, mais Herzgo Alegni en personne.

Oui, il était plutôt satisfait, alors qu'il observait la rivière et la côte, tout en remarquant l'état de délabrement des autres ponts, quand il entendit une voix discrète derrière lui, détail d'autant plus surprenant qu'il ne l'avait pas sentie approcher.

— Tu voulais me voir ?

Alegni résista à l'envie de dégainer son arme et de se retourner brusquement vers son subalterne.

— Tu es en retard, dit-il, le regard toujours rivé droit devant lui.

— Memnon se trouve très loin au sud, souligna Barrabus le Gris. Aurais-tu voulu que je souffle dans les voiles pour faire accélérer le navire ?

— Et si je te répondais par l'affirmative ?

78

—Alors je te rappellerais qu'une telle tâche convient mieux à ceux qui s'imaginent d'essence divine.

Cette habile repartie poussa Alegni à se retourner. Le seigneur de guerre écarquilla les yeux quand il se retrouva face à l'humain de taille modeste. Vêtu comme à son habitude d'étoffes et de cuir noirs, avec peu d'ornements en dehors de sa boucle de ceinture métallique en forme de diamant, qui renfermait une redoutable dague, et légèrement voûté, comme si le monde entier l'ennuyait, Barrabus ressemblait tout à fait à l'assassin qu'Herzgo avait fini par si bien connaître. Toutefois, cet homme s'était laissé pousser ses cheveux noirs, qu'il portait détachés, ainsi que la barbe.

—Tu négliges ta discipline? dit le tieffelin. Après toutes ces années?

—Que veux-tu?

Le seigneur de guerre garda le silence et se pencha en arrière, afin de mieux examiner le tueur.

—Ah, Barrabus… Tu te laisses aller, dans l'espoir que tes talents en pâtiront et que quelqu'un te tuera et te libérera de tes tourments.

—Si tel était le cas, je commencerais par te tuer.

Herzgo Alegni éclata de rire mais, d'instinct, porta la main à son épée dévastatrice.

—Mais tu en es incapable, n'est-ce pas? railla-t-il. Pas plus que tu ne peux laisser tes remarquables dons se dégrader, à l'image de ton apparence. Ce n'est tout simplement pas ton caractère. Non, la perfection est ta défense. Tu ne dupes personne, Barrabus le Gris. Ton allure n'est qu'une ruse.

L'assassin se balança d'un pied sur l'autre, unique confirmation – et déjà bien plus qu'il ne l'admettrait – que les mots d'Alegni l'avaient frappé au cœur.

—C'est toi qui m'as fait venir de Memnon, où je n'étais pas sans occupation, dit Barrabus. Que veux-tu?

Un sourire narquois aux lèvres, Alegni se retourna pour contempler de nouveau les flots de la rivière Padhiver, qui se jetait dans la vaste mer, au nord des quais bourdonnants d'activité.

—Quelle belle structure, à la fois magnifique et fonctionnelle, non ? dit-il, sans même regarder le tueur.

—Elle me permet de traverser la rivière.

—Mais au-delà de son utilité, insista le tieffelin. (Barrabus ne se donna pas la peine de réagir.) La beauté ! Il ne s'agit pas simplement d'un assemblage de contreforts et de piliers ! Non ! Ils sont chacun recouverts de motifs qui forment ensemble une image. Oui, c'est là la véritable signature des artisans. J'aime tant voir l'artisanat devenir de l'art. N'es-tu pas de cet avis ?

Barrabus restant muet, Alegni se retourna vers lui en riant.

—Il en va de même avec mon épée, poursuivit-il. Ne reconnais-tu pas que c'est une merveilleuse œuvre d'art ?

—Si son propriétaire était l'artiste qu'il prétend être, il n'aurait pas besoin de mes services.

Face à tant de sarcasme, les épaules d'Alegni s'affaissèrent brièvement, puis il se retourna vers l'humain, ses yeux rouges brillants de menace.

—Estime-toi heureux que mes supérieurs m'aient donné l'ordre de ne pas t'éventrer.

—Ma chance ne connaît pas de limites. Bon, je te le demande une nouvelle fois : pourquoi m'as-tu fait venir ici ? Pour admirer un pont ?

—Exact. Ce pont. Le pont de la Wiverne ailée. Ce nom ne lui convient pas, je souhaite qu'il soit changé.

Barrabus dévisagea le tieffelin avec un air indéchiffrable.

—Le seigneur de cette belle cité est une étrange petite créature, expliqua Alegni. Entouré de gardes et retranché derrière ses murs de pierre, il ne saisit pas combien la corniche sur laquelle il se tient est étroite.

—Il ne veut pas changer le nom du pont ? supposa Barrabus, d'une voix qui ne cachait rien du peu d'intérêt que cette affaire suscitait pour lui.

—Il est si attaché aux traditions, répondit Alegni, avec un soupir moqueur. Il ne comprend pas la pertinence et la beauté qu'il y aurait à renommer cet ouvrage.

— Le pont Alegni ?

— Merveilleux, non ?

— Tu m'as fait venir de Memnon pour convaincre un seigneur minable de rebaptiser un pont en ton honneur ?

— Je ne peux pas ouvertement m'opposer à lui, évidemment, répondit Alegni. Notre affaire dans la forêt progresse, je ne tiens pas à me priver de nos ressources.

— En le défiant sans te cacher, tu risquerais une guerre avec les seigneurs d'Eauprofonde, ce qui ne ravirait pas tes supérieurs.

— Tu vois, Barrabus ; même les simples d'esprit parviennent à raisonner de façon logique. Maintenant, va rendre visite à notre cher seigneur Hugo Babris, et explique-lui qu'il serait dans son intérêt de rebaptiser ce pont en mon honneur.

— Après quoi je pourrai quitter cette porcherie ?

— Oh non, le Gris, j'ai encore beaucoup de tâches à te confier avant de te laisser retourner à tes jeux, dans le Sud désertique. Nous avons croisé dans la forêt des elfes qui ont besoin d'être convaincus, et nous avons repéré des trous très profonds. Je n'y enverrai pas le moindre Shadovar de pure souche avant de les avoir fait explorer en totalité et de connaître la nature de leurs occupants. Tu es ici pour des années, mon esclave, à moins que je persuade les princes que ta valeur ne compense pas les ennuis que tu génères, auquel cas nous nous débarrasserons de toi une bonne fois pour toutes.

Les pouces passés sous sa fine ceinture en une posture décontractée, Barrabus le Gris lança un long regard chargé de haine au tieffelin. Puis il secoua la tête, dégoûté, et fit demi-tour pour s'éloigner.

Il avait à peine fait quelques pas quand Herzgo Alegni plongea la main sous sa veste ouverte. Il en sortit, d'un étui dissimulé, un étrange outil à deux dents, avec lequel il tapota sa puissante épée intelligente. L'artefact se mit à bourdonner de magie. Un sourire mauvais aux lèvres, il l'agita près de la poignée, comme pour éveiller la bête qui sommeillait dans cette lame.

Barrabus le Gris fit une embardée sur le côté et écarta les mains, qu'il serra au point d'en blanchir les articulations.

Sa mâchoire se crispa si violemment qu'il put s'estimer heureux de ne pas s'être sectionné le bout de la langue.

Le bourdonnement, le chant de *Griffe*, se poursuivit, déferlant en lui comme des vaguelettes de lave bouillonnant dans son sang.

Grimaçant, tremblant, il mit un genou à terre.

Sa fourche vibrante brandie devant lui, Alegni contourna le tueur, qu'il regarda un instant droit dans les yeux, avant de serrer les dents de l'instrument de sa main libre, ce qui mit un terme au bourdonnement, à la transmission de l'appel de l'épée et à la douleur.

—Ah, le Gris, pourquoi me forces-tu à te rappeler sans cesse où se trouve ta place? dit le tieffelin, la voix teintée de regret, à défaut de sincérité. Ne peux-tu pas simplement accepter ton destin et faire preuve de gratitude envers les Nétherisses, qui te couvrent de cadeaux?

Sa tête chevelue baissée, Barrabus tentait de retrouver ses esprits. Il prit la main d'Alegni, quand ce dernier la lui tendit devant le visage, puis il lui permit de l'aider à se relever.

—Voilà, dit le tieffelin. Je ne suis pas ton ennemi, mais ton compagnon. Et ton supérieur. Je ne serais pas si souvent obligé de te rappeler cette vérité, si tu parvenais à la garder en tête.

Barrabus le Gris jeta un rapide coup d'œil à son tortionnaire, puis il s'éloigna d'un pas déterminé.

—Rase-toi la barbe et coupe-toi les cheveux! lui cria Herzgo Alegni, ce qui avait clairement valeur d'ordre et de menace. Tu ressembles à un clochard, et ça ne convient pas pour quelqu'un qui sert le grand Herzgo Alegni!

—J'ai quelque chose, l'elfe! beugla Bruenor, dont la voix se répercuta sur les pierres irrégulières des parois des grottes.

Ainsi, quand le son atteignit les oreilles de Drizzt, ce dernier ne perçut que «elfe... elfe... elfe... elfe...».

Le rôdeur drow abaissa sa torche et scruta le boyau principal, à l'extérieur de la petite cavité latérale qu'il était en train d'explorer. En entendant le nain l'appeler de nouveau quand il posa le pied dans le tunnel, il sourit, ayant déduit, d'après le ton employé par son ami, que celui-ci ne courait aucun danger. Néanmoins, en considérant les catacombes qui se présentaient face à lui, il se rendit compte qu'il n'avait pas la moindre idée de la direction à suivre pour retrouver Bruenor.

Il esquissa un nouveau sourire, songeant qu'il existait peut-être un moyen ; il sortit une figurine en onyx de la bourse accrochée à sa ceinture.

—Guenhwyvar…, murmura-t-il.

Cet appel à peine audible n'avait rien d'insistant, pourtant Drizzt sut qu'il avait été entendu avant même qu'une fumée grise apparaisse autour de lui, pour prendre la forme d'un grand félin. Quand elle eut gagné en consistance et se fut foncée, Guenhwyvar se matérialisa au pied de son maître, comme elle en avait l'habitude depuis plus d'un siècle.

—Bruenor se trouve dans ces grottes, Guen, lui expliqua le drow. Retrouve-le.

La panthère noire regarda le rôdeur et lui adressa un léger grognement, avant de s'éloigner en trottinant.

—Et assieds-toi sur lui quand tu l'auras repéré, ajouta Drizzt, en s'élançant derrière elle. Assure-toi qu'il ne parte pas ailleurs avant mon arrivée.

Avec un grondement plus sonore, Guenhwyvar accéléra l'allure, apparemment très motivée par ces nouvelles instructions.

Dans le tunnel principal, elle se figea, les oreilles dressées, quand Bruenor poussa un nouveau cri. Elle se dirigea ensuite vers un passage latéral, renifla l'air, puis s'élança vers un autre. Après un bref temps d'arrêt, elle bondit en avant.

Drizzt tenta de suivre le rythme, mais Guenhwyvar progressait à grande vitesse et avec assurance, plongeant sous des saillies que le drow devait franchir en s'accroupissant et sautant avec aisance dans des conduits secondaires.

À la traîne, Drizzt en fut vite réduit à deviner les choix de la panthère.

Ils s'enfoncèrent ainsi profondément dans les étroits tunnels qui s'entrecroisaient. En entendant le dernier cri que Bruenor avait poussé, Drizzt comprit que Guenhwyvar avait attrapé sa proie.

—Foutu elfe! ronchonna Bruenor, quand Drizzt entra dans une cavité de bonne taille, malgré un plafond assez bas.

De forme plus ou moins carrée et marqué de traces artisanales, cet endroit présentait un vif contraste avec les grottes naturelles qui formaient la majeure partie du complexe.

Dans le coin du fond, à côté d'une torche brûlant faiblement à terre, Guenhwyvar était allongée et se léchait tranquillement une patte. Drizzt aperçut sous l'animal une paire de bottes naines qui dépassaient.

—Ça t'fait encore rire, au bout d'cent ans! se plaignit Bruenor, de l'autre côté du félin.

Drizzt supposa que la tête du nain était coincée par là-bas.

—Je n'arrive plus à te suivre, depuis que la tribu des Cinquante Lances nous a orientés vers ce lieu, répondit le rôdeur.

—Tu comptes renvoyer la panthère d'où elle vient?

—J'apprécie sa compagnie.

—Bon, ben tu crois qu'tu pourrais au moins dire à cette foutue bestiole d'me libérer?

Drizzt adressa un geste à Guenhwyvar, qui se leva aussitôt et s'approcha de son maître, grognant à chaque pas.

—Espèce de diable aux oreilles pointues! grommela Bruenor, en se redressant sur les genoux.

Il récupéra son casque et se leva d'un bond, l'unique corne de son couvre-chef raclant presque la voûte. Les mains sur les hanches, il se retourna et gratifia le drow d'un regard furibond, tout en marmonnant quelques jurons, avant de ramasser la torche.

—Tu t'es plus profondément enfoncé que nous l'avions convenu, fit remarquer Drizzt, qui s'assit en tailleur, plutôt que de rester debout, la tête baissée. Plus profondément que nous avions…

—Bah, y a rien ici, dit le nain. Rien d'intéressant, en tout cas.

— Ces galeries sont très anciennes et n'ont pas servi depuis très longtemps, convint Drizzt, d'une voix chargée de reproches. Un vieux piège, un sol affaibli auraient pu t'envoyer dans les profondeurs. Je t'ai prévenu à de nombreuses reprises, mon ami, de ne pas sous-estimer les dangers de l'Outreterre.

— Tu penses qu'y peut y avoir d'autres tunnels plus bas ?

— Cette possibilité m'a en effet traversé l'esprit, reconnut Drizzt.

— Parfait ! s'enthousiasma Bruenor, rayonnant. Cherche pas plus loin, et dis-toi qu'c'est bien plus qu'une possibilité.

Sur ces mots, il s'écarta et désigna un repli sur la pierre ouvragée, dans le coin qu'il avait commencé à examiner.

— D'autres niveaux, commenta-t-il, avec une fierté évidente.

Il se pencha et s'appuya juste à côté du repli, sur la roche, qui réagit en émettant un claquement très net. Alors que le nain retirait sa main, cette portion de la paroi se décala légèrement, suffisamment pour que Bruenor puisse en agripper le côté et l'écarter davantage.

Drizzt se glissa jusqu'à l'ouverture, qu'il éclaira de sa torche. Ce passage donnait sur une pièce réduite, au moins deux fois plus petite que celle dans laquelle les deux amis se trouvaient, et dont le sol était marqué d'un petit cercle de pierres rectangulaires – des briques ? – formant un rebord autour d'un trou sombre.

— Tu vois à quoi j'pense ? dit Bruenor.

— Ça ne prouve rien, tempéra Drizzt. Ce n'est peut-être qu'un… qu'un puits ?

— Quelque chose a construit c'mur, cette pièce et c'puits.

— Quelque chose, en effet, et ça peut être n'importe quoi.

— C'est un ouvrage nain, insista Bruenor.

— Ce qui laisse encore de nombreuses possibilités.

— Bah ! grogna Bruenor, qui adressa un geste dédaigneux à son ami.

Guenhwyvar bondit aussitôt sur ses pattes et poussa un long grondement sourd.

— Oh! La ferme! se défendit le nain. Me menace pas! Et toi, dis à ta bestiole de…

— Tais-toi! intervint Drizzt, en agitant sa main libre, les yeux rivés sur Guenhwyvar, qui grondait toujours.

— Qu'est-ce qu'y s'passe, l'elfe? s'enquit Bruenor, en observant lui aussi la panthère.

Cela se produisit de façon très soudaine: le sol se mit à trembler, les murs furent secoués et de la poussière commença à pleuvoir autour des deux compagnons.

— Un tremblement d'terre! s'écria Bruenor, la voix étouffée par le raclement de la roche et le bruit des chutes de pierres et autres débris.

Une deuxième secousse les projeta en l'air. Drizzt percuta violemment le côté de l'ouverture, et Bruenor retomba en arrière.

— Allez, l'elfe! hurla-t-il.

Le visage dans la terre mêlée de poussière, sa torche gisant un peu plus loin, Drizzt commençait à se relever quand les blocs de pierre qui le surplombaient cédèrent et lui tombèrent sur les épaules. Le drow s'effondra.

Barrabus le Gris plongea la main dans le sac et en sortit les différents instruments que lui avait donnés Herzgo Alegni afin de l'aider à mener à bien sa tâche. L'assassin devait bien reconnaître que le tieffelin disposait de puissants amis et avait en effet réussi à se procurer des objets très utiles, comme la cape que Barrabus portait en cet instant. Des enchantements y avaient été placés par les elfes, tandis que le dweomer qui y était associé contribuait à dissimuler aux regards Barrabus, pourtant déjà très discret. On pouvait en dire autant de ses bottes elfiques, qui lui conféraient le pouvoir de se déplacer en silence, même en traversant une place jonchée de feuilles mortes.

Bien entendu, la dague logée dans la boucle de sa ceinture était façonnée à la perfection et pourvue de l'enchantement le plus idéal possible. Jamais elle n'avait refusé de s'ouvrir, quand Barrabus le souhaitait. Son système de projection de poison, d'authentiques veines humaines qui, fixées sur une lame de douze centimètres, transportaient la substance létale sur les côtés et vers la pointe, constituait l'une des plus redoutables armes jamais portées par l'assassin. Il suffisait à Barrabus de remplir le cœur du poignard et d'amorcer le manche pour, d'une pression infime, envoyer le poison dans la lame mortelle.

Cela dit, du point de vue de Barrabus, de tels perfectionnements n'étaient pas sans danger. Son art, l'assassinat, reposait tout de même sur des aptitudes, de la prudence et de la discipline. Compter sur trop d'aides de nature magique risquait d'engendrer de la négligence, et la négligence, il le savait, menait droit à l'échec. Il ne s'était ainsi jamais équipé des chaussons, qu'Alegni lui avait un jour offerts, permettant d'escalader des parois aussi facilement qu'une araignée, pas plus que du chapeau grâce auquel il aurait pu se déguiser quasiment à volonté. Bien entendu, il avait écarté la ceinture de changement de sexe avec un grognement de mépris.

Il sortit de sa malle un petit coffret contenant des poisons qu'il avait lui-même achetés ; Barrabus ne laissait jamais un tiers lui procurer ses outils les plus cruciaux. Il ne se fournissait que chez un seul marchand de poisons, un alchimiste de Memnon qu'il connaissait depuis de nombreuses années et qui extrayait lui-même les diverses toxines des serpents, araignées, lézards et scorpions que l'on trouvait dans le désert.

Il souleva une petite fiole verte devant la bougie, un sourire cruel sur le visage. Ce produit était une nouveauté et ne provenait pas du désert. Cette toxine était originaire de la baie qui se trouvait au bout des quais de Memnon, prélevée sur un poisson épineux capable de se dissimuler astucieusement. Malheur au pêcheur qui marchait sur une telle créature. Tous ceux qui arpentaient les plages des régions côtières du Sud avaient entendu des récits évoquant ces terribles hurlements.

Barrabus leva la poignée de sa dague, puis il écarta à moitié le capuchon rétractable du contrepoids sphérique placé à la base de l'arme, dévoilant ainsi une aiguille creuse. Il y apposa le bouchon en caoutchouc de la fiole. Les yeux du tueur se mirent à briller quand le cœur translucide du poignard se remplit du liquide jaunâtre.

Il songea aux cris poussés par le pêcheur, et se sentit presque coupable.

Presque.

Quand tout fut prêt, Barrabus revêtit sa cape. En se dirigeant vers la porte, il passa devant un petit miroir, ce qui lui rappela l'ordre d'Alegni de se raser la barbe et se couper les cheveux.

Il sortit de sa chambre, voyageur anonyme de passage à Padhiver, par une douce nuit, avec un chaleureux coucher de soleil sur la mer. Un homme simple, de taille modeste, qui marchait sans se cacher, apparemment sans arme. Il n'était muni que d'une bourse à la ceinture, sur sa hanche droite, aplatie contre la cuisse et apparemment vide, ce qui n'était évidemment pas le cas.

Il entra dans une taverne voisine – dont il se fichait de connaître le nom – pour consommer un verre de rhum PB, une préparation baldurienne fort puissante, très prisée par les marins le long de la côte des Épées en raison de son faible coût, et dont le goût était si abominable que peu de gens se donnaient la peine d'en voler.

Pour Barrabus, qui l'avala d'un trait, le rhum constituait une transition, au cours de laquelle tout son être se fondait dans un état de conscience plus intense, toutes ces années d'entraînement et de travail d'expert se cristallisant dans ses pensées. Il ferma les yeux peu après et sentit l'inévitable engourdissement dû à l'absorption d'une boisson si forte, avant de se concentrer sur son attention à de nombreuses reprises, jusqu'à déchirer cette lourdeur d'esprit et se trouver dans les meilleures dispositions possible.

— Vous en voulez un autre ? lui demanda le barman.

— Tu parles, il s'écroulerait ! intervint une brute odorante.

Cette remarque fit bruyamment rire ses trois compagnons, tous nettement plus lourds que Barrabus.

Le tueur considéra cet inconnu avec curiosité. Cet idiot ne se rendait pas compte que Barrabus était en train de se demander s'il lui serait possible de tuer ces quatre voyous sans que cela l'empêche de mener à bien sa tâche comme prévu.

— Qu'est-ce que tu en penses ? lui demanda l'homme.

Barrabus ne cilla pas, ne laissa pas transparaître le plus petit sourire, ni la moindre expression. Il reposa son verre sur le bar et fit mine de s'en aller.

— Ah, mais prends-en donc un autre, dit l'un des voyous, en s'approchant de Barrabus. Voyons si tu peux l'avaler cul sec sans tomber par terre !

Barrabus se figea, l'espace d'une fraction de seconde, mais ne se tourna pas vers cet inconnu.

S'estimant insulté, l'ivrogne frappa Barrabus sur l'épaule, ou du moins il essaya. À la seconde où la main agressive le toucha, l'assassin leva la sienne et agrippa le pouce de son vis-à-vis, avant de le tordre vers le bas avec une telle force que le voyou s'effondra, la main retournée en arrière.

— As-tu besoin de tes deux mains pour hisser ton filet à bord de ton bateau ? lui demanda calmement Barrabus.

Voyant cet homme chercher à se dégager au lieu de lui répondre, le tueur accentua adroitement la torsion d'un quart de tour, puis modifia la pression de sa prise, juste assez pour empêcher son adversaire de reprendre son équilibre.

— J'imagine que oui, aussi, par égard pour ta famille, je te pardonne pour cette fois, poursuivit-il.

Sur ces mots, il lâcha sa victime. Alors que ce dernier se redressait en titubant, Barrabus se dirigea vers la porte.

— Je n'ai pas de famille ! hurla soudain le voyou, comme s'il avait été insulté.

Barrabus l'entendit se lancer sur lui.

Il se retourna au dernier moment, mains levées pour détourner les coups maladroits de l'ivrogne, puis, d'un coup de genou, il stoppa net la charge de son agresseur. Les nombreux clients de la taverne observant l'altercation ne surent préciser ce qui se produisit, néanmoins ils constatèrent que le voyou avait été brusquement coupé dans son élan et se trouvait désormais au corps à corps avec l'homme, beaucoup plus petit, qu'il avait provoqué.

— Tu n'en auras sans doute jamais, lui murmura Barrabus. Et le monde ne s'en portera que mieux.

Il le repoussa avec douceur, l'aidant même à conserver son équilibre. Le regard vide et les pensées certainement embrouillées, le malheureux se pencha et porta des doigts tremblants sur ses testicules écrasés.

Barrabus ne lui accorda plus le moindre intérêt et sortit de la taverne. Il entendit un bruit sourd – son adversaire venait de s'effondrer – puis, de façon prévisible, des cris de colère des trois compagnons de ce dernier, après le choc provoqué par l'audacieuse réaction de Barrabus.

Ils envahirent la rue et crachèrent des insultes, bondissant de tous côtés et hurlant dans la nuit déserte. Agitant les poings, ils promirent de se venger et rentrèrent dans la taverne.

Assis sur le toit du bâtiment, les jambes suspendues dans le vide, Barrabus, qui s'était contenté de les observer, soupira, consterné par leur idiotie si prévisible.

Il parvint peu après devant l'immense demeure du seigneur, qui comprenait trois étages en plus du rez-de-chaussée, dissimulé dans les ombres des arbres qui ornaient l'arrière de la maison. Hugo Babris était un homme prudent ; Barrabus fut surpris de noter la présence de nombreux gardes, qui patrouillaient dans le jardin et sur les balcons. Il avait déjà rencontré de tels dispositifs, quand un chef présumé faible s'entourait de quantité de protections. Le tueur savait également que cela signifiait en règle générale que ce personnage ne tenait qu'un rôle de porte-parole, de marionnette, pour les réels détenteurs du pouvoir qui se cachaient derrière lui. Barrabus n'avait toutefois aucune certitude quant à la nature de telles puissances occultes dans l'étrange cité de Padhiver, qui se développait si vite. Des pirates, probablement, ou une guilde de marchands s'engraissant sur le dos du seigneur Hugo Babris. Il était en tout cas certain que quelqu'un déboursait de fortes sommes pour entretenir ce niveau de protection.

Barrabus regarda autour de lui, songeant qu'il avait peut-être intérêt à s'en aller. Il comprenait pourquoi Herzgo Alegni s'était donné la peine de le convoquer, seulement il se demandait si le tieffelin ne souhaitait pas le voir échouer.

Cette pensée en tête, il se mit en action, mais pas pour s'éloigner. Il n'offrirait pas cette satisfaction à Alegni.

L'assassin se hissa au sommet du mur d'enceinte et jeta un coup d'œil dans la cour, où il remarqua notamment une patrouille : deux gardes flanqués d'énormes chiens à l'air furieux.

— Merveilleux…, articula-t-il en silence.

Après être descendu de son poste d'observation, il fit plusieurs fois le tour du domaine, pour finalement ne retenir qu'une seule approche potentielle : les branches d'un arbre, qui se déployaient jusqu'au-dessus de la propriété d'Hugo Babris. Sauter de là jusqu'à la maison impliquait tout de même un bond considérable, dont la réception se ferait sur le rebord d'un balcon par lequel passaient les gardes.

Une fois de plus, Barrabus songea que le moment était peut-être venu de discuter avec Herzgo Alegni.

Puis, comme précédemment, l'idée de reconnaître ses limites face au tieffelin le poussa à escalader le mur, grimper dans l'arbre et se jucher sur les plus hautes branches. Une fois en place, il marqua une pause, afin d'analyser les mouvements dans la cour et sur les balcons et de déterminer le moment idéal pour se lancer. Cela semblait désespéré, voire ridicule, mais c'était toujours ainsi.

Il bondit de son perchoir et se réceptionna sur le rebord d'un balcon du premier étage, au coin du bâtiment. Il plongea aussitôt d'un côté, pour éviter de se faire remarquer par une sentinelle qui arrivait. Plaqué sous le balcon, il laissa le garde continuer sa ronde, puis il se rétablit sur la balustrade et se dirigea vers le balcon suivant. Il poursuivit ainsi sa progression, jusqu'à s'asseoir sur le rebord d'une étroite fenêtre du dernier étage.

Il plongea la main dans sa bourse, qui semblait vide mais renfermait en réalité un espace extra-dimensionnel, et en sortit deux ventouses fixées sur des bâtons reliés par une corde. Quand il les eut placées sur la vitre, il ouvrit le compartiment d'une de ses bagues et en sortit un diamant, attaché au bijou par un fil.

Avec cet outil, Barrabus se mit à dessiner un cercle sur la fenêtre, marquant le verre un peu plus à chaque tour. Il s'activait avec zèle, s'interrompant parfois pour se cacher quand des gardes passaient en contrebas, avant de se remettre à l'ouvrage. Il lui fallut un long, très long moment pour affaiblir suffisamment le verre. Enfin, il agrippa les deux ventouses et donna trois petits coups sur la vitre, ce qui dégagea le cercle de verre. Il le poussa dans la pièce et le posa avec douceur sur le sol, appuyé contre le mur. Après avoir jeté un coup d'œil autour de lui afin de s'assurer que la voie était libre, Barrabus s'accrocha au haut du cadre de la fenêtre, puis il leva les jambes, avec autant de grâce que de force, et les glissa dans l'ouverture.

Il se balança en arrière, au point que ses pieds sortirent presque du trou, et s'élança en avant avec une telle vivacité que son élan lui permit de se faufiler complètement par l'interstice, effleurant à peine le verre encore en place et ne produisant qu'un bruit étouffé.

Le jeu ne faisait que commencer, bien entendu – Hugo Babris avait également disposé de nombreux gardes à l'intérieur –, mais il était lancé. Sa concentration se fit plus précise, plus intense, si bien qu'il finit par ressembler tout à fait à un fantôme : éthéré, silencieux et invisible. La perfection était requise, raison pour laquelle Herzgo Alegni l'avait convoqué, lui, et personne d'autre.

On disait de Barrabus le Gris qu'il était capable de se tenir au milieu d'une pièce sans se faire remarquer, même si, évidemment, la ruse du tueur consistait à ne pas rester au milieu d'une pièce. Il savait dans quelle direction des sentinelles vigilantes regarderaient, aussi savait-il où ne pas se poster. Que la cachette optimale soit située derrière une porte ouverte, ou au-dessus, derrière une tenture, ou devant, de façon à ne pas paraître plus vivant qu'une peinture murale, Barrabus la repérait. Combien de fois, au cours de ces décennies, une sentinelle avait-elle regardé dans sa direction sans le voir ?

Hugo Babris était bien protégé – il disposait de tant de gardes que le tueur changea d'avis quant à la façon d'influencer cet homme – mais cela suffit à peine à ralentir l'inexorable progression de Barrabus le Gris.

Peu après, il se retrouva sur le dos d'une sentinelle assommée et affalée sur le bureau d'Hugo Babris. Barrabus regarda droit dans les yeux le seigneur nerveux, piégé et impuissant.

—Prenez l'or et partez d'ici, je… je vous en conjure…, supplia Hugo Babris.

Le seigneur était un petit homme chauve, rondelet et tout à fait quelconque, ce qui ne fit que renforcer la conviction de Barrabus ; il avait affaire à une marionnette, qui couvrait des hommes beaucoup plus dangereux.

—Je ne veux pas de ton or.

—Je vous en prie… J'ai une fille.

—Je m'en fiche.

—Elle a besoin de son père.

—Je m'en fiche.

Le seigneur porta une main tremblante à ses lèvres, comme s'il allait se trouver mal.

—Ce que j'attends de toi est simple, et tu l'exécuteras aisément, expliqua Barrabus. Ça ne te coûtera rien – tu en sortiras même gagnant. Il ne s'agit que de changer le nom d'un pont.

—C'est Herzgo Alegni qui vous envoie! s'exclama Hugo Babris, en bondissant de son fauteuil.

Il se laissa aussitôt retomber, les mains dressées, quand un poignard, surgi de nulle part, apparut dans les mains du tueur.

—Je ne peux pas faire ça! gémit Hugo Babris. Je lui ai déjà dit que c'était impossible. Les seigneurs d'Eauprofonde ne voudront jamais…

—Tu n'as pas le choix.

—Mais les seigneurs et les capitaines pirates du…

—Ils ne sont pas ici, contrairement à Herzgo Alegni et ses ombres – et à moi, dit Barrabus. Songe au gain potentiel, ainsi qu'à ce que tu risques si tu n'obéis pas. (Hugo Babris secoua la tête et commença à protester davantage, mais le tueur l'interrompit aussitôt.) Tu n'as pas le choix. Je peux venir ici quand je le veux. Tes sentinelles ne me posent aucun problème. As-tu peur de mourir ?

—Non ! lâcha le seigneur Hugo Babris, avec davantage de détermination que l'assassin ne l'aurait imaginé capable de rassembler.

Barrabus fit tourner sa dague dans sa main, de façon à en faire voir les veines à Hugo Babris.

—As-tu déjà entendu parler du piqueur de pierre ? demanda-t-il. C'est un affreux poisson, doté d'un magnifique et parfait système de défense. (Il sauta du bureau.) Tu parleras officiellement du pont Herzgo Alegni dès demain.

—Je ne peux pas…, pleurnicha Hugo Babris.

—Oh si, tu peux.

Le tueur approcha brusquement son poignard du seigneur, qui se recroquevilla de façon pitoyable. Sa longue expérience avait appris à l'assassin que l'idée de la douleur était souvent plus motivante que la douleur elle-même.

Il se retourna et frappa la sentinelle inconsciente, d'un coup très léger, mais suffisant pour déverser du venin de piqueur de pierre.

Il hocha la tête en direction d'Hugo Babris, puis répéta :

—Je peux venir ici quand je le veux. Tes sentinelles ne me posent aucun problème.

Il sortit de la pièce et disparut dans le couloir. Il était à mi-chemin de l'ouverture pratiquée dans la fenêtre quand le poison sortit le garde de son état semi-conscient. Les hurlements de douleur du malheureux n'arrachèrent qu'un soupir résigné à Barrabus.

L'assassin repoussa une vague de mépris envers lui-même en se promettant en silence que, un jour, Herzgo Alegni subirait la morsure du piqueur de pierre.

Guenhwyvar serra les dents sur la cape et la tunique de cuir de Drizzt, puis elle tira de toutes ses forces, ses immenses griffes raclant la roche.

— Tire ! lui cria Bruenor, tout en écartant une autre pierre. Allez, l'elfe !

Le nain parvint à glisser une main sous le bloc le plus lourd, trop massif pour être déplacé. Il se plaça ensuite à califourchon sur Drizzt, cala les deux mains sous le rocher et fournit un violent effort pour le soulever.

— Tire ! implora-t-il Guenhwyvar. Tire dès que j'fais rouler la pierre !

Quand la pression se relâcha, Guenhwyvar dégagea Drizzt, qui se redressa à genoux.

— File ! lui cria Bruenor. Fiche le camp d'ici !

— Lâche ce rocher ! lui hurla en retour le drow.

— C'est tout l'plafond qui va s'écrouler, protesta le nain. Enfuis-toi !

Drizzt savait que Bruenor pensait ce qu'il disait ; son plus vieil ami se serait sacrifié avec joie pour le sauver.

— Allez, va-t'en ! supplia Bruenor, qui grognait sous la pression.

Malheureusement pour lui, Drizzt éprouvait les mêmes sentiments à son égard. Le nain couina de surprise quand il sentit la main de l'elfe noir l'attraper par les cheveux.

— Qu'est-ce que... ? commença-t-il à ronchonner.

Le drow tira brutalement et dégagea Bruenor des gravats, avant de le projeter dans le tunnel, en direction de Guenhwyvar, qui s'éloignait.

— Allez, on file ! hurla Drizzt.

Il s'élança sur les talons de Bruenor, sous les chutes de pierres. Après quelques grondements de protestation, la voûte s'affaissa.

Ne devançant la catastrophe que de quelques pas, le trio suivit le boyau en courant, sous une pluie de pierres et de poussière. Guenhwyvar mena ses deux compagnons dans un passage latéral, qui débouchait sur un conduit vertical perçant la voûte. La panthère avala d'un bond les trois ou quatre mètres qui séparaient ce niveau du suivant. Bruenor s'arrêta dans une glissade sous l'ouverture et se retourna, prêt à agir. Sans ralentir, Drizzt posa un pied sur les mains tendues du nain, qui le propulsa vers le haut. Il atteignit le sol du niveau supérieur et assura sa prise, alors que Bruenor sautait et s'accrochait à ses jambes. De la mâchoire, Guenhwyvar attrapa de nouveau la cape froissée et la tunique du drow, avant de tirer, faisant appel à sa force considérable.

Ils continuèrent ainsi, un siècle d'expérience, de coordination et, plus que tout, d'amitié leur indiquant le chemin. Ils sortirent de la grotte alors qu'une nouvelle réplique secouait les environs. Des nuages de poussière s'épanouirent dans leur dos, le rugissement de la catastrophe souterraine résonnant tout autour d'eux.

Quelques mètres à peine après avoir retrouvé la surface, ils s'effondrèrent côte à côte sur un carré d'herbe, haletants, le visage tourné vers la grotte qui avait failli devenir leur tombeau.

— Va falloir creuser un bon moment, maintenant, se plaignit Bruenor.

Drizzt se mit à rire – qu'y avait-il d'autre à faire ? Bruenor l'observa un instant avant de se joindre à lui, puis le drow se laissa aller sur le dos, les yeux levés vers le ciel, riant encore en songeant, idée ridicule, qu'un tremblement de terre avait été près de réussir là où des milliers d'ennemis avaient échoué. Quelle fin lamentable cela aurait été pour Drizzt Do'Urden et le roi Bruenor Marteaudeguerre !

Peu après, il leva la tête en direction de Bruenor, qui s'était rapproché de l'entrée de la grotte. Les mains sur les hanches, il scrutait les ténèbres.

— C'est là, l'elfe, dit-il. J'le sais, et va falloir creuser un bon moment.

— Va de l'avant, Bruenor Marteaudeguerre, murmura Drizzt, expression qu'il employait régulièrement depuis plus de cent ans. Et sois ravi de savoir que chaque monstre qui se présentera à nous remarquera ton passage et restera prudemment caché.

Depuis le coin d'un bâtiment, un peu plus loin sur l'avenue, Barrabus le Gris vit un homme couvert de sang sortir en trombe de la taverne, suivi de près par quatre voyous que le tueur n'eut aucun mal à reconnaître. Quand la pauvre victime s'effondra à plat ventre sur les pavés, ses poursuivants se jetèrent sur elle et le couvrirent de coups de pied et de crachats. Deux d'entre eux la frappèrent avec des pieds de table tout juste arrachés, et un autre alla jusqu'à se pencher pour entailler à plusieurs reprises le malheureux avec un petit couteau, dans les fesses et sur l'arrière des jambes. Quant au dernier, il se tenait à l'écart, jurant et boitant, agitant un pied de table d'une main et se tenant l'entrejambe de l'autre.

Barrabus, qui ne prêtait que peu d'attention aux détails de la scène, n'entendait pas les cris pitoyables de l'inconnu. Il avait en réalité encore en tête les hurlements de la sentinelle, dans la maison du seigneur Hugo Babris, dus au poison du piqueur de pierre, qui se répandait en lui comme des flammes. La deuxième phase de l'action de cette substance avait déjà dû commencer ; le garde devait sentir ses muscles se contracter douloureusement, son estomac se nouer, jusqu'à le faire vomir même s'il n'avait plus rien à rendre. Il verrait le jour se lever avec un épuisement extrême et une douleur sourde, un état dont il ne sortirait qu'au bout de quelques jours. Barrabus était incapable de préciser si cet homme méritait un tel traitement. Son seul crime avait été de se présenter à la porte d'Hugo Babris peu après qu'il y fut lui-même entré, avec aussi un peu trop de curiosité…

L'assassin chassa d'un ricanement ces pensées perturbantes de son esprit, puis il se retourna vers les voyous, qui avançaient vers lui. Dissimulé dans l'ombre du bâtiment, il était invisible pour le quatuor.

Le bon sens commandait à Barrabus de s'éclipser dans la ruelle, de s'éloigner de cet endroit. La prudence exigeait qu'il évite d'attirer inutilement l'attention, à Padhiver. Mais il se sentait sale, en cette heure sinistre, et il éprouvait le besoin de se purifier.

—Re-bonjour, dit-il, quand le groupe passa à sa hauteur, au milieu de la rue.

Quand ils se tournèrent comme un seul homme vers lui, le tueur rejeta en arrière la capuche de sa cape elfique, se dévoilant à leurs regards.

— Toi ! s'exclama l'homme qu'il avait blessé un peu plus tôt.

Barrabus sourit et se fondit dans la ruelle.

Les quatre malfrats se précipitèrent sur lui, trois d'entre eux brandissant leur bâton et le quatrième son couteau. Tous se mirent à crier leur rage et des promesses de vengeance, même si l'un d'eux boitillait plus qu'il ne courait. Les trois autres s'engagèrent à pleine vitesse dans le passage, sans songer que Barrabus n'avait reculé que de quelques pas et qu'il n'essayait pas de leur échapper. Le ton de leurs injures changea du tout au tout quand il leur bondit dessus, distribuant coups de coude, de poing et de pied.

Quelques instants plus tard, Barrabus le Gris sortit de la ruelle et suivit l'avenue faiblement éclairée de Padhiver. Il n'y avait plus un bruit derrière lui, pas même un grognement.

Il se sentait mieux. Il se sentait plus propre. Ces quatre-là l'avaient mérité.

4

Le secret de la Tour des Arcanes

— Des elfes noirs…, dit Dahlia, visiblement assez amusée par cette constatation. C'est donc vrai.

— Ça l'était plus encore dans le passé, précisa Dor'crae. Ils se font plus rares dans la cité ces temps-ci, depuis que Luskan a perdu son éclat de port commercial. Mais on en voit encore, au moins de passage, conseiller les Hauts Capitaines et offrir leurs marchandises.

— Intéressant, répondit Dahlia qui, en vérité, s'intéressait de moins en moins aux digressions de son amant sur la politique de la Cité des Navigateurs.

Dor'crae l'avait conduite en un lieu peu ordinaire, une zone entourée d'un cordon de sécurité et jonchée de ruines envahies par les racines et les restes d'immenses arbres morts. On aurait dit un jardin laissé à l'abandon depuis une éternité.

— Comment nomme-t-on cet endroit? s'enquit-elle.

— Illusk, répondit Dor'crae. La partie la plus ancienne d'une ville elle-même très ancienne. Mieux encore, Illusk représente la barrière de Luskan, entre le présent et le passé, les vivants et les morts. (Dahlia prit une profonde inspiration, inhalant la lourde senteur de l'air autour d'elle.) Tu ne le sens pas? Ayant vécu en bordure de l'Anneau de Terreur de Szass Tam, tu dois percevoir la différence.

Dahlia acquiesça. Elle sentait en effet une fraîcheur moite, le parfum de la mort, la sensation du vide… Il est vrai que la mort était à peu près tout ce qu'elle avait connu au cours de la dernière décennie – de manière continuelle, intime et pénétrante.

—Arpenter ces deux royaumes est un plaisir des plus doux…, lui murmura Dor'crae à l'oreille, d'une voix de plus en plus rauque, en se penchant vers le cou de sa compagne.

L'espace de quelques instants, Dahlia, les paupières lourdes, eut à peine conscience de l'approche du vampire. Elle crut sentir se fondre dans tout son être une invitation à pénétrer dans l'autre royaume.

Elle ouvrit brusquement les yeux et lança un regard agressif au vampire qui se pressait contre elle.

—Si tu me mords, je te tue, murmura-t-elle, singeant le ton charmeur de Dor'crae.

Le vampire esquissa un sourire et recula, sans oublier de s'incliner.

Dahlia se tourna légèrement, afin de lui montrer la broche qu'elle portait, un cadeau de Szass Tam, qui lui conférait de grands pouvoirs sur les morts-vivants. Un vampire constituait certes un redoutable adversaire pour tout guerrier vivant, cependant, grâce à cette broche et à son extraordinaire discipline physique, Dahlia était tout à fait en mesure de mettre sa menace à exécution.

—Pourquoi m'as-tu fait venir ici ? demanda-t-elle.

—Tu contemples la porte de la ville souterraine, expliqua Dor'crae.

Le vampire se dirigea vers une ruine voisine, quelques pierres brisées disposées en un motif plus ou moins circulaire, qui donnaient l'impression d'avoir en d'autres temps formé la margelle d'un puits.

Dahlia hésita et lança un regard en direction de l'île sur laquelle s'était autrefois dressée la Tour des Arcanes, dont les gravats étaient encore visibles. L'expression de l'elfe resta toutefois sceptique.

—Il y a des tunnels, expliqua Dor'crae. Sous les vagues.

—Y es-tu déjà descendu ?

Le vampire hocha la tête en souriant.

— C'est là que je m'abrite de l'éclat du soleil. C'est un endroit remarquable, avec une hôtesse qui l'est tout autant.

Cette dernière remarque surprit Dahlia, qui dévisagea le vampire avec étonnement.

— Une hôtesse ? dit-elle.

— En effet. Une créature délicieuse.

— Ne te moque pas de moi.

— Valindra Manteaudombre va te plaire, promit la créature de la nuit.

D'un large geste des bras, Dor'crae s'enveloppa dans sa cape, puis il parut se voiler. Dahlia dut détourner le regard, le temps que le vampire se métamorphose en chauve-souris géante. La bête plongea aussitôt dans le puits et disparut dans les profondeurs. Avec un soupir – Dor'crae n'ignorait pas qu'elle ne pourrait le suivre facilement –, Dahlia se glissa dans le trou. Après avoir changé son arme en bâton de marche, elle chuchota un ordre et la frappa contre la roche. Le côté replié de l'artefact réagit instantanément en émettant des éclats vacillants de lumière bleutée.

L'*Aiguille de Kozah* dans une main, Dahlia s'élança, sa main libre et ses pieds évoluant avec assurance. Après une dizaine de mètres de descente, l'étroit conduit s'ouvrit sous elle. Elle se baissa au maximum et tendit son arme vers le bas, de façon à illuminer la cavité. Le sol se trouvant trois ou quatre mètres plus bas, elle ne prit pas la peine de se suspendre par les doigts ; elle se replia sur elle-même et lâcha prise.

Elle se réceptionna en position accroupie et regarda aussitôt autour d'elle. Dor'crae, qui avait repris sa forme humaine, l'attendait près d'un autre trou. Ils descendirent encore, suivirent un tunnel et franchirent une porte qui donnait sur une cavité latérale. Quelques volées de marches, échelles et boyaux verticaux plus tard, ils parvinrent à l'entrée d'un labyrinthe de tunnels sans âge, dont les parois, portes et escaliers étaient plus ou moins effondrés, l'incarnation la plus ancienne de la ville qu'ils avaient fini par connaître sous le nom de Luskan.

— Ce tunnel nous conduira vers les îles, dit Dor'crae, le bras tendu vers l'ouest.

Dahlia se mit en marche, ouvrant la route avec son bâton illuminé et examinant les murs et le sol.

— Sur le plafond de cette galerie, tu découvriras un mystère de la Tour des Arcanes, poursuivit le vampire.

Dahlia déplia son arme, ainsi déployée sur sa longueur maximale, et laissa la lumière oscillante se stabiliser à l'extrémité de la perche. Puis elle la tendit vers le haut, touchant presque la voûte étonnamment haute de cette section.

— Qu'est-ce donc ? demanda-t-elle, en faisant courir le bout de l'*Aiguille de Kozah* sur ce qui ressemblait à des veines dans le plafond.

— Des racines ? répondit Dor'crae, sur un ton plutôt interrogatif.

Dahlia lui jeta un regard empli de curiosité, avant de se souvenir de la forme d'arbre de la Tour des Arcanes, désormais détruite.

C'est alors que retentit un sifflement. Elle se retourna, perche brandie. Une bête morte-vivante se précipitait sur elle, une interminable langue pendant entre des dents jaunes et pointues.

Dahlia fit tourner son arme, mais Dor'crae intervint. Après avoir avancé d'un pas, il leva la main en direction de la goule, qu'il fusilla d'un regard intense.

La goule ralentit et s'arrêta, rendant son regard au vampire, un être de plus grande importance dans l'énigmatique ordre hiérarchique des morts-vivants. Avec un hurlement de protestation, la créature odorante se réfugia dans les ombres et repartit par où elle était venue.

— Les catacombes regorgent de bêtes affamées, dit Dor'crae. Goules, lacédons, zombies à demi dévorés…

— Charmant, commenta Dahlia, en se plaignant intérieurement que les morts-vivants la suivent sans cesse, où qu'elle aille.

— La plupart sont minuscules, mais il en existe au moins deux grosses, précisa le vampire, avant de revenir aux étranges racines. Ce sont des tubes creux ; l'un relie les fondations de la Tour des Arcanes détruite à la pleine mer, tandis que l'autre rejoint le continent, en suivant la direction est sud-est.

— Sur quelle distance ?

Le vampire haussa les épaules.

— Bien au-delà des murs de la cité.

— Quel genre de magie est-ce donc ? demanda Dahlia, en élevant sa lumière pour observer plus longuement le tube verdâtre, presque translucide et veiné de rouge.

— De la magie ancienne. (Dahlia fusilla son compagnon du regard.) Si je devais me prononcer, je dirais que ce réseau est de facture naine, précisa Dor'crae.

— Un ouvrage nain ? Non, trop subtil.

— La maçonnerie qui l'entoure est parfaite, jusqu'aux fondations de la Tour des Arcanes, que l'on doit certainement à des artisans nains.

— Tu es en train de me dire que la Tour des Arcanes, une structure qui comptait parmi les plus magnifiques et les plus magiques de Faerûn, et qui abritait une guilde de magiciens dont l'origine remonte plus loin que la mémoire des plus vieux elfes, a été bâtie par des nains ?

— Je pense qu'il est probable que les nains aient collaboré avec les architectes de la Tour des Arcanes, répondit Dor'crae. Ces derniers n'étaient sans doute pas des nains, plutôt des elfes, j'imagine, étant donné l'histoire de la région et la forme d'arbre du bâtiment avant sa destruction.

Dahlia ne contesta pas ce point de vue, même si elle estimait indispensable l'intervention de quelques humains pour unir des elfes et des nains.

— Des racines ? dit-elle. Et tu penses qu'elles sont import…

Elle s'interrompit, ayant remarqué un mouvement au-dessus d'elle, et ses traits se crispèrent quand elle vit un genre de liquide remplir le tube.

— La marée, expliqua Dor'crae. Quand elle monte, de l'eau se répand dans ces conduits – ces racines ou ces veines, comme tu veux –, en quantité modeste, toutefois, qui est évacuée avec la marée descendante.

Dahlia ne savait que penser de cette surprenante information. Son compagnon et elle étaient venus à Luskan pour découvrir si la destruction de la Tour des Arcanes était liée aux séismes qui éprouvaient le nord de la côte des Épées depuis sa chute. On disait que des protections magiques avaient explosé durant la destruction de la tour, et, d'après la fréquence des tremblements de terre, ces protections avaient agi non seulement sur Luskan mais également sur les collines boisées appelées les Escarpes.

La guerrière elfe se tourna pour suivre du regard l'étrange racine, qui filait vers le sud-est.

—Qu'as-tu appris d'autre ? demanda-t-elle.

—Suis-moi, je vais te conduire auprès de la liche Valindra et d'un être plus ancien et plus puissant – ou plutôt, qui était plus puissant, avant de devenir fou durant le fléau magique.

Alors qu'il se mettait en route, Dahlia ne lui emboîta pas immédiatement le pas, se remémorant en silence ce qu'elle savait de l'histoire récente de Luskan, qu'elle avait intensément étudiée avant son départ de Thay.

—Arklem Greeth ? hasarda-t-elle.

Cette liche avait autrefois commandé la Tour des Arcanes, au nom de la Confrérie des Arcanes, avant d'être vaincue au cours de la destruction du bâtiment. Vaincue, mais sans doute pas tuée, estimait l'elfe, car on avait affaire à une liche, après tout.

Dor'crae afficha un sourire approbateur.

—Un redoutable ennemi, l'avertit Dahlia. Même en tenant compte de la protection de la broche de Szass Tam.

Dor'crae secoua la tête.

—Autrefois, peut-être, mais plus maintenant. Les drows ont réglé ce problème pour nous.

Un peu plus tard, et après avoir traversé une dizaine de cavités et de tunnels, le duo entra dans une étrange pièce.

—Quel est cet endroit ? s'enquit Dahlia.

Ce lieu ressemblait davantage au salon d'une auberge de luxe qu'à une cavité souterraine perdue dans un réseau de grottes humides. Des tapisseries très colorées y étaient suspendues, autour d'un mobilier haut de gamme somptueusement décoré, qui comprenait notamment une commode en marbre surmontée d'un imposant miroir en or.

—C'est ici que je vis, déclara une femme, assise sur un fauteuil raffiné, face à ce meuble.

Quand l'inconnue se retourna et adressa un sourire aux deux arrivants, Dahlia dut fournir un violent effort pour ne pas tressaillir. Cette femme avait peut-être autrefois été belle, avec sa longue chevelure noire et brillante et ses traits délicats, cependant ses yeux avaient depuis longtemps perdu leur couleur, qui avait cédé la place aux points rouges qu'étaient les feux internes surnaturels des liches. Son sourire était une horreur, car ses gencives pourries mettaient en évidence ses dents beaucoup trop longues, tandis que sa peau blafarde semblait sur le point de craquer.

—Ça ne vous plaît pas ? susurra-t-elle, de façon exagérée, comme une fillette.

—Oh si, Valindra ! Bien sûr que si ! répondit Dor'crae, avec un enthousiasme forcé, sans laisser à Dahlia le temps de réagir.

La guerrière jeta un regard sur son compagnon, puis revint à la liche.

—Vous êtes Valindra Manteaudombre ? lui demanda-t-elle.

—Eh bien oui, c'est moi, répondit Valindra.

—J'ai entendu parler de votre grandeur, mentit Dahlia. (Dor'crae approuva sa réponse en lui serrant la main.) Ces récits flatteurs ne rendent néanmoins pas justice à votre beauté.

Sur ces mots, Dahlia s'inclina, tandis que Valindra riait sottement.

—Où se trouve votre mari, bienveillante dame ? demanda Dor'crae.

Quand Valindra se retourna, comme pour chercher quelqu'un, le vampire désigna du menton un buffet pourvu d'une vitre, dans lequel était disposée une étonnante gemme taillée en forme de crâne, de la taille du poing de Valindra.

Alors qu'ils observaient tous le phylactère, les yeux du crâne se mirent à briller d'un rouge intense, quelques instants, éclat qui ne tarda pas à se radoucir.

— Greeth est là-dedans ? demanda discrètement Dahlia à son compagnon.

— Ce qu'il en reste, répondit le vampire. (Il orienta le regard de Dahlia de l'autre côté, sur un second artefact taillé en forme de crâne, dont le cristal blanc fumé ne semblait pas abriter de vie.) Et voici le phylactère de Valindra.

Tout en considérant les gemmes, Dahlia porta la main à sa broche. Elle osa s'approcher du buffet, puis, voyant que Valindra ne se départait pas de son sourire stupide, elle ouvrit la porte du meuble. D'un regard par-dessus l'épaule, elle consulta Dor'crae, qui leva les mains, n'ayant aucune réponse à lui apporter.

— Une magnifique gemme, dit l'elfe à Valindra.

— C'est celle de mon mari, répondit la liche.

— Puis-je la porter ?

— Oh oui, je vous en prie ! accepta Valindra.

Dahlia n'était pas certaine que cette amabilité soit due à l'apparente simplicité d'esprit de leur hôtesse. Peut-être cet enthousiasme était-il lié à quelque vil projet. Il ne fallait pas oublier que prendre en main le phylactère d'une liche désincarnée était, à en croire les rumeurs, la meilleure façon d'être soi-même possédé.

Mais Dahlia portait la broche de Szass Tam, qui lui offrait une protection considérable vis-à-vis de ce type de nécromancie, aussi s'empara-t-elle de la gemme.

Elle sentit presque instantanément un afflux de confusion, de colère et de terreur, contenues dans cet artefact, et comprit qu'elle était en contact avec Arklem Greeth. Elle l'aurait d'ailleurs deviné sans les indications de Dor'crae, car la liche lui criait de la libérer, et de tuer un certain Robillard.

Dahlia entrevit des visions de la gloire passée de la Tour des Arcanes, dont Arklem Greeth avait été le dernier maître.

Des images et des pensées discordantes lui vinrent en telle quantité à l'esprit qu'elle se sentit elle-même attirée par les profondeurs tentantes de la gemme.

Elle commença à se demander où se trouvait la limite qui séparait Dahlia d'Arklem Greeth.

Dans un éclair de lucidité, l'elfe reposa la pierre précieuse sur l'étagère et recula vivement d'un pas, le souffle court. Elle ne réussit à conserver son calme qu'au prix d'un sérieux effort.

— La gemme de votre mari est magnifique, Valindra, dit-elle.

— En effet, cependant la mienne est tout aussi extra-ordinaire, répondit la liche, d'une voix soudain différente, rauque, menaçante et grave à la fois.

Dahlia se tourna vers elle.

— Qu'êtes-vous venus faire ici ? questionna Valindra. Est-ce Kimmuriel qui vous envoie ?

— Kimmuriel ? répéta Dahlia, s'adressant à Dor'crae plutôt qu'à la liche.

— Un chef des elfes noirs de Luskan, précisa le vampire.

— Où est-il ? demanda Dahlia.

— Il est reparti chez lui, répondit Valindra, de façon inattendue, sur un ton chargé de regrets. Loin, très loin d'ici. Il me manque. Il m'aide…

La guerrière et le vampire échangèrent des regards étonnés.

— Il m'aide à me souvenir, poursuivit Valindra. Il aide mon mari.

— C'est lui qui vous a donné les gemmes ? demanda Dahlia.

— Non, c'est Jarlaxle… et ce stupide nain.

Dahlia interrogea du regard Dor'crae, qui secoua la tête.

— Bwahaha ! s'emporta Valindra, l'air revêche, avant de pousser un soupir encore plus aigre. Stupide nain.

— Jarlaxle est donc un nain ?

— Non ! s'exclama la liche, plutôt amusée par cette idée. C'est un drow. Aussi séduisant qu'intelligent.

— Il est à Luskan ?

—Parfois.

—En ce moment ?

—Je… je…

La liche se mit à regarder partout autour d'elle, perdue.

Dahlia se tourna vers Dor'crae, qui n'eut aucune réponse à lui fournir.

—Que savez-vous de la Tour des Arcanes ? demanda-t-elle à la créature.

—J'y ai vécu, autrefois, très longtemps.

—Oui, puis elle a été détruite…

La liche se tourna vers le côté et se couvrit les yeux d'un bras.

—Elle est tombée ! Oh, elle est tombée !

—Et sa magie n'a pas tenu ? insista Dahlia, en s'approchant de la femme affolée.

Valindra ne réagissant que par un regard vide, l'elfe lui reposa plusieurs fois sa question, en variant les formulations.

Rapidement, il devint clair que la liche ne saisissait pas ce dont parlait Dahlia. Celle-ci estima plus sage d'orienter la conversation vers des sujets plus légers, comme la beauté de Valindra, ce qui calma la morte-vivante.

—Pourrai-je de nouveau vous rendre visite, Valindra ? demanda Dahlia, un peu plus tard.

—J'apprécie la compagnie, répondit la liche. Mais prévenez-moi à l'avance, pour que j'aie le temps de préparer le… (Elle se tut et regarda autour d'elle, soudain bouleversée, avant de reprendre, en regardant Dahlia avec un air étonné.) Je… Où sont mes provisions ?

La créature se couvrit alors le visage des mains et recula, en poussant un gémissement sonore.

Quand Dahlia fit mine de s'approcher d'elle, la liche l'arrêta d'un geste.

—Ma nourriture ! s'écria-t-elle, avant de se mettre à rire.

—Je vous en apporterai, promit l'elfe, ce qui ne fit qu'augmenter l'hilarité de Valindra.

—Je n'ai plus besoin de ce genre d'alimentation. Plus depuis des années, maintenant. Plus depuis la chute de la Tour des Arcanes. (La malheureuse afficha un sourire triste.) Plus depuis que je suis morte.

Elle s'apaisa quand Dahlia s'écarta et rejoignit Dor'crae.

—Il m'arrive de l'oublier, expliqua-t-elle, d'une voix redevenue grave. Je me sens si seule…

Et la liche de lancer un regard nostalgique en direction du phylactère en forme de crâne de son mari.

—Vous seriez donc d'accord pour nous accueillir de nouveau ? demanda Dahlia.

Valindra acquiesça.

Dahlia fit signe à Dor'crae de la suivre et se dirigea vers la sortie de la pièce.

—Mais pas de nourriture, lui rappela Valindra.

—Il y a encore des réponses à trouver par ici, dit Dor'crae, quand ils se furent éloignés. Dans les racines de la Tour des Arcanes, si ce n'est chez Valindra.

—Il y a aussi des réponses à trouver chez elle.

—Je doute qu'elle en sache beaucoup à propos des origines de la Tour des Arcanes, ou de ses protections.

—Arklem Greeth sait peut-être quelque chose. J'aimerais lui reparler.

—Tu lui as parlé ? Quand tu tenais la gemme ? Ce n'est pas très prudent…

—Ça n'a pas duré, assura Dahlia, avec un sourire. L'aube approche, je retourne à la cité – je dois être reçue par Borlann le Corbeau, un Haut Capitaine. Peut-être m'en apprendra-t-il davantage sur ces drows, Kimmuriel et Jarlaxle.

—Et moi ?

—Suis la racine qui file vers le continent, ordonna Dahlia. Je veux savoir où elle aboutit. (Dor'crae hocha la tête.) Je retournerai voir Valindra la nuit prochaine, et les suivantes. Rejoins-nous dès que possible.

—Veux-tu que je te raccompagne à la surface? proposa le vampire, qui ne reçut pour toute réponse qu'un regard fixe. Les goules, blêmes et autres bêtes…

Il se tut quand Dahlia, qui le regardait avec l'air de penser qu'il avait fini par tout à fait perdre l'esprit, brandit son bâton de marche.

Avant l'aube suivante, Dahlia se suspendit d'un bras au bas du puits supérieur, afin de scruter la cavité qui se trouvait en contrebas. Elle tourna lentement sur elle-même, à la recherche des morts-vivants qu'elle devinait présents mais qu'elle ne verrait pas.

Eux la voyaient, suspendue en hauteur, son bâton de marche brillant d'une lueur bleutée, mais cela n'avait aucune importance. Ils l'auraient repérée même si elle était descendue dans l'obscurité la plus totale et aussi silencieuse qu'une ombre. Ils l'auraient sentie. L'arôme de sa chair, douce et vivante, les aurait presque submergés.

Dahlia se laissa tomber sur le sol et déplia son arme dans la manœuvre. Dès qu'elle se fut réceptionnée, accroupie, elle se mit à sautiller en décrivant des cercles.

Elles étaient trop nombreuses.

Elles fusèrent, tel un essaim, de chaque issue et de chaque ombre : des goules voraces, voûtées et progressant presque à quatre pattes, leurs longs ongles raclant la roche. Elles avaient l'allure de corps humains émaciés, leur peau grise tendue sur le crâne et les os, mais ce n'était pas tout : des griffes, des dents, une haine de tout être vivant, ainsi qu'une faim de chair, vivante ou morte. Elles étaient au moins une vingtaine, et Dahlia n'avait nulle part où se réfugier pour s'abriter derrière une position mieux défendable.

Mais elles non plus.

Elle bondit et se retourna, les mains fermement serrées au bout de sa perche plantée au sol, puis, le corps tendu, tête en bas, elle fit entrer ses jambes dans le puits. Elle les écarta aussitôt, de façon à les caler sur les parois du conduit, et se redressa en s'appuyant sur son arme calée sur la roche, tandis que l'essaim de goules s'agitait plus bas.

— Amusez-vous avec ça, murmura-t-elle à ses poursuivantes.

Elle arracha de son collier un rubis, qu'elle lâcha. La pierre précieuse explosa en percutant le sol. Des flammes jaillirent de tous côtés, et furent près d'atteindre le puits où s'était réfugiée Dahlia.

Toujours solidement accrochée par les jambes, la guerrière se boucha les oreilles pour ne pas subir les affreux hurlements qui s'élevaient sous elle.

Malgré la brièveté de la boule de feu, qui ne sévit qu'un instant, réduite à une unique explosion, les effets de la déflagration perdurèrent, des flammes dévorant avec avidité la peau des goules. Les créatures poussaient des cris suraigus de leurs voix surnaturelles, des appels démoniaques dignes des Abysses. Elles couraient dans tous les sens, prises de folie, agitant les bras pour éteindre les flammes mordantes, leurs griffes fendant l'air pour repousser leurs compagnes ayant perdu la raison, car certaines d'entre elles bondissaient sur d'autres et cherchaient à mordre et à déchiqueter de la chair morte-vivante, n'importe quelle chair, pourvu que cela fît cesser la douleur.

Au milieu de cette démence, Dahlia se laissa retomber au sol, tout en libérant les deux extrémités de son bâton. Ces parties latérales tournaient déjà sur elles-mêmes quand l'elfe se réceptionna. Elle se redressa aussitôt et pivota sur la gauche, pour assener un coup qui fracassa le crâne de la bête morte-vivante la plus proche.

Dahlia se jeta sur les goules, trop agitées, trop affolées et aux prises avec trop de douleur pour coordonner leurs mouvements contre elle. Chaque bras tendu se brisa sous le poids du bâton tournoyant. Le moindre visage de goule qui s'approchait trop de l'elfe était violemment écarté par l'axe central de l'*Aiguille de Kozah*.

La guerrière s'élança dans un tunnel, puis, quand elle se sentit poursuivie, scinda son arme en deux parties, qu'elle fit tourner de façon coordonnée, de plus en plus rapidement.

Les goules approchaient – elles étaient deux, estima-t-elle.

Après avoir suivi un coude, ses bâtons tournoyant furieusement d'arrière en avant le long du corps, Dahlia, d'un brusque mouvement des poignets, se les coinça sous les aisselles. Sans relâcher la pression sur les barres qu'elle tenait en main, elle maintint les parties arrières bloquées sous les bras, tous les muscles du corps contractés et laissant échapper un grognement.

Elle bondit au dernier moment en face des goules et leva les coudes à cet instant précis. Éjectés vers l'avant avec une force inouïe, les bâtons se plantèrent, telles des lances, dans les hideux visages des créatures surprises. L'écœurant bruit que firent leurs extrémités quand elles fracassèrent les crânes – l'une d'elles produisit un son moins net que l'autre, une bête ayant été touchée en plein dans l'œil – fit à l'elfe l'effet d'une douce musique.

Tout parut alors se figer. Dahlia et les goules conservèrent cette pose macabre durant un long moment. Soudain, la guerrière se remit en action ; elle retira les bâtons plantés dans les cervelles déjà pourries de ses adversaires. Les deux armes sifflèrent de chaque côté de la tête de l'elfe qui, d'une légère torsion des mains, inversa leur sens de rotation en les abaissant le long du corps. Sans perdre une seconde, elle leva le bras droit et frappa le crâne de la goule qui se trouvait sur sa gauche. Dans le même temps, elle effectua un mouvement symétrique de l'autre main. Violemment touché à la tête, l'autre monstre s'écrasa contre la paroi et s'effondra, définitivement mort.

Tout en relançant tranquillement la rotation de ses bâtons, Dahlia regarda dans la direction par laquelle elle était venue. Malgré sa vision affûtée d'elfe, elle ne vit pas grand-chose.

Elle n'était toutefois plus poursuivie. Elle assembla ses armes et retrouva son bâton de marche, avec lequel elle frappa le sol, afin de refaire surgir la lueur bleutée.

—Ah ! Valindra Manteaudombre…, murmura-t-elle, tandis qu'elle se remettait en route. J'espère que tu mérites que j'affronte tous ces dangers.

Dor'crae était un vampire, et les vampires ne transpiraient pas, bien entendu. Il sentait tout de même une certaine humidité sur son corps, ses vêtements le collant de façon peu agréable.

En temps normal, Dor'crae n'aurait pas eu besoin de lumière pour s'orienter dans ces cavités souterraines, aussi était-il étonné de ne pas réussir à discerner quoi que ce soit.

Il sortit une bougie et quelques silex. Quand la mèche s'enflamma enfin, il regarda autour de lui avec une curiosité redoublée. Comme il s'en était douté, il se trouvait dans une large cavité haute de plafond, mais il y voyait à peine mieux, sa pitoyable bougie éclairant seulement un mur opaque de vapeur d'eau.

— Quel est donc cet endroit ? murmura-t-il pour lui-même.

Il venait d'entrer dans une grotte pleine de gouttelettes d'eau en suspension, dans laquelle régnait une odeur d'œuf pourri, comme s'il s'était égaré dans un nid de vipères. Il avait parcouru de nombreux kilomètres depuis Luskan, après avoir suivi plusieurs jours durant la racine de la Tour des Arcanes orientée vers le continent. Ces tunnels étaient de facture naine, assurément, même s'il était évident, du point de vue de Dor'crae, qu'aucun nain n'avait arpenté ce lieu depuis très, très longtemps.

Il garda sa bougie allumée, malgré sa faible utilité, et avança dans la cavité. En se dirigeant vers la source d'un sifflement, il découvrit un orifice à même le sol, une fissure dans la roche, par laquelle filtrait un jet de vapeur brûlante, l'épouvantable puanteur plus présente que jamais.

Il ne repéra aucune autre issue praticable, mais écarquilla les yeux de stupeur quand il remarqua que la racine de la Tour des Arcanes n'allait pas plus loin ; le tube descendait le long d'une paroi et disparaissait dans le sol. Le vampire sourit, estimant que son périple touchait à sa fin. Il souffla la bougie et se fit aussi immatériel que la vapeur d'eau qui l'entourait. Enfin, il se glissa dans une fissure du sol et suivit la racine.

Quelques jours plus tard, passablement secoué mais extrêmement intrigué, Dor'crae fit son retour dans les cavités de Valindra Manteaudombre.

La reine du monde souterrain de Luskan avait allumé de nombreuses bougies et semblait plus animée qu'à l'ordinaire, plus lucide. Elle accueillit aimablement le vampire, allant même jusqu'à exprimer ses regrets de ne pas l'avoir vu depuis une semaine.

— J'ai suivi la racine de la Tour des Arcanes, expliqua-t-il. Vous souvenez-vous de la Tour des Arcanes ?

— Bien sûr.

— Connaissez-vous cet endroit, cette immense cavité où le tube disparaît sous terre ?

— Elle ne t'apprendra rien, intervint une voix.

Dahlia surgit de derrière l'un des nombreux paravents décoratifs disposés dans la pièce. Avec un léger sourire, elle désigna la gemme en forme de crâne qui renfermait l'esprit d'Arklem Greeth, avant d'ajouter :

— Mais lui, si.

— Tu as… ?

— Parle-moi de cette « immense cavité ».

— C'est un endroit extraordinaire, aussi vaste que certaines cités de l'Outre…

— Gontelgrime, intervint l'elfe. (Dor'crae la dévisagea, sans comprendre.) L'ancienne patrie des nains Delzoun. Perdue depuis longtemps – certains n'y voient qu'un mythe.

— Elle est bien réelle, assura le vampire.

— Tu l'as explorée ?

— J'ai été repoussé avant d'avoir pu aller très loin. (Dahlia considéra son compagnon, les sourcils levés.) Des fantômes… Des nains fantômes, et des choses plus sinistres encore. Il m'a paru plus prudent de revenir te faire part de ce que j'avais découvert. Comment as-tu appelé cet endroit ? « Gontelgrime » ? Comment l'as-tu appris ?

— Greeth m'en a parlé. La Tour des Arcanes était reliée à cette ancienne cité naine. Elle a été bâtie par des nains, des elfes et des humains, il y a très longtemps, pour le bien de tous, même si les nains n'ont été que très peu à vivre dans la Tour proprement dite.

— Mais cette cité, cette « Gontelgrime », a profité de la puissance de la Tour ?

Dahlia traversa la pièce, en haussant les épaules.

— J'imagine, en effet, répondit-elle. Arklem Greeth n'en sait pas beaucoup plus, en tout cas je n'ai pas réussi à en apprendre davantage, mais je compte bien essayer de nouveau sans tarder. Il est vieux – pas aussi vieux que ce bâtiment, bien sûr, mais il semble sûr de lui, concernant la maçonnerie et la magie qui ont permis la construction de la Tour des Arcanes. D'après lui, elle était en effet liée à…

Dahlia se tut quand elle remarqua l'expression perplexe apparue sur le visage de Dor'crae.

— Tu portes deux diamants à l'oreille droite, dit-il. Huit à la gauche, et de nouveau deux à la droite.

— Tu n'es quand même pas jaloux ?

— Il a fallu motiver Borlann le Corbeau, je suppose ?

Dahlia ne répondit que par un sourire.

— Jaloux, moi ? reprit Dor'crae, en riant. Soulagé, plutôt. Je préfère voir un diamant supplémentaire à ton oreille droite, plutôt que de te voir estimer que tu aurais plus fière allure avec neuf à l'oreille gauche.

Dahlia le tança si vertement que le vampire craignit de s'être montré imprudent, en indiquant qu'il avait percé à jour la signification de la disposition des bijoux de l'elfe.

— Nous savons maintenant où chercher, dit Dahlia, après un long silence gênant. Je poursuis mon travail sur Arklem Greeth, afin de découvrir tout ce qu'il sait. Pendant ce temps, tu rassembles un maximum d'informations sur Gontelgrime et sur la façon de triompher de ses protections, comme les fantômes que tu as évoqués.

— C'est dangereux, répondit le vampire. Si je n'avais été doté que d'une forme humaine, j'aurais dû me battre pour entrer et sortir, face à de redoutables ennemis.

— Dans ce cas, nous ferons appel à des alliés encore plus redoutables, promit Dahlia.

5

Un drow et son nain

S' il n'avait pas porté des morgensterns attachées en
diagonale dans son dos, leurs têtes en verre d'acier
rebondissant à chaque pas, Athrogate aurait pu passer
pour un diplomate, plutôt que pour un guerrier. Son épaisse
chevelure noire était bien coiffée, tandis que sa longue barbe
ornée de perles d'onyx était soigneusement divisée en trois tresses.
Il portait en outre une autre gemme – magique, celle-là –, incrustée
sur le bandeau disposé sur sa tête, et une large ceinture noire qui
lui conférait une force remarquable. Ses bottes noires étaient
constellées d'éraflures apparues sur mille montagnes et au détour
de mille pistes. Quant à ses autres vêtements, ils se distinguaient
par une coupe et un style des plus fins ; un pantalon de velours
d'un gris profond, une tunique de la couleur de l'améthyste la plus
foncée qui soit, ainsi qu'un gilet de cuir noir, qui faisait office de
harnais pour les puissantes armes qu'il portait dans le dos.

C'était une figure célèbre de Luskan ; ses relations mystérieuses avec les elfes noirs constituaient le secret le moins bien
gardé de la Cité des Navigateurs. Athrogate arpentait tout de
même les rues sans se cacher, très régulièrement et sans escorte
– enfin, apparemment. Il donnait presque l'impression d'inviter
quelque opportuniste à essayer de le tuer. Le nain n'aimait rien
tant qu'une bonne bagarre, même s'il devenait ces derniers temps

de plus en plus difficile de s'offrir ce plaisir. Son partenaire désapprouvait cela.

Il tourna au coin d'un bâtiment, de l'autre côté de la rue, en face de sa taverne préférée, la *Morsure du Requin* – une appellation pertinente pour quiconque avait un jour goûté à la réserve privée de tord-boyaux de l'établissement. À l'angle de la ruelle, Athrogate s'adossa au mur et sortit un calumet courbe, qu'il tapota pour en chasser l'herbe à pipe.

Il fumait tranquillement, soufflant des ronds de fumée qui dérivaient paresseusement dans la rue, quand une elfe à la beauté saisissante sortit de la *Morsure du Requin*. Elle s'immobilisa près d'un groupe d'ivrognes, qui se mirent à lui lancer des commentaires obscènes.

— Tu la vois ? dit le nain, du bout des lèvres, sa pipe toujours dans la bouche.

— Difficile de ne pas la remarquer, répondit une voix depuis les ombres, derrière lui.

Au vu de cette elfe, de sa jupe fendue de façon suggestive, de ses bottes noires montantes sur des jambes bien galbées, de sa tunique échancrée et de son étonnante tresse rouge et noire, les mots qui venaient d'être prononcés semblaient nettement en dessous de la vérité.

— Oui, et j'suis prêt à parier, aussi sûr qu'le soleil va s'coucher, qu'un d'ces idiots va chercher à lui voler ses bagues et ses colliers. Mais y faudra que quelques secondes, pour qu'ses bâtons sur leurs crânes fondent.

L'individu tapi dans l'ombre soupira.

— Mes rimes sont toujours aussi bonnes, pas vrai ? dit Athrogate, assez satisfait de lui.

— Elles n'ont jamais valu grand-chose, le nain, lui fut-il répondu.

— Bwahaha ! beugla Athrogate.

— Peut-être un jour comprendrai-je la façon dont s'organisent tes pensées. Ce jour-là, j'en ai peur, je crois que je devrai me tuer.

—Bon, et maintenant? Un d'ces gars va aller trop loin, et elle va tous les mettre à terre.

Alors que le nain énonçait ce pronostic, l'un des ivrognes avança d'un pas vers l'elfe, une main tendue vers ses fesses. Elle l'esquiva sans difficulté et lui adressa un sourire, en agitant le doigt pour lui dire de s'éloigner.

Mais il insista.

—C'est parti, prédit Athrogate.

L'homme parut se jeter sur sa proie comme pour l'étreindre, en tout cas du point de vue du nain et de son compagnon, mais quand Athrogate commença à se féliciter d'avoir vu juste, la voix sortie des ombres fit remarquer que l'ivrogne se dressait sur la pointe des pieds. Ce dernier commença à lentement se retourner, tandis que l'elfe suivait le mouvement, de façon à tourner le dos à la rue. Elle avait levé son bâton de marche et, quand l'inconnu l'avait abordée, l'avait coincé sous le menton de l'homme, qui n'avait donc eu d'autre choix que de se dresser de la sorte.

Le visage toujours paré d'un doux sourire, elle chuchota à son agresseur quelques mots, si bas que les autres ivrognes ne parurent pas l'entendre. Elle avait d'autre part orienté son souffre-douleur de façon à empêcher les compagnons de beuverie de celui-ci de remarquer son bâton. Enfin, elle le relâcha et s'éloigna. L'homme tituba, manquant de peu de s'écrouler, puis il se redressa et se frotta le menton, accompagnant d'une quinte de toux les rires de ses amis.

—Bah, j'pensais qu'elle les étriperait tous, grommela Athrogate.

—Elle est trop intelligente pour agir ainsi, souligna la voix cachée dans l'obscurité. Cela dit, s'ils la harcelaient de nouveau, elle pourrait en toute légitimité se servir de son arme.

Il n'y eut toutefois pas de poursuite. L'elfe remonta la rue, en direction d'Athrogate.

—Elle t'a repéré, commenta la voix.

Après avoir soufflé un nouveau rond de fumée, le nain traversa la ruelle et s'éloigna, mission accomplie.

L'elfe s'approcha de l'endroit où s'était tenu Athrogate et, après coup d'œil rapide et discret des deux côtés, elle se glissa dans la ruelle.

—Jarlaxle, je suppose, dit-elle, quand elle aperçut le drow qui l'attendait.

Coiffé d'un immense couvre-chef à large bord et orné d'une plume, l'elfe noir portait un pantalon violet et une chemise d'un blanc éclatant, nettement ouverte sur un torse noir, ainsi qu'un assortiment de bagues et autres accessoires étincelants.

—Ton chapeau me plaît, dame Dahlia, répondit Jarlaxle, en s'inclinant.

—Il n'est sans doute pas aussi tape-à-l'œil que le tien, mais il attire l'attention quand je l'estime nécessaire, dit Dahlia.

—Tape-à… balbutia Jarlaxle, vexé. Le mien me sert peut-être à détourner l'attention de ceux que je souhaite frapper.

—J'ai d'autres moyens pour ça, répondit Dahlia du tac au tac, ce qui fit sourire Jarlaxle. Ton compagnon est pour le moins étonnant. Un drow et un nain ensemble…

—Notre association n'a en effet rien de commun, confirma Jarlaxle. (Il sourit de nouveau, songeant à un autre duo, également composé d'un drow et d'un nain, qui avaient forgé une stupéfiante amitié depuis de nombreuses décennies.) Il est vrai qu'Athrogate est une créature peu ordinaire. Peut-être est-ce pour cette raison que je le trouve intéressant, voire attachant.

—Ses mots ne sont pas à la hauteur de la coupe de ses vêtements.

—Si on peut qualifier de mots ses « bwahaha », ajouta Jarlaxle. Je l'ai déjà civilisé au-delà de mes espoirs les plus insensés, crois-moi. Moins de crachats et plus d'allure.

—Mais es-tu parvenu à le dompter?

—Impossible. Ce nain serait capable d'affronter un titan.

—Ça nous sera utile.

—C'est ce qu'il m'a dit, comme il m'a révélé que tu avais découvert un endroit regorgeant de trésors nains, une ancienne cité.

— Tu sembles dubitatif.

— Pourquoi te tourner vers moi ? Pourquoi une elfe chercherait-elle à s'allier à un drow ?

— Parce que j'ai besoin d'aide pour me lancer dans ce projet. La route qui m'attend est dangereuse, et souterraine, qui plus est. Quand je considère les puissances présentes à Luskan, il me semble que les elfes noirs sont davantage dignes de confiance que les Hauts Capitaines ou les pirates, ce qui me pousse donc à m'adresser à… toi. (Jarlaxle ne parut pas plus convaincu.) Cet endroit est par ailleurs infesté de nains fantômes, avoua Dahlia.

— Ah ! Tu as surtout besoin d'un nain. D'un nain capable de dialoguer avec ses ancêtres et de contenir les hordes de spectres.

L'elfe haussa les épaules, sans nier ces propos.

— Je t'offre la moitié du butin, proposa-t-elle. Et je suis persuadée que ce trésor sera considérable.

— Quelle moitié ?

Ce fut au tour de Dahlia d'arborer une expression perplexe.

— Tu prends le mithral et moi un tas de pièces de cuivre ? précisa le drow. Je suis d'accord pour la moitié, mais celle de mon choix.

— Chacun son tour, dit Dahlia, proposant qu'ils se servent alternativement.

— Et je choisis le premier.

— Et moi, en deux et trois.

— En deux et quatre.

— En deux et trois ! exigea Dahlia.

— Bon voyage, alors, répondit Jarlaxle, qui, après avoir porté la main à son chapeau, fit mine de s'en aller.

— Deux et quatre, entendu, convint l'elfe, alors que le drow ne s'était éloigné que de trois pas. (Celui-ci se retourna vers elle.) C'est vrai, j'ai besoin de toi. Il m'a fallu des mois pour découvrir cet endroit, et des semaines pour choisir le meilleur guide.

— Le meilleur guide ?

— Le meilleur guide, confirma Dahlia.

Le drow afficha de nouveau un air sceptique.

—Tu n'as pas songé à Borlann le Corbeau? dit Jarlaxle, sur un ton moqueur. Penses-tu vraiment que quelqu'un avec autant d'allure que toi soit en mesure de se déplacer dans la cité sans se faire remarquer?

—Borlann m'a aidée à affiner mes recherches, mais il n'a jamais été question pour moi de le choisir, répondit Dahlia. Je préférerais encore me faire accompagner des ivrognes de la rue. (Elle rendit au drow son sourire narquois.) À propos, il ne vous tient pas en haute estime, tes nombreux camarades à la peau sombre et toi. Il s'enorgueillit de vous avoir chassés de la Cité des Navigateurs.

—C'est ce que tu crois? (L'elfe ne répondit pas.) Que j'ai été chassé de la ville dans laquelle je me trouve en ce moment même? Ou que mes... associés redoutent la colère de Borlann le Corbeau ou de n'importe quel Haut Capitaine, ou même de tous les Hauts Capitaines, s'ils s'unissaient contre nous? Ce qu'ils ne feraient jamais, évidemment. Il ne nous en coûterait pas beaucoup en pots-de-vin pour convaincre deux d'entre eux de se retourner contre les trois autres, ou trois contre les deux autres, ou encore les quatre autres contre Borlann, si tel était notre désir. En doutes-tu, toi qui prétends tout connaître des secrets du pouvoir à Luskan?

Dahlia réfléchit un instant à ces paroles avant de répondre :

—Pourtant, tout le monde s'accorde à dire que les drows se font rares dans la cité, ces derniers temps.

—C'est parce que nous en avons terminé avec cette ville. Nous avons depuis longtemps vidé Luskan des trésors qui nous intéressaient. Nous y restons dans l'ombre cependant, cet endroit restant de temps à autre une source d'informations utile. Des vaisseaux viennent encore s'amarrer ici, en provenance de tous les ports de la côte des Épées.

—Borlann le Corbeau et les autres Hauts Capitaines représentent donc bel et bien le vrai pouvoir.

—Si cela nous rend service qu'ils le croient, alors qu'il en soit ainsi.

Cette réplique mit Dahlia mal à l'aise pour la première fois, comme le remarqua Jarlaxle malgré les efforts de l'elfe pour le cacher. Le drow devrait faire preuve d'une grande prudence avec elle. Elle dissimulait clairement d'autres intentions, or il ne voulait pas l'effrayer en la faisant redouter de trop s'engager pour être finalement débordée par lui. Malgré tout, elle l'intriguait ; le simple fait qu'elle soit parvenue, d'une façon aussi parfaite que judicieuse, à charger Athrogate de la mener jusqu'à lui indiquait qu'elle n'agissait pas à la légère – quel que soit le domaine, supposa le drow.

— Mes associés n'ont que peu d'intérêts en jeu à Luskan, ces derniers temps, précisa Jarlaxle. Leur réseau est très étendu, et cet endroit ne forme qu'un secteur peu actif.

— Leur réseau ?

— Notre réseau, quand il me sert.

— Et concernant ma proposition ?

Le drow ôta son immense chapeau et s'inclina devant l'elfe.

— Jarlaxle est à ton service, ma chère, dit-il.

— Jarlaxle et Athrogate, rectifia Dahlia. J'ai davantage besoin de lui que de toi.

Jarlaxle se redressa et répondit au regard sévère de son alliée par un petit sourire malicieux.

— J'en doute fort, dit-il.

— Tu ne devrais pas, conclut-elle, avant de sortir de la ruelle.

Souriant de plus belle, Jarlaxle suivit attentivement du regard la démarche séduisante de l'elfe qui s'éloignait.

— La puissance se fait de plus en plus forte à l'ouest, dit Sylora à Szass Tam. Les secousses s'intensifient. Il y a là-bas un grand danger et un grand potentiel.

— As-tu parlé à notre agent ?

Sylora leva devant elle le miroir qu'elle portait, puis ferma les yeux, faisant de nouveau appel à la magie de scrutation de l'artefact. Le verre étincelant se ternit, comme si de la brume s'y était engouffrée, n'épargnant qu'un petit cercle, au milieu. Il ne reflétait plus l'Anneau de Terreur, mais l'image très nette d'un unique objet, un cristal en forme de crâne.

—Cette gemme n'est pas seulement un phylactère pour liche, expliqua Sylora. Elle me sert de lien avec notre agent. Le moment venu, elle me guidera durant mon voyage.

—Tu voudrais partir dès maintenant.

—Il aurait mieux valu que je me rende là-bas à la place de Dahlia, répondit la sorcière thayenne.

—Remettrais-tu en question mes décisions ?

—Padhiver est remplie de Nétherisses.

—Un culte voué à cet arriviste d'Asmodée s'y est implanté, à ma demande, pour… les perturber.

—Mais pas pour les vaincre. Un Anneau de Terreur sera forgé à partir des secrets que Dahlia cherche à mettre au jour, une puissance susceptible de déclencher une catastrophe incontrôlable, une beauté exquise.

—Ce qui confirme que j'ai eu raison de faire confiance à Dahlia, rappela Szass Tam. C'est elle qui a identifié les signes d'un danger imminent, et qui a cherché à les exploiter.

—Elle est totalement dépassée, insista Sylora.

Elle discernait à peine Szass Tam, à travers le brouillard de cendres de l'Anneau de Terreur – ce qui était une bonne chose, étant donné les traits épouvantables de l'archiliche –, néanmoins elle crut deviner, à la façon dont il se tenait, qu'il ne partageait pas son excitation.

—Dahlia n'est pas seule, lui assura-t-il. Elle se croit seule, mais c'est dans notre intérêt. J'espère qu'elle n'aura pas besoin de nous pour accomplir ce qu'elle a prévu, cependant tu vas la sur-veiller, tu sauras ainsi si elle y parvient, et nous la… soutiendrons si nous le jugeons nécessaire.

—Dois-je me rendre au bois du Padhiver, comme nous l'avions évoqué ? demanda Sylora, qui ne voulait pas insister davantage.

Elle savait reconnaître quand Szass Tam en avait assez entendu, tout comme elle savait que se disputer avec lui était la meilleure façon de se faire inviter dans son noir royaume – en tant qu'esclave.

— Pas encore, lui ordonna la liche. Cette secte – les ashmadaï – occupe nos amis nétherisses. Notre plus importante prise nous sera offerte par le travail de Dahlia. Je veux donc que tu en apprennes le plus possible, à la fois par tes recherches ici, dans nos bibliothèques, et par tes contacts réguliers avec notre agent. Tout ceci est de la plus haute importance. En cas de succès, nous disposerons d'un nouvel Anneau de Terreur qui, mieux encore, interviendra pour une bonne part dans les souffrances de ces vestiges que sont les Nétherisses.

— Telle est donc ma mission ?

— Oui.

— Et qu'ai-je à y gagner ?

— Dans ta rivalité avec Dahlia, tu veux dire ? répondit Szass Tam, en ponctuant ses mots d'un gloussement, qui cessa aussi vite qu'il était apparu, avant de poursuivre, sur un ton beaucoup plus sévère. Dahlia a soupçonné le lien entre la catastrophe qui menace et la chute de la Tour des Arcanes, contrairement à toi. Elle s'est comportée à la perfection, même si tu as du mal à l'admettre. Je te suggère d'agir de façon tout aussi parfaite, dans l'intérêt de notre grand objectif comme pour ton propre bien-être. Je t'accorde cette occasion de te racheter et de faire preuve d'excellence en raison de ton passé avec Dahlia – s'il existe sur Faerûn une personne plus motivée que les autres pour surveiller les faits et gestes de cette elfe, c'est bien toi.

» Mais n'oublie pas que tu es à mon service, Sylora. Sers mes projets et non les tiens, sans quoi tu ne vivras pas longtemps, je te le garantis. Je désire que Dahlia réussisse dans son entreprise, aussi agiras-tu dans ce sens. Nos ennemis sont les Shadovars.

Il n'y avait aucune place pour un débat dans le ton de la liche.

— Bien, Votre Omnipotence, répondit Sylora, en s'inclinant légèrement.

Le seul réconfort qu'éprouvait Sylora était sa conviction profonde que Dahlia était trop jeune et inexpérimentée, et bien trop impliquée, pour réussir à provoquer la catastrophe nécessaire.

La magicienne s'accrochait à la possibilité bien réelle – une probabilité, même – qu'elle serait chargée de sauver la victoire de Szass Tam à l'ouest. L'archiliche verrait enfin, espérait Sylora, les véritables limites de cette maudite elfe.

— Borlinet, vraiment ? ricana Athrogate, pour la dixième fois depuis que Jarlaxle et lui avaient vu Dahlia entrer dans la forteresse du Haut Capitaine Borlann.

Cette étroite tour de pierre, appelée le Nid du Corbeau, n'avait été que récemment érigée, sur l'île de Garderapprochée, à l'endroit où le Mirar se déversait dans la mer Inviolée.

Jarlaxle s'amusa encore un temps en écoutant le nain répéter le surnom dénigrant dont le Haut Capitaine Borlann était affublé par tant de personnes à Luskan. Ce dernier avait hérité son titre de son père, ainsi que la *Cape du Corbeau*, artefact magique, qui lui avait été cédé par son grand-père Kensidan. La ressemblance n'allait pas plus loin, en tout cas à en croire les vieux loups de mer qui hantaient les ruelles de Luskan.

— C'est vraiment un avorton maigrichon, fit remarquer Athrogate.

— Comme l'était Kensidan, rappela Jarlaxle. Sauf que la présence de ce dernier pouvait remplir une pièce.

— Mouais, j'me souviens d'celui-là. Un sacré drôle d'oiseau. Bwahaha ! Eh ! Un *oiseau* !

— J'ai compris.

— Pourquoi tu ris pas, alors ?

— Devine.

Le nain secoua la tête et marmonna quelque chose à propos de son envie de trouver un compagnon doté du sens de l'humour.

— Tu penses qu'elle couche avec lui ? demanda-t-il, un peu plus tard.

— Je suis en tout cas certain que Dahlia se sert de chaque arme à sa disposition.

— Même avec celui-là ? Avec Borlinet ?

— Tu ne vas tout de même pas faire une crise de jalousie pour une elfe ? dit Jarlaxle, les sourcils levés.

— Bah ! C'est rien d'ce genre, idiot. (Il se tut et, les mains sur les hanches, observa la fenêtre éclairée par une bougie, en haut des murs recouverts de mousse du Nid du Corbeau, avant de pousser un léger soupir.) Mais y faudrait qu'j'sois mort pour pas voir qu'elle respire la bagarre, et donc la rigolade.

Jarlaxle esquissa un sourire ironique, sans rien ajouter. Comme le nain, il ne quittait pas le fort des yeux. Rien d'anormal ne se produisit durant un long moment, puis un cri, aussi strident que celui d'un corbeau géant surexcité, se fit entendre par l'ouverture. Le nain et le drow avancèrent d'un pas, observant avec encore plus d'attention cette fenêtre... lorsque la lueur de la bougie s'éteignit subitement. Des hommes commençaient à s'agiter dans la propriété quand deux autres hurlements retentirent dans cette pièce, accompagnés d'un éclat bleuté, comme si un éclair s'y était abattu.

Un cri plus sonore éclata ensuite, ainsi qu'un flash plus vif. Suivit aussitôt un roulement de tonnerre qui ébranla le sol. Les fenêtres volèrent en éclats, les vitres brisées en mille morceaux éjectés de tous côtés, parmi lesquels apparurent... quelques plumes noires.

Athrogate déglutit en émettant un son étrange, qu'il ponctua d'un « Bwahaha ! ». Un oiseau noir géant se lança en piqué de la fenêtre, déploya ses ailes et plana au-dessus du domaine de la tour. Après avoir survolé le plan d'eau, il plongea jusqu'au sol, où il se posa juste devant Jarlaxle et Athrogate.

Sans laisser au nain ou au drow le temps d'articuler un mot, le déguisement de corbeau redevint une cape brillante, dévoilant ainsi la personne qui s'en était vêtue.

— Dépêchons-nous, dit Dahlia, qui s'élançait déjà en portant la main à l'un des deux diamants de son oreille droite. Borlann n'était qu'une nuisance mineure, mais les bras meurtriers de sa Maison sont longs.

— Nous dépêcher... pour aller où ? demanda Athrogate, ce qui ne fit pas ralentir Dahlia.

— À Illusk, répondit Jarlaxle, devançant l'elfe. (Tout en jetant un dernier regard en direction de la tour, le drow se mit en route, traînant le nain derrière lui.) Et dans la ville souterraine.

Abasourdi, Athrogate ronchonna, grommela et gloussa, avant de conclure :

— J'parie qu'Borlinet regrette qu'tu sois pas partie la nuit dernière !

Korvin Dor'crae faisait les cent pas dans les appartements décorés de Valindra Manteaudombre. Il s'arrêta devant un grand miroir et songea à l'image de lui que reflétait autrefois ce genre de glace, cherchant à se distraire avec ces souvenirs de son ancienne vie.

Cela ne fonctionna pas.

Il ne tarda pas à penser de nouveau à Dahlia, qu'il espérait voir revenir en compagnie de Jarlaxle et du nain. Elle était partie rendre visite à Borlann le Corbeau – son nouveau diamant, son dernier amant en date. Dor'crae n'en concevait pas la moindre jalousie. Il se fichait éperdument des problèmes mesquins liés au sexe, même si la promiscuité de l'elfe n'était pas sans conséquences pour lui.

Le vampire se passa la main dans ses cheveux noirs – il imagina parfaitement son geste dans le miroir, même si, bien entendu, la glace ne lui offrit aucune image. Borlann était le dixième amant de Dahlia – à sa connaissance, du moins –, et ils étaient tous représentés par ces bijoux : deux à l'oreille droite, Borlann et lui-même, et huit à l'oreille gauche. Les Thayens avaient donné à Dahlia de nombreux surnoms, dont beaucoup évoquaient certaines espèces d'araignées dont la femelle était connue pour dévorer le mâle après l'accouplement. Cela dit, les diamants qui ornaient l'oreille gauche de Dahlia ne correspondaient pas tous à des hommes.

En vérité, Dahlia n'assassinait pas ses amants. Non, elle les défiait, au cours d'un duel équitable, avant de les massacrer. Au fait de ces détails quand il avait entamé sa relation avec cette elfe,

Dor'crae s'était estimé assez puissant pour la vaincre, s'il devait en arriver à une telle extrémité. Pour tout dire, il avait non seulement rêvé de la vaincre, mais également de la convertir en vampire servile.

Mais il avait fini par changer d'avis. Il avait mille fois joué mentalement son combat face à Dahlia. Il l'avait vue s'entraîner avec l'*Aiguille de Kozah* et avait assisté à deux de ses combats contre d'anciens amants. Et surtout, il avait fini par prendre conscience de l'habileté de la guerrière elfe.

Il savait désormais qu'il lui serait impossible de la vaincre. Quand Dahlia en aurait assez de lui, quand elle déciderait de passer à autre chose, que ce soit par opportunisme, pour se faire bien voir de Szass Tam, par simple ennui de sa compagnie ou sur un bête caprice, il serait précipité dans le néant.

— Ton amie est revenue, dit Valindra, tirant Dor'crae de ses pensées.

Celui-ci se retourna vers la porte, imaginant que la liche parlait de Dahlia. Ne voyant personne se profiler sur le seuil, il interrogea du regard son hôtesse, qui lui désigna la gemme vide, son propre phylactère, dont il se servait d'une autre façon.

Les yeux du bijou en forme de crâne se mirent à briller d'un rouge intense.

Nerveux, Dor'crae jeta un coup d'œil en direction de la porte ; s'il avait encore été capable de respirer, il aurait retenu son souffle.

— Elle arrive, murmura-t-il à l'esprit présent dans la gemme. Avec des alliés, qui nous accompagneront dans notre périple, jusqu'à la source du pouvoir.

Les yeux du crâne scintillèrent.

— Szass Tam nous surveille, dit une voix féminine, métallique et serrée par son passage dans le lien magique. Il ne veut pas manquer cette occasion.

— Je comprends, assura Dor'crae.

— Il ne fera pas de distinction s'il doit nous sanctionner, dit la voix de Sylora.

—Je comprends, répondit consciencieusement le vampire. Après quoi, les yeux s'éteignirent.

Dahlia fit son entrée dans la pièce. Dès qu'il posa les yeux sur elle, Dor'crae remarqua la nouvelle disposition de ses diamants : neuf d'un côté et un de l'autre.

Valindra remarqua également l'arrivée de l'elfe, mais plutôt à cause du drow et du nain qui la suivaient de près. La liche laissa échapper un léger sifflement quand Athrogate apparut, puis elle parvint à suffisamment conserver son calme pour saluer Jarlaxle.

—Cela fait trop longtemps, Jarlaxle, dit-elle. Je me sens seule.

—Trop longtemps, c'est vrai, ma dame, hélas mes affaires m'ont tenu éloigné de votre belle cité.

—Toujours les affaires.

—Allonge-toi et meurs, espèce de chose pourrie, marmonna Athrogate, qui tenait visiblement Valindra en piètre estime.

—Y a-t-il un problème ? demanda Dahlia à Jarlaxle. Vous saviez que Valindra nous accompagnerait.

—Mon ami a horreur des morts-vivants, répondit Jarlaxle.

—C'est pas bien, ces choses-là…, grogna le nain.

—S'agit-il de ton associé ? demanda Jarlaxle à Dahlia, en désignant Dor'crae.

—Korvin Dor'crae, répondit-elle.

Le drow observa un court instant le vampire, avant d'afficher un sourire entendu.

—Et voici le mien, Athrogate, dit-il à Dor'crae. Je suis sûr que vous vous entendrez à merveille, tous les deux.

—Mouais, salut, tout ça…, dit le nain, en hochant vaguement la tête.

L'air revêche et le regard toujours rivé sur Valindra, Athrogate n'avait *a priori* pas décelé la véritable nature de Dor'crae.

—Allons-y, décréta Dahlia.

L'elfe dirigea Valindra vers l'autre issue de la pièce et fit signe à Jarlaxle et Athrogate d'ouvrir la route.

Quand ses quatre compagnons eurent franchi le seuil de la porte, le vampire les suivit, non sans s'approcher de la gemme en forme de crâne, qu'il glissa discrètement dans sa poche. Les yeux de l'artefact se mirent alors à briller, indiquant que l'invisible alliée était toujours présente dans la bulle extra-dimensionnelle du phylactère. Dor'crae fut certain de voir la pierre précieuse lui sourire, quand elle disparut dans les plis de ses vêtements.

6

Un autre drow et son nain

Une pierre du puits en main, Bruenor ne quittait pas des yeux le trou béant.

Drizzt ne savait pas à quoi s'attendre. Bruenor allait-il jeter cette pierre, fou de rage ? Ou déclarerait-il que cela n'avait pas d'importance, qu'ils allaient tout de même creuser plus loin, dans les profondeurs de l'instable – et pas aussi ancien qu'ils l'avaient imaginé – complexe souterrain.

Le nain poussa un soupir et lâcha la pierre dans l'abîme, une pierre gravée de caractères aisément déchiffrables – en alphabet humain ! Le puits portait la signature de son architecte trop humain, ainsi que la marque du clan barbare auquel ce dernier avait appartenu. Bruenor avait trouvé cet endroit avant que le tremblement de terre ne les chasse, son ami et lui, et les oblige à creuser des jours durant pour revenir à ce point.

— Bon, on a encore cent cartes à tester, l'elfe, dit le nain.

Il se tourna vers Drizzt et Guenhwyvar, les mains sur les hanches, sans colère dans la voix, son visage poilu ne trahissant qu'une légère déception.

— Qu'est-ce qu'y a ? ajouta-t-il, quand il constata l'évidente surprise de Drizzt devant sa réaction mesurée.

— Tu fais preuve d'une grande patience.

Les épaules quelque peu voûtées, Bruenor lâcha un grognement.

—Tu t'rappelles quand on cherchait Castelmithral? Ces longs mois passés sur la route, en passant par Longueselle, par les landes aux Trolls, par Lunargent, tout ça…?

—Bien sûr.

—T'as déjà été plus heureux qu'à cette époque, l'elfe?

Ce fut au tour de Drizzt de sourire, avant d'approuver son ami d'un signe de la tête.

—Comme tu m'l'as dit un million d'fois, c'est l'voyage qui compte, pas la destination, poursuivit le nain. Peut-être bien qu'j'ai fini par être d'accord avec toi. Allez, viens. (Il passa entre le drow et la panthère, en jetant un regard suspicieux à cet animal qui l'agaçait toujours autant.) Mes vieilles jambes peuvent encore arpenter les pistes.

Ils sortirent de la grotte sous un ciel uniformément bleu, les collines vallonnées des Escarpes resserrant l'horizon autour d'eux. L'été touchait à sa fin, l'automne était sur le point de s'installer, et les vents frais ne les avaient pas vraiment gênés ces derniers temps. Ils estimaient disposer d'encore trois mois d'exploration aisée, avant d'être contraints de trouver une cité où passer l'hiver – peut-être Port Llast, ou même Longueselle, Drizzt ayant proposé de rendre visite aux Harpell. L'étrange clan de magiciens avait été décimé par le fléau magique, toutefois, plus de six décennies plus tard, leurs effectifs recommençaient enfin à s'étoffer. Ils avaient rebâti leur propriété, sur la colline, ainsi que le village qu'elle surplombait.

Les compagnons prendraient cependant leur décision un autre jour. Le trio regagna le campement et Bruenor ouvrit son sac, duquel il sortit une pile de manuscrits enroulés, des parchemins, ainsi qu'une montagne de peaux et de tablettes. Ces documents étaient tous des cartes indiquant le chemin menant aux nombreuses grottes recensées du nord de la côte des Épées. Le nain sortit également plusieurs pièces anciennes, frappées à l'époque Delzoun, une tête de marteau de forgeron sans âge, puis quelques autres artefacts, aussi douteux que clairement très anciens, tombèrent en cascade du sac. Bruenor s'était procuré l'ensemble de ces objets dans le Nord, auprès de membres de tribus barbares ou de petits villages, les pièces provenant quant à elles de Luskan. Celles-ci ne prouvaient rien, bien entendu. L'histoire du port commercial de Luskan remontant aussi loin que l'époque à laquelle les érudits nains situaient Gontelgrime, il n'était guère étonnant de trouver quelques pièces Delzoun dans les divers coffres de la Cité des Navigateurs.

Ces artefacts confirmaient pourtant les espoirs de Bruenor, et l'aidaient à redresser les épaules, aussi Drizzt ne cherchait-il pas à le contrarier.

Il est vrai que cela ne rendait leur quête que plus intéressante.

Après avoir plus ou moins trié les manuscrits et lu les notes qu'il avait griffonnées en marge de chacun d'eux, il en sélectionna deux et les lança à l'écart, avant de remiser les autres dans le sac. Il choisit ensuite une carte prometteuse dans la pile de parchemins, avant de ranger les autres.

— Ces trois pistes sont les plus proches d'ici, expliqua-t-il.

Aussi amusé que surpris, Drizzt vit son ami achever de remplir son sac, le passer à l'épaule et se mettre à ramasser le reste de ses objets, tout en démontant le campement.

— Ben alors? dit-il au drow, voyant que ce dernier ne l'imitait pas. Y nous reste pas mal d'heures d'jour, l'elfe. On a pas d'temps à perdre!

Herzgo Alegni surgit en riant de derrière l'arbre et avança sur le sentier forestier, devant un couple de tieffelins surpris. L'un d'eux était doté de cornes qui ressemblaient à celles d'Alegni, tournées vers l'arrière et vers le bas, tandis que sa compagne n'en arborait que des versions miniatures sur le front. Ils portaient tous deux des tuniques de cuir, ouvertes de façon à ne rien cacher de leurs scarifications, des traits superposés associant les symboles de leur dieu et de quelque autre protecteur démoniaque. Depuis le temps qu'il fréquentait le bois du Padhiver, Alegni reconnut sans mal ces motifs.

Ces deux créatures étaient munies de sceptres rouges, des objets si astucieusement façonnés que leurs facettes les faisaient ressembler à du cristal, alors qu'ils étaient en réalité faits de métal massif. Longs de près d'un mètre, ils servaient de massue, de bâton de marche ou de lance, avec une extrémité fuselée de façon agressive.

— Mon frère…, dit le tieffelin cornu, surpris par l'apparition de ce congénère plus imposant.

— Non, c'est un Shadovar ! rectifia aussitôt sa compagne, en adoptant d'un bond en arrière une position défensive.

Le poids sur la jambe droite et le bras gauche tendu, paume ouverte, en direction d'Alegni, elle brandit son sceptre, la main contre le sein droit, pointant comme une épée ou une lance son arme sur le Shadovar.

L'autre tieffelin réagit d'une façon similaire ; jambes écartées, il leva son arme par-dessus l'épaule, décidé à s'en servir comme d'une massue.

Le sourire toujours aux lèvres, Herzgo Alegni ne dégaina pourtant pas sa splendide épée, dont la lame rouge pendait librement contre sa jambe gauche.

— Vous êtes des ashmadaï, j'imagine, dit-il, faisant référence aux fidèles d'Asmodée.

Il n'avait entendu parler de ce groupe que très récemment, quand ces nouveaux venus étaient apparus dans le bois du Padhiver.

— Comme tu devrais l'être, mon frère diabolique, dit la tieffeline, dont les yeux, deux sphères argentées, étaient écarquillés d'excitation lascive.

— Un frère diabolique passé du côté des ombres et de l'empire nétherisse de Shar, ajouta son compagnon.

— Qui vous envoie ? demanda Alegni. Quelles mains guident ce culte de fanatiques illégitimes ?

— Quelqu'un qui n'est pas allié à Nétheril ! rétorqua la tieffeline, qui avança d'un pas et projeta sa lance sur la poitrine massive d'Alegni.

Ce dernier se montra trop vif pour elle ; il dégaina son épée, et en fendit l'air de gauche à droite. Détail qu'aucun de ses adversaires n'avait imaginé, la lame du Shadovar laissa derrière elle une traînée opaque de cendres.

Le projectile de la tieffeline traversa ce voile mais, masqué par cet écran, Alegni s'était déjà décalé sur la droite, se laissant emporter par le mouvement de son arme.

— Par ici ! dit-il, de sa nouvelle position, alors que son adversaire reculait.

Avant même que le compagnon de celle-ci ne bondisse en avant pour abattre son bâton, que les deux ashmadaï tournent leurs têtes cornues vers le Shadovar, ou même qu'ils se soient seulement repositionnés, le mur de cendres explosa. Une silhouette élancée en jaillit et décrivit un salto en l'air, en se faufilant entre les deux créatures, dont elle évita facilement les armes, brandies face à cette nouvelle menace. L'inconnu se réceptionna derrière eux, leur faisant toujours face.

— Souffle dans le cor ! cria le tieffelin, en se retournant pour affronter l'agresseur.

Malheureusement, sa compagne tituba d'un ou deux pas sur le côté, sa main libre à la gorge – sur une entaille infligée par la dague du nouveau venu – et ses yeux argentés encore plus écarquillés que précédemment, peut-être choquée par la précision de ce coup, ou de crainte d'avoir été mortellement touchée.

— Makarielle ! s'écria l'ashmadaï, avant de se jeter sur l'homme armé d'un poignard, qu'il agressa d'un grand coup de bâton.

L'humain blafard s'écarta pour éviter cette attaque, puis se baissa quand son opposant enchaîna avec une frappe à revers. Sur la troisième tentative de ce dernier, il sauta sur l'arme et encaissa volontairement un coup étouffé sur le flanc, quand il se réceptionna. Le gourdin coincé sous son aisselle, il pivota avec une force, une assurance et un équilibre tels qu'il arracha le bâton des mains de son adversaire.

Le tieffelin désarmé lâcha un sifflement et se jeta en avant, largement capable de se battre avec ses poings et ses dents.

Tout en s'écartant sur le côté, Barrabus le Gris leva le coude droit, sous lequel était coincé le sceptre, projetant ainsi l'arme en l'air. Il l'attrapa de la main droite et s'arrêta net, avant d'inverser son mouvement et de présenter sa hanche droite à son adversaire. La main gauche calée sur le bout du bâton, de façon à bénéficier d'un meilleur équilibre et de davantage de puissance, il donna un coup de sceptre derrière lui.

Il sentit le solide impact que produisit l'arme sur le torse de son adversaire. Au lieu de poursuivre sa rotation vers la droite, il se figea et ramena le bâton devant lui, avant de le retourner avec adresse pour l'empoigner à son extrémité à deux mains. Ce faisant, il se tourna sur sa gauche et avança d'un pas pour frapper la créature qui reculait.

Le tieffelin eut le mérite de lever le bras pour parer ce coup – avec pour résultat une fracture de l'avant-bras. Cependant, sans lui laisser le temps de hurler de douleur, Barrabus revint à la charge de l'autre côté, en inversant sa prise, et fit mine de le frapper à la tête. Alors que son ennemi réagissait à cette attaque, Barrabus dévoila sa feinte ; il se baissa et surprit son vis-à-vis d'un coup de pied. Il toucha durement le genou de l'ashmadaï, dont la jambe fut brusquement écartée. Sans perdre une seconde, la main droite au milieu du sceptre et la gauche au bout, le tueur, toujours baissé, donna un dernier coup vers le haut. Le tieffelin déséquilibré fut incapable d'éviter sa propre arme, qui l'atteignit violemment à l'entrejambe.

— Bien joué ! le félicita Alegni, en s'approchant de la tieffeline qui, un genou à terre et les deux mains sur sa gorge ouverte, avait laissé tomber son arme. Survivra-t-elle ?

— Il n'y a pas de poison, répondit l'humain. Ce n'est pas une blessure mortelle.

— Bonne nouvelle ! se réjouit Alegni, en se dirigeant vers l'autre ashmadaï, aussi stupéfait qu'obstiné, toujours debout et le visage crispé. Enfin, pas pour toi…

Sur ces mots, le Shadovar abattit brutalement son épée sur le malheureux, qu'il coupa presque en deux.

— Je n'ai besoin que d'un prisonnier, expliqua-t-il à sa victime déjà morte.

Il recula d'un pas et agrippa la tieffeline agenouillée par son épaisse chevelure noire, avant de la lever avec une telle force que ses pieds quittèrent un instant le sol.

— T'estimes-tu plus chanceuse que ton compagnon ? lui demanda-t-il, le visage contre le sien, observant froidement ses yeux baignés de larmes. (Il se tourna vers son larbin.) Empare-toi de leurs armes et de tout ce qui vaut le coup d'être récupéré.

Il s'en alla sans plus attendre, traînant sa prisonnière par les cheveux.

Barrabus le Gris le regarda s'éloigner, touché par l'expression angoissée de la tieffeline. Il ne répugnait pourtant pas à se battre, pas plus qu'il ne regrettait d'avoir agressé ces étranges adorateurs d'un dieu démoniaque. Après tout, ces créatures l'auraient étripé avec joie au cours de l'un de leurs sacrifices rituels, comme l'avaient découvert les soldats d'Herzgo Alegni quand trois des leurs avaient été portés disparus dans le bois, pour être ensuite retrouvés attachés et vidés de leurs tripes sur un rocher.

Malgré cela, Barrabus ne put réprimer une grimace en songeant que la malheureuse tieffeline endurerait bientôt la cruauté sans limites d'Herzgo Alegni.

Indomptable.

C'était le mot qui revenait le plus régulièrement à l'esprit de Drizzt, quand il songeait à Bruenor Marteaudeguerre, avec également l'expression « va de l'avant », que répétait souvent le drow.

À l'ombre d'un chêne épanoui, adossé contre le tronc, Drizzt épiait sans le vouloir son ami. En contrebas de l'étendue herbeuse sur laquelle se dressait le grand arbre, Bruenor était assis dans une clairière, une dizaine de cartes déployées devant lui, sur une couverture.

Bruenor aidait Drizzt à vivre depuis des années, ce dont l'elfe noir était bien conscient. Quand les espoirs de contacter Catti-Brie et Régis avaient été réduits à néant, quand même les meilleurs souvenirs qu'il conservait de ces deux amis, ainsi que de Wulfgar – le barbare était forcément mort… ou bien âgé de cent douze ans – s'étaient également envolés, seule l'insistance de Bruenor, toujours convaincu que les routes qui se présentaient méritaient d'être suivies, avait plus ou moins tempéré la colère bouillonnant chez le drow.

La colère et tant d'autres sentiments, qui n'avaient rien de glorieux.

Il observa un long moment le nain, qui passait d'une carte à une autre, griffonnant quelque annotation sur l'un de ces parchemins, ou sur le petit livre qu'il gardait en permanence sur lui, un journal destiné à relater son périple jusqu'à Gontelgrime. Comme Bruenor lui-même l'avait reconnu, cet objet symbolisait son acceptation du fait qu'il ne retrouverait peut-être jamais l'ancien foyer Delzoun. En cas d'insuccès, il avait en effet l'intention de laisser une trace de ses aventures, de façon que le prochain nain à se lancer dans cette quête ait déjà bien avancé avant d'effectuer le premier pas.

Cet état de fait, cette conscience – pour Bruenor, en tout cas – que ces efforts ne serviraient peut-être à rien, et la conviction qu'une telle possibilité, sans doute plutôt une probabilité, soit tout de même acceptable poussaient Drizzt à réfléchir à propos de causalité, de continuité et de… respect.

Ce n'est que lorsqu'il leva son poing serré devant lui que le drow se rendit compte qu'il avait réduit en miettes un morceau d'écorce. Il ouvrit ses doigts noirs sur ces fragments, qu'il observa longtemps avant de les jeter. Il porta alors d'instinct les mains sur les poignées de ses cimeterres, accrochés à sa ceinture. Il détourna le regard de Bruenor et se concentra sur les collines vallonnées et boisées, à la recherche d'une fumée ou de quelque autre signe indiquant une présence proche – probablement des gobelins, des orques ou des gnolls.

De façon ironique, alors que le monde s'était indéniablement assombri ces derniers temps, il se battait de plus en plus rarement. Drizzt trouvait cela ironique… et inacceptable.

— Ce soir, Guen, murmura-t-il, alors que la panthère se trouvait chez elle, sur le plan Astral, et qu'il n'avait pas sorti la figurine en onyx pour l'appeler à ses côtés. Ce soir, nous chasserons.

Sans même y penser, il dégaina *Scintillante* et *Glacemort*, les lames qu'il portait depuis tant de décennies, et se lança avec aisance dans une série de bottes éprouvées, de simulations de parades et de contres, et d'astucieuses ripostes. Puis il accéléra le rythme, ses mouvements, dans un premier temps des réactions défensives, se firent de plus en plus agressifs, jusqu'à devenir offensifs à l'extrême.

Il s'adonnait depuis presque toujours à ces exercices, appris au cours de sa formation avec son père Zaknafein, à Menzoberranzan, cité de l'Outreterre, puis à l'académie drow de Melee-Magthere. Ils l'avaient suivi tout au long du voyage qu'avait été sa vie. Ces gestes faisaient partie de lui, mesure de sa discipline, affinage de ses dons et affirmation de ses objectifs.

Drizzt était si habitué à ces mouvements qu'il n'avait pas remarqué les infimes changements intervenus dans leur exécution. Il était principalement question de mémoire musculaire et d'équilibre, bien entendu, et, lors de ces séances, blocages, pivots, frappes et rotations étaient destinés à contrer les attaques d'adversaires imaginaires.

Toutefois, ces dernières années, ces agresseurs invisibles avaient de plus en plus pris corps pour Drizzt. Il ne se rappelait même plus que lorsqu'il avait commencé à répéter ces exercices, puis toute sa vie durant, jusqu'à l'époque du fléau magique, il n'avait visualisé que des armes. Il se retournait et brandissait *Scintillante* à la verticale pour bloquer une épée imaginaire, puis il abattait *Glacemort* de l'autre côté, pour dévier une lance projetée.

Depuis cette sinistre période, et notamment depuis qu'il s'était lancé sur les routes, en compagnie de Bruenor, Jessa, Gaspard et Nanfoodle, ses adversaires imaginaires étaient devenus bien plus que de simples morceaux de métal. Drizzt visualisait un visage d'orque, un sourire d'ogre, des yeux d'humain, de drow, d'elfe, de nain, de halfelin… peu importait! Tant que le malfrat, ou monstre quelconque, se trouvait devant lui, prêt à hurler de douleur quand *Scintillante* plongerait dans son cœur, ou à s'étouffer dans son propre sang quand *Glacemort* lui ouvrirait la gorge…

Le drow s'en prit avec furie à ses démons. Il s'élança en avant, bondit, décrivit un salto et se réceptionna de façon à être propulsé encore plus loin, avec une rage décuplée, ses jambes plus vives que jamais, grâce à ses bracelets de cheville magiques, ses cimeterres se fendant vers l'avant pour embrocher l'ennemi. Une nouvelle course fut suivie d'une autre pirouette aérienne, puis d'une réception en déséquilibre sur la droite, afin de s'élancer de ce côté en un pivot dévastateur, sous une trombe de lames fendant les airs.

Encore en avant, puis en l'air, et enfin vers la gauche. Cette fois, cette tornade se figea soudain et, ayant inversé sa prise, frappa en arrière.

Drizzt sentit une résistance accrue sur sa lame, quand elle empala l'orque qui le poursuivait, puis il imagina le sang chaud couler sur sa main.

Il était plongé dans l'action, dans ce fantasme, à tel point qu'il se retourna, dans l'intention d'essuyer *Glacemort* sur le gilet de son adversaire tué.

Il baissa les yeux sur son cimeterre, propre et étincelant, et remarqua la sueur qui brillait sur son avant-bras. Il se retourna ensuite vers le chêne, distant de plusieurs dizaines de pas.

Au fond de lui, Drizzt Do'Urden savait qu'il se servait de ce régime – et des véritables combats, quand il en dénichait – pour chasser la réalité de sa perte et de sa douleur. Il se cachait en se battant, n'oubliait sa souffrance que lors de ces moments d'affrontements brutaux, réels ou imaginés. Mais il était passé maître dans l'art de dissimuler cet état de fait aux yeux de sa conscience, de l'enterrer sous l'autre vérité; il était nécessaire qu'il s'entraîne.

Il était tout aussi doué quand il s'agissait de prétendre que les nombreux combats livrés sur les routes au cours des dernières décennies avaient été inévitables.

— Deux tieffelins ashmadaï pris en quelques secondes, félicitations ! dit cette nuit-là Herzgo Alegni à Barrabus, en périphérie de Padhiver, à l'orée de la forêt d'où la cité était bien visible.

— Ils ont été surpris, répondit Barrabus. Ils étaient concentrés sur toi et ne savaient pas que j'étais présent.

— Ne peux-tu pas simplement accepter ce compliment ? lui reprocha son supérieur en riant.

Venant de toi ? pensa le tueur, qui se garda d'énoncer cette réplique à haute voix, surtout sur le ton sarcastique et dédaigneux qu'il n'aurait pas manqué d'employer. Cela dit, son expression revêche parlait pour lui.

— Oh, ne sois pas si surpris, poursuivit Alegni. Crois-tu que je te garderais en vie, si je n'estimais pas tes talents ?

Barrabus ne se donna pas la peine de répondre, si ce n'est par un sourire affecté et un regard en direction de la hanche du tieffelin, sur laquelle était fixée l'épée à lame rouge.

— Évidemment, tu es persuadé que si je ne te tue pas, c'est simplement pour pouvoir te torturer, déduisit Alegni. Eh bien non, mon minuscule ami, si je dois reconnaître que je prendrais un grand plaisir à te voir souffrir, cela ne suffirait pas à en valoir la peine. Tu es vivant parce que tu m'es précieux. Le pont Herzgo Alegni de Padhiver en est la meilleure preuve ; tu es un laquais aussi complet qu'efficace. Or une telle compétence est difficile à trouver en cette triste époque, et plus difficile encore à contrôler, quand on la trouve. (Un sourire aux lèvres, il agrippa la poignée de son épée.) Heureusement, ce n'est pas le cas en ce qui te concerne.

— Je suis ravi de me savoir si utile, dit Barrabus, toujours aussi ironique.

— Il est vrai que tu me sers de diplomate avec Hugo Babris, de guerrier face aux ashmadaï, d'assassin pour éliminer les agents de nos ennemis et d'espion quand c'est nécessaire.

Les mains sur les hanches, Barrabus prit son mal en patience, devinant qu'une nouvelle mission allait lui être confiée.

— Je suis certain que l'arrivée de ces ashmadaï fanatiques n'est pas une coïncidence, dit justement Alegni. On parle d'agents thayens dans le Nord, sans doute à Luskan. (L'évocation de la Cité des Navigateurs, où le tueur n'avait aucune envie de se rendre, fit tressaillir Barrabus.) Je voudrais savoir qui ils sont, pourquoi ils sont venus et de quelle façon ils vont encore essayer de contrecarrer nos projets ici.

— Luskan…, dit l'assassin, comme si le fait de répéter ce mot pouvait rappeler à Alegni que l'envoyer dans cette ville n'était peut-être pas une si bonne idée.

— Tu sais mieux que quiconque rester discret, non ?

— Oui, et Luskan est pleine d'individus qui se rient de la discrétion des humains… et même des Shadovars, pas vrai ?

— Les drows se font rares dans la cité, ces derniers temps.

— Rares ? répéta Barrabus, comme si ce détail importait peu.

— Je veux courir le risque.

— Que tu es courageux…

— En effet, convint le tieffelin. Je veux prendre le risque de perdre l'un de mes… de te perdre, toi. Ce serait regrettable, mais je n'ai pas le choix ; tu es l'un de mes rares soldats encore capables de se faire passer pour des humains. Je te fais confiance pour ne pas te faire remarquer ; il n'y a pas tant d'elfes noirs que ça susceptibles de te causer des ennuis, dans la Cité des Navigateurs.

— As-tu organisé mon entrée en ville ?

— Tu ne t'y rendras pas par mer. Tu accompagneras une caravane jusqu'à Port Llast, où tu commenceras à enquêter. De là, quand tu en auras appris un maximum, tu te rendras à Luskan par tes propres moyens.

— Ce qui prendra plus de temps.

— La route mérite aussi d'être explorée.

— Elle se refermera derrière moi, peut-être pour ne plus s'ouvrir avant le printemps prochain.

—Je connais suffisamment Barrabus le Gris pour savoir que ce ne sont pas quelques flocons de neige qui vont l'arrêter, s'amusa Herzgo Alegni. Je suis certain que tu ne resteras pas longtemps à Port Llast. Il n'y a là-bas que peu de personnes qui nous intéressent, tu seras à Luskan avant l'équinoxe d'automne. Hâte-toi de remplir ta mission et reviens-moi avant que la neige ne bloque les cols.

—Je n'ai pas mis les pieds à Luskan depuis… quarante ans, protesta le tueur. Je n'y ai aucun contact, aucun réseau.

—Une grande partie de la cité n'a pas changé depuis la chute de la Tour des Arcanes. Cinq Hauts Capitaines la dirigent depuis leurs divers…

—Et ils sont eux-mêmes dirigés par les mercenaires drows, intervint Barrabus. Si on prétend que les elfes noirs se font plus rares en ville ces temps-ci, tu peux être sûr que ce sont eux qui ont lancé ces rumeurs, afin que des individus comme toi et les seigneurs d'Eauprofonde soient satisfaits et regardent ailleurs.

—Eh bien, tu découvriras la vérité pour mon compte, dans ce cas.

—Si ce que tu prétends ne se vérifie pas, en revanche, il y a peu de chances que je revienne. Ne sous-estime pas la mémoire d'un elfe noir.

—Mon cher Barrabus, je crois que c'est la première fois que je te vois effrayé.

Le tueur se raidit et lança un regard noir au tieffelin.

—Avant l'hiver, rappela Herzgo Alegni, avant de désigner Padhiver du menton. La caravane part dans la matinée.

Les pensées se dispersant dans mille directions, dont aucune ne menait à une conclusion agréable, Barrabus le Gris marchait vers la cité. Il prenait soin de se tenir à l'écart de Luskan depuis des années – on ne trahissait pas un personnage de l'envergure de Jarlaxle Baenre sans conséquences…

Il repensa à ce combat, à Memnon, quelques décennies auparavant, quand des agents de Bregan D'aerthe, après avoir pris son amour en otage, l'avaient raillé en lui énonçant les conséquences auxquelles il s'exposait s'il repoussait leur offre de se joindre à eux. Il revit les trois drows morts, puis chassa cette vision pour se concentrer sur les quelques semaines dont il avait ensuite profité avec sa compagne.

Ces jours restaient la période la plus heureuse de sa vie, mais, hélas, elle s'était enfuie, ou avait disparu – les elfes noirs l'avaient-ils de nouveau enlevée ? L'avaient-ils tuée, en représailles à la violence dont il avait fait preuve ?

Ou bien ce tragique événement était-il lié à cette épée infernale ? Il manqua de peu de se retourner en direction d'Herzgo Alegni, quand il fut assailli par cette hypothèse déstabilisante. Il est vrai que le Shadovar était entré dans sa vie très peu de temps après cette perte, le privant de sa liberté.

Il lui avait tout pris.

Cette dernière pensée fit naître un sourire méprisant vis-à-vis de lui-même sur le visage de Barrabus le Gris.

—Il m'a tout pris ? murmura-t-il. Y avait-il seulement quelque chose à prendre ?

Le tueur avait laissé s'envoler ces souvenirs quand il parvint à la porte de Padhiver. Il devait regarder devant lui et rester parfaitement concentré. S'il restait des drows à Luskan, l'erreur la plus infime de sa part lui coûterait sans doute la vie.

7

GONTELGRIME

Jarlaxle restait à l'arrière du groupe formé par les cinq compagnons, dans les tunnels qui couraient sous Luskan – de longs boyaux naturels s'étendant vers le sud-est et les Escarpes. À l'avant, Korvin Dor'crae, qui faisait office d'éclaireur, prenait souvent quelques longueurs d'avance. Venait ensuite Athrogate, impatient de découvrir l'endroit décrit par Dahlia et toujours prêt à servir de nain de pointe pour n'importe quelle patrouille – il voulait systématiquement être le premier à s'engager dans un combat. Suivaient Dahlia et Valindra. L'elfe progressait avec le calme et la patience que Jarlaxle aurait imaginé trouver chez une guerrière nettement plus âgée et plus expérimentée, tandis que Valindra avançait sans un bruit, comme hébétée, loin d'imposer la présence – tant mentale que physique – à laquelle on s'attendait de la part d'une créature aussi puissante qu'une liche.

Ce qui ne dérangeait pas Jarlaxle, d'ailleurs. De son vivant, Valindra Manteaudombre avait été une lanceuse de sorts de renom, à la tête de toute une aile de la puissante Tour des Arcanes. Si elle retrouvait un jour son acuité et son assurance, elle se révélerait plus redoutable encore en tant que morte-vivante – et si l'on analysait de façon objective les événements intervenus au cours des derniers jours de son existence, elle ne serait alors pas particulièrement enchantée de la présence d'un drow curieux.

Ils progressèrent sans encombre durant plus d'une journée, et s'ils entendirent de-ci de-là les pas traînants et raclements de quelques goules et autres faibles créatures mortes-vivantes, ils n'en rencontrèrent aucune. Jarlaxle trouvait cela déroutant. Animées d'une insatiable faim de chair vivante et dotées d'une excellente capacité à sentir et pister leurs proies, les goules étaient censées n'avoir peur de rien. Pourquoi n'approchaient-elles pas ? Il ne tarda cependant pas à deviner la véritable nature de l'un des membres du groupe.

—On a d'la chance, lui dit Athrogate, lors d'une pause, le lendemain. Beaucoup d'tunnels latéraux, remplis d'goules et d'bêtes dans l'genre.

—Ce n'est pas par chance que nous n'avons pas été agressés, répondit Jarlaxle, qui attira l'attention du nain sur Dahlia et Dor'crae, qui discutaient à propos de la direction à suivre.

Le tunnel se divisait, et le vampire avait découvert que les deux embranchements aboutissaient à leur tour chacun sur une nouvelle fourche, non loin de là. Dahlia et Dor'crae ne cessaient de désigner la voûte et les parois, sur lesquelles les racines miroitaient d'un vert humide sous la lueur des torches.

—Comment ça ? s'étonna Athrogate. On est dans un tunnel magique ?

—Allez, viens, dit Jarlaxle.

Le drow se leva et se dirigea vers Dahlia, alors que Dor'crae s'engageait dans la voie de gauche.

—Nous en saurons bientôt davantage, promit Dahlia.

Jarlaxle fit signe à Athrogate de continuer d'avancer sur les traces de Dor'crae.

—Je n'en doute pas, ma chère, dit-il, en sortant une baguette, qu'il orienta vers le tunnel.

Sidérée et saisie d'une vive inquiétude, Dahlia n'eut pas le temps de réagir avant que l'elfe noir prononce une incantation. La galerie s'illumina aussitôt d'une clarté magique.

—Qu'est-ce que… ? glapit Athrogate, surpris, quand la lumière l'aveugla.

Quand la vue lui revint, le nain aperçut fugitivement Dor'crae – ou plutôt ce qui aurait dû être Dor'crae. En réalité, il vit une grosse chauve-souris s'éloigner en battant des ailes dans le boyau, fuyant la lumière.

— Pourquoi as-tu fait ça ? se fâcha Dahlia.

— Pour voir Dor'crae, répondit Jarlaxle, en s'approchant de la lumière invoquée. Et pour mieux observer ces étranges veines sur les murs. Je les ai d'abord prises pour des filets de gemmes – peut-être une variante d'héliotrope. (Le drow avançant toujours, Dahlia se hâta de le rejoindre.) Mais je les vois maintenant d'un autre œil.

Et d'ajouter, alors qu'il examinait de près une veine éclairée :

— On dirait des tubes creux, remplis de liquide.

Il sortit une autre baguette – il semblait en posséder une quantité inépuisable – et la pointa vers la veine.

— Attention ! s'écria Dahlia, sûre d'elle, en interceptant la baguette d'une main. Ne brise pas la racine !

— La quoi ? demanda Athrogate.

Jarlaxle écarta la baguette et lança un dweomer, qui détecta la présence de magie.

— Une magie très puissante, commenta-t-il, plutôt impressionné.

— De la magie résiduelle, précisa Dahlia.

— Tu en sais de toute évidence plus que moi à ce propos.

Sur le point de répondre, l'elfe saisit la ruse et, les mains sur les hanches, lança un regard noir au drow.

— Tu connaissais bien la ville souterraine de Luskan, dit-elle.

— Pas si bien que ça.

— Assez pour savoir que ces tubes ne sont pas des veines de gemme.

— Qu'est-ce qu'elle raconte ? intervint Athrogate.

— Ce sont les racines de l'ancienne Tour des Arcanes, expliqua Jarlaxle. Elles aspiraient la force de la mer et de la terre, c'est en tout cas ce que nous pensions, même si nous n'imaginions pas qu'elles s'étendent si loin de la cité. (Dahlia afficha un sourire ironique.) Elles suivent le boyau gauche, mais pas le droit.

L'elfe haussa les épaules, puis le drow conclut son propos, non sans laisser transparaître une légère suspicion dans la voix :

— Et nous les suivons…

— Ah ! Mais à quoi tu joues, alors ? demanda Athrogate à Dahlia. Quel rapport avec la ville souterraine dont tu m'as parlé pour m'faire venir ? Et les trésors, l'elfe ? J'te préviens, t'as intérêt à m'dire la vérité !

— Ces tubes mènent à l'endroit que je t'ai décrit, répondit Dahlia. C'est en les suivant que Dor'crae a trouvé les mines, l'immense Forge et d'autres structures qui te couperont le souffle, le nain. Il est possible qu'à une époque oubliée depuis longtemps, les nains n'aient pas façonné uniquement des armes. Peut-être avaient-ils conclu un pacte avec les grands magiciens de la Tour des Arcanes. Les armes forgées par les nains avaient elles aussi besoin d'enchantements, non ? Quant aux armures, bénites par la magie de grands mages, elles devaient supporter des frappes beaucoup plus puissantes.

— T'es en train d'me dire qu'mes propres ancêtres s'servaient d'ces… d'ces racines, pour qu'les magiciens leur envoient un peu d'magie ?

— C'est possible, dit Dahlia. C'est une hypothèse vraisemblable.

— Je me demande quelles sont les autres, dit Jarlaxle, sans prendre la peine de dissimuler ses doutes.

Dahlia ne réagit pas.

— On sera bientôt fixés, dit Athrogate. Pas vrai ?

Dahlia lui répondit avec un sourire désarmant et un hochement de tête.

— Dor'crae pense qu'il existe un raccourci. Peut-être trouveras-tu tes trésors plus tôt que prévu, brave nain.

Après un nouveau sourire, elle s'éloigna et se dirigea vers Valindra qui, les yeux fermés, psalmodiait un étrange chant. De temps à autre, la liche s'interrompait et s'adressait des reproches.

—Non, ce n'est pas ça. Oh, j'ai oublié ! Ce n'est pas ça. Ce n'est pas ça, tu le sais. Non, ce n'est pas ça…, dit-elle encore, sans même ouvrir les yeux, avant de reprendre de plus belle son refrain. Ara… Arabeth…

—Tu as vu Dor'crae ? demanda Jarlaxle à Athrogate, quand ils se retrouvèrent seuls.

—Ah, c'était lui ? Il a une cape très efficace.

—Ce n'était pas sa cape.

—Qu'est-ce que t'en sais ? demanda le nain, les yeux rivés sur son compagnon.

—Il s'agit de sa nature, pas d'un artefact magique, expliqua Jarlaxle.

Athrogate retourna quelques instants ces mots dans sa tête, avant d'écarquiller les yeux et de se donner une claque sur la hanche.

—Tu penses quand même pas que…

—C'est pourtant ce que je viens de dire.

—Et l'elfe ?

—N'aie crainte, mon ami. Certains de mes meilleurs amis étaient des vampires.

Après avoir tapoté l'épaule du nain, le drow se dirigea vers Dahlia et Valindra.

—« Étaient » ? répéta Athrogate, en tentant d'analyser ce détail.

Il prit soudain conscience qu'il était désormais seul, avec un vampire dans les environs. Il jeta un coup d'œil par-dessus l'épaule et se hâta de rattraper Jarlaxle.

—Il connaît le chemin, expliqua Jarlaxle à Athrogate, deux jours plus tard. Sans oublier qu'il empêche efficacement les morts-vivants de nous approcher.

—Bah, on n'en voit plus, et les têtes d'mes morgensterns aimeraient bien en rencontrer un ou deux, grogna le nain.

—Il se déplace rapidement, en silence et, je le répète, il connaît le chemin, rappela Jarlaxle, quelque peu agacé.

—Oui, oui, j'sais tout ça…, grommela Athrogate, avant de faire signe au drow d'avancer.

Devant eux, Valindra se remit à chanter, s'interrogeant toujours sur les paroles et se réprimandant quand elle se trompait, avant de reprendre :

—Ara… Arabeth… Arararar… Arabeth !

—Bon, j'comprends pourquoi elle a fait venir c'type qui s'transforme en chauve-souris, reprit Athrogate. Mais pourquoi cette idiote ?

—Cette idiote n'est pas dépourvue de pouvoirs… de grands pouvoirs.

—Vivement qu'elle nous fasse tous flamber dans une boule de feu.

—De grands pouvoirs, répéta Jarlaxle. Que Dahlia contrôle.

—Ah bon ? Qu'est-ce que t'en sais ?

Jarlaxle leva la main, le regard tourné vers les deux femmes. Des années durant, Kimmuriel Oblodra, lieutenant de Jarlaxle et actuel dirigeant de Bregan D'aerthe, s'était servi de ses aptitudes psioniques pour épier l'esprit de Valindra. Seule l'intervention de Kimmuriel avait empêché Valindra de sombrer dans la folie la plus complète, quand Arklem Greeth avait fait d'elle une morte-vivante. Ces incursions avaient permis à Kimmuriel d'assurer à Jarlaxle que Valindra Manteaudombre, bien que prise au piège de la démence, restât l'être puissant, sinistre et crédible qu'elle avait autrefois été, la maîtresse de l'aile nord de la Tour des Arcanes… Pas seulement une magicienne, mais une aristomancienne. De fait, cette Valindra avait commencé à se manifester de nouveau peu après.

Or Dahlia était trop prudente pour l'ignorer. Jamais elle n'aurait laissé une créature si imprévisible et si puissante l'accompagner si elle n'avait pas été certaine d'être en mesure de la contrôler.

Jarlaxle songea un instant aux conséquences si Dahlia parvenait, d'une façon ou d'une autre, à rendre à Valindra l'intégralité de sa conscience. Valindra Manteaudombre avait été redoutable de son vivant, à tous points de vue. Le drow imaginait déjà les ennuis qu'elle risquait de provoquer en tant que liche.

— Si le vampire connaît l'chemin, et qu'la liche possède de si grands pouvoirs, qu'est-ce qu'on fiche ici, l'elfe, par les Neuf Enfers ? s'étonna Athrogate.

Jarlaxle prit le temps d'observer son ami, vision ô combien impressionnante, avec sa lourde cotte de mailles, son casque de fer et ses terribles morgensterns croisées dans le dos. Il repensa à la conversation qu'il avait eue avec Dahlia, au cours de laquelle l'elfe lui avait expliqué pour quelles raisons elle avait besoin d'eux. Son orgueil ne lui avait-il pas fait trop facilement croire les propos de la guerrière ?

Non, se raisonna-t-il. Dahlia avait besoin de lui, et de ses connexions, pour écouler le trésor, les artefacts et pièces promis.

Ses yeux se posèrent de nouveau sur Athrogate. D'un autre côté, Dahlia ayant insisté sur la nécessité de faire venir le nain, Jarlaxle ne devait peut-être sa présence qu'au fait qu'elle ait cherché à bénéficier des services d'Athrogate, les deux compagnons étant inséparables.

Dans ce cas, Jarlaxle ne participait-il à cette expédition que par défaut ?

Le drow ne répondit pas à la question d'Athrogate. Quelques instants plus tard, ils rattrapèrent Dahlia et les autres, qui, parvenus au bord d'une profonde fosse, regardaient vers le bas.

— Nous sommes arrivés, déclara Dahlia, quand le drow et le nain eurent rejoint le reste du groupe.

— C'est pas vraiment une cité, ronchonna Athrogate.

— Ce conduit descend à la verticale sur quinze mètres, expliqua l'elfe. Il se poursuit ensuite selon une pente marquée mais praticable, légèrement vers la gauche, après quoi il change plusieurs fois de direction sur une trentaine de mètres, pour déboucher sur… enfin, vous le verrez bien assez tôt.

Quand l'elfe se tourna vers Valindra, Jarlaxle remarqua qu'elle plongeait la main sous sa tunique, pour effleurer des doigts une étrange broche en onyx.

—Valindra, murmura-t-elle. Sauriez-vous aider nos amis à descendre dans ce trou?

—Oui, en les y jetant! répondit la liche, sur un ton chantant. Avec Ara… enfin, avec elle!

—Valindra! aboya Dahlia. (La liche secoua la tête en bredouillant, comme si l'elfe lui avait lancé un seau d'eau en plein visage.) Descendre en sécurité, voyons!

Avec un soupir exagéré et sans donner l'impression de produire le moindre effort, Valindra leva la main et fit apparaître un disque d'un bleu luisant, en suspension au-dessus du trou.

—Vous venez avec nous, dit Dahlia à la liche, en la guidant par la main, jusqu'à la faire monter sur le disque. Il nous en faut d'autres, je pense, pour le drow et le nain.

Avec un nouveau soupir, un geste de la main gauche, encore un soupir, puis un deuxième geste, cette fois de la main droite, Valindra créa deux autres disques flottants, devant Jarlaxle et Athrogate.

Dahlia lâcha la main de Valindra et lui demanda de se lancer. Le disque de la liche s'engagea dans le puits. Quand l'elfe lui adressa un signe de la tête, Dor'crae déploya sa cape, qui se mit à s'agiter au-dessus de sa tête, avant de l'envelopper et de le transformer en une chauve-souris géante. L'animal plongea dans la fosse à la suite de Valindra.

Dahlia s'approcha des deux disques restants, puis elle agrippa les bords de sa cape magique – qu'elle avait dérobée à Borlann.

—Que s'est-il passé? lui demanda Jarlaxle, avant qu'elle plonge à son tour. À propos de Valindra, j'entends.

—J'imagine que, curieusement, sa folie l'a protégée du fléau magique, répondit l'elfe. Elle forme une combinaison unique de ce qui fut et de ce qui est. Ou peut-être n'est-elle qu'une magicienne devenue folle, morte-vivante et perdue sans aucun espoir de guérison. Quoi qu'il en soit, je sais qu'elle nous sera utile.

— Elle n'est donc pour toi qu'un outil… un objet magique, lui reprocha Jarlaxle.

— Dis-moi donc, je te prie, quel usage tes drows et toi en faites depuis tant d'années?

Cette astucieuse réplique fit sourire l'elfe noir, qui porta la main à son chapeau à large bord. Tout juste juché sur son disque, et après avoir fait signe à Athrogate de faire de même, il en redescendit.

— Après toi, ma chère, dit-il.

— J'aime pas c'truc, dit le nain.

Accroupi et les bras écartés, il semblait craindre que le disque disparaisse et le fasse chuter, sans rien à quoi se rattraper.

— Tu seras bientôt ravi, je te le promets, dit Dahlia, avant de s'engouffrer dans sa cape.

Métamorphosée en un clin d'œil en corbeau, elle plongea dans le conduit.

Athrogate s'y lança après elle, suivi de Jarlaxle. Juste avant de prendre pied sur le disque invoqué par Valindra, le drow effleura des doigts son insigne, celui de la Maison Baenre de Menzoberranzan. Il disposait de sa propre magie de lévitation, au cas où.

Il se rendit bientôt compte qu'il avait eu tort de craindre quelque ruse de la part de la liche. Les disques, très stables, flottaient facilement et se déplaçaient en fonction des ordres mentaux de ceux qu'ils transportaient. Quinze mètres plus bas, le tunnel, jusque-là vertical, prit l'allure d'une pente très marquée, comme l'avait précisé Dahlia, mais ils ne firent pas disparaître les disques, pas plus qu'ils n'en descendirent. Il était en effet bien plus pratique de voler au-dessus du sol inégal que d'y marcher.

Le boyau se resserra, les contraignant à se baisser ou à s'accroupir par endroits, et même à s'allonger, quand ils durent franchir une saillie de la voûte. Ils poursuivirent ainsi leur descente, changeant régulièrement de direction.

En raison d'un ultime obstacle, Athrogate prit une légère avance sur Jarlaxle dans la dernière portion de tunnel. Alors que le drow constatait que l'étroit passage s'élargissait de nouveau, il entendit son ami marmonner, sur un ton respectueux et admiratif:

— Par Dumathoïn…

Bien que plus ou moins préparé à ce qu'il allait découvrir, ayant entendu Athrogate évoquer Dumathoïn, également appelé le Gardien des Secrets sous la Montagne dans la tradition naine, Jarlaxle éprouva des difficultés à reprendre son souffle quand il rejoignit sur une corniche ses quatre compagnons.

Ils étaient perchés sur un balcon naturel surplombant une immense cavité, dont la surface atteignait peut-être le tiers de celle de Menzoberranzan. Qu'elle fût due à des lichens naturels ou à de la magie résiduelle, la luminosité ambiante permit au drow de discerner les caractéristiques générales de l'endroit. Devant le groupe se trouvait un étang, dont l'eau noire était percée d'une série de stalagmites massives, certaines couronnées de marches et de balcons qui avaient sans doute autrefois servi de postes de garde ou de comptoirs commerciaux. Jarlaxle remarqua le même genre de constructions sur plusieurs des stalactites suspendues à la voûte, non loin des compagnons. Il prit conscience que les nains qui avaient façonné cette caverne avaient adopté le savoir-faire des drows, établissant notamment leurs demeures dans des formations naturelles. Bien que n'ayant jusqu'alors jamais eu vent de telles façons de procéder de la part de nains, Jarlaxle ne doutait pas de son hypothèse. Les ouvrages effectués sur les stalagmites et stalactites n'étaient assurément pas de facture drow, pas assez fins et courbés, ni recouverts de lueurs féeriques.

— Il y a des catapultes, là-haut, dit Dor'crae, qui avait repris sa forme humaine, en désignant les stalactites. Des postes de garde dominent l'entrée.

— Non… c'est impossible…, murmura Athrogate, qui s'effondra sur son disque, le corps soudain privé de toute force.

Jarlaxle décela surtout de l'espoir dans la voix du nain, la reconnaissance de l'existence de quelque chose qui dépassait tout ce qu'Athrogate avait peut-être jamais osé espérer. Ne prêtant donc pas davantage attention à son ami, il poursuivit son observation de la caverne.

De l'autre côté du sombre étang, à une bonne cinquantaine de mètres du balcon, se dressaient cinq ou six amas de petites structures, chacun situé à l'extrémité d'une voie ferrée. Presque tous pourvus d'un wagon de minerai, défoncé et rouillé, ces rails partaient dans la même direction, vers le fond de la cavité, loin du poste d'observation du drow et au-delà des limites de sa vision nocturne affûtée.

— Allons-y, dit Dahlia, d'une voix sifflante d'oiseau géant.

Elle passa par-dessus la balustrade naturelle du balcon et se laissa glisser dans les airs, ses ailes noires déployées, jusqu'au lac, qu'elle survola. Dor'crae reprit sa forme de chauve-souris et l'imita dans la foulée, aussitôt suivi par Valindra, sur son disque.

— Tu viens avec nous ? demanda Jarlaxle à Athrogate, quand il vit que le nain restait immobile.

Athrogate leva les yeux vers le drow, comme s'il sortait tout juste d'un long sommeil, profond mais agité.

— C'est impossible…, murmura-t-il, à peine capable de prononcer ces mots.

— Eh bien, allons voir ça de plus près, mon ami, répondit Jarlaxle, qui se mit en route.

L'elfe noir avait à peine atteint l'étang, qu'il survolait de près, quand Athrogate le doubla, visiblement sorti de son hébétement et faisant filer son disque à toute vitesse.

De l'autre côté du plan d'eau, Dahlia, redevenue elfe, aidait Valindra à descendre de son disque. Quant à Athrogate, il sauta du sien, alors qu'il se trouvait encore à près de deux mètres du sol. Loin d'être calmé par sa chute, qu'à vrai dire il ne parut même pas remarquer, le nain se releva instantanément d'un bond et s'élança en titubant le long de la voie ferrée centrale.

— On s'est beaucoup battu ici, fit remarquer Dor'crae qui, après s'être défait de sa forme de chauve-souris, se pencha pour ramasser un os blanchi. Gobelin… ou un petit orque.

157

D'un coup d'œil alentour, Jarlaxle put constater que le vampire avait raison. Le sol mou était éventré en de nombreux endroits, tandis que des fragments d'os étaient disséminés un peu partout. Ce qui se présentait un peu plus loin était toutefois encore plus riche d'enseignements, un spectacle qui avait fait tomber Athrogate à genoux. Même si le nain lui tournait le dos, Jarlaxle imaginait sans difficulté les larmes qui devaient strier son visage poilu.

Qui aurait pu le lui reprocher? Jarlaxle lui-même, pourtant guère versé dans les légendes des nains Delzoun, avait facilement compris qu'ils étaient entrés dans Gontelgrime, la cité mythique des nains Delzoun, la légende la plus sacrée de leur histoire, l'endroit que Bruenor Marteaudeguerre en personne recherchait depuis plus d'un demi-siècle.

Ils faisaient face à un immense mur, qui marquait le fond de la caverne. Bâti à l'image des parois d'un château de la surface, il était pourvu de tours, de chaque côté d'une impressionnante porte à double battant en mithral, et de remparts crénelés en son sommet. Cette construction, qui s'étendait sur toute la largeur de la cavité, semblait profondément s'enfoncer dans la roche de part et d'autre. Le plus étrange, en dehors des grandes portes argentées, était que cette paroi paraissait à l'étroit. En levant les yeux, Jarlaxle s'attendait presque à voir le ciel au-dessus de ce mur, alors qu'en réalité il n'y avait qu'un espace très réduit entre son sommet et la voûte de la caverne. Un humain de bonne taille aurait eu beaucoup de mal à se tenir debout là-haut, et Jarlaxle lui-même aurait dû se baisser en de nombreux endroits.

—C'est impossible…, balbutiait Athrogate, quand Jarlaxle le rejoignit.

Comme il l'avait supposé, le nain était en larmes.

—Je ne vois pas d'autre lieu où ça pourrait être situé, mon ami, dit-il, en tapotant la robuste épaule d'Athrogate.

—Vous connaissez donc cet endroit? demanda Dahlia, en s'approchant, Dor'crae et Valindra sur ses talons.

—Voici Gontelgrime, expliqua Jarlaxle. L'ancien foyer des nains Delzoun, un lieu qui n'était qu'une légende…

— Jamais un nain n'a douté d'son existence ! beugla Athrogate.

— ... pour de nombreux non-nains, acheva le drow, en ponctuant sa phrase d'un sourire à l'intention de son ami. Gontelgrime est un mystère même pour les elfes, dont la mémoire remonte pourtant très loin, et parmi les drows, qui connaissent mieux que quiconque l'Outreterre. Et ne doutez pas que nous ayons cherché cette cité, au cours de tous ces siècles. Si Gontelgrime recèle seulement le dixième des trésors qu'on lui attribue, alors il y a des richesses inimaginables derrière ce mur, derrière ces portes.

Il marqua une pause, en contemplant le spectacle qui s'offrait à lui, et se fit la réflexion que cette cité était localisée dans une zone loin d'être isolée, selon les standards de l'Outreterre.

— Une magie très puissante a dû dissimuler cet endroit durant toutes ces années, poursuivit-il. Sans protection, un lieu tel que cette caverne aurait forcément été découvert, après tant de siècles.

— Qu'est-ce qui te fait penser qu'il s'agit bien de Gontelgrime ? demanda Dor'crae. Les nains ont bâti et abandonné quantité de royaumes.

Sans laisser Jarlaxle répondre, Athrogate se mit à déclamer :
— « Des tunnels d'argent, des portes de mithral,
Des murs de pierre dans la caverne.
Un spectacle grandiose et sans égal,
Une forge, une mine et une taverne.

Trime dur dans la nuit sans fin,
Porte un toast, lève ton cruchon !
Y t'faut ta boisson pour aller loin,
Jusqu'à la Forge qui cuit l'dragon.

Allez, Delzoun, allez d'l'avant !
Avertissez tous vos intimes,
Dites-leur qu'leur foyer les attend
Dans la magnifique Gontelgrime. »

— Une vieille chanson, précisa Athrogate. Tous les nanillons la connaissent.

— Je vois bien les murs de pierre et les portes de mithral, mais en dehors de ça…

— J'ai pas besoin d'autre preuve! s'exclama le nain. Aucun autre endroit n'est bâti avec d'telles portes. Aucun nain ferait une chose pareille, ce serait manquer d'respect. Personne n'essaierait d'imiter c'qui peut pas être copié. Ce serait une insulte, j'te l'garantis!

— Nous en apprendrons davantage à l'intérieur, concéda Jarlaxle.

— J'y suis entré, dit Dor'crae. Je n'ai pas vu de tunnels d'argent, et je n'ai pas découvert de trésor fabuleux. En revanche, le vers concernant la Forge correspond à la réalité.

— T'as vu les fourneaux?

— On sent la chaleur qu'ils émettent à plusieurs niveaux de distance.

— Ils sont encore en marche? s'étonna Jarlaxle. Comment est-ce possible?

Le vampire ne trouva rien à répondre.

— T'es en train d'nous dire qu'quelqu'un vit là-dedans? dit Athrogate.

— Je n'y ai rien trouvé de… vivant, précisa Dor'crae, après avoir lancé un regard nerveux en direction de Dahlia. Mais ce complexe n'est pas déserté. Et en effet, il y a un immense fourneau, plusieurs niveaux plus bas, qui fonctionne toujours. Il produit une chaleur comme je n'en avais encore jamais ressenti. Une chaleur capable de faire fondre une épée quelconque.

— Une chaleur suffisante pour faire cuire un dragon? s'enquit Jarlaxle, avec un sourire ironique.

— D'étroits tunnels partent du garde-fou, ajouta le vampire. Mais ils sont tous bouchés.

— Tu dis qu't'es entré, pourtant, rappela Athrogate.

— Par des moyens qui me sont propres, le nain, répondit Dor'crae. Je pense qu'il nous faudra creuser pour te frayer un passage.

— Bah ! grogna Athrogate, qui s'avança vers les portes. Par l'bras d'Moradin et la corne de Clangeddin, par les ruses d'Dumathoïn et les authentiques Delzoun des mines, ouvre-toi, ouvre tes portes en grand ! J'm'appelle Athrogate, j't'en fais l'serment, j'suis Delzoun par l'sang et y paraît qu'mon foyer m'attend !

D'étincelantes illuminations argentées apparurent sur les battants, des runes et des images d'anciennes armoiries naines, puis, tel un titanesque soupir poussé par quelque géant des montagnes, la porte s'ouvrit. Sans le moindre bruit, les panneaux s'écartèrent, pour dévoiler un tunnel, long, étroit et parcouru de meurtrières.

— Par les dieux barbus…, lâcha Athrogate, tout aussi stupéfait que ses compagnons.

— Tous les nanillons connaissent aussi ces rimes ? demanda Jarlaxle, avec le sourire.

— J'vous avais dit qu'c'était Gontelgrime ! dit le nain qui, après un claquement de doigts, se dirigea vers l'ouverture.

Dor'crae se rua vers lui et le retint par l'épaule.

— Cette entrée est certainement piégée ! le prévint-il. Lourdement gardée par des protections ancestrales et des mécanismes encore en état de fonctionner, je te l'assure.

— Bah ! grogna Athrogate, en se dégageant de l'emprise du vampire. Aucun piège Delzoun risque d'toucher un nain Delzoun, crétin !

Sans hésiter une seconde, Athrogate entra dans le complexe, immédiatement suivi par les autres – d'autant plus rapidement quand Jarlaxle suggéra que c'était peut-être pour eux une bonne idée de rester très près du nain.

Au milieu du couloir, Dahlia fit apparaître la lumière brillante bleutée au bout de son bâton de marche. Pour ne pas être en reste, Jarlaxle, d'un mouvement du poignet, fit jaillir d'un de ses bracelets magiques une dague, qu'il allongea en une fine épée d'un geste supplémentaire. Il murmura quelques mots à hauteur de la poignée de l'arme, qui se mit à luire, toute blanche, illuminant les environs aussi efficacement qu'une lanterne.

Ce n'est qu'à cet instant qu'ils aperçurent les silhouettes, devant eux, qui cherchaient à fuir la lumière.

— Mes frères ? s'étonna Athrogate, clairement dérouté.

— Des fantômes, chuchota Dor'crae. Cet endroit en est rempli.

Ils ne tardèrent pas à déboucher sur une vaste cavité circulaire, traversée par des voies ferrées sortant de trois autres ouvertures. Le long de la paroi courbe de l'endroit étaient alignées des façades de bâtiments, avec de nombreuses enseignes indiquant ce qui se trouvait derrière — un armurier, un forgeron, des baraquements, une taverne — évidemment —, une autre taverne — évidemment —, et ainsi de suite.

— On dirait la ville souterraine de Mirabar, fit remarquer Jarlaxle, même si ce lieu était nettement plus étendu.

Alors qu'ils avançaient vers le milieu de la cavité, Athrogate agrippa le bras de Jarlaxle et l'abaissa, de façon que son épée éclaire plus bas. Le sol était décoré d'une immense fresque en mosaïque, si grande qu'ils durent se déplacer avec la lumière un long moment avant de se rendre compte que cette œuvre d'art représentait les trois dieux nains ancestraux : Moradin, Clangeddin et Dumathoïn.

Au centre précis de la salle se dressait une estrade circulaire, sur laquelle était disposé un trône peu ordinaire, ce dont les compagnons eurent confirmation quand, en s'approchant, ils constatèrent qu'il brillait. Incrusté de gemmes, immense, pourvu de larges accoudoirs et d'un grand et large dossier de mithral, d'argent et d'or, il s'agissait d'un véritable trône de roi. L'estrade elle-même n'était pas constituée d'un banal bloc de pierre, mais d'un mélange des mêmes métaux précieux, et parcourue de lignes de joyaux scintillants.

Jarlaxle en approcha son épée éclairante et révéla ainsi un riche tissu pourpre, intact.

— Une puissante magie, commenta-t-il.

— Neutralise-la, pour que nous puissions nous emparer des gemmes, proposa Dor'crae, ce qui lui valut un regard haineux de la part d'Athrogate.

— Dis-toi bien qu'si tu voles une seule pierre d'ce fauteuil, j'remplis l'trou correspondant avec ton cœur noir, vampire ! l'avertit le nain.

— Sommes-nous donc venus en tant que simples visiteurs ? rétorqua Dor'crae. Pour nous extasier devant ces merveilles ?

— J'parie qu'tu trouveras plein d'trésors – plus qu'on pourra en emporter –, répondit Athrogate. Mais y a des choses qu'tu profaneras pas.

— Ça suffit ! intervint Dahlia. Ne nous emballons pas, et ne nous disputons pas. Nous sommes à peine entrés. Nous avons encore beaucoup à apprendre sur cet endroit.

Comme pour illustrer cette dernière remarque, Athrogate avança d'un pas hésitant vers le trône, puis il se retourna pour s'y asseoir, mais il se figea, pas encore assis, les mains pas encore posées sur les accoudoirs sculptés et constellés de joyaux.

— Prends garde, l'avertit Jarlaxle.

Le drow brandit une baguette, qu'il pointa vers le fauteuil, et prononça quelques mots. Il ouvrit grand les yeux quand il sentit la force de la magie renfermée dans ce trône – une magie ancienne, plus puissante que tout ce qu'il avait jusqu'alors connu.

— Athrogate, non ! s'exclama-t-il d'une voix râpeuse, le souffle court.

— Ce siège est fait pour les nains ! déclara Athrogate qui, avant que Jarlaxle puisse l'en empêcher, s'assit.

Les yeux écarquillés, il ouvrit la bouche et poussa un cri silencieux, tout en regardant tout autour de lui.

— Pas un roi..., haleta-t-il, sans même en avoir conscience.

Il fut ensuite expulsé du trône, projeté en l'air sur trois mètres avant de se réceptionner en glissade sur le sol en mosaïque. Il y resta étendu un long moment, tremblant et les mains sur le visage, jusqu'à ce que Jarlaxle l'aide à se redresser à genoux.

— Qu'as-tu vu ? lui demanda Dahlia, en s'approchant du trône.

—T'es pas une naine ! lui cria Athrogate.

—Mais toi tu es un nain, et pourtant, tu as été rejeté, répliqua l'elfe.

—Ça t'anéantirait !

—Dahlia, non ! s'écria Jarlaxle.

L'elfe s'arrêta devant le trône et tendit la main, les doigts à quelques centimètres du fauteuil. Mais elle ne le toucha pas.

—Tu as dit « pas un roi », juste avant d'être repoussé, dit Jarlaxle à Athrogate.

Ce dernier le regarda fixement, hébété, et secoua la tête, puis il considéra le trône et acquiesça avec respect.

Jarlaxle l'aida à se relever. Quand il le lâcha, le nain se rapprocha immédiatement du fauteuil, pour l'admirer. Il ne le toucha pas et ne songea certainement pas à s'y asseoir.

—Prenons un peu de repos ici, suggéra-t-il, avant de se taire quelques secondes, la tête inclinée, comme pour écouter un son lointain. J'imagine que nous aurons besoin de toutes nos forces pour parcourir ces tunnels. Tu es déjà venu ici, Dor'crae ; quels… résidents devons-nous nous attendre à trouver ?

Le vampire haussa les épaules et secoua la tête.

—Je n'ai vu que les nains fantômes, par centaines, répondit-il. Je ne suis pas resté longtemps ; je suivais les racines de la Tour des Arcanes, qui ne parcourent qu'une partie limitée et peu accessible de cet immense complexe. Mais je n'ai vu que des nains fantômes. Je suis sûr qu'ils déferleraient sur nous si nous n'étions pas équipés en conséquence. Heureusement, c'est le cas. (Il se tourna vers Athrogate, puis vers Dahlia, avant de préciser son idée.) Ils accueillent volontiers les nains de sang Delzoun, comme nous l'avons vu à la porte.

—Y savent que j'vais pas profaner cet endroit, dit Athrogate. Et j'peux t'dire qu'ils ont raison. Égratigne un seul autel, ou arrache un seul œil en diamant d'une image de roi, et tu devras faire face à un problème autrement plus important qu'ces fantômes.

—Ce ne sont pas des fantômes, précisa Jarlaxle. Ils font du bruit en marchant. Ce sont des entités physiques.

—Des goules, peut-être? hasarda le vampire. Ou des nains vivants?

—Par les dieux barbus…, marmonna Athrogate, en pensant à ce qu'il pourrait dire à un nain de Gontelgrime.

—Ils nous auraient alors accueillis sur la muraille, et pas avec bienveillance, fit observer Jarlaxle.

—Quoi, alors? demanda Athrogate, quelque peu agacé de voir le drow briser son rêve.

—Le choix est immense, mon ami, répondit Jarlaxle. D'après ma longue expérience, il est très rare de trouver une grotte vide en Outreterre.

—Nous le découvrirons bien assez tôt, intervint Dahlia. Reposez-vous et ensuite, nous nous remettrons en route. (Elle adressa un signe de tête à Dor'crae, qui s'éloigna jusqu'au bout de la pièce circulaire, avant de disparaître.) Il part en éclaireur, pour trouver un chemin qui se rapproche de celui qui l'a mené jusqu'à la Forge de Gontelgrime.

Ils installèrent leurs tapis de couchage autour de l'estrade centrale, cependant aucun d'eux ne se reposa vraiment, en particulier Athrogate, aussi agité que bouleversé. Quel nain de Faerûn n'avait pas rêvé de ce moment – de la découverte de Gontelgrime?

Dor'crae fut de retour quelques heures plus tard, convaincu d'avoir repéré des tunnels qui les conduiraient à la Forge. Il confirma en outre les doutes de Jarlaxle; s'il n'avait pas revu les monstres – nains, goules ou gobelins, quoi qu'ils puissent être –, il en avait entendu quelques-uns marcher dans les ténèbres.

Cet inquiétant rapport n'altéra toutefois en rien l'enthousiasme du groupe, persuadé d'être en mesure de réagir à toute menace.

Athrogate en tête, suivi de près par Dor'crae, qui précisait les directions à prendre, les compagnons sortirent de la pièce circulaire du côté opposé à la porte par laquelle ils y étaient entrés. Ils progressèrent dans de larges galeries, dans lesquelles ils découvrirent d'autres échoppes, ainsi qu'un temple dédié à Clangeddin, où Athrogate s'arrêta pour faire une prière.

Du coin de l'œil, ils percevaient en permanence les mouvements flous de fantômes au pas traînant, curieux, peut-être, mais n'approchant jamais.

Ils parvinrent à une gigantesque cage d'escalier, qui descendait en décrivant un élégant arc de cercle. Ce n'est qu'après en avoir emprunté quelques dizaines de marches qu'ils commencèrent à prendre conscience des dimensions considérables de l'escalier, et donc du complexe. Une vue époustouflante s'offrit à eux en contrebas, où s'étendait une caverne géante, pourvue de piliers hauts de trente mètres, qui s'élevaient depuis le sol lointain, telles des sentinelles massives et stoïques. Deux rangées de ces colonnes soutenaient une partie un peu plus basse de plafond de cette vaste cavité divisée en plusieurs salles, chacune ornée de milliers de reliefs et de symboles gravés.

Deux cents marches plus bas, non loin du sol, ils s'aperçurent que l'escalier se poursuivait vers des niveaux inférieurs. Dor'crae indiqua qu'ils devaient encore descendre.

— Vous pouvez pas m'demander d'traverser un endroit pareil sans l'explorer ! se plaignit Athrogate, d'une voix un peu trop forte, dont l'écho résonna longuement.

— Nous repasserons par ici, brave nain, dit Dahlia.

— Bah !

— Athrogate… regarde, dit Jarlaxle.

Le drow pointa une baguette en direction de la paroi la plus proche. Alors que les autres se tournaient dans la direction indiquée, Jarlaxle activa son artefact, dont la magie illumina la zone visée. Valindra elle-même laissa échapper un cri de surprise et d'admiration.

Le mur avait été sculpté, puis coloré au moyen de divers métaux et bijoux, de façon à évoquer le dieu Moradin, qui mesurait là dix fois la taille d'un nain mortel. Un bouclier de joyaux protégeait l'épaule du Forgeur-d'âme, qui brandissait, de son autre main, derrière lui, un immense marteau de guerre. Son visage barbu semblait assoiffé de sang, avide de combats et prêt à affronter et détruire n'importe quel ennemi.

Jarlaxle baissa les yeux sur Athrogate qui, à genoux et une main sur le visage, tentait de contrôler son souffle haletant.

Les compagnons finirent par reprendre leur descente, franchissant les niveaux les uns après les autres, empruntant de larges galeries et d'autres plus étroites, traversant de vastes salles et des pièces aux dimensions plus réduites. Durant un long moment, seules leurs traces de pas perturbèrent l'épaisse poussière déposée en ces lieux fut leurs propres traces de pas. Cela se poursuivit ainsi jusqu'à ce qu'ils atteignent une solide porte de pierre consolidée, de leur côté, d'épaisses barres de fer.

— C'est ici que s'achève la cité proprement dite, expliqua Dor'crae, en faisant signe à Athrogate d'écarter les barres. Les zones qui se présentent ensuite sont moins travaillées et donnent sur des mines, avec en particulier une voie qui conduit à la Forge.

— Ah, mais j'voudrais pouvoir remettre ces verrous en place après notre passage, dit Athrogate, après avoir ôté la dernière barre. J'ai pas l'intention d'devenir celui qui aura ouvert Gontelgrime aux bestioles qui rôdent plus bas.

— Nous refermerons cette porte en repartant, lui promit Dahlia.

Un changement palpable intervint dans l'atmosphère, quand ils franchirent ce seuil. Alors qu'ils avaient jusqu'à présent évolué dans un silence fantomatique, leur marche accompagnée du seul bruit de leurs pas – d'ailleurs étouffé par l'épaisse couche de poussière et par l'air lourd –, ils perçurent des sons de l'autre côté de la porte de pierre : des craquements et des grognements, ainsi que le raclement de la roche contre la roche. Quant aux températures clémentes qu'ils avaient connues dans les niveaux supérieurs de l'Outreterre, elles avaient laissé la place à une humidité et une chaleur intenses. Les marches de pierre étaient désormais glissantes et plus sombres encore, ce qui tranchait avec le gris poussiéreux et assourdi de la cité.

Ils poursuivirent leur descente, moins vite et avec davantage de prudence, en raison de l'équilibre soudain beaucoup plus précaire.

Dahlia et Valindra firent toutes deux des remarques au sujet de cette soudaine humidité – le groupe avait la sensation d'évoluer sous une bruine de printemps –, l'elfe s'étonnant qu'un tel phénomène fût possible, mais leurs questions restèrent sans réponse.

Sur le palier suivant, quelque deux cents marches plus bas que la porte, le tunnel se divisait en trois. L'une des galeries était maçonnée, tandis que les deux autres ressemblaient à des boyaux naturels ou à des mines creusées sans grand soin. Face à ce choix pourtant évident à première vue – à savoir le couloir aménagé –, Dor'crae hésita.

—Nous sommes tout près, assura-t-il à ses compagnons.

—Écoutez, leur ordonna Jarlaxle, la tête inclinée.

—J'entends rien, dit Athrogate.

—Moi si, dit Dahlia. Les fourneaux. La Forge, beaucoup plus bas.

—Conduis-nous là-bas, demanda le nain à Dor'crae. À la Forge de Gontelgrime…

Malgré ses hésitations quant à la direction à suivre, le vampire mena le groupe dans le tunnel ouvragé, qui les fit traverser des cavités plus vastes et des galeries plus longues que jusqu'alors. Mais surtout, ils aboutirent à une porte fermée, au-delà de laquelle ils furent noyés dans un épais rideau de vapeur d'eau.

—Par les Neuf Enfers! s'exclama Athrogate.

Jarlaxle leva son épée lumineuse devant lui, et tenta même de modifier la couleur de celle-ci, mais sans grand succès. Seul l'éclat de sa lame se reflétait dans ses yeux. En progressant sur le côté de la pièce, il dénicha une autre porte, qu'il ouvrit. Les différentes cavités étaient toutes emplies de ce brouillard opaque. Pire encore, ils se rendirent bientôt compte que la vapeur d'eau jaillissait désormais également des tunnels qu'ils venaient d'emprunter.

—Ce n'est pas la bonne direction, déclara Dor'crae, avant de leur faire rebrousser chemin, en refermant les portes après leur passage.

Au bout d'un long moment, ils retrouvèrent la triple intersection, où Dor'crae désigna l'un des tunnels moins travaillés, qui semblait orienté dans la bonne direction.

—J'croyais qu't'avais repéré l'chemin ? grommela Athrogate.

—Il m'aurait été impossible d'atteindre la Forge et d'en revenir si vite en marchant, rétorqua le vampire.

—Oh, quelle repartie amusante, dit le nain. J'taime de moins en moins, et j'sens qu'j'vais avoir de moins en moins besoin d'toi, si tu vois c'que j'veux dire.

Dahlia lança un regard à Jarlaxle, comme pour lui demander d'intervenir, mais le drow, qui trouvait cet épisode fort distrayant et ne regretterait pas vraiment la mort d'un vampire, se contenta de lui sourire.

Le tunnel se poursuivait mais ne paraissait pas descendre. Ils croisèrent de nombreuses galeries latérales, au point que l'endroit ne tarda pas à devenir un véritable labyrinthe.

—Peut-être devrions-nous nous arrêter de nouveau et laisser Dor'crae explorer les environs, suggéra Dahlia, ce qui n'arrêta pas Athrogate.

Alors que l'elfe était sur le point de répéter sa proposition, le nain les appela. Quand ses compagnons le rejoignirent, ils le trouvèrent face à une nouvelle porte de mithral, celle-ci de taille tout à fait naine, sans poignée visible.

Athrogate prononça de nouveau les vers Delzoun qui avaient ouvert l'immense porte d'entrée du complexe, ce qui fonctionna une fois de plus. Le montant ancestral s'ouvrit sans un bruit.

Ils entendirent alors les fourneaux de Gontelgrime – des feux qui grognaient, furieux –, et Jarlaxle se demanda comment ils pouvaient encore être en activité. Au-delà de cette ouverture se présentait un étroit escalier, qui descendait. L'obscurité, moins impénétrable que précédemment, était teintée d'une nuance orangée due à de lointaines flammes.

Sans hésiter, Athrogate dévala l'escalier, à une telle vitesse que ses compagnons furent contraints de courir pour ne pas se faire distancer, à l'exception de Dor'crae, qui n'accéléra pas l'allure.

169

— Je vous rejoins tout de suite, se justifia-t-il, quand Dahlia se retourna et l'interrogea d'un regard. Je souhaite explorer un autre tunnel.

L'elfe hocha la tête et s'élança pour rattraper les autres, tandis que le vampire faisait demi-tour.

Dor'crae se retourna, comme il l'avait annoncé, mais il ne s'éloigna pas. Il sortit la gemme en forme de crâne et la disposa sur une niche abritée, non loin de la porte, de façon qu'elle reste plus ou moins dissimulée. En la considérant avec un air plaintif, il se demanda – et ce n'était pas la première fois – s'il avait fait preuve de sagesse en s'engageant aux côtés d'alliés si dangereux. Puis son regard se porta sur la cage d'escalier. Il pensa à Dahlia et à l'unique diamant qu'elle portait encore à l'oreille droite, le bijou qui représentait son dernier amant encore en vie.

Quel choix lui avait-elle laissé ?

— En bas de l'escalier, Sylora, murmura-t-il, en baissant les yeux sur la gemme.

Il ne s'attarda ensuite qu'un bref instant avant de rejoindre le reste du groupe.

Le vampire avait tout juste disparu quand les yeux de la gemme se mirent de nouveau à briller de rouge, l'artefact revenant à la vie grâce à l'esprit de Sylora. Peu après, il fit mieux encore, en produisant une fumée magique qui prit bientôt la forme de la grande dame thayenne.

Une fois dans la place, ouvrir un portail pour ses laquais ne présenta aucune difficulté pour Sylora.

8

LA PUISSANCE PRIMORDIALE

A throgate ne poursuivit sa descente effrénée qu'un court moment. En effet, il ne tarda pas à s'arrêter net, envisageant la suite du parcours avec hésitation. Les côtés de la cage d'escalier disparaissaient soudain en ce point ; les marches descendaient de façon périlleuse, sans même une rampe, vers une cavité aux dimensions impressionnantes dans laquelle s'entrecroisaient de nombreux ponts et passerelles. Cet endroit était très profond, ses parois noires d'ombres. Beaucoup, beaucoup plus bas, le sol était éclairé de coulées de lave rouges et orangées, sous un air rendu miroitant par la chaleur de plus en plus intense.

Un air qui résonnait également des claquements de chaînes, des raclements de pierres et des grognements de feux colossaux.

— Les marches sont pas mouillées, au moins…, se dit le nain.

Après s'être essuyé son front trempé de sueur, il reprit sa descente, plus lentement, conscient que le moindre faux pas le précipiterait dans le vide, en une interminable chute.

Cela lui parut se poursuivre ainsi une éternité, les marches se succédant les unes aux autres par centaines. Tout comme le reste du groupe, qui le suivait, Athrogate se sentait vulnérable sur cet escalier dépourvu de protection. Enfin, après être descendus de plusieurs centaines de mètres en dessous de la portion équipée de parois, ils découvrirent qu'ils n'étaient pas seuls.

Des créatures humanoïdes couraient sur des passages inférieurs mais parallèles, à coup sûr au fait de la présence d'intrus. Il fallut un moment aux aventuriers pour remarquer que ces êtres se déplaçaient de façon coordonnée, comme s'ils disposaient d'une défense face à eux. Nombre de passerelles étaient suffisamment proches pour permettre à un archer ou à un lancier de les agresser, tandis que beaucoup d'autres les surplombaient, ce qui les laissait dans une situation extrêmement gênante.

— Ne t'arrête pas ! dit Jarlaxle au nain, sur un ton suppliant.

Il était rarissime de déceler de l'inquiétude dans la voix de Jarlaxle Baenre, pourtant elle était bel et bien présente.

Le filet se resserrait autour d'eux, et ils le savaient tous – à l'exception de Valindra, bien entendu, qui choisit ce moment précis pour se remettre à chanter.

Les mystérieuses créatures réagirent en poussant elles-mêmes des cris perçants, des sortes de gazouillements gutturaux, comme si l'on avait créé des hybrides de geai et de mastiff.

— Des corbies…, marmonna Jarlaxle.

— Hein ? dit Athrogate.

— Ce sont des hommes-oiseaux, précisa le drow. On en trouve peu en Outreterre, mais pas au point d'ignorer leur existence. À demi civilisés, ils ne connaissent pas la peur et ont un comportement extrêmement territorial.

— Au moins, c'est pas des orques.

— Ce serait préférable. Allez, avance, brave nain.

Athrogate n'avait pas encore posé le pied sur la marche suivante quand un craquement net retentit derrière le groupe ; une pierre, lancée de plus haut, venait de toucher l'escalier métallique.

Ils reprirent leur descente, tandis que d'autres bruits similaires résonnaient. Valindra émit une note suraiguë au milieu de son chant quand une pierre l'atteignit à l'épaule, même si elle ne parut pas le remarquer.

Athrogate s'arrêta de nouveau. Un peu plus bas, l'escalier frôlait plusieurs passerelles en pierre, dont aucune n'était déserte. De taille humaine, le corps noir et pourvus de pattes et d'une tête d'oiseau, les corbies couraient sur les étroites bandes rocheuses avec aisance, de toute évidence sans crainte de commettre un faux pas et une chute mortelle. Certains levaient les yeux vers les intrus en braillant, bras écartés, dévoilant ainsi la membrane qui reliait leurs avant-bras à leurs flancs, comme si leurs membres supérieurs avaient été piégés à mi-chemin entre bras humains et ailes d'oiseau.

— Battons-nous, déclara Jarlaxle. (D'un mouvement des poignets, il fit passer une dague dans chaque main.) Trouve les points faibles dans leurs lignes, Dor'crae, et chasse-les de ces corniches.

— Attends! intervint Dahlia, avant que le vampire ou le drow aient pu agir. Ce ne sont pas de simples animaux?

— Non, expliqua le drow. Mais pas loin; ils sont tribaux et barbares.

— Superstitieux?

— Sans doute.

— Restez ici, dit l'elfe à ses compagnons.

Un sourire aux lèvres, elle se jeta dans le vide, cape déployée.

Elle acheva sa chute métamorphosée en grand corbeau, puis émit une série de cris retentissants pour annoncer son arrivée. Elle plongea en piqué vers les corbies et, voyant que ceux-ci ne lui jetaient pas de pierres, elle osa se poser sur une passerelle, au milieu d'un groupe.

Les hommes-oiseaux tombèrent à genoux et détournèrent le regard. Dahlia croassa de nouveau, encore plus fort, tâchant de paraître furieuse, visiblement avec succès, puisque les corbies détalèrent.

— Avance, implora Jarlaxle.

Le nain obtempéra, progressant aussi vite que possible sur ces marches vertigineuses. Dahlia voletait autour du groupe, fondant sur tout corbie qui s'aventurait trop près. Après avoir franchi la zone où se croisaient les passerelles, ils atteignirent un palier inférieur, où Dor'crae indiqua au nain de tourner à gauche et de s'engager sur un passage rocheux horizontal.

Enfin sortis de cette immense cavité, ils débouchèrent sur un nouveau complexe de salles dotées d'anciennes échoppes.

Ce seuil à peine franchi, ils tombèrent nez à nez avec un groupe de ces agressifs hommes-oiseaux.

Deux d'entre eux se jetèrent sur Athrogate, qui, tout en entonnant un chant de guerre ponctué d'un enthousiaste « Bwahaha! », les écarta de quelques coups de ses morgensterns tournoyantes. Puis il chargea sans se poser davantage de questions, enfonça une autre porte d'un coup d'épaule, un impact qui chassa encore d'autres corbies.

—Ouste! Ouste, foutus monstres! criait le nain, tandis que ses armes dévastatrices fendaient les airs, brisant des os et repoussant les hommes-oiseaux. Vous avez rien à faire ici!

Jarlaxle s'élança derrière Athrogate, sur la gauche de ce dernier, s'ouvrant la route en projetant des dagues, qui firent reculer un groupe de corbies. Quand il s'en fut approché, il cessa ses tirs et, d'un double mouvement des poignets, il allongea ses deux derniers poignards en épées, avant de bondir de façon spectaculaire sur les créatures qui, déjà touchées, cherchaient à l'esquiver. Il frappa, pivota, abattit sa lame devant lui, avança de quelques pas rapides et frappa encore, violemment, avec son autre épée.

Cependant, d'autres corbies se déversaient dans la pièce, sortis d'une multitude de sombres ouvertures.

—Ara… Arabeth! s'écria Valindra. Oh, regarde-moi, Arabeth, oh, regarde-moi! Je suis forte, tu sais.

La liche frappa le sol du pied, provoquant une éruption de feu, qui se dispersa dans toutes les directions, sous le drow et le nain, pour ensuite former un cercle de flammes autour d'eux. Les deux amis reculèrent, stupéfaits, et les corbies s'écartèrent en poussant des hurlements, des cris toutefois noyés par la voix de la liche, amplifiée de façon magique :

—Ara… Arabeth! Vous avez vu? Vous avez peur? Ara… Arabeth!

Toujours sous sa forme de corbeau, Dahlia se posa devant le groupe de corbies brûlés et croassa son mécontentement.

Les hommes-oiseaux prirent la fuite.

Et l'expédition reprit sa progression.

Le second groupe à descendre l'escalier en colimaçon ne bénéficiait pas de la même protection que Dahlia face aux féroces hommes-oiseaux.

Des pierres se mirent à pleuvoir sur les dizaines d'ashmadaï et sur la magicienne thayenne, vêtue de sa robe rouge, alors qu'ils suivaient l'elfe avec précaution.

Les guerriers de la secte répliquèrent en conséquence, à coups de carreaux d'arbalète et non de pierres, la plupart visant de lointaines ombres insaisissables. Néanmoins, plus d'un corbie hurla de douleur, sa chair noire percée de projectiles hérissés de piques. Sylora retint sa magie jusqu'au moment où la situation devint plus critique, à l'endroit où les nombreuses passerelles se croisaient sous l'escalier.

Elle lança une boule de feu sur cette zone, faisant ainsi fuir les créatures, puis, quand elle parvint à hauteur des formations rocheuses, lâcha des éclairs sur chacune de ces dernières. Enfin, elle claqua des doigts et, aussitôt, des guerriers ashmadaï se jetèrent des marches situées plus haut, pour se réceptionner sur les diverses passerelles. Ils tirèrent sans attendre leurs derniers carreaux et se jetèrent avec enthousiasme dans la mêlée, armés de sceptres rouges, pour y affronter les hommes-oiseaux.

Le combat engagé, ashmadaï et corbies furent nombreux à chuter mortellement. Accompagnée du groupe principal, Sylora reprit sa descente et parvint enfin aux tunnels. Quelques cadavres de corbies et une pièce ravagée par les flammes leur indiquèrent la direction à suivre. Quand un choix se présentait, Sylora, levant la gemme en forme de crâne dans sa main tendue, attendait que le bijou lui désigne de quel côté se trouvait Dor'crae.

Elle était même capable de préciser l'avance prise par le vampire, tant la gemme magique s'était habituée à lui.

Sylora portait alors un doigt sur les lèvres, pour rappeler aux impatients ashmadaï de garder le silence, et la troupe ne tardait pas à se remettre en route.

Après avoir franchi plusieurs portes éventrées, sous une arche basse, les cinq aventuriers découvrirent les restes de diverses créatures, parmi lesquelles les plus récentes avaient été des corbies. Puis, en observant les côtés du long et large couloir parsemé de colonnes qui se présentait devant eux, ils virent les fantômes de Gontelgrime, qui les regardaient.

À l'autre bout du couloir, au-delà d'une nouvelle arche et d'une herse fermée, se distinguait l'éclat des fourneaux. Malgré les fantômes, ou peut-être à cause d'eux, Athrogate se sentit obligé d'avancer. Les autres le suivirent de près, observant avec méfiance les esprits, qui leur emboîtaient le pas.

Heureusement, la protection dont profitait le nain Delzoun se révéla de nouveau efficace.

N'ayant pas repéré de manivelle à proximité de la lourde porte, Athrogate récita une troisième fois son poème.

Rien ne se produisit.

Avant que Jarlaxle ou Dahlia aient le temps de proposer une solution, le nain se mit à grogner et s'appuya contre la grille en agrippant à deux mains un barreau. L'objectif ultime de son expédition se trouvait désormais devant lui : un alignement de fourneaux, qui constituaient la grande Forge de Gontelgrime. La chaleur qui rayonnait sur son visage réchauffait son cœur de vieux nain.

Avec un grognement, il tira violemment sur la herse. Rien ne se passa dans un premier temps, jusqu'au moment où la grille se souleva de quelques centimètres, un ancien verrou ayant manifestement cédé.

— Il doit y avoir un levier, dit Jarlaxle.

Athrogate ne l'écoutait plus, maintenant que la Forge de Gontelgrime était si proche.

Un nuage de brume le frôla et Dor'crae se matérialisa de l'autre côté de la herse.

— Il n'y a pas de fantômes par ici, annonça-t-il. Dois-je trouver une façon d'ouvrir la porte ?

Le fait de voir le vampire entré dans la Forge de Gontelgrime donna au nain des forces supplémentaires. Grondant de plus belle, il souleva la herse, faisant appel à sa force phénoménale, sa ceinture magique conférant à ses membres massifs la puissance d'un géant. La herse se souleva encore légèrement. Il l'agrippa un peu plus bas, à hauteur du barreau inférieur, qu'il hissa jusqu'à sa taille. D'un geste vif, il s'accroupit en dessous de l'obstacle, mains levées, avant de se redresser, grognant sous l'effort à chaque centimètre gagné.

Jarlaxle se glissa sous la herse, aussitôt imité par Dahlia, qui entraîna la distraite Valindra derrière elle.

— Je vais essayer de t'aider, même si je suis moins fort que toi, proposa Jarlaxle, en empoignant à son tour un barreau.

Ces mots à peine prononcés, un claquement résonna sur la pierre voisine de la herse. Le drow et le nain s'écartèrent juste assez pour se rendre compte que la lourde grille était bloquée.

— Une pièce, sur le côté, expliqua Dahlia, en désignant du menton une porte, par laquelle était passé Dor'crae.

Athrogate se rua vers la Forge, titubant quand il s'approcha du fourneau central, le plus grand de tous – et ils étaient nombreux. En découvrant l'épais plateau coulissant disposé devant la grille, le nain eut la sensation de contempler l'avant du casque de quelque dieu géant du feu.

Il était loin de se douter à quel point il était proche de la vérité…

— T'as déjà vu une telle puissance, l'elfe? demanda-t-il à Jarlaxle, quand le drow l'eut rejoint.

— Comment peut-il encore être alimenté, après tous ces siècles? s'étonna Jarlaxle.

Sur un coup de tête, il fit apparaître une dague et la lança à travers la grille. L'arme ne retomba jamais; elle se liquéfia et se dissipa dans les flammes.

— « Pour faire cuire l'dragon »…, murmura Athrogate.

— Incroyable, convint le drow.

Ils parvinrent enfin à s'arracher à cette vision aveuglante, pour examiner l'enclume décorée, à l'autre bout du plateau, avant de remarquer la présence d'une porte de mithral sur un côté de la Forge.

—Il y a d'autres choses à voir là-bas, dit Dor'crae. Mais je n'ai pas réussi à ouvrir cette porte, lors de ma précédente venue. J'ai dû me glisser par en dessous, sous une autre forme.

Athrogate était déjà devant le panneau de mithral. Il énonça de nouveau ses vers, puis, après avoir marqué une pause, il se contenta de pousser le battant, qui céda sans présenter de difficulté, dévoilant un court passage, lequel donnait sur une autre porte étincelante.

Deux yeux emplis de doute se posèrent sur le vampire, qui haussa simplement les épaules.

Après avoir ouvert la marche jusqu'à la porte suivante, Dahlia constata que celle-ci ne voulait pas s'ouvrir, quelle que soit la pression exercée. C'est alors qu'Athrogate s'en approcha et, d'une infime poussée, l'ouvrit sans effort.

—On dirait que ces nains des temps anciens maîtrisaient une magie très puissante, si leurs portes reconnaissent les leurs, fit remarquer Jarlaxle.

—Et sont capables de différencier un roi d'un paysan, ajouta Athrogate, qui n'avait pas oublié l'épisode du trône.

Désormais en tête du groupe, le nain fit franchir à ses compagnons une troisième porte, puis une quatrième, après laquelle ils entendirent l'écho tonitruant d'un écoulement d'eau, peut-être une cascade, dans un air ambiant de plus en plus humide et lourd. Le tunnel sinueux se poursuivit un certain temps avant de déboucher sur une corniche, qui cernait une cavité oblongue noyée de vapeur d'eau, au centre de laquelle se trouvait une fosse, très large et très, très profonde. C'est là que l'énigme de Gontelgrime fut dévoilée aux explorateurs, leur coupant à tous le souffle… au nain, au drow, à l'elfe, au vampire et à la liche.

Ils discernaient à peine les parois de cet immense conduit, dans lequel un tourbillon liquide s'agitait sans discontinuer, telle une vague géante provoquée par un ouragan, ou une chute d'eau horizontale perpétuelle. Cette cascade tournait ainsi sur toute la hauteur du gouffre, pour ne céder la place que, tout au fond, à un lac de lave bouillonnante. Du fait de cette chaleur, l'eau sifflait puissamment et formait de la vapeur, qui s'élevait vers des cheminées situées beaucoup plus haut.

Curieusement, cette lueur rouge orangé semblait être davantage que de la simple roche en fusion, que du magma inanimé. Elle évoquait presque un énorme œil, qui scrutait les intrus… avec haine.

— On est en dessous des salles remplies d'vapeur, fit remarquer Athrogate. Y doit y avoir une cheminée, là-haut.

— Il y a encore plus à voir par là-bas, dit Dor'crae, en désignant une étroite passerelle métallique.

Fort heureusement pourvue de garde-fou, cette structure enjambait la fosse et se terminait sur une saillie, de l'autre côté, sous une grande arche décorée qui donnait sur une petite pièce, à peine visible de l'endroit où se tenait le groupe.

Sylora et les ashmadaï sentaient la haine des nains fantômes, tout autour d'eux, mais la magicienne thayenne gardait la gemme brandie bien haut, éclatante de pouvoir, ce qui suffisait à contenir les anciens défenseurs de Gontelgrime.

Ils passèrent devant le cadavre de la stupide ashmadaï qui était entrée dans la pièce sans consulter Sylora. La malheureuse avait été déchiquetée et démembrée en quelques secondes par ces fantômes, sous les yeux du groupe.

Mais c'était ainsi. Ces créatures étaient des ashmadaï ; la tieffeline était morte au service de son dieu. Ils prononcèrent tous une prière dédiée à Asmodée, en hommage à leur sœur disparue, tout en enjambant divers morceaux arrachés de son corps.

— Il m'est impossible de le toucher, expliqua Dor'crae.

Dans la pièce, à peine plus vaste qu'une niche, qui se trouvait au-delà du passage en arche donnant sur le gouffre de lave encerclé d'eau, le vampire désignait un grand levier qui sortait du sol.

— Il m'a repoussé quand j'ai essayé, ajouta-t-il. Il est protégé par une magie très puissante.

— Seul un nain peut l'actionner, idiot, dit Athrogate. C'est comme pour les portes.

— N'en fais rien, surtout, intervint Jarlaxle.

Quelques pas plus loin, le drow examinait les anciennes runes gravées au sommet de l'arche. Malgré les pouvoirs de son cache-œil enchanté, qui lui permettait de déchiffrer presque toutes les langues recensées, y compris les formes de communication magiques, le drow était incapable de décoder ces écritures.

— Nous ignorons ce que cela déclencherait, ajouta-t-il.

En étudiant plus longuement ces inscriptions, il déduisit qu'elles étaient très anciennes, certaines rédigées en une vieille langue elfique assez ressemblante au drow que parlait Jarlaxle, tandis que d'autres évoquaient plutôt du nain ancien. Sans les comprendre de façon précise, il estima qu'il devait s'agir d'un genre de mémorial ou d'hommage, peut-être en l'honneur de quelque chose de grand représenté par cette cavité.

Le temps s'écoulant, Athrogate ne put s'empêcher d'approcher de plus en plus du levier, tremblant d'impatience. Il se trouvait juste devant le mécanisme quand Jarlaxle l'arrêta d'une main sur l'épaule. Le nain leva les yeux vers le drow, puis suivit le regard de ce dernier vers les parois et le plafond de la pièce, que parcouraient de nombreuses racines de la Tour des Arcanes.

— Qu'est-ce que c'est ? demanda Athrogate.

— Je pense que ce levier donne sa puissance à l'ensemble de Gontelgrime, répondit Dor'crae. Des lumières magiques et des wagons qui se déplacent par eux-mêmes – cette magie peut rendre la vie à cette cité !

Athrogate avança d'un pas, ravi, mais Jarlaxle le retint de nouveau, avant de se tourner vers Dahlia, l'air interrogateur.

— Dor'crae… connaît mieux que moi cet endroit, répondit-elle.

Jarlaxle lâcha Athrogate, qui se pencha vers le levier. Cependant cette fois, le drow ne fit pas un geste pour l'en empêcher, les yeux toujours posés sur Dahlia.

—Qu'y a-t-il ? lui demanda-t-il, ayant noté dans la voix de l'elfe doute et hésitation, ce qu'il ne lui avait encore jamais connu.

—Je... je suis d'accord avec Dor'crae ; actionner ce levier redonnera vie à Gontelgrime, dit-elle, à l'intention d'Athrogate.

—Ou alors, les pouvoirs de la Tour des Arcanes se déverseront sur nous, dit le drow.

Il savait que l'elfe mentait, qu'elle luttait contre ses mensonges.

—Nous devrions donc quitter cette pièce et nous remettre à chercher les trésors ? dit Dahlia, en agitant la main – d'une façon peut-être légèrement trop dédaigneuse –, comme si elle énonçait une idée absurde.

—Bonne idée, convint Jarlaxle. J'ai toujours apprécié les babioles.

C'est alors que, derrière le drow, le vampire murmura à Athrogate :

—Actionne le levier, le nain.

Jarlaxle décela dans ces mots davantage qu'une demande, il devina que Dor'crae tentait d'imposer à Athrogate sa volonté de mort-vivant, ce qui, évidemment, sonna en lui comme un avertissement. Il avança vers le nain, puis s'arrêta net, quand Valindra se matérialisa juste devant lui, en le dévorant du regard, ses doigts s'agitant entre eux deux.

—Qu'est-ce que ça veut dire ? demanda le drow à Dahlia.

—Je t'aime bien, Jarlaxle, répondit l'elfe. Je ne te tuerai peut-être pas.

—Athrogate, non ! s'écria le drow.

Tandis que Dor'crae lui chuchotait toujours quelques paroles d'encouragement, le robuste nain avança, décidé à empoigner le levier.

Dans ses pensées, elle était de nouveau une fillette, tout juste adolescente, dressée au bord de la falaise, son bébé dans les mains.

L'enfant d'Herzgo Alegni.

Elle l'avait jeté. Elle l'avait tué.

Dahlia portait fièrement neuf diamants à l'oreille gauche, un pour chaque amant tué au cours d'un duel à mort. Le compte de ses victimes restait à neuf à ses yeux.

Mais qu'en était-il du bébé ?

Pourquoi n'arborait-elle pas dix bijoux à l'oreille gauche ?

Parce qu'elle n'était pas fière de ce crime. Parce que, parmi tout ce qu'elle avait fait au cours de sa vie chaotique, cet instant était pour elle le pire de tous, le plus abominable. Bien qu'engendré par Alegni, ce petit être n'avait pas mérité un tel sort. Alegni, le barbare shadovar, le violeur, le meurtrier, avait quant à lui mérité le sien, il avait mérité d'assister à cette interminable chute. Mais pas l'enfant. Oh non.

Elle savait ce que produirait le fait d'actionner le levier. Elle avait engagé le drow à cause du nain. Seul un nain Delzoun était en mesure de s'acquitter de cette tâche. Car c'était bien de cela qu'il s'agissait, après tout, actionner le levier, déclencher le cataclysme, libérer la puissance qui alimentait Gontelgrime, afin de créer un Anneau de Terreur.

Ce cercle de dévastation ne serait pas édifié sur l'âme d'Herzgo Alegni, ni même sur celles de quelques amants qui avaient mérité de mourir. Non, il serait bâti sur des innocents, sur des enfants, comme celui qu'elle avait précipité du haut de la falaise.

— Athrogate, arrête ! s'entendit-elle crier, même si elle eut elle-même du mal à le croire.

Ses compagnons se tournèrent tous vers elle – le nain dérouté, le drow soupçonneux, le vampire surpris et la liche, clairement amusée.

— N'y touche pas ! insista-t-elle, d'une voix qui avait retrouvé sa fermeté.

Athrogate l'observa sans dire un mot, les mains sur les hanches.

— Et pourquoi donc ? s'enquit Jarlaxle.

La vision d'Athrogate se brouilla et fut remplacée par des images de fantômes Delzoun. Ils se rassemblèrent devant lui et le supplièrent d'actionner le levier.

— *Libère-nous!* l'implorèrent-ils dans son esprit.

— *Fais-nous revenir à la vie, nous et Gontelgrime!* dit l'un d'eux.

— *L'elfe en a peur!* ajouta un autre. *Elle nous craint, elle redoute le retour du plus grand royaume nain!*

Athrogate lança un regard chargé de haine à Dahlia et se retourna vers le levier.

— Dahlia? dit Jarlaxle.

Affligée, l'elfe regarda le drow droit dans les yeux.

— Le levier libère… la bête, murmura-t-elle.

Jarlaxle se retourna vers Athrogate, aussitôt imité par Dahlia. Ils furent tous deux pris de panique quand le nain empoigna le levier à deux mains.

— Athrogate, non! crièrent-ils en chœur.

Hélas, le nain écoutait d'autres voix, des voix qu'il pensait appartenir aux fantômes de ses ancêtres.

— Il ne vous entend pas, déclara Sylora aux deux elfes, depuis l'entrée de la pièce.

Ils firent volte-face et découvrirent la magicienne, escortée de son contingent de féroces guerriers ashmadaï, juste de l'autre côté de l'arche. Ce côté de la cavité était bondé.

Un son grinçant se fit entendre; Athrogate tirait sur le levier massif.

— Dis-lui, Dahlia, ordonna Sylora, en désignant Jarlaxle du menton.

Le sol se mit à trembler. De l'autre côté de l'entrée de la pièce s'éleva le son d'une immense quantité d'eau précipitée telle une cascade géante s'écrasant sur la roche, suivi d'un sifflement, qui résonna comme un million de monstrueuses vipères.

En regardant au-delà de Sylora, Dahlia vit grossir un nuage de vapeur d'eau, dans lequel elle remarqua des silhouettes aqueuses vivantes – des élémentaires, supposa-t-elle.

— Qu'avons-nous fait ? s'inquiéta Jarlaxle.

Sylora ne lui répondit que par un rire moqueur.

— Viens, Dor'crae, dit-elle au vampire. Laissons-les affronter leur destin.

— Tu m'as trahie ! cria Dahlia à son amant, qui n'afficha qu'un infime air de regret.

Elle se saisit alors de son bâton et se jeta sur lui, déterminée à le tuer en premier.

Dor'crae se métamorphosa en un clin d'œil en chauve-souris. D'un coup d'ailes, il esquiva l'elfe, puis Jarlaxle, pour gagner l'entrée, où Sylora avait ouvert un nouveau portail magique. La magicienne et la plupart de ses précieux fanatiques ashmadaï s'engouffrèrent dans l'ouverture.

Valindra lâcha un rire hystérique et, d'un battement de cils, se téléporta pour apparaître auprès de Sylora.

— Oui, vous aussi, ma chère, lui dit celle-ci.

Elle lui montra la gemme en forme de crâne, son phylactère, avant de lui faire signe de la rejoindre dans le portail. Juste avant de disparaître dans le passage qui la renverrait au bois du Padhiver, d'où elle assisterait au carnage et à la gloire de son triomphe, Sylora s'adressa à Dahlia :

— Dis-lui ! Dis à ton valet drow ce que tu sais à propos de la fin du monde !

Après un dernier éclat de rire, elle disparut, fermant le portail derrière elle et laissant sur place une dizaine d'ashmadaï.

— *Occupez-les, pour les empêcher de s'enfuir*, ordonna la voix désincarnée de la magicienne à ses guerriers.

— L'elfe ? balbutia Athrogate, toujours posté près du levier. Les fantômes m'ont dit d'le faire !

— C'est Sylora Salm qui t'a dit de tirer sur ce levier, expliqua Dahlia, la voix emplie de rage et de regrets, de culpabilité et de venin.

— Explique-toi, insista Jarlaxle.

Le sol s'agita de nouveau. Dans la fosse se produisit un nouveau sifflement, suivi d'une bouffée de vapeur d'eau et d'un rugissement guttural, comme si Faerûn avait été brusquement réveillé.

— Pas le temps! répondit Dahlia.

Elle ramassa son bâton et le déplia sur sa longueur totale.

Alors les ashmadaï chargèrent.

Jarlaxle les repoussa grâce à un tir de barrage de dagues sorties de nulle part, puis Athrogate enfonça le clou, bondissant entre l'elfe et le drow, morgensterns en main et le cœur empli d'une indignation absolue.

— J'ai profané la cité, j'l'ai détruite! gémit-il.

Guerriers humains et tieffelins se ruèrent sur lui par-devant, sur la gauche et sur la droite, agitant et abattant leurs sceptres rouges. Entièrement tourné vers l'offensive, Athrogate ne chercha même pas à éviter ces coups. Une tête de morgenstern fracassa le crâne de l'humain qui se présentait à sa gauche, puis l'autre régla son compte au demi-elfe surgi sur la droite. Enfin il opposa au coup de tête du tieffelin qui lui faisait face son propre crâne protégé par son armure. Il poursuivit ainsi sa charge, tête baissée, sans se laisser impressionner. Le tieffelin sonné s'étant écroulé devant lui, Athrogate piétina cette chose au sang mêlé pour affronter l'adversaire suivant, ses morgensterns tournoyant furieusement.

Une volée de dagues siffla au-dessus de l'épaule droite du nain, ce qui dégagea ce côté, puis fut suivie d'une autre, à gauche, avec le même effet.

C'est alors qu'intervint Dahlia. Après avoir planté sa perche à terre, elle s'en servit pour s'éjecter au-dessus d'Athrogate. Quand elle se réceptionna, elle l'avait déjà scindée en deux armes identiques, qui s'activèrent de tous côtés, sur les flancs comme droit devant, arrachant sceptres et bras et écrasant des crânes quand des ennemis s'approchaient trop.

Pour ne pas être en reste, Athrogate se joignit à l'elfe, dont la furie n'avait rien à envier à celle du nain.

Le sol fut de nouveau agité de tremblements et de craquements, puis une fissure apparut sur une paroi de la pièce, tandis que de la poussière et des pierres pleuvaient du plafond.

Quand ils furent acculés près de la fosse, les ashmadaï rompirent les rangs et s'enfuirent sur la passerelle, poursuivis par Dahlia et Athrogate, ce passage étant la seule issue.

Fermant la marche, Jarlaxle s'arrêta et, avec obstination, attendit que la vapeur d'eau brûlante se disperse suffisamment pour lui permettre d'apercevoir la lave.

De regarder en face le feu primordial.

Il comprenait désormais la source de la puissance de la célèbre Forge de Gontelgrime. Il comprenait la magie de la Tour des Arcanes, qui faisait intervenir de l'océan d'immenses élémentaires de l'Eau, lesquels servaient à tempérer cette bête aux allures de divinité. Cette magie s'était peu à peu dissipée depuis la chute de la tour, c'était évident, au vu des tremblements de terre qui ravageaient la région depuis tant d'années.

Or Athrogate venait de réduire cette magie au silence.

Les élémentaires s'enfuyaient, la bête allait être libérée.

Jarlaxle jeta un coup d'œil en direction du levier, qu'il ne distinguait plus, noyé dans la vapeur d'eau. Peut-être pouvaient-ils le repousser et de nouveau harnacher la bête.

Il hurla en direction d'Athrogate, mais sa voix fut incapable de s'élever au-dessus des rafales de vent et du sifflement ambiant.

Les flammes ne tardèrent pas à se mêler à la vapeur, de chaque côté de la passerelle, cernant le drow, qui n'eut donc d'autre choix que de prendre la fuite, emmitouflé dans son *piwafwi*, capuche rabattue, pour se protéger les yeux et la peau.

Il rattrapa Dahlia et Athrogate dans la salle de la Forge. Ses compagnons affrontaient les six ashmadaï survivants, coincés dos à la herse refermée. Au-delà de cette grille se massaient les fantômes furieux de Gontelgrime.

— Si vous vous rendez, nous pouvons vous faire sortir d'ici ! cria Jarlaxle aux guerriers, en prenant position à côté d'Athrogate, une épée en main.

— Ce sont des ashmadaï, expliqua Dahlia. Des fanatiques d'Asmodée. Ils ne redoutent pas la mort, ils l'attendent avec impatience !

— Rendons-leur service, alors ! gronda Athrogate, avant de charger.

Jarlaxle fut très étonné de ne pas entendre son ami déclamer quelques vers, alors que le combat s'annonçait de façon si évidente. À vrai dire, le nain, tremblant de rage, concentrait l'intégralité de ses forces sur ses morgensterns dévastatrices.

Les ashmadaï accueillirent l'assaut du petit être en hurlant de plaisir. Dahlia se positionna sur la gauche, ses armes jumelles tournoyant à l'image de celles d'Athrogate, et Jarlaxle se précipita sur la droite. Chacun aux prises avec deux adversaires, ils engagèrent le combat.

De la main libre de Jarlaxle jaillit une série de dagues, près du sol dans un premier temps, alors que le drow s'approchait de sa cible, un tieffelin arborant un étrange symbole sur sa peau basanée. En orientant son dernier tir un peu plus haut, il obligea le fanatique à lever l'avant-bras pour dévier le projectile. En procédant à cette esquive, le tieffelin perdit de vue l'elfe noir, le temps d'une fraction de seconde.

C'était déjà trop.

Jarlaxle posa un genou à terre et se servit du tieffelin pour s'abriter de son autre adversaire. Un coup d'épée à l'arrière de la jambe fit tituber cet ashmadaï, qui s'écroula, le jarret entaillé.

Son compagnon le suppléa aussitôt en abattant son bâton sur la tête du drow.

Grâce à une deuxième épée, soudain apparue dans son autre main, Jarlaxle para cette agression à la perfection, avant d'enchaîner avec une riposte de son autre arme, à laquelle la créature ne put opposer la moindre défense.

Athrogate se lança également dans la bagarre, une nouvelle fois sans tenir compte de la frappe d'un adversaire et du poing pesant de l'autre. Il encaissa autant de coups qu'il en donna, cependant ses armes étaient de loin les plus efficaces. Un ashmadaï humain le toucha sévèrement à l'épaule, alors qu'il s'apprêtait à le frapper, mais cela ne le freina en rien ; en ces terribles instants, le nain n'éprouvait plus de douleur, ne songeant plus qu'au fait qu'il avait détruit la plus sacrée et la plus ancienne cité naine.

Il sentit ses muscles se déchirer mais, s'en fichant éperdument, il acheva son mouvement. La morgenstern s'écrasa avec une telle force sur l'épaule baissée de l'humain que celui-ci fut projeté à plat ventre au sol.

Athrogate prit appui sur la nuque de cet adversaire pour affronter l'autre, puis encaissa un coup sur la main qui tenait son autre fléau d'armes, conséquence d'une parade manquée. En temps normal, une telle frappe lui aurait arraché sa morgenstern de la main, mais pas alors que Gontelgrime explosait autour de lui.

Il s'élança avec toute sa rage, ses deux armes en action, et repoussa le fanatique en direction de la herse baissée.

N'ayant plus de place pour battre en retraite, l'ashmadaï se défendit frénétiquement avec son bâton, cherchant à dévier et bloquer les attaques du nain. Hélas pour lui, une frappe perça ce barrage et le toucha au flanc, ce qui le fit vaciller. Un deuxième coup, porté de l'autre côté, le redressa, puis un troisième l'atteignit à son tour, un peu plus haut que le premier.

Et ainsi de suite. Le nain s'acharna sur le malheureux, dont les os furent réduits en poussière et la peau déchirée, le sang et la cervelle volant d'un côté, puis de l'autre…

Seuls les coups de son agresseur, qui ne cessait plus de s'en prendre à lui, empêchaient le fanatique, agenouillé mais déjà mort, de s'écrouler totalement.

Dahlia se montra beaucoup plus prudente, sur la défensive, écartant chaque frappe. Elle combattait toujours deux ennemis

– une humaine et un demi-orque – bien longtemps après qu'Athrogate eut commencé à faire reculer son dernier adversaire.

Elle comptait sur les erreurs de ses vis-à-vis, car, malgré leur talent, elle les surpassait.

Quand l'ashmadaï posté sur sa gauche, le demi-orque, fit mine de se décaler sur le côté, l'humaine en profita, de façon prévisible, pour tenter une audacieuse frappe sur la hanche exposée de Dahlia, qui venait donc de pivoter.

Mais l'elfe se retourna et fit mine de vouloir écarter la lance de l'arme qu'elle maniait de la main gauche.

Alors qu'il s'arc-boutait pour encaisser cette frappe, le demi-orque fut totalement surpris quand l'autre double-barre de Dahlia surgit par en dessous, manquant de peu d'arracher le bâton de la main de cette créature – en vérité, c'est ce qui se serait produit, si telle avait été l'intention de Dahlia. Au lieu de cela, elle se dégagea d'un infime mouvement, puis elle se laissa basculer vers l'avant, sur le genou droit, avant d'inverser la rotation de son arme, avec laquelle elle faucha les jambes de l'humaine.

Dahlia décrivit un tour complet pour intervenir de l'autre main, mais l'angle qui s'offrait de ce côté ne permettait pas à une arme tournoyante de provoquer de réels dégâts.

Or l'elfe ne tenait plus deux bâtons reliés par une chaîne dans la main gauche, mais une lance d'un bon mètre. Une légère torsion du poignet lui suffit pour abattre violemment cette arme sur le visage de l'humaine, avant de l'enfoncer dans la bouche ouverte de sa victime, quand cette dernière tenta de hurler. L'éclair qui accompagna l'impact parut pousser l'elfe à se redresser d'un bond. Puis, après avoir de nouveau scindé son bâton deux parties, elle se dirigea vers l'adversaire restant.

Elle contraignit le demi-orque à reculer, mais cette hideuse bête se défendit efficacement, sans perdre davantage de terrain, quand Dahlia ne bénéficia plus de son élan.

Un éclat argenté jaillit par-dessus l'épaule de la guerrière, qui se baissa et jeta un regard derrière elle dans le même mouvement.

Elle se retourna aussitôt vers son adversaire quand elle comprit qu'il s'agissait de l'une des innombrables dagues de Jarlaxle, à présent plantée dans l'œil gauche du demi-orque ashmadaï.

Tandis que son dernier ennemi s'effondrait, Dahlia pivota et vit Jarlaxle se précipiter vers la herse. De façon stupéfiante, Athrogate était une nouvelle fois parvenu à hisser la grille à hauteur d'épaules.

Voyant le drow se glisser en dessous, l'elfe s'élança à son tour, redoutant que ses deux compagnons lâchent la herse et l'abandonnent à une mort certaine – et qui aurait pu le leur reprocher ?

Jarlaxle se hâta de caler une épaule d'un côté de la grille, Dahlia fit de même de l'autre côté, et Athrogate parvint à se glisser sous l'obstacle.

Le sol grondait, les parois tremblaient. Les fantômes de Gontelgrime étaient tous à genoux, les yeux et les mains levés, adressant des prières à Moradin.

Le trio s'enfuit en courant.

Ils retrouvèrent l'escalier en colimaçon, tandis que le complexe était de plus en plus violemment secoué. En grimpant vers la vaste caverne ouverte, ils virent des corbies chuter, agitant bras et jambes. Des ponts de pierre qui avaient survécu à des millénaires se brisaient et sombraient dans le néant.

— Qu'est-ce que j'ai fait ? gémit Athrogate. Oh, j'suis vraiment une créature maudite !

— Enfuis-toi ! cria Jarlaxle à Dahlia. Change-toi en corbeau et envole-toi, inconsciente !

Dahlia agrippa sa cape, sans toutefois en activer la magie. Elle l'ôta et la jeta au visage du drow.

— Non, toi, va-t'en ! lui cria-t-elle.

Jarlaxle n'en crut pas ses oreilles, mais n'enfila pas la cape pour s'échapper. Il encouragea Athrogate à se presser, tout en aidant Dahlia à suivre le rythme de leur escalade.

Ils atteignirent le sommet des marches épuisés, mais ils n'avaient nullement le loisir de se reposer. Si les tremblements s'étaient calmés durant leur ascension, des arches craquaient et s'effondraient et des montants de portes s'affaissaient, condamnant des passages, peut-être pour toujours.

Ils poursuivirent tout de même leur course, jusqu'au moment où ils débouchèrent dans la salle circulaire, où se trouvait le trône incrusté de joyaux. Ils se précipitèrent dans le tunnel, franchirent les portes suivantes et coururent jusqu'au bord de l'étang souterrain.

Jarlaxle lança la cape à Dahlia.

— Vas-y, lui dit-il. Enfuis-toi comme tu peux. Nous nous débrouillerons de notre côté.

— Comment allez-vous traverser le lac? lui demanda-t-elle.

Il la regarda comme si elle était folle.

— Je suis Jarlaxle, répondit-il. Je trouverai une solution.

Dahlia enfila la cape et se métamorphosa en oiseau géant, puis elle s'envola, franchit l'étang et s'engouffra dans les tunnels.

À peine deux jours plus tard, elle émergea dans les rues crasseuses de Luskan, surprise de constater que la cité était toujours debout et que la vie semblait s'y écouler normalement. Elle se tourna vers le sud-est, vers le ciel au-dessus de Gontelgrime.

Il n'y avait rien.

Peut-être avait-elle surestimé la puissance primordiale piégée. Peut-être avaient-ils simplement éteint la Forge, et non pas déclenché un cataclysme.

— Pas un mot au sujet de notre aventure, ordonna Jarlaxle à Athrogate.

Ils venaient à leur tour de retrouver Luskan, un peu plus tard ce même jour, après avoir voyagé depuis Gontelgrime sur leurs montures invoquées – un sanglier démoniaque et un destrier de cauchemar. Ils avaient traversé l'étang sur le dos d'un oiseau géant incapable de voler, créé à partir d'une plume du chapeau de Jarlaxle. Le plan d'eau s'était fort heureusement révélé peu profond.

— T'aurais dû m'laisser mourir là-bas, répondit Athrogate, cruellement touché par sa responsabilité dans la catastrophe.

— Nous trouverons un moyen de réparer ça, promit Jarlaxle. Si toutefois c'est nécessaire.

Le drow était en effet lui aussi plutôt surpris de voir la vie suivre son cours ordinaire à Luskan.

Peu après, dès l'aube suivante, il se rendit compte qu'il y aurait bel et bien des dégâts à réparer ; loin au sud-est, Athrogate aperçut un panache de fumée noire, qui s'élevait paresseusement dans les airs.

— L'elfe…, dit-il d'une voix grave.

— J'ai vu.

— Qu'est-ce que c'est ?

— Une catastrophe, répondit Jarlaxle.

— T'as dit qu'on réparerait les dégâts, lui rappela le nain.

— Le moins que l'on puisse faire, c'est de faire payer les coupables.

— C'est moi, l'coupable ! s'emporta Athrogate.

Le drow, qui savait à quoi s'en tenir, secoua la tête. Il avait en effet reconnu la tenue caractéristique de la femme survenue dans la petite pièce, et qui avait raillé Dahlia avant de s'esquiver avec Valindra et Dor'crae. Il s'agissait sans le moindre doute d'une Thayenne, une disciple de Szass Tam.

En méditant sur ce détail, Jarlaxle considéra le panache de fumée noire qui, bien que distant de nombreux kilomètres, était clairement visible dans le ciel matinal. Il ne savait pas grand-chose à propos de l'archiliche de Thay, néanmoins, d'après le peu de connaissance qu'il en avait, il se demandait si le nain et lui n'avaient pas plutôt intérêt à affronter la puissance primordiale.

Depuis sa chambre, dans une auberge située à mi-chemin de l'autre côté de la cité, Dahlia réfléchissait elle aussi à sa vengeance. Elle avait également aperçu la fumée.

Ayant effectué des recherches poussées, elle n'entretenait aucun espoir de voir la catastrophe se limiter à ce panache ou être évitée.

La puissance primordiale viendrait à bout des derniers élémentaires – d'immenses créatures aquatiques mises en place par les anciens magiciens de la Tour des Arcanes, afin de contenir la force de cette entité explosive et quasi divine au bénéfice de la Forge naine.

Dahlia n'ignorait pas qu'elle aurait de toute façon fini par se libérer, la chute de la Tour des Arcanes ayant entamé l'érosion de la magie chargée de maîtriser cette énergie.

Mais cela ne se serait pas produit si rapidement. Pas sans quelques avertissements, que les magiciens et scribes de la côte des Épées auraient remarqués.

La catastrophe, soudaine et totale, était à venir. Désormais, personne, ni elle ni quiconque, n'était en mesure de faire quoi que ce soit pour l'empêcher, ou même seulement la ralentir.

9

QUAND LE MONDE EXPLOSA

Elle se savait suivie, après avoir longtemps cru que son imagination lui jouait des tours. Il est vrai que sa peur était bien réelle, la peur de s'être fait de puissants ennemis à Gontelgrime, qui ne la laisseraient pas facilement échapper à leur colère.

Comment l'avaient-ils retrouvée ? Ne l'avaient-ils pas crue morte dans l'ancienne cité naine ?

Sylora avait sans doute tenu pour morts les ashmadaï qu'elle avait laissés derrière elles. Dahlia effleura de la main la broche qu'elle portait encore, le bijou qui lui conférait un certain pouvoir sur les morts-vivants et qui la liait à Szass Tam. Horrifiée, elle l'arracha de son chemisier et la jeta dans la première bouche d'égout.

Elle suivit ensuite un parcours fait de zigzags à travers la ville, empruntant la moindre ruelle, se juchant parfois sur un toit avant de repartir plus loin à toutes jambes. Malgré cela, ils la suivaient, comme elle le sentit, peu après, quand son épuisement la ralentit.

Dahlia s'engagea dans une allée, déterminée à revenir sur ses pas afin de mieux observer ses poursuivants. Une palissade en bois en barrait l'autre extrémité, mais l'elfe se savait capable de l'escalader avec aisance. Quelques pas avant de l'atteindre, elle accéléra l'allure, prête à bondir, puis elle s'arrêta dans un dérapage quand deux colosses – des tieffelins – sortirent de derrière des caisses empilées, pour lui bloquer le passage.

—Pourquoi cours-tu, sœur Dahlia ? lui demanda l'un d'eux.

L'elfe jeta un coup d'œil derrière elle et vit trois autres robustes demi-démons remonter l'allée vers elle, ce qui était loin de la surprendre. Malgré leurs tenues, des vêtements typiques de Luskan, elle avait deviné leur nature, confirmée par celui qui s'était adressé à elle, quand il l'avait appelée « sœur ».

Sylora n'avait guère tardé à se mettre en chasse.

Dahlia se redressa, son air inquiet soudain remplacé par une expression amusée. Telle était sa façon de voir les choses. Quand la fuite devenait impossible, il restait les joies du combat.

Elle déplia son bâton sur toute sa longueur et le brandit horizontalement devant elle, avant d'en désolidariser les deux extrémités pour former son arme en trois parties.

—L'un de vous souhaite-t-il me défier ou dois-je vous tuer tous les cinq en même temps ? demanda-t-elle, en commençant à faire tournoyer lentement les parties mobiles de l'*Aiguille de Kozah*.

Aucun ashmadaï n'avança vers elle, ne se baissa en position défensive ou ne dégaina d'épée, ce qui agaça l'elfe.

Quelles étaient leurs intentions ?

—Comptes-tu fuir longtemps ? dit une voix féminine, alors que Dahlia observait encore les trois monstres qui l'avaient suivie.

Elle se retourna et se retrouva face à Sylora, apparue entre les deux tieffelins, superbe, comme toujours, dans sa robe longue rouge, dont le col relevé encadrait son crâne rasé.

—Tu ferais de ton échec une trahison ? poursuivit la magicienne. Je te croyais plus intelligente que ça.

Dahlia prit le temps d'assimiler ces paroles, incertaine quant à la réponse à y apporter.

—Quand le moment de gloire s'est présenté, Dahlia ne s'est pas montrée à la hauteur, expliqua Sylora. Penses-tu que nous autres, véritables serviteurs de Szass Tam, ayons été surpris de voir notre effrontée jeune sœur incapable de procéder à la mise en place de l'Anneau de Terreur ? Penses-tu que nous ayons jamais espéré mieux de ta part? J'ai donc été contrainte d'intervenir, pour m'assurer que Szass Tam ne soit pas déçu. Il est vrai que tu as fait du très bon travail pour localiser la puissance primordiale, même si ensuite...

—Ensuite, tu as essayé de me tuer! l'interrompit Dahlia.

Sylora haussa les épaules.

—Je ne pouvais pas te faire confiance et te laisser nous accompagner, dit-elle. Pas avec ce nain et son protecteur drow. Tu ne m'as pas vraiment laissé le choix, tu as même essayé de t'opposer à ce qui devait être fait.

—Et maintenant, tu es venue me tuer, conclut l'elfe, dont les ravissants yeux bleus scintillaient d'excitation. Vas-tu encore te cacher derrière tes larbins fanatiques, ou bien es-tu prête à m'affronter cette fois?

—Si cela ne tenait qu'à moi, tu serais déjà morte, répondit Sylora, qui jeta quelque chose aux pieds de Dahlia.

La guerrière elfe eut un mouvement de recul, s'attendant à voir exploser une boule de feu ou quelque autre phénomène agressif. Rien ne se produisant, elle observa de plus près l'objet et reconnut la broche dont elle s'était récemment débarrassée, rien de plus.

—Notre maître croit toujours en ton potentiel, poursuivit Sylora. Il m'a demandé de te prendre sous mon aile, à mes ordres.

—Jamais!

—Il te reste une chance de sortir vivante de cette histoire, Dahlia, et de servir de nouveau dans les rangs du seigneur-liche, dit la magicienne, un doigt levé. Peut-être même te rachèteras-tu à ses yeux, peut-être aussi aux miens. C'est ça ou la mort. Serais-tu prête à renoncer si facilement à la vie?

Dahlia resta songeuse quelques instants. Elle savait d'avance que Sylora ferait de sa vie un enfer, évidemment, mais au moins il lui resterait une chance.

—Allez, l'encouragea sa rivale. Réfléchis; de violents combats se déroulent au sud. Face aux Nétherisses, rien de moins. Tu prendrais plaisir à tuer des Shadovars, non?

Dahlia se sentit brusquement si vidée de toute volonté de résister qu'elle se demanda si Sylora ne l'avait pas enchantée. Cette inquiétude ne dura toutefois qu'un temps, car elle savait pourquoi sa résolution s'était soudain effritée. Existait-il en ce monde des êtres qu'elle haïssait plus que les Nétherisses ?

Elle posa les yeux sur Sylora, éprouvant tout de même de grandes difficultés à faire confiance à la Thayenne.

— Si j'avais voulu te tuer, tu serais déjà morte, ma chérie, rappela Sylora. J'aurais empli cette ruelle de magie létale ou d'ashmadaï meurtriers. (Elle tendit la main.) Le Sud nous appelle, nous devons y combattre les Nétherisses. Tu feras partie de mes lieutenants. Tant que tu te battras efficacement, je ne te créerai pas d'ennuis.

— Dois-je faire confiance à Sylora Salm ?

— Certainement pas. Je sers simplement Szass Tam, qui a foi en toi. Quand la bête viendra, je m'attribuerai tout le mérite de cette catastrophe, comme il se doit. Ton rôle dans cette affaire ne sera perçu que comme mineur – celui d'un agent ayant rassemblé quelques informations, avant d'échouer au moment crucial. Mais tu es encore jeune, tu te rachèteras un peu plus avec chaque créature nétherisse que tu abattras.

Dahlia fit cesser la rotation des extrémités de l'*Aiguille de Kozah*, qu'elle reforma d'un seul tenant avant de la replier en bâton de marche. Puis elle se pencha et récupéra la broche. Après avoir un instant observé de près le bijou, elle l'accrocha de nouveau à son chemisier.

De l'autre côté de la palissade en bois, Barrabus le Gris ne perdit pas un mot de la conversation. En dépit de la gravité évidente des propos échangés, il s'inquiéta surtout de la mention d'un drow et d'un nain, liés de quelque façon à cette guerrière elfe nommée Dahlia. Il n'avait pas appris grand-chose durant son court séjour à Luskan, même s'il avait parcouru la ville souterraine, et rencontré le phylactère qui renfermait l'esprit d'Arklem Greeth.

Il n'était pas encore à même de rassembler les pièces du puzzle, pourtant il estimait disposer de suffisamment d'éléments pour satisfaire ce maudit Alegni.

Il reprit la route peu après et chevaucha à bride abattue vers le sud, monté sur un destrier de cauchemar invoqué qui ne se fatiguait jamais. Pas une seconde il ne quitta du regard la fumée qui s'élevait dans le ciel clair de cette fin d'été, loin au sud-est.

Suivant une voie parallèle à celle de Barrabus, mais à des kilomètres de là, Drizzt Do'Urden chevauchait lui aussi une monture magique, tout en observant le même panache de fumée. Il avait laissé Bruenor à leur dernier campement – un petit village où ils avaient travaillé en échange de nourriture et d'un abri – dès l'après-midi qui avait suivi l'apparition de ce phénomène.

Les grandes enjambées d'Andahar le faisaient progresser à vive allure, la licorne filant aisément à travers bois et collines. Drizzt laissait les clochettes de l'animal tinter, accueillant avec plaisir cette mélodie divertissante.

L'été qui s'achevait avait été difficile et frustrant pour le drow et son ami nain. Les éternelles déceptions, d'une impasse à une autre, commençaient à peser sur Bruenor. Drizzt devinait par ailleurs que le bestial Gaspard manquait à l'ancien roi, même si, évidemment, ce dernier n'aurait jamais voulu reconnaître une telle chose.

Drizzt éprouvait quant à lui une nervosité grandissante, qu'il prenait soin de cacher à Bruenor. Combien d'années pourrait-il encore passer à fouiller des grottes, à la recherche d'un ancien royaume nain ? Il aimait profondément Bruenor, qui comptait parmi ses meilleurs amis, cependant cela faisait trop longtemps qu'ils vivaient ensemble. Leur séparation, deux jours auparavant, s'était effectuée d'un commun accord.

Drizzt faisait galoper Andahar à une cadence soutenue. Quand il repéra enfin une route commerciale, il ne la longea pas, comme l'exigeait la prudence, en cette époque de banditisme dans les Escarpes sauvages.

S'il ne le pensait pas ouvertement, pas plus qu'il ne voulait se l'avouer, Drizzt Do'Urden aurait en ce moment été ravi de devoir affronter des bandits de grand chemin, de préférence une bande de taille respectable. Cela faisait trop longtemps que ses lames dormaient dans leurs fourreaux, trop longtemps que *Taulmaril le Cherchecœur* demeurait muet, accroché dans son dos.

Il se dirigeait vers la fumée, espérant qu'elle était due à quelque anomalie, à quelque bataille sur le point d'être livrée ou déjà engagée.

Tant qu'il restait des ennemis dignes d'être combattus…

Il continua ainsi vers le sud, sans viser directement le panache. Connaissant bien la région, il avait noté que la fumée s'élevait du mont Chaudenow – l'une des rares collines des Escarpes assez élevée pour mériter l'appellation de montagne. Cette formation était pourvue de deux pics, le plus petit au nord et le plus grand au sud sud-est du premier, tous deux couverts de roche nue, résultat d'un incendie qui avait, très longtemps auparavant, brûlé tous les arbres et permis à l'érosion de lessiver la plus grande partie du sol.

Drizzt savait que la meilleure façon d'aborder ce double mont était de s'en approcher par le sud-est, d'où il bénéficierait d'une bonne vue sur la zone avant de s'y engager. Quand il passa à hauteur de la montagne, il s'en écarta davantage et fit route vers une autre colline, qui se dressait au sud-est et de laquelle il profiterait d'un point de vue surélevé. La fumée lui semblait jaillir du sommet du pic le moins élevé, orienté au nord.

Le drow fit disparaître Andahar au pied de la colline verdoyante aux pentes escarpées. Arc en main, il en gravit le versant, passant d'un arbre à l'autre, pour s'y adosser avant de tenter de grimper plus haut. Quand il en atteignit enfin le sommet, il songea d'abord à se jucher dans un arbre, puis il se ravisa en apercevant un affleurement rocheux sur le côté ouest de la colline, précisément face au lointain mont à deux pics.

Parvenu sur le promontoire, il observa le sommet enfumé, une main au-dessus des yeux pour mieux discerner les détails. Il ne repéra aucune armée en marche, aucun dragon dans le ciel d'azur.

Un feu de joie dans un campement barbare, peut-être ? Une forge de géant ?

Cela n'avait aucun sens pour Drizzt. Alimenter si longtemps – la fumée était visible depuis plusieurs jours – un feu d'une telle intensité aurait nécessité une forêt entière. Bruenor avait bien sûr estimé qu'il devait s'agir d'une forge naine, d'un feu nain, d'un ancien royaume nain – mais c'est ce qu'il disait toujours, quel que soit le signe apparu.

Drizzt resta encore un long moment à regarder loin devant lui, cherchant à discerner le maximum de détails sur la roche. C'est ainsi qu'il vit la fumée s'éclaircir de façon temporaire, soufflée par une légère brise, tandis que les pierres semblaient se strier de rouge ici ou là.

C'est alors que le monde explosa.

Sur le pont Herzgo Alegni, à Padhiver, Barrabus le Gris et Herzgo Alegni se rapprochaient dangereusement du panache de fumée qui s'élevait dans le ciel.

— Un feu de forêt ? hasarda Barrabus. J'en suis resté assez loin, et les habitants de Port Llast ne le distinguent apparemment pas mieux que nous, ici à Padhiver.

— Tu n'as pas estimé sage d'aller enquêter sur ce phénomène ? lui reprocha Alegni.

— J'ai pensé que les informations que je rapportais au sujet des Thayens et de la catastrophe qu'ils projettent étaient plus urgentes.

— Et tu n'as pas songé que ces deux événements étaient peut-être liés ? Il y a peut-être un dragon rouge, non loin vers le nord-est, prêt à s'envoler quand cette Sylora l'appellera.

Tout en s'exprimant, le commandant nétherisse s'approcha du côté du pont qui faisait face au lointain spectacle et agrippa le garde-fou, le regard tourné vers le nord.

— Si je m'étais rendu là-bas et que je n'avais pas pu revenir à temps, tu aurais été encore moins préparé, se défendit Barrabus.

— Je te l'accorde, concéda le tieffelin après un bref silence, sans même se tourner vers l'humain. Vas-y dès maintenant, alors, et apprends ce que tu peux. (D'un regard par-dessus l'épaule, il vit l'air renfrogné de Barrabus.) Ce n'est pas si loin.

— Le terrain est difficile, à l'écart des pistes.

— Tu parles comme si je…, commença Alegni, avant de s'interrompre, quand il vit Barrabus, très choqué, écarquiller les yeux.

Herzgo Alegni se retourna vers le panache de fumée, surplombant la modeste montagne… qui avait apparemment été éjectée dans les airs, la roche solide soudain changée en quelque chose de plus malléable, comme un nuage de cendres incroyablement compactes.

Dans le bois du Padhiver, les ashmadaï tombèrent à genoux, en prière et au comble de la joie, bouleversés par la vue de ce qu'ils savaient être la création d'un immense Anneau de Terreur.

— Les dieux sont avec nous ! s'écria Sylora, quand la montagne fut projetée dans les airs, selon un angle qui ne lui échappa pas. Si je m'étais moi-même occupée de la visée…

La trajectoire de la montagne semblait en effet parfaitement dirigée sur la cité de Padhiver – ce qui était bel et bien le cas. Le mont Chaudenow n'était pas simplement entré en éruption ; la puissance primordiale, furieuse, était aussi avide de carnage que Szass Tam.

Sylora passa un bras sur les épaules de Dahlia et la secoua avec familiarité.

— À couvert, vite ! ordonna la magicienne à ses soldats, qui étaient préparés à cet événement. La bête, notre bête, vient de rugir !

Autour de Dahlia, les ashmadaï s'activèrent, rassemblant leurs affaires et se ruant vers la grotte désignée pour leur servir d'abri. Dor'crae et Valindra s'y trouvaient déjà, protégés de la lumière agressive du soleil.

Dahlia ne fit pas un geste. Elle en était incapable, figée de crainte et d'horreur, devant le spectacle de la puissance primordiale libérée, du volcan entré en éruption.

Qu'avait-elle fait ?

En voyant le pic se détacher et s'élever dans les airs, Drizzt se remémora un souvenir très ancien, vécu sur une plage voisine d'Eauprofonde, par une chaude journée d'été. En ce temps-là, Catti-Brie et lui servaient à bord de l'*Esprit follet de la mer*, en compagnie du capitaine Deudermont. Le vaisseau était à quai, pour faire le plein de marchandises et permettre à son équipage de prendre un peu de repos. Le couple s'était ainsi promené sur le rivage et avait profité d'un après-midi tranquille.

S'il repensa à cette époque paisible en ce terrifiant moment, c'est parce qu'il s'était ce jour-là amusé à enterrer les jambes de Catti-Brie dans le sable humide de la plage.

Le spectacle de la montagne se brisant lui rappelait l'instant où son amie avait levé ses jambes recouvertes de sable. Les morceaux de roche lointains lui donnaient l'impression de se désolidariser comme des grains de sable, à ceci près qu'elles découvraient des lignes de lave rouge furieuse, et non la tendre chair du mollet de Catti-Brie.

Étonnamment silencieuse durant de nombreuses secondes, la masse arrachée se dilata et se tordit, jusqu'à se mêler à l'épais nuage pour former une silhouette étrange, qui évoquait vaguement un cou et une tête d'oiseau.

Ce n'est qu'alors que Drizzt comprit que ce silence n'était dû qu'au fait que l'onde de choc, cette vague sonore dévastatrice, ne l'avait pas encore atteint. Il vit des arbres, dans le lointain, s'abattre dans sa direction et être parfois soufflés de la montagne.

Puis le sol se mit à trembler, et un son digne du rugissement de cent dragons le projeta à terre et le força à se couvrir les oreilles.

Il regarda une dernière fois le volcan quand le projectile rocheux retomba ; un mur de pierres et de cendres se forma, plus haut que le plus haut des arbres, et déferla à une vitesse folle vers l'océan, recouvrant et brûlant tout sur son passage.

— Par les dieux…, murmura Herzgo Alegni.

Le sommet de la montagne fut projeté, retomba et se mit à rouler à une vitesse inouïe, dévorant tout ce qui se présentait.

Il filait droit sur Padhiver.

— La fin du monde, balbutia Barrabus le Gris.

Venant de cet homme, ces mots, si incongrus, si extrêmes, et pourtant si… peu parlants, étaient révélateurs pour les deux guerriers.

— Je m'en vais, déclara Alegni, quelques instants plus tard, avant de hausser les épaules. Adieu.

Herzgo Alegni s'engouffra dans la Frange des Ombres et disparut, laissant Barrabus sur le pont.

L'humain n'y resta pas seul longtemps. Voyant leur fin approcher, les habitants de Padhiver envahirent les rues, courant et hurlant, pleurant et appelant leurs proches.

Barrabus vit ces gens se réfugier dans des bâtiments, cependant, d'un regard en direction de l'avalanche de roche embrasée qui approchait, il devina que ni la fuite ni les constructions en torchis de Padhiver ne lui permettraient d'échapper à ce fléau.

Où pouvait-il s'enfuir ? Comment pouvait-il se mettre à l'abri de cette menace ?

L'assassin considéra l'eau, réflexe bien naturel, et songea un instant à sauter dans la rivière, afin de nager jusqu'à la mer. Toutefois, quand il se retourna, il constata que la montagne était déjà presque sur lui. La seule chsie qu'il trouverait dans ce cours d'eau était la mort.

D'énormes pierres brûlantes commencèrent à pleuvoir autour de lui, plongeant dans la rivière et détruisant des maisons.

Quel être, quelle chose, pourrait survivre ?

Barrabus le Gris enjamba la rambarde du pont, sans pour autant sauter ni tomber. Il se glissa sous la structure et se faufila entre les poutres de soutien métalliques.

Autour de lui, les hurlements des habitants de Padhiver se firent plus intenses, jusqu'au moment où ils furent submergés par le rugissement de cent dragons. Suivirent les explosions écrasantes d'autres bâtiments fracassés, des gerbes d'eau, ainsi qu'un sifflement de protestation, quand la vague brûlante se déversa dans la rivière.

Barrabus s'abrita de son mieux, sans oser regarder vers le bas quand la marée passa sous lui, manquant de peu de le toucher. Il en sentit la chaleur intense, qui lui donna la sensation d'être assis à quelques centimètres du fourneau d'un forgeron.

Quand il le sentit trembler, le tueur songea que le pont allait certainement être réduit en pièces et le projeter vers la mort.

Ainsi se poursuivit la dévastation d'une cité entière, embrasée par la foudre et croulant sous les boules de feu.

Puis, aussi brusquement que la première onde sonore avait éclaté aux oreilles de l'assassin, le silence reprit ses droits.

Un silence total, un silence de mort.

Pas un cri, pas un grognement, pas un gémissement. Une légère brise, mais rien de plus.

Après un long moment, au moins une heure, Barrabus le Gris osa sortir de sous le pont Herzgo Alegni. Il fut contraint de se couvrir le visage de sa cape, afin de filtrer l'air imprégné de cendres brûlantes.

Tout était gris, effondré et mort.

Padhiver était morte.

Deuxième partie

Au service du roi

Les combats s'intensifient et je m'en réjouis.

Autour de moi, le monde s'assombrit, devient plus dangereux… et je m'en réjouis.

Je sors tout juste d'une période de ma vie extrêmement chargée en aventures, mais étrangement calme, au cours de laquelle Bruenor et moi avons arpenté des centaines et des centaines de tunnels et plongé très loin en Outreterre, plus loin que jamais, en ce qui me concerne, depuis mon dernier retour à Menzoberranzan. Nous nous sommes battus, bien sûr, principalement contre la vermine surdimensionnée qui peuple de tels endroits : quelques escarmouches avec des gobelins ou des orques, deux ou trois trolls ici, un clan d'ogres là… Nous n'avons cependant jamais connu d'affrontement durable susceptible de mettre véritablement mes lames à l'épreuve. Pour tout dire, le plus grand danger rencontré depuis notre départ de Castelmithral, il y a si longtemps, fut le tremblement de terre qui faillit nous ensevelir.

Mais les choses ont changé, de mon point de vue, et je m'en réjouis. Depuis le jour du cataclysme, il y a de cela une décennie, quand le volcan se mit à rugir, avant de tracer jusqu'à la mer une ligne de dévastation qui rasa Padhiver sur son passage, l'atmosphère a changé dans la région. Cet événement semble avoir donné le signal de départ d'un conflit majeur, comme un appel au clairon annonciateur de créatures sinistres.

En un sens, c'est exactement ce qui s'est produit. La disparition de la quasi-totalité de Padhiver a coupé le Nord des contrées plus civilisées de la côte des Épées, où Eauprofonde est aujourd'hui devenue le premier rempart face aux étendues sauvages. Les commerçants ne s'aventurent plus dans la région, ou uniquement par mer, et l'attrait exercé par les anciens trésors de Padhiver a poussé de nombreux aventuriers – souvent peu recommandables, souvent sans scrupules – à se rendre dans la cité ravagée.

Certains tentent de la rebâtir, cherchant désespérément à faire revivre le port animé et l'ordre autrefois imposé par la ville sur ces terres inhospitalières. Mais ils se battent autant qu'ils construisent. Ils portent un marteau de charpentier dans une main et un marteau de guerre dans l'autre.

Les ennemis sont légion : Shadovars, étranges fanatiques voués à un dieu démoniaque, opportunistes bandits de grand chemin, gobelins, géants et monstres, vivants et morts-vivants. Et d'autres choses, plus sombres, sorties de trous plus profonds.

Au cours des années qui ont suivi le cataclysme, le nord de la côte des Épées s'est très nettement assombri.

Et je m'en réjouis.

Je suis libre quand je me bats. Ce n'est que lorsque mes lames tranchent un représentant du mal que ma vie me paraît avoir un sens.

Je me suis souvent demandé si cette rage en moi n'était rien d'autre que le reflet d'un héritage dont je ne me serais jamais vraiment débarrassé. La concentration sur la bataille, l'intensité du combat et la satisfaction de la victoire… ces motifs de jubilation ne me rappellent-ils pas tout simplement que je suis un drow qui s'accepte en tant que tel ?

En ce cas, que savais-je réellement à propos de ma terre natale et de mon peuple ? Jusqu'à quel point ai-je dépeint comme une caricature une société qui prend ses racines dans une passion et un désir que j'étais alors loin d'avoir compris ou expérimentés ?

Y avait-il, je me le demande – et je le crains –, quelque sagesse profonde chez les Mères Matrones de Menzoberranzan, quelque compréhension du bien-être et des besoins drows qui entretenait l'état de conflit dans la cité des elfes noirs ?

Cette idée semble ridicule, pourtant ce n'est qu'au travers des combats que j'ai réussi à supporter la douleur. Ce n'est qu'en luttant que j'ai retrouvé une certaine satisfaction, la sensation d'aller de l'avant et d'être utile à l'ensemble de la communauté.

Cette vérité me surprend, me met en colère, et, paradoxalement, si elle m'offre l'espoir de continuer, elle sous-entend également que je ne devrais peut-être pas agir de la sorte, qu'en définitive cette existence est vaine, qu'elle n'est qu'un mirage, un aveuglement.

À l'image de la quête de Bruenor.

Je doute qu'il trouve un jour Gontelgrime, je doute que cet endroit existe et je doute qu'il en soit lui-même convaincu, ou qu'il ait jamais sincèrement cru le découvrir. Pourtant, il se plonge chaque jour dans sa collection de cartes et d'indices, sans jamais passer à côté d'une grotte sans l'explorer. Tel est son but. Cette quête donne un sens à la vie de Bruenor Marteaudeguerre. À vrai dire, il s'agit là de la nature même de ce nain, et de celle des nains de façon générale, qui ne cessent d'évoquer des choses disparues et de chercher à retrouver les gloires perdues.

Mais alors, qu'en est-il de la nature des drows ?

Même avant de perdre Catti-Brie, mon amour, et mon cher ami halfelin, j'ai toujours su que je n'étais pas une créature vouée au calme et au repos. J'ai toujours su que ma nature était celle d'un guerrier. J'ai toujours su que j'étais plus heureux quand l'aventure et la bataille me réclamaient, quand elles exigeaient l'intervention des aptitudes que j'ai perfectionnées toute ma vie durant.

Le fait que je savoure aujourd'hui plus que jamais cet état d'esprit est-il dû à ma douleur et aux pertes subies, ou bien cela traduit-il simplement une facette plus authentique de mon héritage ?

Si tel est le cas, les raisons de me battre se feront-elles plus nombreuses ? Les principes qui guident mes cimeterres s'affaibliront-ils pour m'offrir davantage de moments de joie ?

Jusqu'à quel point, je me le demande – et je le crains –, l'envie de me battre qui se loge au plus profond de mon cœur interfère-t-elle avec ma conscience? Est-il désormais plus facile pour moi de justifier le fait de dégainer mes lames?

Ma véritable angoisse est que cette rage en moi laisse libre cours à sa folie – de façon explosive, aveugle et meurtrière.

Mon angoisse?

Ou mon espoir?

Drizzt Do'Urden

10

LUTTE CONTRE LES TÉNÈBRES

Année des Pleurs des elfes
(1462 CV)

— Les voilà ! Soyez courageux et retenez les attelages ! cria le chef de la caravane aux hommes et femmes recroquevillés dans les chariots et tout autour, armes en main.

Sur le côté de la piste, les fourrés s'agitaient à l'approche de la vague d'ennemis.

— Les gratteurs, commenta quelqu'un, usant du surnom souvent donné aux agiles et vifs humanoïdes morts-vivants qui avaient infesté la région.

— Les marcheurs de poussière, rectifia une autre voix.

Cette appellation était tout aussi pertinente que la précédente, car ces maraudeurs, ces monstres zombies, laissaient des traînées de poudre grise dans leur sillage, comme si chacun de leur pas était le premier qu'ils effectuaient en sortant d'une cheminée remplie de cendres. D'après la rumeur, ces créatures étaient d'ailleurs les corps animés des malheureuses victimes ensevelies sous les cendres volcaniques, une décennie auparavant.

— Garde ! appela le chef, après quelques instants tendus, sans que l'ennemi se soit clairement montré. Va inspecter la ligne d'arbres.

Le guerrier dont on avait loué les services, un vieux nain robuste à la barbe orange rehaussée de reflets argentés, équipé d'un bouclier orné du blason de la chope débordante de mousse, d'une hache mille fois ébréchée et d'un casque à une corne, se tourna, méfiant, vers l'humain.

Ce dernier déglutit péniblement sous ce regard méprisant, mais il eut le mérite de puiser assez de courage en lui pour désigner les arbres une nouvelle fois.

— J'te l'ai dit quand tu m'as engagé, lui rappela le nain. Tu peux m'dire contre qui j'dois m'battre, mais pas comment j'dois m'battre.

— On ne peut tout de même pas rester ici à ne rien faire, tandis qu'ils préparent leur attaque !

— Leur attaque ? répéta le nain, en éclatant de rire. Y sont complètement morts, crétin. Y préparent rien du tout.

— Où sont-ils, alors ? s'écria un autre homme, près de sombrer dans le désespoir.

— Il n'y a peut-être personne dans ces fourrés, intervint une femme, depuis un chariot, en queue de convoi. Ce n'est peut-être que le vent.

— Vous êtes tous prêts à vous battre ? demanda le nain. Vous avez sorti vos armes ?

Le chef se redressa, parcourut les chariots du regard et acquiesça.

Bruenor se leva et, les pouces dans la bouche, émit un sifflement retentissant.

Tout le monde, sauf lui, se baissa par réflexe quand un éclair fendit l'air non loin de la caravane, jailli de quelque part derrière les voyageurs, et fila horizontalement en direction des arbres, dans lesquels il disparut. Un affreux hurlement se fit entendre, suivi d'un bruissement dans les branches.

Un deuxième projectile alla se planter dans les arbres.

Et les branches se remirent à bouger.

— Voilà, ils arrivent, maintenant, dit le nain, assez fort pour être entendu de tous. Battez-vous bien et mourez encore mieux !

En face, les gratteurs, les marcheurs de poussière, les zombies de cendre – quels que soient les noms qu'on attribuait à ces petits humanoïdes gris et flétris – s'élancèrent soudain, bondissant des arbres ou surgissant à toute vitesse de la végétation. Certains se tenaient debout et se balançaient d'avant en arrière, comme sur le point de basculer à chaque pas, tandis que d'autres, voûtés, se déplaçaient à quatre pattes.

De l'autre côté, derrière les membres du convoi tapis, des clochettes accompagnèrent de leur douce mélodie le martèlement des sabots.

Une nouvelle flèche fut décochée d'un arc magique, aveuglante et dévastatrice quand elle explosa sur la tête du monstre le plus proche, qui fut désintégré en une bouffée de cendre grise.

Les chevaux de la caravane hennirent quand le puissant Andahar approcha, un attelage allant jusqu'à se cabrer lorsque la superbe licorne bondit par-dessus un chariot, pour se réceptionner en douceur de l'autre côté, Drizzt encochant déjà une autre flèche.

Le drow abattit deux zombies, son projectile les ayant embrochés l'un après l'autre. En un mouvement fluide, il remisa l'arc sur son épaule et dégaina ses cimeterres, puis il se laissa glisser sur le flanc de sa monture lancée au galop.

Andahar poursuivit sa course tête baissée et fonça sur les créatures les plus proches. L'animal en empala une de sa corne spiralée et en écarta brutalement une autre.

Drizzt toucha le sol en une roulade maîtrisée et se releva instantanément pour charger, aussi naturellement que s'il avait couru depuis sa cachette. Il se précipita entre deux zombies, ses cimeterres sifflant de chaque côté, et trucida ces adversaires. Il s'arrêta en glissade devant un troisième et redressa ses lames, pour décrire une manœuvre circulaire au-dessus de la tête, avant de les faire glisser l'une contre l'autre quand il les abattit devant lui. Le bras gauche tendu, il plaça son cimeterre à l'horizontale, à hauteur des yeux, afin de bloquer les puissants coups portés de haut en bas par le zombie – qui ne parut pas souffrir le moins du monde quand ses avant-bras se plantèrent profondément sur cette défense, quand sa peau de cendre s'entailla sur le tranchant affûté de *Scintillante*.

Dans le même temps, Drizzt leva le coude droit derrière lui et, tout en écartant son autre lame sur le côté, écorchant un peu plus les bras du mort-vivant, il avança d'un pas et plongea *Glacemort* dans la poitrine du monstre. Le cimeterre déchira sa cible avec une telle force que le drow remarqua un panache de cendre derrière le zombie.

Cette plaie béante ne troubla pas vraiment cet être, ce qui fut loin de surprendre l'expérimenté rôdeur drow. En retirant *Glacemort*, il abattit *Scintillante* de façon à l'emmêler avec les bras de son ennemi, qui se trouva ainsi déséquilibré et sans défense quand *Glacemort* intervint de nouveau, de l'autre côté, et trancha le cou du monstre.

Le tout – la parade et les frappes qui s'étaient ensuite enchaînées – s'était déroulé si vite que Drizzt avait à peine ralenti son allure. Il poursuivit donc sa course en enjambant sa victime, quand celle-ci s'écroula en arrière. Il trouva le temps de jeter un coup d'œil derrière lui et vit son étalon réduire un mort-vivant en poussière d'une violente ruade. La plupart des autres monstres s'étaient lancés à la poursuite d'Andahar, tandis que quelques-uns seulement se ruaient toujours vers la caravane.

Des créatures se jetèrent sur Drizzt, l'assaillant de toutes parts, avec une agilité et une vivacité surprenantes de la part de morts-vivants. Cela ne suffisait toutefois pas pour venir à bout de Drizzt Do'Urden, qu'on ne distinguait plus qu'à peine, tant il se déplaçait vite, grâce à ses bracelets de cheville magiques, maintenant à chaque instant un équilibre idéal et toujours en avance de trois mouvements.

Il vira sur la gauche et fondit sur un groupe de zombies – si important que les membres du convoi et Bruenor eurent tous le souffle coupé quand il disparut sous cette marée de cendre grise. Les coups du drow étaient heureusement si parfaits, si vifs, que ce soit pour écarter les obstacles ou pour frapper devant lui et sur les côtés – il se débarrassa même d'un poursuivant d'un coup à revers –, qu'il ne ralentit pas. Le halètement collectif se mua en une acclamation générale quand il reparut de l'autre côté, visiblement dégagé mais avec une horde de morts-vivants toujours à ses trousses.

Drizzt savait que, derrière ses adversaires, Bruenor décimait les traînards.

Le drow fut tout de même contraint de s'immobiliser quand un autre ennemi débola des buissons, sur le côté. Cet autre zombie n'était pas l'un des humains, elfes ou nains desséchés par la vague brûlante soufflée par le volcan, mais une gigantesque et impressionnante bête qui, de son vivant, aurait constitué un véritable défi pour Drizzt et qui, à présent qu'elle était insensible à la douleur et ignorait la peur et les blessures non mortelles, n'en était que plus redoutable. Presque deux fois plus grand et quatre fois plus lourd que Drizzt, ce monstre était doté de pinces géantes plantées sur le visage et de longs bras maigres, qui se terminaient par des griffes capables de fendre la pierre aussi facilement qu'un humain pouvait creuser dans la terre meuble. Ayant grandi en Outreterre, Drizzt avait déjà affronté des ombres des roches, comme tant de ses semblables. Cependant, en plus du teint cendré propre aux créatures tuées par la coulée volcanique, celle-ci arborait une aura plus sombre, une essence ténébreuse, comme si elle était tout juste sortie des profondeurs du plan des Ombres.

Drizzt parvint à détourner les yeux juste à temps pour éviter le regard magique de cette bête, connu pour faire perdre leurs moyens aux meilleurs guerriers. Il n'attendit pas d'être en mesure d'observer son adversaire pour agir, conscient que le moindre retard de sa part lui coûterait cher. Il se rua droit sur le monstre, à portée de ses puissantes griffes. L'ombre des roches tenta de le piétiner quand il se faufila sous elle, mais Drizzt se lança dans une roulade et l'esquiva à temps, trouvant même le moyen, pour faire bonne mesure, de frapper le pied qui avait cherché à l'écraser. Il se releva aussitôt et se jeta sur le dos de cette chose – qui se mit à tourner sur elle-même –, non sans lui distribuer plusieurs coups de cimeterre.

Hélas, faire chuter cette créature s'annonçait aussi simple que d'abattre un chêne massif – qui se serait défendu avec acharnement, qui plus est.

— Continue à l'faire bouger, l'elfe ! cria de loin Bruenor, toujours près des chariots.

— Ça vaut mieux, en effet…, murmura le drow, qui n'avait aucune intention de se retrouver face à cette bête.

Après une dernière frappe, il s'échappa et, dès qu'il eut pris une légère avance sur l'ombre des roches, sortit une figurine en onyx.

— Viens à moi, Guenhwyvar, appela-t-il d'une voix douce.

Il n'avait dans un premier temps pas voulu invoquer la panthère, qui s'était battue à ses côtés la nuit précédente et avait donc besoin de se reposer chez elle, sur le plan Astral.

Il vit une fumée grise se matérialiser, tandis que le monstre approchait à grande vitesse un peu plus loin.

— Fais le courir, l'elfe ! cria encore Bruenor.

Drizzt vit le nain s'éloigner de la caravane et se ruer vers un gros rocher flanqué de quelques bouleaux. Avec un hochement de tête approbateur, le drow fit volte-face, ce qui surprit juste assez son poursuivant pour lui permettre de se faufiler une nouvelle fois entre ses mains griffues. Il abattit plusieurs fois ses armes sur son adversaire et conclut avec une lourde frappe – en tout cas, il fit mine de conclure. Il se retourna de nouveau, au même moment que la créature, qu'il put accabler d'une deuxième série de coups. Il s'était à peine remis à courir quand il entendit le grognement de Guenhwyvar, puis l'impact qu'elle produisit en se jetant sur le dos de la bête. Drizzt s'éloigna à toutes jambes, tandis que le monstre titubait sous les trois cents kilos de muscles de la panthère.

— Les petits, Guen ! lui cria Drizzt, inquiet, quand il vit que de nombreux zombies de cendre cernaient toujours Andahar et que d'autres s'apprêtaient à agresser les membres du convoi.

Dans une bouffée de cendre enfumée, la panthère lâcha sa proie d'un bond, à la seconde où Drizzt revenait harceler cette dernière. La créature se tourna stupidement vers Guenhwyvar, ce qui permit au rôdeur de lui porter plusieurs frappes appuyées.

Puis il se remit à courir, talonné par l'ombre des roches. Il eut la satisfaction, d'un regard lancé en direction de la caravane, de constater que Guenhwyvar s'en prenait déjà aux zombies, qu'elle réduisait en lambeaux de ses puissantes griffes.

Drizzt ne conservait quant à lui qu'une avance infime sur son poursuivant, qui se rapprochait dangereusement. Il tenait à voir le monstre se concentrer sur lui seul, tandis qu'il décrivait un cercle, de façon à se diriger vers le rocher derrière lequel Bruenor avait disparu. Il ne dépassa ce rocher que de quelques pas avant de se retourner pour faire face à la créature.

Une main griffue s'abattit de très haut, avec beaucoup trop de force pour que Drizzt ose seulement tenter de la bloquer. L'elfe noir s'écarta et le membre s'écrasa sur le sol, les trois griffes creusant de profonds trous dans la terre comme dans la roche.

Drizzt frappait et reculait, pivotait d'un côté, puis de l'autre, portait un coup quand une ouverture se présentait, mais n'agissait que de façon défensive, son unique objectif étant de garder l'ombre des roches totalement concentrée sur le combat.

Du coin de l'œil, il vit réapparaître Bruenor. Le nain s'élança vers le haut du rocher, et même au-delà, puisqu'il sauta et retomba de très haut, sa hache aux nombreuses ébréchures brandie à deux mains au-dessus de la tête. L'ancien roi se plia en deux de tout son corps, telle une mâchoire de loup géant, ses muscles accentuant encore sa vitesse quand sa hache se planta sur sa cible.

L'ombre des roches émit un étrange grognement, qui tenait davantage de la surprise – voire de la curiosité – que de la douleur. La créature avança d'un pas vers Drizzt, la mine pensive, comme si elle venait seulement de comprendre la réalité de sa fin brutale.

Le drow garda de longues secondes les yeux rivés sur cette expression étonnée, au point qu'il dut plonger sur le côté pour éviter d'être écrasé par le monstre, quand ce dernier s'écroula.

Malgré les nombreux morts-vivants dont il fallait encore s'occuper, Drizzt ne put réprimer un sourire en voyant Bruenor chevaucher l'ombre des roches, sur les deux ou trois pas qu'elle effectua avant de s'effondrer. Son bouclier et sa hache dans la même main, et l'autre levée derrière lui, le nain donnait l'impression d'avoir dompté un étalon sauvage.

— J'repense à un certain yéti de la toundra, l'elfe, dit le nain, en arrachant son arme de sa victime. On dirait qu't'as tout l'temps besoin d'être secouru !

— Ah oui ? Et, comme avec le yéti, tu vas essayer de cuire la cervelle de ce monstre ? demanda Drizzt, en se retournant pour s'élancer vers la créature la plus proche.

— Bah ! Ça doit avoir un goût d'cendre, ou j'suis un gnome barbu !

Malgré les années et les combats par milliers, malgré les pertes subies et les étranges routes suivies, Bruenor n'aurait pu trouver meilleurs mots pour réconforter Drizzt en cet instant, pour mieux le lancer dans l'affrontement suivant, puis dans celui qui viendrait ensuite.

Grâce à la présence d'Andahar et de Guenhwyvar, et avec une aide modeste de la part des membres du convoi, l'attaque fut rapidement repoussée. On n'eut que des blessures bénignes à déplorer, pour quelques marchands ou gardes, tandis que les chariots et les attelages de chevaux n'avaient pas vraiment subi de dégâts. Les voyageurs ne tardèrent pas à se remettre en route, Drizzt à leurs côtés.

Quand l'aube se leva, la piste avait obliqué droit vers l'ouest. Ils laissèrent ainsi les bois derrière eux, pour s'aventurer dans la plaine. Alors que la mer se trouvait sur leur gauche, ils bénéficiaient sur leur droite d'une étendue si dégagée que la plupart des membres du convoi en profitèrent pour dormir un peu.

Drizzt renvoya sa monture magique et grimpa sur le banc du cocher du dernier chariot, à côté de Bruenor. Ils atteindraient Padhiver vers midi, comme l'avait précisé le chef du groupe, et malgré l'état de fatigue avancé de bon nombre d'entre eux, la caravane n'allait pas s'arrêter.

— Un beau voyage, et lucratif, en plus ! commenta Drizzt à l'intention de Bruenor.

Il s'était à vrai dire autant exprimé pour garder l'esprit éveillé que par réel désir de converser.

— Comme si ça t'intéressait, répondit Bruenor, vaguement endormi. (Le drow leva un sourcil.) Bah ! T'as fait ça qu'pour l'plaisir d'te battre !

— Nous avons besoin d'argent.

— Tu l'ferais gratuitement. Tu ferais n'importe quoi pour faire chanter tes lames.

— Nos fonds ne sont pas inépuisables, mon ami. Tu as déboursé une bonne quantité d'or pour ta dernière carte.

— C'est un investissement, j'te dis ! Pense aux trésors qu'Gontelgrime nous offrira !

— Parce que cette carte va nous y conduire ?

— Aucune idée, reconnut Bruenor. Mais ça finira bien par arriver.

— Cette carte, griffonnée par un marin calishite, un vrai pirate, nous mènerait à une destination que mille milliers de nains n'ont pas découverte en mille ans de recherches ?

— Oh, tais-toi…

Drizzt offrit un sourire à son ami. Et Bruenor de reprendre, plus sérieusement :

— Tu t'caches sous tes lames.

Le drow ne répondit pas, le regard droit devant lui sur la piste et les chariots qui les précédaient.

— C'est c'que t'as toujours fait, j'le sais, poursuivit le nain. J'l'ai remarqué au Valbise, la première fois qu'on s'est rencontrés. J'revois encore mon gamin secouer la tête et t'traiter d'fou, quand tu l'as emmené dans la tanière d'ce géant, Biggrin. Mais jamais à c'point, l'elfe. J'pense qu'si t'avais l'choix entre deux voies, une sécurisée et une autre parsemée d'monstres, t'opterais pour la seconde.

— C'est toi qui as choisi la route que nous suivons, pas moi, répondit Drizzt.

—Nan, c'est toi, impatient d'te battre, qui nous as fait embaucher comme gardes.

—Nous avons besoin d'argent, ô Grand Rampant des Grottes.

—Bah…, lâcha Bruenor, en secouant la tête.

S'ils avaient en effet besoin d'argent, ils n'étaient pas pour autant tout à fait démunis, ayant emporté avec eux une jolie somme quand ils avaient quitté Castelmithral, tant d'années auparavant. Et, à vrai dire, en dehors des cartes et des babioles de Bruenor, ils ne dépensaient que très peu.

Le nain n'insista pas et se laissa dériver dans le sommeil, où il retrouva d'agréables rêves d'un temps ancien, du Cairn de Kelvin, au Valbise, et de la Rampe de Bruenor, nom donné au promontoire qui s'y trouvait. Il se revit en train de courir avec les compagnons du castel, à savoir l'elfe, son garçon et sa fille, mais également le halfelin, qu'il trouvait si souvent occupé à pêcher sur les berges de Maer Dualdon.

Cela avait été une belle vie, estimait Bruenor. Une vie bonne et longue, riche en amis chers et en grandes aventures.

Ils parvinrent peu après en vue de Padhiver. Personne n'éleva le moindre mot de protestation quand le chef arrêta le chariot de tête sur une haute corniche qui dominait la région et permettait de l'embrasser d'un regard. L'éruption du mont Chaudenow avait fait de cette cité – autrefois un grand port tentaculaire – une étendue désolée et aride, noyée par des pierres noircies et des cendres d'un gris profond.

Néanmoins, les blessures de la terre guérissaient, des plantes repoussaient sur le riche sol volcanique, et si de nombreuses ruines de l'ancienne Padhiver étaient encore visibles, de nouvelles constructions avaient été érigées. Peu nombreuses, celles-ci restaient pour l'heure en deçà de la grandeur de l'ancienne Padhiver, cette modeste colonie étant assez disparate. La structure la plus impressionnante, et de loin, était le vieux pont de la Wiverne ailée, qui avait très brièvement reçu une autre appellation, dont personne ne se souvenait. Il n'avait presque pas été affecté par la catastrophe, seul un de ses piliers ayant été visiblement endommagé. Ce pont était devenu le point d'ancrage, la promesse de ce que Padhiver redeviendrait un jour.

Bruenor et Drizzt étaient si captivés par le spectacle de la cité encore lointaine qu'ils ne remarquèrent ni l'un ni l'autre l'approche du chef du convoi.

— Elle sera reconstruite dans toute sa gloire, dit l'humain, les tirant de leurs réflexions. La faculté de récupération du peuple de la côte des Épées est unique. Ils... nous rendrons à Padhiver sa gloire passée, et plus encore. (Il se retourna, de façon que tout le monde puisse l'entendre.)

» Qu'en dites-vous, compagnons ? Pensez-vous que nous réussirons à convaincre les dirigeants de Padhiver de nommer un pont ou quelque autre nouvelle structure en l'honneur de Drizzt Do'Urden ou de Bonnego Hachedeguerre ?

— Ou des Hachedeguerre d'Adbar, l'oubliez jamais ! ajouta Bruenor, sous les acclamations.

— Cette caravane ne quittera pas Padhiver avant le printemps prochain, révéla le chef aux deux amis. Je serais ravi de vous compter dans mes rangs pour notre périple jusqu'à Eauprofonde.

— Si nous nous trouvons dans la région..., commença Drizzt.

— Mais ce sera pas l'cas, l'interrompit Bruenor. On a nos propres routes à suivre.

— Je comprends, répondit le chef. Je maintiens tout de même ma proposition... en doublant votre salaire.

— Tout reste possible, dit le drow, avec un sourire ironique adressé à Bruenor. Mon ami est un grand amateur de cartes... ce qui vide souvent nos poches.

Contrarié d'entendre Drizzt dévoiler ce détail, le nain lui lança un regard qui n'avait rien d'amusé.

— Des cartes ? dit l'humain. Nous ne tarderons pas à dessiner de nouvelles cartes de Padhiver, c'est certain, avec tant d'artisans de valeur et de braves guerriers venus la reconstruire et la défendre. Nous lutterons contre les ténèbres, croyez-moi, avec une ferveur telle que tout Faerûn se tournera avec espoir vers Padhiver.

De nouvelles acclamations s'élevèrent de tous côtés.

— La cité est toujours à la recherche de nouveaux gardes et éclaireurs, ajouta le chef, proposant une nouvelle offre.

Drizzt sourit mais eut la sagesse de laisser Bruenor répondre :

— On a nos propres routes à suivre.

— Comme vous voudrez, répondit le chef, en s'inclinant. Cela dit, les routes de la région sont semées d'embûches. (Il secoua la tête et se tourna vers l'endroit où s'était déroulé leur dernier affrontement.) Quelles étaient ces créatures ?

— À quoi ressemblaient-elles, d'après vous ? répondit Drizzt.

— À des enfants ensevelis sous les cendres de la montagne éventrée.

— C'était pas des enfants, intervint Bruenor. Ces êtres ont été brûlés et ratatinés par les cendres chaudes. On s'est battus contre les anciens habitants de Padhiver. Vous avez intérêt à pas construire vos nouveaux bâtiments sur d'anciennes habitations, qui risqueraient d'être remplies d'ces gars, si tu vois c'que j'veux dire.

— Ils sortent donc de leur tombeau naturel ? dit l'humain, dépité. Cette coulée de cendre était-elle porteuse d'une telle magie ?

Drizzt et Bruenor haussèrent les épaules, aucun d'eux n'ayant de réponse à apporter aux récents événements, qui voyaient des monstres morts-vivants arpenter la région en si grand nombre.

— C'est qu'des zombies, dit Bruenor, afin de chasser l'abattement qu'on pouvait lire sur le visage du chef.

— En plus vif, plus agile et plus féroce, précisa le drow.

— On en a repéré dans tout le bois du Padhiver, leur apprit le conducteur du chariot suivant.

Drizzt hocha la tête.

— Ce cataclysme a tué tant de personnes…, dit-il. Ce fut un festin pour les nécromanciens comme pour les oiseaux charognards.

— Réfléchissez à ma proposition, insista le chef, avant de se retourner pour s'en aller. À mes deux propositions.

Quand la caravane se fut remise en route, Drizzt se tourna vers Bruenor.

— Nos propres routes, l'elfe, lâcha le nain.

Drizzt sourit, sans insister.

Ils arrivèrent peu après à Padhiver, acclamés et salués de toutes parts. La peau sombre du drow ne suffit même pas à étouffer l'enthousiasme de ces gens envers les nouveaux venus. Les chariots ayant rapidement été vidés, artisans et marchands de toutes sortes s'activaient pour remplir leurs carnets de commandes, avant de se remettre avec entrain au travail. Le son des marteaux et des scies emplissait l'air, tandis que ces hommes et ces femmes s'affairaient avec volonté et dans un excellent esprit.

Cela rappela à Drizzt et à Bruenor le Valbise, une époque désormais lointaine. Tant d'espoir. Tant d'envie. Tant de détermination.

Bruenor devinait que son ami drow estimait sa quête actuelle bien loin de ces principes. Il ne doutait pas un instant que Drizzt suggérerait qu'ils s'installent à Padhiver pour la saison froide, qu'ils surveillent les environs et se battent pour ces braves gens qui, en effet, luttaient contre les ténèbres pour rebâtir une cité.

Pourtant, Drizzt n'en fit rien. Le lendemain matin, quand ils quittèrent la ville à l'aube, tous deux prirent garde de ne pas se retourner.

Ils suivirent la piste vers le nord, avec en tête l'idée de faire escale à Port Llast, d'où ils s'aventureraient ensuite de nouveau dans les Escarpes. Quand ils s'installèrent pour déjeuner ce jour-là, la conversation tint largement du monologue. Bruenor s'écoutait parler à n'en plus finir de sa dernière acquisition, ainsi que des endroits où ils découvriraient les points de repère mentionnés sur la carte. Alors qu'il ne prêtait guère attention aux propos de son ami, Drizzt parut soudain très intéressé par sa bouteille d'eau. Suivant son regard, le nain se rendit compte qu'elle s'agitait – à tel point qu'elle donna l'impression de se mettre à ramper à même le sol, comme si quelque bête y était piégée.

— Un esprit follet de l'eau ? hasarda Bruenor au bout d'un moment.

Alors même qu'il énonçait cette hypothèse, le sol se mit à trembler.

Les deux compagnons se baissèrent pour conserver leur équilibre, tandis que la secousse s'intensifiait.

Cela ne dura pas.

— C'est peut-être pas très malin d'leur part d'reconstruire Padhiver là où elle s'trouvait avant, fit remarquer Bruenor. Ces tremblements d'terre recommencent.

En effet, après une décennie de calme, les derniers mois avaient connu plusieurs secousses, comme si quelque force malveillante s'éveillait une nouvelle fois.

Bruenor se tourna vers l'est, en direction de la montagne, qui ne comptait désormais qu'un seul pic, et non plus deux. Cette masse lui parut légèrement plus large que dans ses souvenirs, à l'image d'un guerrier nain bombant la poitrine. Il secoua la tête et se dit que son imagination, sans doute marquée par la dernière réplique, lui jouait des tours. Drizzt s'était rendu sur cette montagne peu après la destruction de Padhiver, en quête de quelque indice susceptible d'expliquer ce qui s'était produit, mais il n'avait rien trouvé, en dehors du cratère du mont Chaudenow, qui se refroidissait. L'observation faite par Bruenor était toutefois indéniable. Les tremblements de terre étaient de retour, même si la terre s'était tue pour dix ans juste après l'éruption.

Le nain lança un regard dans la direction d'où ils venaient, vers la jeune cité de Padhiver. Peut-être valait-il mieux que la lointaine Eauprofonde reste la tête de pont du Nord, songea-t-il.

Il chassa rapidement cette pensée ; en revoyant les expressions déterminées des bâtisseurs de la nouvelle Padhiver, Bruenor ne pouvait croire que ces gens étaient en train de perdre leur temps.

Même si cette entreprise à l'issue incertaine devait leur coûter la vie.

Il n'existait pas vraiment de communication entre eux, pas de hiérarchie, de roi ou de gouvernement. Les fantômes de Gontelgrime avaient été piégés par le cataclysme qui avait détruit leur demeure ancestrale – ils hantaient ces lieux depuis des millénaires, à la suite d'événements que Faerûn avait depuis longtemps oubliés –, mais ils avaient gardé un but : défendre ce territoire face aux envahisseurs. Ils étaient également minés par le regret. C'était un nain, un nain Delzoun, que les défenseurs de la cité avaient laissé entrer avec ses compagnons, qui avait libéré la puissance primordiale. Déroutés et attristés par la destruction provoquée par cette entité, les fantômes n'en avaient pas moins continué de monter la garde en silence.

Mais les tremblements de terre étaient de retour. La bête s'agitait de nouveau.

Il n'y eut aucune conversation, aucune directive, mais même ces esprits blêmes savaient qu'il leur serait impossible d'enrayer la tempête à venir, qu'ils ne rempliraient pas leur mission. Cela commença par une défection, davantage motivée par une fuite désespérée que par une idée consciente. Puis les esprits quittèrent Gontelgrime et se mirent à dériver dans les étendues de l'Outreterre, en quête d'aide.

D'autres les suivirent, beaucoup s'en allèrent, abandonnant tristement leur ancien foyer, à la recherche de sang Delzoun – des alliés vivants capables de piéger de nouveau la bête. Suivant les racines de la Tour des Arcanes, certains furent attirés jusqu'à Luskan, empruntant des galeries sans fin dans lesquelles peu de nains vivants auraient osé s'aventurer.

Ils portaient en eux le regret de ce qui avait autrefois été, la douleur de ce qu'ils avaient récemment perdu, et la peur de qu'il adviendrait quand la puissance primordiale s'éveillerait dans toute sa folie furieuse.

11

Sombre contre plus sombre encore

Une fumée noire s'élevait en spirales tortueuses au-dessus du sol calciné. Semblable à une rivière létale, une ligne de décomposition et de magie nécromantique s'étendait du centre du désastre à travers champs, jusqu'à la roche volcanique, à la recherche d'esprits piégés dans des enveloppes corporelles flétries, les appelant pour qu'ils se mettent à son service.

Sylora contemplait cette nouvelle tentative avec ses yeux brillants et son sourire satisfait caractéristiques. Les années n'avaient en rien terni la beauté de la sorcière thayenne, qui frôlait pourtant la quarantaine – elles l'avaient changée, peut-être, lui donnant une taille légèrement plus épaisse, une peau un peu moins lisse et quelques petites rides autour des yeux. Cette inévitable évolution physique était cependant largement contrebalancée par ce qu'avait dans le même temps gagné en solidité et en force intérieure cette impressionnante femme, plus assurée que jamais et parée d'une aura de puissance accrue, ce qui se reflétait dans ses yeux et dans son sourire.

Son Anneau de Terreur devenait enfin une réalité, même si le nombre de morts dans la région peu peuplée du bois du Padhiver, même avant le cataclysme, avait été jugé insuffisant par plusieurs ambassadeurs de Szass Tam, dont la plupart étaient des rivaux pour elle. Szass Tam avait tout de même fait confiance à l'estimation de Sylora, qu'il pensait capable de mener à bien sa mission. Convaincue que l'Anneau de Terreur de la sorcière verrait le jour, la liche se verrait alors offrir la mainmise depuis si longtemps désirée sur la côte des Épées.

La roche volcanique commença à vibrer, puis fut agitée de secousses. Des cendres et de la poussière furent avalées par les fissures grandissantes. Une petite main grise apparut, desséchée et flétrie, les doigts tordus comme pour exprimer une éternelle souffrance. Lentement dans un premier temps, puis avec une incroyable frénésie, la main se mit à griffer la roche. Deux soldats ashmadaï se dirigèrent vers l'endroit concerné, pour aider ce nouvel enfant de Szass Tam à se libérer du tombeau qui l'avait retenu des décennies durant, mais Sylora les arrêta d'une main levée.

Un grand sourire aux lèvres, elle lâcha même un gloussement quand le zombie eut écarté suffisamment de débris pour sortir l'autre main. Il écarta ensuite les deux bras et sortit la tête des entrailles volcaniques. Avide de liberté, la créature se mit à gratter la terre avec une frénésie grandissante, impatiente de chasser les vivants – uniquement ceux qui n'étaient pas alliés à Son Omnipotence Szass Tam, bien sûr.

À côté de Sylora, Dahlia était nettement moins impressionnante que dix ans auparavant, quoique n'ayant pas du tout changé physiquement puisque son héritage elfique la protégeait des ravages d'une simple décennie. Elle portait sa tenue de voyage : les bottes noires montantes, le chapeau noir à bandeau rouge, le chemisier blanc sous le gilet noir, la jupe noire coupée en diagonale, presque jusqu'à sa hanche, et les neufs diamants à l'oreille gauche, contre un seul à l'oreille droite. Elle avait reçu l'ordre de ne pas les retirer ni d'en modifier la disposition – cela rappelait à Korvin Dor'crae ce que lui avait apporté de positif l'intervention de Sylora. Bien entendu, elle était toujours armée de l'*Aiguille de Kozah*, pourtant, alors que Sylora était plus sûre d'elle, plus terrifiante que jamais, Dahlia semblait amoindrie.

Elle n'afficha pas le moindre sourire en assistant à la naissance de leur dernier laquais – elle ne souriait désormais presque plus.

— Courage, jeune elfe, lui dit Sylora, avec davantage de moquerie que de bienveillance. Vois ce que nous avons accompli.

Docile, Dahlia hocha la tête et se demanda – ce n'était pas la première fois – comment tout cela s'était produit, de quelle façon elle avait pu déchoir à ce point. Sa chute dans la hiérarchie de Szass Tam était évidemment due en grande partie à l'accès de mauvaise conscience éprouvé si longtemps auparavant, qui avait eu pour conséquence son incapacité à conclure son travail et à mettre en place ce qu'elle avait promis. Sa mission avait alors été sauvée par Sylora Salm, ce qui ne l'avait pas aidée, bien entendu. Elle avait même été surprise qu'on lui laisse la vie sauve, après sa capture à Luskan, et ne savait toujours pas si elle devait cette pitié à son succès dans la localisation de la puissance primordiale ou simplement au fait que Sylora était capable de la soumettre et de la garder à son service.

Dahlia regrettait souvent de ne pas avoir été tuée par ses maîtres.

Au-delà de sa rétrogradation prévisible dans la hiérarchie, l'autre chute, à savoir la perte de l'assurance, de l'envie et de l'insouciance qui avaient si longtemps guidé sa vie, avait profondément troublé l'elfe.

— J'ai parlé de toi avec Szass Tam, dit Sylora avec un sourire narquois, alors qu'elle envoyait le zombie chasser des Shadovars dans la forêt. Il est ravi de la bonne volonté avec laquelle tu te soumets à mes ordres.

Dahlia fit de son mieux pour ne pas laisser transparaître sa haine dans ses yeux bleus, sans succès, comme le lui confirma le sourire de Sylora. Bien sûr, l'humaine l'avait cherché. Elle avait pris tant de plaisir à remettre l'elfe à sa place, jour après jour, année après année. Jamais elle n'avait brutalisé Dahlia physiquement, contrairement à ce qu'elle faisait souvent avec les ashmadaï. Non, elle ne s'en prenait à son esclave que sur un plan strictement émotionnel, en enchaînant avec elle des versions mentales du jeu du chat et de la souris, dotant la moindre de ses remarques d'un double sens.

— Notre bête se réveille, poursuivit-elle. Elle fera cette fois encore pleuvoir mort et destruction, ce qui nourrira l'Anneau de Terreur et consolidera notre position ici. Même sans ça, les agents de l'enclave des Ombres battent en retraite.

— Ils rôdent toujours dans la région, fit remarquer Dahlia.

— Ils ne sont pas très nombreux dans la cité de Padhiver, affirma Sylora. Alors que leur mainmise sur cette ville était incontestée avant que j'éveille la bête, non ?

Le ton sur lequel elle s'était exprimée indiquait clairement que la magicienne attendait une réponse de la part de Dahlia.

— Oui, ma dame, répondit consciencieusement la guerrière elfe.

— Ils ne restent par ici que parce qu'ils sont à la recherche d'anciennes reliques dans le bois du Padhiver, où ils ne trouvent, jour après jour, que mes serviteurs, sortis de la cendre et avides de tueries.

Elle s'interrompit et se tourna vers un groupe d'ashmadaï, qui se tenait un peu plus loin, près de trois zombies particuliers, dont le teint était très foncé, et pas simplement couleur de cendre. Deux d'entre eux arboraient des blessures peu discrètes, comme si quelqu'un s'était nourri de leur chair – ce qui était la stricte vérité, à vrai dire.

— Tel est le génie de Son Omnipotence, vois-tu ? poursuivit Sylora. Les autres armées se réduisent avec la mort de leurs soldats, tandis que la sienne se renforce avec chaque ennemi abattu.

Dahlia porta son regard sur le troisième cadavre. Cet humain avait été tué d'un seul coup à la tempe. C'était elle qui avait fait cela, elle avait vaincu le malheureux en combat singulier, une belle mise à mort, face à un adversaire de valeur. En des temps révolus, elle aurait savouré cette victoire, mais à présent, le seul fait de voir ce corps lui laissait un goût amer dans la bouche.

— Rends-toi à la cité de Padhiver dans la matinée, lui ordonna Sylora. Je souhaite savoir combien de personnes y vivent désormais, et combien de ces Nétherisses arpentent ses rues.

Les poings serrés le long du corps, Herzgo Alegni regardait la ville de Padhiver, les yeux et la colère concentrés sur la superbe structure ailée autour de laquelle s'étaient développées les nouvelles constructions. On l'avait appelée le pont Herzgo Alegni, seulement quelques jours. Puis elle n'avait plus été qu'une partie de la ville en ruine, car il n'y avait plus eu personne dans les environs pour la nommer d'une façon ou d'une autre.

Mais cette structure avait repris son ancien nom, la Wiverne ailée. Aucun des nouveaux colons n'avait entendu parler du décret du seigneur Hugo Babris, proclamé dix ans auparavant.

Hugo Babris… mort, comme tous ceux qui s'étaient trouvés dans la cité de Padhiver ou dans son voisinage en ce terrible jour, à l'exception des quelques nobles shadovars qui, à l'instar d'Alegni, s'étaient téléportés sur l'enclave des Ombres.

Un humain avait également survécu, celui-là même qui se trouvait en cet instant à côté d'Alegni, et qui venait de l'informer – avec un peu trop de joie dans la voix, selon le Shadovar – que le pont avait retrouvé son ancienne appellation.

— Tu en es certain ? demanda Alegni.

— C'est l'une des choses que tu m'as demandé de vérifier afin de préparer ton arrivée, répondit Barrabus le Gris. T'ai-je déjà déçu ? (Agacé par cette réaction sarcastique, le tieffelin lança un regard noir à son subalterne.) Nous ne serons pas les bienvenus là-bas.

— Alors peut-être ne devrions-nous pas leur demander la permission d'y entrer, ricana Alegni, dont l'attention se porta de nouveau sur la ville lointaine et le pont qu'il avait tant convoité.

Barrabus haussa les épaules, puis crut bon de préciser :

— Nous aurions tort de sous-estimer les hommes et les femmes qui se dresseront face à nous à Padhiver. Ils ne sont en rien alliés aux nécromanciens qui font sortir des morts des ruines. Ces combattants et lanceurs de sorts chevronnés défendent avec obstination leur territoire, face à une légion de zombies qui marchent sur eux.

— Mes Shadovars n'ont aucun problème pour tuer ces créatures. La plupart des monstres jaillis de Padhiver étaient partis depuis longtemps quand les premiers colons sont arrivés, à en croire ton rapport initial.

— C'est vrai, mais je te conseille de les prendre au sérieux, sans quoi nous nous retrouverons en train de nous battre à mort pour ce campement qu'ils s'obstinent à nommer Padhiver, alors que tant d'autres ennemis nous attendent dans la forêt.

Les yeux toujours rivés sur la tache de roche noire qui avait autrefois été une ville, Herzgo Alegni se passa les mains sur son visage las. Toujours en marge, même parmi les Nétherisses, le tiefelin avait été sévèrement critiqué après le cataclysme. Certains Shadovars lui avaient personnellement reproché de ne pas avoir vu venir la menace thayenne et d'avoir traité avec les laquais de Szass Tam avant que ces derniers ne soient en mesure d'infliger de réels dommages. Peu de Nétherisses avaient été tués au cours de la catastrophe, la plupart d'entre eux ne pénétrant que rarement dans la cité de Padhiver, préférant rester dans la forêt, à la recherche de la merveille ancestrale tant convoitée.

L'expédition s'était poursuivie durant la décennie écoulée, mais Herzgo Alegni n'avait pas été renvoyé pour la diriger. Toutefois, le sol s'étant remis à trembler et, les soldats de Szass Tam prenant clairement le dessus – une position dominante dont il serait impossible de les déloger s'ils parvenaient à mettre en place leur Anneau de Terreur –, Alegni avait réclamé une chance de se racheter, qui lui avait été accordée. Il était revenu sur place le mois précédent et avait pris la suite du commandant du moment, avec pour ordre de continuer à rechercher l'enclave déchue de Xinlenal et de repousser les incursions thayennes à tout prix.

Xinlenal, cité bâtie sur une montagne flottante, était la première des légendaires enclaves nétherisses. Elle avait tenté de fuir la Chute mais n'avait réussi qu'à approcher la frontière que l'empire de Nétheril partageait avec les elfes. C'est là qu'elle s'était écrasée, comme les autres enclaves, à l'exception de celle des Ombres, douée de prescience, quand Karsus avait dérobé le pouvoir d'une déesse et que la magie elle-même avait été touchée. Jusque-là, seule l'enclave de Sakkors avait été retrouvée, flottant de nouveau dans les airs, pour finir par être stabilisée. Les autres enclaves d'importance s'étaient dégradées sous les vents agressifs du désert surnaturel des phaerimms, à l'exception de Xinlenal, qui s'était écrasée quelque part dans ce qui deviendrait par la suite le bois du Padhiver – c'est en tout cas ce qu'estimaient les Douze Princes. Or l'empire de Nétheril croyait ce que croyaient les Douze Princes.

Bien entendu, la première décision d'Alegni, après avoir repris le commandement de la quête de Xinlenal, avait été de faire venir son principal éclaireur et assassin à ses côtés, ce qui avait fortement déplu à Barrabus le Gris. Le tueur vivait alors en effet dans un certain confort à Portcalim, au service d'agents nétherisses qui cherchaient à contrôler le trafic des rues. Cerise sur le gâteau, il n'avait que très rarement vu Herzgo Alegni au cours de ces années.

Le tieffelin avait bien compris que l'asservissement était la seule chose intolérable pour Barrabus le Gris, par ailleurs capable de vivre au sein d'une hiérarchie et n'ayant jamais donné l'impression de rechercher les responsabilités du commandement. Alegni savait que l'assassin avait acquis une certaine indépendance, offrant ses services aux pachas de Portcalim et à d'autres commanditaires en échange de récompenses convenues à l'avance. Tout cela avait changé avec l'arrivée d'Alegni. La domination exercée par le tieffelin et par les autres nobles nétherisses sur Barrabus était intégralement fondée sur la magie.

Barrabus le Gris se considérait comme un esclave. Il était rarement frappé ou torturé au moyen de sorts abrutissants, ses maîtres n'ayant jamais trop exigé de sa part, et il menait une existence qui aurait paru agréable à n'importe quel habitant de Memnon, de Portcalim ou d'ailleurs, où qu'il décide de vivre. Mais il restait dépendant du bon vouloir de ses supérieurs, et Alegni savait que cela le rongeait.

— D'après toi, il ne faudrait pas s'en prendre à cette cité pour le moment ? demanda Herzgo Alegni à Barrabus.

— Ce sont des ennemis de nos ennemis, répondit celui-ci. Mais ils sont alliés à Eauprofonde, et par conséquent pas dans notre camp.

Le tieffelin acquiesça.

— Dans ce cas, laissons ces gens et les Thayens s'entre-tuer. Ne t'attarde pas dans la cité – juste assez longtemps pour m'informer de tout changement significatif.

— Et le pont ?

— Qu'ils le nomment comme bon leur semble, dit Alegni, qui ne put toutefois retenir une grimace et ainsi trahir ses sentiments véritables.

Il devait faire preuve de prudence et imaginer un moyen de retrouver son statut au sein de l'empire, alors qu'il disposait de moins de ressources et avait beaucoup plus à perdre qu'autrefois.

— Que je ne m'attarde pas dans la cité, répéta Barrabus. Je pourrais donc retourner dans le Sud entre deux incursions ?

— Une guerre fait rage ici et tu penses à t'en aller ? s'emporta Alegni, énonçant précisément la réponse que Barrabus redoutait. Tu retourneras dans le bois du Padhiver. Je ne t'affecte pour l'instant à aucune compagnie, mais j'attends de toi que tu te montres efficace face à mes ennemis. (Il lui tendit une bourse, remplie de fioles métalliques, à en juger par les tintements qu'elle émit.) Évite ces maudits morts-vivants et oriente tes lames sur ces crétins qui se font appeler ashmadaï. Puis verse cette eau consacrée sur leurs cadavres, afin d'empêcher l'Anneau de Terreur de s'en nourrir et d'en faire de nouveaux soldats.

— Tu traites les ashmadaï de crétins parce qu'ils ont juré fidélité à un démon ? dit Barrabus, avec un sourire clairement destiné à faire comprendre à Alegni qu'il songeait à l'un des traits de l'héritage du tieffelin.

— Va-t'en, Barrabus, grogna Alegni. Et viens en personne chaque semaine me donner des nouvelles de la cité de Padhiver.

Au cours de ces rapports, tu devras également me rendre hommage en m'offrant des scarifications ashmadaï. Ne me déçois pas, sous peine de te retrouver parmi mes troupes de choc, sous les ordres d'un de mes commandants les plus insignifiants.

—Par ici! Un hérétique!
—Tuez-le!
Les trois ashmadaï chargèrent, brandissant leurs sceptres.
—Il s'est enfui dans les bois! s'écria l'un d'eux.
En effet, le fuyard s'était fondu dans la forêt, avant de grimper dans un arbre avec une grâce et une vivacité telles qu'il avait à peine ralenti. Assis sur une branche, Barrabus le Gris, amusé, vit ses poursuivants approcher. Il comprenait sans difficulté pourquoi Alegni haïssait tant ces fanatiques, qui n'étaient pourtant pas des ennemis mortels des Nétherisses. Ils se comportaient comme des animaux – non, de façon encore plus bestiale que des animaux, car ils rejetaient raison et logique pour laisser libre cours à des instincts purement sauvages, afin de plaire à Asmodée.

Ces idiots vénéraient un dieu-démon.

Barrabus secoua la tête quand il considéra la stupidité de la situation, puis il baissa les yeux pour suivre les trois silhouettes surexcitées qui entraient dans le taillis, écrasant les buissons sans retenue. Il se leva et ôta sa cape, avant de contourner le tronc pour disparaître dans les branches et feuilles enchevêtrées.

—Il est dans l'arbre! s'exclama une ashmadaï, quelques instants plus tard.

Le doigt pointé vers le haut, elle se mit à sautiller sur place, jubilant d'avoir visiblement acculé leur proie désignée.

—Eh non, il n'y est pas, dit Barrabus, derrière le trio. (La femme qui pensait l'avoir repéré cessa de sautiller et les trois fanatiques se retournèrent.) Mais sa cape y est peut-être encore. La main gauche sur la poignée d'une épée accrochée à la hanche, il avait passé le pouce droit dans sa ceinture, entre la boucle magique et une autre lame – une dague pourvue de trois lames, aussi appelée main-gauche – ouvragée et magique qui lui avait été offerte par un puissant clan des rues, lors de son retour à Portcalim, près d'une décennie auparavant.

— Vous désiriez me parler, j'imagine ? plaisanta-t-il.

Après un bref moment de stupeur, les trois fanatiques se jetèrent sur lui en hurlant.

Barrabus croisa les bras, activant au passage la boucle magique de la main droite, et, tout en empoignant son épée, il libéra la lame de sa ceinture.

La femme ashmadaï, placée entre ses compagnons, émit un gargouillis quand elle fut stoppée net. Elle tituba de quelques pas en arrière, le poignard planté dans la gorge.

Les deux autres se lancèrent à l'attaque. Celui qui se trouvait sur la gauche de Barrabus projeta son arme comme une lance, tandis que l'autre abattait son sceptre rouge à la manière d'un gourdin. Ni l'un ni l'autre ne parurent se soucier d'avoir perdu l'une des leurs. Ils ne semblaient même pas l'avoir remarqué.

La main-gauche de Barrabus jaillit d'elle-même de son fourreau et passa derrière le bras droit, plus lent pour dégainer l'épée. Le tueur s'en empara juste à temps pour la plaquer contre la lance de l'ashmadaï, qu'il coinça entre la lame centrale et la poignée ingénieusement dressée de cette arme. Tout en tirant son épée, Barrabus se baissa pour esquiver le premier coup de massue et fit pivoter son poignet gauche, de façon à faire passer la main-gauche sous la lance. De son épée, il para un deuxième coup de sceptre, en hauteur, puis un troisième, porté plus bas, sans cesser de faire tourner son poignet gauche, contraignant ainsi l'ennemi à se concentrer sur sa prise pour ne pas voir son arme arrachée.

L'ashmadaï finit par dégager sa lance, sans toutefois parvenir à éviter de nettement l'écarter dans la manœuvre. Barrabus profita de cette infime ouverture : déviant toujours avec adresse de l'épée chaque coup enragé de l'autre adversaire, l'assassin se rua en avant et frappa à l'épaule le porteur de la lance, qui cherchait à se baisser. Le fanatique poussa un hurlement mais ne tarda pas à retrouver son équilibre et à redresser son arme, bien qu'ayant reculé de quelques pas hésitants.

Barrabus ne se souciait plus de lui, ses deux armes œuvrant déjà de concert face au même ennemi. Il ne se battait désormais plus que de façon défensive, laissant l'ashmadaï libérer sa rage, dans l'attente de la première erreur de la part de ce dernier qui lui permettrait d'accrocher le sceptre avec la main-gauche, pour ensuite laisser l'épée porter un coup fatal.

L'adversaire armé de la lance reconnut cette tactique et avertit son compagnon d'un cri, tout en projetant son arme sur Barrabus. Visant une cible distante d'un ou deux mètres, ce coup semblait sûr – il l'aurait d'ailleurs été face à n'importe quel guerrier de Faerûn ou presque.

Mais Barrabus le Gris n'était pas n'importe quel guerrier.

Il donna l'impression de ne même pas regarder le porteur de la lance. Son bras gauche s'écarta à l'instant idéal, puis, d'une torsion du poignet, il intercepta de sa main-gauche le projectile, qu'il dévia sur le côté. Dans le même temps, il se retourna vivement et abattit son épée derrière la lance, qu'il projeta ainsi devant lui.

Ce fut un lancer peu conventionnel, bien entendu, qui n'avait que peu de chances de blesser l'ashmadaï muni du sceptre. Ce dernier fut tout de même surpris, or, face à Barrabus le Gris, une seconde de faiblesse était une seconde de trop. Le fanatique leva son arme pour écarter la lance, puis, en poussant un hurlement, il tenta d'abattre son bâton sur l'ennemi qui chargeait déjà.

Hélas pour lui, la main-gauche de l'assassin piégea la massue, qu'elle baissa de force vers le sol, sur la droite de Barrabus qui, toujours côté droit, recula le pied et leva le bras pour permettre ce mouvement. Avant même que l'ashmadaï n'ait réussi à enrayer la descente de son arme, l'épée de l'assassin siffla au-dessus du sceptre bloqué. Le fanatique tenta de se défendre de sa main libre, ce qui ne changea pas grand-chose ; il ne lui restait plus qu'à grimacer de douleur quand l'épée plongea dans sa poitrine.

Il se jeta en arrière, chancelant, tandis que sa tunique de cuir s'imbibait de sang. Il parut dans un premier temps soulagé, comme s'il estimait avoir évité une grave blessure.

Barrabus, quant à lui, devinait d'après le flot de sang que son épée avait percé le cœur de cet adversaire. Il ne s'en préoccupa donc plus et se retourna vers l'ashmadaï désarmé, qui interrompit d'un coup sa charge quand il se retrouva face aux deux lames mortelles.

— Ils sont morts tous les deux, lui assura Barrabus. Même s'ils ne le savent pas encore.

L'ashmadaï jeta un regard en direction de la femme, toujours debout mais haletante, et qui, essayant d'empoigner le manche du poignard, cherchait le courage d'en extraire la lame.

— Elle ne va plus tarder à sentir le poison, décrivit Barrabus. Elle aurait tout intérêt à enfoncer plus profondément la lame pour en finir plus rapidement.

— Tue-le! hurla l'homme qui se vidait de son sang.

Ce cri puissant fut interrompu par une grimace de douleur. Sous le regard de son compagnon, le blessé tomba à genoux, la main droite crispée sur la poitrine, à hauteur de la plaie fatale, tandis que l'autre serrait toujours obstinément le sceptre.

— C'est à toi ou à moi qu'il parle? plaisanta Barrabus.

L'absurdité de la situation fit glousser le tueur, tandis que le dernier ashmadaï, peut-être pas aussi dévoué à son dieu-démon qu'il l'avait cru, prenait la fuite.

— Je suis juste derrière toi! cria Barrabus, qui ne fit pas un geste pour le suivre.

Il se tourna vers le blessé agenouillé, désormais penché en avant et s'appuyant d'une main au sol, seul soutien qui l'empêchait de s'écrouler.

Barrabus fut saisi d'un soupçon de regret quand il délaissa le malheureux pour s'approcher de sa compagne. Celle-ci s'écarta en titubant, jusqu'à s'appuyer contre un arbre, le poignard toujours planté dans la gorge.

— Si je te faisais prisonnière, les Nétherisses te tortureraient d'une façon indescriptible avant de te tuer, dit-il.

Dans le même mouvement, l'assassin arracha la dague et plongea son épée dans le cœur de la femme.

Le visage crispé, elle se raidit, luttant un bref instant contre l'inévitable avant de se relâcher. Barrabus retira son épée et laissa sa victime s'effondrer. Il revint ensuite auprès de l'homme agenouillé et mit un terme au calvaire de celui-ci d'un unique coup sur la tête.

En poussant un profond soupir, Barrabus rengaina sa main-gauche et sortit deux fioles de la bourse que lui avait donnée Alegni. Elles étaient faites d'un métal translucide qu'il ne reconnut pas, ce qui lui permit de voir le liquide noirâtre qu'elles renfermaient. Il retourna l'homme ashmadaï du pied, retira le bouchon d'une ampoule et en versa le contenu magique sur le front du cadavre.

Il recula et détourna le regard, tandis que la magie dévorante faisait son œuvre. Une tache gris foncé s'étala du front sur tout le visage, avant de se propager, comme un linceul mouillé, sur l'ensemble du corps.

D'une humeur massacrante, Barrabus se retourna et glissa la pointe de son épée sous le col de la tunique de l'homme, puis déchira le vêtement du cadavre. Découper la surface de peau sur laquelle se trouvait la scarification ashmadaï ne l'enchantait guère, pourtant il s'exécuta. Il procéda ensuite de même sur la femme, qu'il souilla avec la deuxième ampoule avant de lui arracher sa scarification.

Il se dirigea aussitôt après vers le campement nétherisse, afin de se débarrasser de ses trophées. Tout en marchant, Barrabus ne cessait de songer à la folie de ce troc macabre de soldats. S'il n'avait pas aspergé ces cadavres de liquide magique, les Thayens les auraient donnés en pâture à l'Anneau de Terreur en pleine croissance. Cette monstruosité en aurait alors été renforcée et aurait fait de ces morts des guerriers zombies, pour de nouveau les envoyer affronter les Nétherisses. Les ashmadaï en vie estimaient visiblement que c'était la plus belle offrande qu'il leur était possible de faire.

Malgré l'essence des Ombres répandue sur leurs corps par Barrabus, leur destin resterait le même, le seul changement concernant leurs maîtres. Les Nétherisses récupéreraient les cadavres et les enverraient à quelque obscur laboratoire perdu au milieu de la Sembie conquise, où ils seraient plus intensément imprégnés d'essence du plan des Ombres et changés en zombies des Ombres. Ces créatures de la nuit se retourneraient alors contre leurs anciens alliés.

— Ridicule…, marmonna Barrabus le Gris au bois qui s'en moquait.

12

DES CRIS VENUS D'UN LOINTAIN PASSÉ

Melnik Lenclume coinça sa pioche sur une aspérité têtue, redressa le manche et tira de toutes ses forces.

—Allez, lâche, espèce de morve d'gobelin, grogna-t-il, en donnant tout ce qu'il avait.

Il voulait absolument atteindre la veine de métal argenté étincelant qu'il apercevait derrière la roche.

— Bah, si c'était d'la morve d'gobelin, ta pioche serait fichue depuis longtemps, dit Quentin Brisepierre, un autre mineur, qui s'activait de l'autre côté de la galerie.

Melnik lâcha un grognement et se remit à l'ouvrage.

— Eh! Tu m'apportes mon déjeuner? demanda Quentin.

Voyant que son collègue regardait vers le tunnel et non dans sa direction, Melnik poursuivit son travail. Enfin, la roche incriminée céda.

Melnik ne sauta toutefois pas de joie, se demandant à qui son équipier s'adressait. En effet, il ne regardait pas vers le haut du tunnel, et donc vers les zones les plus peuplées des mines creusées sous le Cairn de Kelvin, au Valbise, mais vers le bas du boyau. Or ils travaillaient au bout de la mine ; il ne se trouvait donc en principe pas d'autres nains plus loin.

— Bon, qu'est-ce que tu..., reprit Quentin, avant de s'interrompre.

Haletant, il recula en titubant. Quand Melnik sortit de son excavation pour jeter un coup d'œil dans la galerie incurvée, il en eut lui aussi le souffle coupé.

Des nains approchaient... mais des nains comme ils n'en avaient jamais vu.

— Y sont pas vivants! On dégage! beugla Melnik, qui fut pourtant incapable, tout comme son compagnon, d'esquisser le moindre mouvement.

— *Aidez-nous*, dirent des voix dans ses pensées. *Aidez-nous, cousins Delzoun.*

— T'entends ça? glapit Quentin, qui commençait à reculer. J'ai entendu quelque chose!

Il poussa un hurlement et s'enfuit en courant.

Plusieurs fantômes s'approchèrent très près de Melnik, qui sentit les nombreux poils de son corps se hérisser d'effroi. Il ne recula pourtant pas d'un pouce, allant même jusqu'à prendre une pose assurée, jambes écartées et mains sur les hanches.

— Bon, qu'est-ce que vous voulez? demanda-t-il.

— *Cousins Delzoun...* entendit-il dans sa tête. *Bête réveillée... lave coule... Gontelgrime assiégée.*

Ils auraient aussi bien pu ne prononcer que ce seul mot, «Gontelgrime», car Melnik, comme tout nain d'héritage Delzoun, connaissait ce nom. Chancelant, s'emmêlant les pieds comme les mots, il commença à reculer. Les fantômes le suivirent, emplissant son esprit d'appels à l'aide, même si évidemment, il n'avait aucune idée de la façon de procéder.

— Stokely Torrent d'Argent! appela-t-il, oubliant qu'il se trouvait très, très loin des zones habitées du complexe.

Malgré ce cri, les fantômes semblaient vivement désireux de l'accompagner, si bien que, lorsqu'il se mit à courir, il jeta de fréquents regards par-dessus son épaule, afin de s'assurer qu'il ne les distançait pas trop. Il se rendit rapidement compte que les spectres le suivaient sans aucune difficulté.

Sérieusement perturbé par le fait qu'il serait sans doute incapable de semer ces êtres si l'envie lui en prenait, Melnik se rassura en songeant qu'ils s'étaient exprimés au nom de la cité ancestrale. Il fallait absolument que Stokely Torrent d'Argent entende ça !

— Remplis-moi ça, ou j'plonge le poignet dans un d'tes yeux, si profondément qu'mes doigts racleront l'fond d'ton crâne, dit Athrogate.

Tout le monde, autour de lui, en particulier Genesay, la serveuse, sut qu'il ne s'exprimait pas à la légère. Cette dernière s'empressa de remplir la chope du nain.

— Hé, toi ! Ne parle pas sur ce ton à Genesay, intervint un client, assis à côté d'Athrogate.

— Tout va bien, Murley, le rassura la serveuse, sans quitter une seconde du regard Athrogate, qui bouillonnait de rage.

Le nain avala une longue gorgée, vidant une nouvelle fois sa chope, puis il lança un regard en direction de Genesay tout en désignant le récipient, avant de lentement se tourner vers son voisin.

— C'est pas à moi qu'tu causes, quand même, si ? dit-il.

— Montre-toi aimable avec Genesay ! insista Murley, qui se leva et redressa les épaules.

— Sinon… ?

— Sinon je…, commença l'humain, qui dut s'interrompre quand deux de ses amis le rejoignirent et l'empoignèrent chacun par un bras.

— Laisse tomber, Mur, lui conseilla l'un d'eux.

— Oui, ne joue pas avec ce nain, ajouta l'autre. Il a des amis puissants. Des amis à la peau sombre.

Ces propos calmèrent quelque peu Murley, tandis qu'Athrogate prenait conscience que tous les clients de la taverne avaient les yeux braqués sur eux.

— Qu'est-ce que mes amis ont à voir là-dedans ? dit le nain. Vous pensez peut-être qu'j'aurais besoin d'aide pour vous mettre tous les trois à terre ?

— Ta chope est remplie, brave nain, dit Genesay.

Athrogate sourit à la serveuse, amusé par sa tentative de détourner son attention.

—En effet, dit-il. (Il s'empara de la chope et en projeta le contenu sur Murley et ses deux amis.) Remplis-la encore.

Murley se dégagea de l'un de ses compagnons en grondant. Ce dernier recula quand il se retrouva trempé de bière, puis il avança d'un pas vers Athrogate. Le nain ne put réprimer un sourire quand, baissant le regard sur la ceinture de son vis-à-vis, il aperçut une épée courbe accrochée à la hanche de celui-ci. Cette arme semblait bien ridicule, en regard des puissantes morgensterns qu'Athrogate conservait fixées dans le dos.

— Tu réussiras peut-être à la dégainer, railla le nain. Tu parviendras peut-être même à m'frapper une fois avant qu'ta tête éclate en faisant un joli bruit.

—Ne l'affronte pas, Murley! s'écria une femme, à l'autre bout de la taverne. Ses armes sont imprégnées d'une magie qui te dépasse!

—Oh! Mais c'est que tu es un vrai dur, le nain, se moqua l'humain. Tu te caches derrière ces fichus elfes drows et derrière la magie de tes armes. Comme j'aimerais me charger de toi, sans ça, pour t'apprendre les bonnes manières.

—Murley! se désespéra Genesay qui, ayant déjà vu se dérouler ce genre de scène, savait que Murley le pirate s'aventurait sur un terrain glissant.

—Bwahaha…, ricana Athrogate.

Il n'avait pas lancé son expression favorite sur son habituel ton tapageur. Cela n'avait été qu'un son triste et étouffé. Il se retourna vers sa chope, qui était toujours vide.

—Remplis-la! aboya-t-il à l'intention de Genesay.

—Le nain! lui cria Murley.

—Ah toi, j'vais t'faire taire, promit Athrogate.

Dès que Genesay eut posé la chope remplie devant lui, il l'attrapa et la vida d'un trait, après quoi il sauta de son tabouret pour faire face à Murley et ses compagnons.

—Tu crois que j'me cache, c'est ça? dit-il.

Il déboucla son harnais et, d'un mouvement d'épaules, laissa tomber derrière lui son gilet et ses morgensterns. Et d'ajouter :

— Ben voilà, gamin, t'es content ?

Il avança d'un pas mal assuré, ayant englouti plus d'une dizaine de bières ce soir-là.

Murley se libéra de ses camarades et se rua en avant. Sans laisser au nain le temps de reprendre son équilibre, il lui décocha un solide direct du droit en plein visage.

— Bwahaha ! beugla Athrogate pour toute réponse.

Sans avoir davantage réagi au crochet du gauche ni au direct qui suivirent, il baissa l'épaule et chargea.

Murley s'écarta et parvint presque à échapper à son agresseur, qui l'attrapa par le poignet. Incapable de freiner son élan, Athrogate poursuivit sur sa lancée et chuta, entraînant l'humain avec lui. Ce dernier parvint à rester debout et, malgré la solide prise du nain, qui semblait vouloir lui briser le poignet, il se pencha.

Appuyé sur le coude droit, le corps tordu vers le haut et retenant toujours Murley de la main gauche, Athrogate n'avait aucune défense à opposer à cet homme – enfin, aucune autre défense que sa tête. Il frappa donc du crâne, tira sur le poignet de Murley, frappa de nouveau et, quand le pirate tira violemment, il le laissa s'éloigner jusqu'à ce que les deux combattants se retrouvent bras tendus.

C'est alors qu'Athrogate attira une fois de plus son adversaire, avec une force effrayante. À la seconde où celui-ci lui tomba dessus, il se redressa brusquement et lui écrasa le visage d'un coup de tête. Murley laissa échapper un grognement quand son nez explosa sous l'impact, conservant malgré tout suffisamment ses esprits pour se jeter sur le nain.

Il fut aussitôt imité par ses amis, si bien qu'à eux trois ils ensevelirent totalement Athrogate.

Dans la taverne, les spectateurs se mirent à encourager les trois pirates, nombre d'entre eux ayant éprouvé les rudes poings d'Athrogate au cours des dernières années, et même ses dents, pour certains.

Le robuste nain semblait recevoir enfin la correction qu'il méritait, avec trois solides gaillards juchés sur lui, qui le coinçaient et le rouaient de coups.

À force de contorsions, Athrogate parvint à ramener les pieds sous lui, ce qui fit taire la foule. Même si cela semblait impossible, il se leva, emportant ses trois adversaires avec lui. Il se débattit alors avec une violence décuplée, empêchant le pirate et ses compagnons de reprendre tout à fait leur équilibre. Athrogate assura sa position et fonça droit devant lui, poussant les trois hommes à la fois.

— Bwahaha! rugit-il.

Quelques clients installés autour d'une table ronde poussèrent des cris et s'écartèrent quand le nain et son chargement déboulèrent. Les combattants fendirent la table, firent valser les chaises et tomber les chopes. Des fragments de métal et de verre s'écrasèrent au sol avec le petit être et ses trois acolytes.

Athrogate se releva, un bras déjà dressé, et assena à l'un de ses adversaires un crochet du gauche à hauteur des côtes, qui le fit décoller du sol. L'humain se réceptionna deux mètres plus loin. Un regard incrédule rivé sur le nain et les bras croisés sur son torse brisé, il se recroquevilla et s'effondra.

Athrogate ne lui prêtait même plus attention. Il s'approcha d'un autre membre du trio, qui venait de se redresser à genoux, et, du haut de sa petite taille, il lui assena deux coups de tête successifs. Le malheureux se serait écroulé si le nain ne l'avait pas fermement retenu par l'avant de son gilet. D'une violente traction, Athrogate le releva, le mit debout et le souleva du sol, puis, agrippant plus fort encore sa prise de la main droite, il lâcha la gauche et attrapa l'entrejambe de l'humain, qu'il hissa encore un peu plus, jusqu'à le tenir horizontalement au-dessus de lui.

Le troisième larron se releva en s'aidant d'une chaise, dont il s'empara sans perdre un instant, pour la fracasser sur le dos d'Athrogate, avec assez de force pour la faire voler en éclats.

Athrogate chancela d'un pas en avant, mais parvint à se retourner, ce qui lui permit de voir avancer le pirate, à présent armé d'un pied de la chaise. Il lança son fardeau impuissant sur ce dernier voyou, qui fit preuve d'une certaine agilité puisqu'il l'esquiva. Il ne broncha même pas quand son camarade s'écrasa sur une autre table remplie de chopes et d'assiettes.

Tout en rugissant, l'homme insista et gratifia le nain d'une série de coups brutaux. Ce dernier leva un bras pour bloquer ces attaques – que c'était douloureux ! – et avança lui aussi, de façon à offrir moins de possibilités de frappes. Il plongea l'épaule la première dans la taille de son adversaire, dont il agrippa le pied de chaise d'une main avant de le ceinturer de l'autre.

L'humain parvint à suffisamment se dégager pour abattre à plusieurs reprises son arme improvisée sur le crâne du nain. Celui-ci cessa d'essayer de bloquer ces frappes et souleva des deux bras le pirate en le serrant de toutes ses forces.

Les coups ne cessant de pleuvoir, les cheveux noirs du nain ne tardèrent pas à être imbibés de sang. Ces agressions se firent bientôt plus faibles, leur auteur ne bénéficiant plus de point d'appui au sol. Athrogate le comprima encore un peu plus, jusqu'à lui couper le souffle et lui tordre la colonne vertébrale.

Le nain se mit à secouer en tous sens sa victime, qui appela à l'aide en criant. Il la mordit alors au ventre, puis secoua la tête, tel un chien de garde, ce qui fit arracha au pirate un hurlement de douleur.

Athrogate ne vit pas survenir le coup suivant, il ne sut même pas qu'il avait été frappé par l'une de ses propres morgensterns. Il ne perçut qu'une brutale explosion de douleur suivie d'une soudaine sensation de faiblesse, et chancela sur le côté, avant d'entraîner avec lui sa proie mordue. Plusieurs autres individus se jetèrent sur lui et le rouèrent de coups de pied et de poing, si nombreux qu'ils masquèrent la lumière, tandis qu'autour de lui les clients de la taverne s'époumonaient.

— Tuez-le ! beuglaient certains.

— Lâchez ce pauvre gars ! criaient d'autres.

Puis il se retrouva debout, de façon aussi miraculeuse qu'inexplicable. Il lui fallut un certain temps pour remarquer, à travers ses paupières enflées, qu'un tieffelin le tenait par un bras et un nain par l'autre.

—Toi, va t'coucher! lui cria ce dernier à l'oreille. Et reviens pas ici tant qu't'es pas d'meilleure humeur!

Athrogate voulut se justifier et réclamer ses armes, mais il vit la porte approcher – ou en tout cas quelque chose qui y ressemblait. Il eut de nouveau besoin de quelques instants pour comprendre que c'était lui qui s'en approchait, et à vive allure. Il fracassa le battant et roula dans la rue.

Entêté, il se releva et, titubant, observa le groupe qui s'était rassemblé sous le porche de la taverne.

—Dis-toi bien qu'tu paieras pour la porte et les tables, et pour tout c'qui a été cassé ou gaspillé, Athrogate! lui cria le nain.

Athrogate essuya du revers de la main le sang de ses lèvres.

—Va m'chercher mes 'sterns, dit-il. (Il considéra son épaule, ensanglantée par l'une de ces mêmes armes.) J'les ai lâchées pour montrer qu'j'avais des bonnes manières.

—Allez les récupérer, dit le nain – l'un des propriétaires de l'établissement – au groupe massé derrière lui.

Deux clients disparurent dans la taverne, dont ils ne ressortirent que pour révéler que les morgensterns et leur harnais étaient introuvables.

Totalement abattu, hébété, défait et brisé, Athrogate se mit à errer dans les rues de Luskan. Ce n'était évidemment pas sa première bagarre, pas même la première de la semaine, ni la première fois qu'il finissait à plat ventre dans la rue. S'il s'était toujours consolé à l'idée qu'il avait donné davantage de coups qu'il n'en avait reçu, il se sentait cette fois au plus bas, privé des morgensterns de verre d'acier qui l'avaient si bien servi au cours de tant de décennies. Sans compter qu'il était plus sérieusement blessé qu'à l'ordinaire.

Il envisagea de se reposer sur son lit, mais il n'était même plus certain de l'endroit où il se trouvait. Il regarda autour de lui, désorienté, le cerveau déconnecté de sa vision et de ses pas. Il tituba ainsi encore un moment, avant de finir par échouer dans une ruelle, où il s'affaissa contre un mur et se laissa glisser sur le sol.

— Ces beautés vont nous rapporter un joli paquet! dit un pirate crasseux à un autre, les deux hommes seuls sur la cale à laquelle était amarré leur navire. (Le harnais et une morgenstern d'Athrogate dans une main, il portait la seconde arme dans l'autre.) Quelle chance que le nain se soit montré noble au point de les abandonner, pas vrai?

— Sûr! convint son acolyte. Je pense qu'on pourra se payer notre propre vaisseau. J'aimerais bien être capitaine!

— Quoi? Toi, capitaine? C'est moi qui ai récupéré ces trucs!

— Et c'est moi qui ai fichu une bonne raclée à ce nain, rétorqua l'autre. Bah, vendons d'abord ces armes. On pourra peut-être s'acheter deux bateaux avec tout cet argent!

Le premier pirate acquiesça en riant, enthousiasmé par cette idée.

— Quelle chance, tout de même! répéta-t-il.

— Tu crois vraiment? intervint une troisième voix, depuis le haut de l'échelle.

Les deux hommes levèrent la tête et blêmirent, soudain aussi pâles que cet étranger était sombre.

— On… on les a trouvées…, bégaya le deuxième voyou.

— Bien sûr, et voici votre récompense, dit le drow, en lançant une pièce de cuivre entre ces deux individus.

— *Aide-nous!*

— Hein? s'exclama Athrogate, pas certain de ce qu'il avait entendu, ni même d'avoir réellement entendu quoi que ce soit.

Il ouvrit un œil tuméfié, à peine une fente, qui s'élargit cependant quand il vit le nain qui se tenait devant lui – et plus encore quand il se rendit compte qu'il n'avait pas affaire au propriétaire de la taverne qu'il avait saccagée, mais à l'un des nains fantômes qu'il avait rencontrés dix ans auparavant, dans un endroit qu'il rêvait d'oublier.

—Ah! Qu'est-ce que tu veux? s'écria-t-il, plantant les talons dans la terre et s'appuyant si fort contre le mur que son dos commença à s'élever contre la maçonnerie.

Au cours de ses quatre siècles et quelques de vie, personne n'avait jamais accusé Athrogate d'avoir peur. Il avait affronté des drows et des dragons, des géants et des hordes de gobelins. Il s'était battu aux côtés de Drizzt et de Bruenor, face à la dracoliche de l'Envol de l'Esprit, et il avait combattu Drizzt avant cela. Faerûn n'avait jamais connu de meilleur exemple de guerrier sans peur que l'endurci et enragé Athrogate.

Là, pourtant, il avait peur. Le visage blafard, il ne parvenait à balbutier qu'à travers des dents qui claquaient, d'une voix étranglée par le nœud qui s'était formé dans sa gorge, si prononcé qu'il aurait aussi bien pu s'agir de l'une de ses morgensterns.

—Qu'est-ce que tu veux d'moi? demanda-t-il, le front ruisselant de sueur. J'l'ai pas fait exprès, j'te jure! J'l'ai pas fait exprès... J'ai jamais eu l'intention d'détruire Gontel... Oh! Par les fesses furieuses de Moradin!

—*Aide-nous...* entendit-il, dans ses pensées.

—*La bête s'éveille...*

—*Sang Delzoun...*

Ils se massèrent autour de lui, un essaim de nains fantômes qui tendaient les mains vers lui et le suppliaient, à tel point qu'il essaya de se fondre dans le mur, tant il était terrifié. Loin de se calmer, les voix se firent plus fortes et plus insistantes dans sa tête, jusqu'au moment où il leva les bras, poussa un hurlement et sortit en titubant de la ruelle. Il se mit à courir pour échapper aux fantômes de Gontelgrime, pour fuir les terribles souvenirs de l'immense Forge et de ce qu'il avait commis.

Il erra d'une démarche hésitante à travers la cité, suivi par d'innombrables regards de badauds convaincus qu'il avait perdu la raison. *Ce qui est peut-être le cas*, se disait-il. Peut-être avait-il fini par succomber à la culpabilité accumulée au cours des dix dernières années, avec pour résultat de faire apparaître des fantômes devant ses yeux délirants et leurs voix dans sa tête.

Il finit tout de même par atteindre l'auberge où il louait une chambre.

Il s'agissait d'un établissement de qualité, le meilleur de Luskan, et sa chambre bénéficiait d'une vaste vue sur le port et d'une sortie indépendante, par le balcon du premier étage. Athrogate avala les marches de l'escalier de bois extérieur, si vite qu'il trébucha et se heurta les genoux. Quand il parvint enfin à son balcon, il s'arrêta net.

L'y attendait Jarlaxle, qui l'observait avec une expression oscillant entre amusement et déception.

Le drow portait le harnais du nain, les deux morgensterns à leur place.

— J'ai pensé que tu voudrais récupérer ça, dit-il en lui tendant l'ensemble.

Athrogate s'approcha pour reprendre le harnais, puis il s'immobilisa quand il remarqua une tache de sang sur les lanières. Il interrogea Jarlaxle du regard.

— La récompense que je leur ai offerte ne leur a pas paru convenable, expliqua le drow, avec un haussement d'épaules. J'ai dû les convaincre.

Alors que son compagnon s'emparait de son bien, l'elfe noir regarda en direction du port, où une vive agitation s'était déclenchée sur l'un des vaisseaux amarrés. S'y intéressant à son tour, Athrogate constata que ce navire était en train de sombrer, en dépit des efforts de son équipage.

Il leva les yeux vers Jarlaxle, qui porta la main à son chapeau à large bord orné d'une plume extravagante… et brusquement, Athrogate songea aux trous portables de son ami. L'attention de nouveau sur le port, il se demanda quel effet produirait un tel dispositif s'il était lâché sur un vaisseau à quai ?

— T'as pas fait ça…, marmonna-t-il.

— Ils sont convaincus, maintenant, répondit Jarlaxle.

— *Aide-nous…*, entendit Athrogate dans sa tête.

La distraction bienvenue due aux frasques de son complice s'envola instantanément.

— La bête s'éveille.

— Sauve-nous !

Haletant, le nain se mit à regarder autour de lui.

— Que se passe-t-il ? lui demanda Jarlaxle.

— Y sont là, j'te dis, répondit le nain, qui se précipita près de la balustrade et inspecta la rue, en contrebas.

Les yeux écarquillés, il se retourna brusquement et manqua de peu de percuter Jarlaxle quand il se rua vers la porte de sa chambre.

— Les fantômes d'Gontelgrime ! La bête s'réveille et y m'le reprochent !

Athrogate claqua la porte derrière lui, sans que Jarlaxle cherche à le suivre. Le drow attendit et observa.

Puis il éprouva une sensation de froid, comme une rafale de vent glacial. Perplexe, car il ne distinguait pas les fantômes – alors qu'il les avait parfaitement vus à Gontelgrime –, il plongea la main dans l'une de ses poches magiques et en sortit quelque chose qu'il n'avait pas porté souvent depuis l'époque qui avait suivi le fléau magique : son cache-œil. Non sans un soupir hésitant, il le disposa sur son visage et l'attacha. Il garda les deux yeux fermés un instant avant d'oser les rouvrir.

Il avait autrefois pour habitude de porter cet artefact en permanence. De nombreuses années auparavant, cela l'avait protégé des scrutations magiques indésirables et lui avait dévoilé des détails extra-dimensionnels qui s'étaient révélés très utiles dans des situations désespérées. Mais au cours des soixante-dix-sept années écoulées depuis que le fléau magique avait fait des ravages sur Faerûn, la vision surnaturelle procurée par ce cache-œil était devenue pour le moins déroutante.

Il se tourna vers la porte juste à temps pour voir une silhouette fantomatique aux allures de nain traverser le battant. De façon prévisible, Athrogate se remit à hurler.

Jarlaxle s'approcha de la porte et l'ouvrit, puis il jeta un coup d'œil dans la chambre, simplement pour s'assurer que ces fantômes ne faisaient pas de mal à son ami déjà au supplice.

Tel n'était pas le cas. Ils l'imploraient. Pour une raison quelconque, les fantômes de Gontelgrime étaient remontés à la surface.

Le mercenaire drow poussa un soupir, aussi hésitant que le précédent et marqué de beaucoup plus de répugnance et d'effroi. Il avait passé un temps considérable à se renseigner sur le désastre qui avait conclu son périple aux côtés de la sorcière thayenne, comme il avait dépensé de fortes sommes, déterminé à faire payer cette terrible trahison à ceux qui l'avaient trompé. Jarlaxle n'aimait pas être pris pour un idiot et, d'autre part, s'il n'était pas l'être le plus compatissant de ce monde, la catastrophe subie par Padhiver l'avait profondément meurtri.

Il avait pourtant fini par renoncer, malgré les intéressantes informations rassemblées et bien que sachant qu'Athrogate ne souhaitait rien tant que de réparer l'immense tort qu'il avait provoqué en actionnant ce levier. Jarlaxle avait abandonné parce que l'idée de retourner dans ce lieu sombre et certainement réduit en miettes était loin de l'enchanter, mais aussi parce qu'il n'avait aucune certitude d'être capable de retrouver Gontelgrime. Le cataclysme avait provoqué l'effondrement de l'unique tunnel d'accès dont il avait connaissance, et ses éclaireurs n'en avaient pas repéré d'autre.

Et voilà que les fantômes venaient à la rencontre de son ami, prétendant, d'après ce dernier, que la bête s'était réveillée, ce que confirmaient les secousses qui agitaient depuis peu le nord de la côte des Épées.

Peut-être la puissance primordiale s'en prendrait-elle cette fois à Luskan, une cité où Bregan D'aerthe, la bande de Jarlaxle, encaissait encore quelques bénéfices non négligeables.

Un troisième soupir s'échappa des lèvres du mercenaire. L'heure était venue pour lui de retourner chez les siens, extrémité qu'il avait toujours redoutée.

13

LES CHAMPIONS

Barrabus suivait avec un grand intérêt le combat qui se déroulait sous ses yeux. C'était la première fois qu'il voyait l'elfe championne des ashmadaï. En revanche, il connaissait l'adversaire qui lui était opposé, un guerrier assez efficace nommé Arklin. Cela dit, les spectateurs n'ayant pas assisté à ses précédents combats l'estimaient bien terne. Comparés aux armes de l'elfe – deux paires de bâtons tournoyants reliés par une chaîne –, ses gestes étaient si mous qu'il donnait l'impression de manier son épée sous l'eau. La guerrière le toucha d'ailleurs à plusieurs reprises aux épaules et sur les bras, chacun de ces coups se révélant douloureux mais pas fatal.

Elle jouait avec lui.

Barrabus l'observait avec attention et cherchait à prendre la mesure du rythme de ses mouvements. Il était fortement contrarié d'estimer que son propre style, avec une épée et une main-gauche, convenait parfaitement aux armes jumelles de l'elfe, qui offraient à celle-ci une allonge plus importante que la sienne. Il avait déjà affronté avec succès deux combattants à deux mains réputés, cependant épées, cimeterres et haches n'avaient pas grand-chose en commun avec ces exotiques barres métalliques virevoltantes. Les angles d'attaque d'armes plus conventionnelles étaient prévisibles, tandis qu'une lame rigide était loin d'égaler les bâtons de cette combattante quand il s'agissait d'esquiver une parade bien exécutée.

L'assassin grimaça quand l'elfe avança pour assener l'inévitable coup de grâce. Voyant Arklin se pencher en avant pour frapper maladroitement, la guerrière enroula l'arme qu'elle tenait de la main gauche autour de la lame adverse, qu'elle écarta d'un coup sec avant de se fendre en avant. Son autre paire de bâtons, qui tournoyait derrière sa tête, commençait à s'abattre quand, pour la plus grande surprise de Barrabus – et pour le malheur d'Arklin –, l'elfe réunit on ne sait comment les deux parties de son arme en un seul tenant, sans même ralentir son geste. Quand ce nouveau gourdin se retrouva à hauteur de la tête d'Arklin, la championne des ashmadaï, la main calée contre l'épaule, poussa son arme en avant de tout son poids. L'extrémité du bâton heurta Arklin juste sous le menton. L'elfe ne relâcha pas pour autant sa pression, jusqu'à faire chuter le malheureux Nétherisse. Elle se lança ensuite sur son adversaire, déjà à bout de souffle, et, tirant de nouveau de la main gauche, elle lui arracha son épée et la projeta au loin.

Puis elle se lança dans une roulade avant. Une fois de plus, Barrabus ne put qu'admirer la manœuvre en opinant du chef quand elle se releva pour aussitôt pivoter et se jeter sur le Nétherisse à terre. Elle n'était plus munie de ses deux armes, la paire de barres métalliques et le gourdin, mais d'un unique bâton de plus de deux mètres de long.

Les mains sur la gorge et essayant en vain de se dégager, Arklin était une cible facile. L'elfe planta le bas de sa perche juste à la jonction du cou et de l'épaule du pauvre homme, puis elle sauta en l'air en s'aidant de cet appui, pesant de tout son poids sur le Shadovar qui s'agitait et hurlait.

Un éclair brouilla la vision de Barrabus quand le pieu s'abattit sur la silhouette prostrée d'Arklin. Après avoir reposé pied à terre en douceur de l'autre côté du guerrier vaincu, l'elfe s'en alla sans davantage prêter attention à cette masse inerte.

Ayant eu le loisir d'observer cette combattante, Barrabus disposait d'un avantage. C'est en tout cas ce qu'il se dit quand il s'élança en direction de la forêt pour l'intercepter.

Déployée sur toute sa longueur, l'*Aiguille de Kozah* rendait la marche en forêt plus difficile, aussi Dahlia la replia-t-elle en bâton de marche plus épais. Elle devait rester agile.

Car il se trouvait dans les environs.

Les cadavres de guerriers ashmadaï le prouvaient. Les ennemis nétherisses disposaient certes de nombreux combattants de valeur, néanmoins les récentes tueries, si précises, étaient révélatrices de l'intervention du mystérieux personnage sorti des ombres pour faire pleuvoir la mort sur les ashmadaï. Ces féroces guerriers fanatiques d'Asmodée, qui criaient haut et fort leur espoir de mourir – voire de devenir des soldats morts-vivants – pour la cause, n'évoquaient cet assassin nétherisse qu'avec des tremblements manifestes.

Tout cela avait bien entendu incité Dahlia à se rendre dans les bois, dans l'espoir de rencontrer cette ombre en personne.

Se fiant uniquement à son instinct, elle n'essayait pas de discerner les moindres mouvements, sons ou odeurs suspects, mais se laissait guider par l'environnement.

Il était tout près, peut-être en train de la suivre.

Même avant de devenir autre chose qu'un bête être humain, Barrabus avait toujours su se glisser d'ombre en cachette, à l'image des meilleurs voyous de Faerûn. Il n'avait pas besoin de bottes elfiques pour empêcher des oreilles d'humain maladroit de l'entendre. Grâce à celles qu'il portait, aucune créature au monde n'aurait pu percevoir son approche.

Il s'était élancé à vive allure dès qu'il avait aperçu la championne thayenne, cette saisissante elfe équipée d'une arme si originale. Il ne ralentit que lorsqu'il s'en approcha, après ne l'avoir perdue de vue qu'une ou deux fois lors de sa course. Il devait se montrer prudent et laisser des obstacles – au moins des arbres – entre cette femme et lui.

Il ne voulait pas vraiment l'affronter dans l'immédiat, pas alors que les enjeux étaient si élevés, et il était convaincu que tel ne serait pas le cas. Dos à deux bouleaux jumeaux, Barrabus ne la voyait pas pour le moment, mais elle était là, il le savait, sur l'étroit sentier qui serpentait sous les chênes.

Sa dague empoisonnée en main, Barrabus le Gris n'hésita pas. Il contourna les arbres, bondit sur la piste… et s'arrêta net.

Elle avait disparu !

Inquiet, il scruta les environs. Il repéra du coin de l'œil – presque sans s'en rendre compte – un point sur le sol meuble, qui lui révéla la vérité juste à temps. Il plongea sur le côté à la seconde où la guerrière sautait de l'arbre ; la légère dépression dans la terre trahissait l'endroit où elle avait planté sa perche pour se propulser jusqu'à des branches en principe hors de sa portée.

L'elfe se réceptionna au sol et Barrabus poursuivit sa roulade, non sans entendre un sifflement dans l'air, derrière lui, quand elle abattit son bâton mortel dans sa direction.

Il se releva en pivotant et lança sa dague – un jet peu précis, qui n'avait aucune véritable chance de percer les défenses d'une guerrière aussi talentueuse, mais qui fut suffisant pour ralentir sa progression, ce qui laissa juste assez de temps à Barrabus pour dégainer son épée et sa main-gauche.

Elle brandissait son triple bâton horizontalement devant elle, remuant les mains de façon à en faire tourner les parties latérales à la verticale.

Barrabus ne put s'empêcher d'éprouver une certaine attirance pour cette elfe, si séduisante avec son chemisier et sa jupe, son visage aux traits délicats paré d'un sourire espiègle, ainsi que l'épaisse tresse de cheveux noirs et rouges, qui partait du côté droit de son crâne et lui descendait devant l'épaule, comme pour guider l'œil jusqu'au décolleté en V de son chemisier à demi dénoué. Malgré sa discipline de guerrier d'élite, Barrabus fut contraint de lutter contre cette distraction, de se rappeler que la coupe même des vêtements de cette elfe était définie de façon stratégique.

Elle décrivit lentement un cercle sur sa droite, ce à quoi Barrabus réagit en se déplaçant de la même façon, afin de la garder en face de lui.

—Je savais que tu étais là, dit-elle.

—C'est moi qui ai deviné que tu étais ici, répondit-il.

—Il était évidemment inévitable d'en arriver là…

Il ne répondit pas – il l'entendait à peine. Il se savait désavantagé, au vu de la nature peu ordinaire des armes de l'elfe.

Dahlia se chargea de conclure la conversation :

—Chez les miens, la rumeur prétend que « le Gris » est un redoutable guerrier.

Il ne répondit pas, tandis qu'elle continuait de se déplacer en cercle. Il avait fait abstraction de ses distractions – de toutes ses distractions.

Dahlia se fendit en avant, tendit la main droite, puis la gauche, et enfin dressa son bâton à la verticale devant elle, les barres latérales tournoyant furieusement. Elle lâcha ensuite la main gauche et fit basculer son arme autour de son autre main, avant de la récupérer en inversant sa prise. Dans un même mouvement, elle ramena son bras droit vers elle et poussa l'autre main, ce qui propulsa la partie gauche de l'*Aiguille de Kozah* sur son adversaire.

Celui-ci bloqua cette offensive grâce à sa main-gauche, avec laquelle il tenta de crocheter le bâton, mais Dahlia eut la lucidité de reconnaître l'échec de son offensive et retira aussitôt son arme. Le bras droit tendu en arrière, elle lâcha le bâton en le lançant derrière elle, pour le rattraper dans la foulée à deux mains par une de ses extrémités. Ce faisant, elle pivota légèrement, afin d'être en mesure de le relancer en une fraction de seconde en direction de l'humain, à la manière d'un coup de fouet. Un simple ordre mental brisa à son tour la portion centrale de l'*Aiguille de Kozah*, qui fut ensuite de nouveau projetée vers l'avant, sous la forme de quatre barres reliées entre elles par des chaînes.

L'arme se déroula devant l'elfe, ni vraiment un bâton, ni vraiment un fouet, son extrémité parfaitement lancée vers la tête du Gris.

L'humain recula aussitôt, évitant de peu cette surprenante attaque. La barre la plus éloignée de Dahlia percuta un arbre, libérant au passage un éclair qui en arracha un gros morceau d'écorce.

Barrabus n'en crut pas ses yeux, stupéfait de la puissance générée par le coup de fouet de cette étrange arme, sans parler de la décharge magique provoquée par l'éclair.

Il n'avait pas tenté de contrer les premiers assauts de l'elfe, préférant la laisser s'exprimer, dans l'espoir d'en apprendre davantage sur les angles et la vitesse des attaques de la guerrière, mais soudain, alors qu'il se jetait en arrière, en une tentative désespérée – et qui ne réussit que de justesse – d'esquiver ces coups, il prit conscience de sa folie.

Elle était trop vive et trop précise ; il comprit qu'il ne se rendrait compte du geste fatal qu'une fraction de seconde avant d'avoir le crâne fracassé. Cette observation n'avait pas sa place.

Il se retrouva le dos contre un arbre plus modeste, sur lequel il rebondit avec furie pour se jeter en avant, tandis que l'elfe empoignait son bâton par les barres centrales. Il pensa alors qu'elle allait les assembler, afin d'opposer à son épée et sa dague cette arme en trois parties qu'elle maniait avec tant d'adresse.

Il lui fallut une fraction de seconde pour se rendre compte qu'elle procédait de façon exactement inverse, en scindant le fouet en deux paires de bâtons reliés entre eux.

L'angle de l'assaut imaginé par Barrabus, droit devant lui et à l'intérieur de la portée du triple bâton, devenait soudain très peu judicieux !

Il plongea à terre tête baissée quand les armes adverses s'abattirent sur lui des deux côtés, puis il se releva le pied droit avancé, afin d'allonger la portée du coup d'épée qu'il porta aussitôt.

L'elfe esquiva de justesse cet assaut, en abattant à la dernière seconde l'une de ses armes sur le côté de la lame, tout en reculant sur la gauche de Barrabus.

Il insista. Une deuxième botte, puis une troisième. De sa main-gauche, il bloqua un coup circulaire, après quoi l'épée et une paire de bâtons échangèrent quelques parades.

Barrabus s'anima soudain d'une rage soudaine, faisant décrire à ses lames des cercles au-dessus et devant lui, alors qu'il se ruait vers l'avant. Au lieu de garder un pied en retrait, comme il était logique de le faire lorsque l'on se battait avec les armes qui étaient les siennes, il avança tour à tour les deux pieds, restant ainsi face à l'elfe, comme pour la défier de trouver une ouverture et de frapper à travers le brouillard de métal tournoyant qui le protégeait.

Elle ne s'en priva pas, si bien qu'il fut mille fois contraint de modifier la vitesse de rotation de sa lame pour bloquer une infinité d'attaques tournoyantes tout aussi vives. Pis, sur l'une de ces parades, l'arme de l'elfe produisit une décharge électrique si violente qu'il en eut presque l'épée arrachée de la main.

Mais il tint bon et se servit de ce coup malheureux pour simuler une faiblesse, en interrompant de façon provocante ses mouvements de lame circulaires.

L'elfe s'élança en avant, à l'instant précis où Barrabus inversa son geste et frappa droit devant lui.

Il l'obligea à s'écarter de façon malaisée et insista, frappant avec furie au point de la faire reculer. Il misait sur la possibilité qu'une de ses lames finisse par rencontrer la chair de la combattante avant que son élan ne s'essouffle et que l'épuisement dû à cette hyperactivité ne redonne l'avantage à l'elfe.

À l'instant où il crut la toucher, elle se jeta en arrière et enchaîna avec une roulade parfaite, pour se réfugier aussitôt derrière le tronc d'un chêne massif.

Barrabus simula un geste de l'autre côté, comme pour l'intercepter, mais en réalité, il la suivit directement. Le sourire aux lèvres, il se dit que la Thayenne s'était enfin trompée.

Il ne put la rattraper en contournant l'arbre !

Si elle avait hésité, Dahlia aurait à coup sûr senti l'épée du Gris dans son dos. Un guerrier de moindre valeur aurait donc été tué.

Mais Dahlia fonça droit devant elle, au lieu d'essayer de se retourner pour bloquer cet assaut. Elle assembla son bâton en deux pas rapides et le planta au sol. Elle s'éleva ainsi sur la hauteur de sa perche, puis se retourna et s'accrocha par les jambes à une branche, avant de tirer l'*Aiguille de Kozah* derrière elle, juste avant l'arrivée de son ennemi.

Elle se leva et s'élança parmi les branches, bondissant et courant avec un équilibre parfait, allant même jusqu'à sauter sur un autre arbre. Elle tenta d'apercevoir le Gris, mais il n'était plus là – il avait tout simplement disparu.

Elle se précipita vers le bout d'une branche et sauta dans un buisson, tout en rendant à son arme sa forme de triple bâton, dont elle fit tournoyer les parties latérales avant même de toucher le sol, au cas où il lui aurait tendu un guet-apens.

Dahlia se maudit intérieurement d'avoir provoqué cette pause dans le combat. Elle se retrouvait dans les conditions voulues par son adversaire, qui savait qu'elle était prête à le recevoir. Elle n'avait pas la moindre idée de la direction dans laquelle il s'était enfui.

Elle se savait dans une situation délicate – elle avait entendu dire que cet assassin avait surpris et tué quantité d'ashmadaï qui ne l'avaient jamais vu venir. Elle devait rester en mouvement et continuer de fouiller toute cachette potentielle qui se présentait.

Si seulement elle avait pu le localiser… Si seulement elle avait pu de nouveau se retrouver face à lui !

Elle capta des bruissements un peu plus loin, sur le côté. Bien consciente qu'il n'y avait que très peu de chances qu'il s'agisse du Gris, elle se dirigea néanmoins dans cette direction. Elle eut du mal à dissimuler son soulagement quand elle tomba nez à nez avec une patrouille d'ashmadaï.

— Dahlia ! s'écrièrent deux des neuf éléments du groupe, qui se montrèrent tous aussitôt très attentifs.

— Le Gris rôde dans les parages, leur apprit-elle. Soyez sur vos gardes.

— Reste avec nous ! s'exclama une tieffeline, d'une voix qui trahissait son désir d'éviter le Gris.

Dahlia scruta la forêt silencieuse et hocha la tête.

Abrité dans les branches d'un pin, Barrabus le Gris suivit cet échange.

Le fait que leur rencontre fut terminée le soulageait au moins autant que Dahlia.

Je vais devoir l'attaquer par surprise, pensa-t-il.

Ou ne plus m'en approcher.

14

LE MOMENT DE PASSER À L'ACTION

Jarlaxle était immanquablement étonné quand il retournait à Menzoberranzan après des années passées à l'air libre. En effet, si le monde de la surface avait changé de façon spectaculaire au cours des sept dernières décennies, la Cité de la Reine Araignée semblait figée dans le temps – bloquée à une époque meilleure, de son point de vue. Le fléau magique y avait provoqué un certain tumulte, comme auparavant la Guerre de la Reine Araignée et le Temps des Troubles, cependant, quand les éclairs et les boules de feu s'étaient calmés, quand les hurlements des magiciens et des prêtres rendus fous par la déchirure de la Toile et par la Chute des dieux s'étaient tus, les choses avaient repris leur cours normal à Menzoberranzan.

La Maison Baenre, l'endroit où étaient nés Jarlaxle et sa famille de sang, régnait toujours en tant que Première Maison. C'était précisément en ce lieu que s'était aventuré le mercenaire drow, afin d'y rencontrer l'Archimage de Menzoberranzan, son frère aîné Gromph.

Alors qu'il levait la main pour frapper à la porte des appartements de ce dernier, Jarlaxle l'entendit s'adresser à lui, tandis que le battant s'ouvrait par magie :

— Je t'attendais.

— Tes éclaireurs sont efficaces, dit Jarlaxle, en entrant dans la pièce.

Gromph était assis un peu plus loin, sur le côté, et examinait grâce à une loupe magique un parchemin déployé sur l'un de ses bureaux.

—Les éclaireurs n'y sont pour rien, répondit l'archimage, sans lever les yeux. Nous avons ressenti les tremblements survenus à l'ouest. Il est évident que tu redoutes que ta profitable cité de Luskan soit cette fois la cible de la puissance primordiale qui s'éveille.

—Les rumeurs évoquent un champ de cendre, autour de la dernière coulée dévastatrice.

—Un tel champ serait une conséquence évidente de l'éruption, dit Gromph, non sans impatience, en regardant son cadet.

—Il ne doit rien à l'éruption, précisa le mercenaire. Il s'agit de cendres magiques.

—Ah oui, ce doit être l'Anneau de Terreur de cette Sylora Salm, dit l'archimage, qui secoua la tête et lâcha un petit rire mauvais. Une vraie saleté.

—Même selon les standards drows.

Cette remarque surprit Gromph, qui inclina la tête et ne parvint à en sourire qu'après un long moment. Et Jarlaxle d'ajouter :

—Une façon efficace de lever une armée, cela dit.

Gromph secoua de nouveau la tête et se tourna vers son travail en cours, la transcription d'un sort récemment appris dans un grimoire ouvert devant lui.

—Le réveil de la bête pourrait coûter cher à Bregan D'aerthe, reconnut le mercenaire. C'est pourquoi je serais prêt à payer une forte somme pour m'assurer que la puissance primordiale reste dans son trou.

Gromph leva les yeux, et Jarlaxle crut être transpercé par le regard de son frère aîné – une sensation que Jarlaxle Baenre n'avait pas souvent connue au cours de sa longue vie.

—Tu es en colère, dit l'archimage. Tu veux te venger de la Thayenne, qui a fait de toi l'un de ses larbins. Tu parles de profits, Jarlaxle, mais tes désirs sont au service de ton orgueil.

— Tu es meilleur mage que philosophe, mon frère.

— Je t'ai déjà dit il y a des années comment piéger la puissance primordiale.

— Les coupes, je sais, répondit Jarlaxle. Et le levier. Mais je ne suis pas magicien.

— Pas plus que tu n'es un nain Delzoun, gloussa Gromph. Pourtant, rares sont les habitants de ce monde aussi compétents que toi avec les instruments magiques. Ces coupes ne devraient pas constituer un défi bien important pour quelqu'un d'aussi doué que toi.

Jarlaxle lança un regard empreint de doute à son aîné, qui mit un certain temps à comprendre.

— Ah! finit par reprendre l'archimage. Tu n'as pas envie de retourner toi-même à Gontelgrime. (Jarlaxle esquissa un haussement d'épaules, sans rien dire.) Bregan D'aerthe ne peut donc pas sacrifier quelques soldats pour cette mission? (Le mercenaire continua de regarder son frère.) Je vois. Tu ne veux pas risquer tes éléments dans cette entreprise. Comme je le disais, c'est une question de fierté, et non de dépense.

Jarlaxle ne put que sourire. S'il existait un drow qu'il estimait imprudent d'essayer de duper, c'était sans doute Gromph.

— Peut-être un peu des deux, reconnut-il.

— Bien. Maintenant que nous avons réglé cette absurdité, qu'attends-tu de moi? Tu n'imagines sûrement pas que je vais me rendre dans cette cité de Gontelgrime, pour y affronter à ta place une puissance primordiale. (Il ponctua sa remarque d'un petit sourire suffisant.) Tu crois peut-être que j'ai survécu durant tant de siècles en me montrant assez stupide pour me laisser tenter par le premier tas d'or venu, en échange de la promesse de me battre contre ce genre de créature?

— Tu as précisé qu'il n'était pas nécessaire d'affronter cette entité de face.

— Il faudrait pour cela qu'une puissance primordiale aquatique s'en charge à ta place, ou un dieu, si tu en trouves un de disponible.

Jarlaxle s'inclina, donnant raison à son frère.

— Je ne désire que faire rentrer la puissance primordiale dans son trou… la rendormir, si tu préfères, pour que les choses redeviennent comme elles l'étaient avant que cette sorcière thayenne et son comparse vampire ne forcent Athrogate à la libérer.

— « Comme avant » ? J'espère que tu es conscient que la magie était déjà sur le déclin avant que ton petit compagnon odorant n'actionne ce levier, libérant les élémentaires de l'Eau, et par conséquent la puissance primordiale. La chute de la Tour des Arcanes ne peut être réparée par aucune magie connue à ce jour.

— Je comprends, répondit Jarlaxle. Néanmoins, j'apprécierais que la bête retrouve sa prison, même moins sûre, si cela pouvait retarder sa venue, le temps pour moi de piller ce qui peut encore l'être à Luskan.

— Vraiment ? Ou bien le temps de t'en prendre à la sorcière thayenne en la privant de son Anneau de Terreur ?

— Disons que ce serait un bénéfice supplémentaire.

Gromph éclata de rire – rien à voir avec un gloussement narquois, un véritable éclat de rire, chose que l'on n'entendait que très rarement à Menzoberranzan.

— Je t'ai dit de quelle façon procéder, dit l'archimage. Dix coupes, pas moins, et leurs esclaves de nouveau réunis, qu'il faut ensuite coincer en actionnant le levier.

— Je ne sais pas où les placer, avoua Jarlaxle.

— Mais tu les as ?

— Oui.

— Je ne viens pas avec toi, et je n'ai pas de soldats à te donner pour t'accompagner dans ton périple. Ils me sont plus précieux que la chair à canon de ton armée de mercenaires ne l'est à tes yeux. Par Lolth, demande à la maudite créature psionique que tu fréquentes de régler ça. Il traverse la roche aussi facilement que tu fends l'eau.

— Kimmuriel n'est pas disponible, expliqua Jarlaxle.

Gromph regarda son cadet d'un air curieux, puis un large sourire naquit sur son visage.

—Tu ne leur as encore rien dit, n'est-ce pas? demanda-t-il. À aucun d'eux?

—Bregan D'aerthe ne vient plus que rarement à Luskan, répondit Jarlaxle. Avec l'arrivée du fléau magique, beaucoup d'autres…

—À aucun d'eux! rugit Gromph, visiblement fier de lui, avant de ricaner de plus belle.

Jarlaxle n'eut d'autre choix que de soupirer et de le supporter; le vieux mage pétri de sagesse avait bien entendu deviné la vérité. Jarlaxle n'avait pas révélé quoi que ce soit à Kimmuriel, ni à aucun de ses lieutenants de Bregan D'aerthe, à propos de ce qui s'était produit à Gontelgrime. Il n'en avait parlé à personne d'autre qu'à Gromph lui-même.

—Ah! Ton orgueil, Jarlaxle, dit l'archimage, qui rit encore quelques instants, avant de reprendre brutalement son sérieux. Mais je maintiens ce que j'ai dit: je ne me rendrai pas à Gontelgrime et je ne te prêterai aucun soldat.

Jarlaxle ne répondit pas, sans pour autant donner l'impression de vouloir s'en aller, alors que Gromph, les yeux baissés sur la loupe et sur le parchemin, reprenait son travail. Ce n'est qu'au bout d'un temps interminable qu'il releva la tête.

—Qu'y a-t-il? s'enquit Gromph.

Jarlaxle sortit d'une bourse la gemme en forme de crâne.

—Tu as fait revenir cet idiot ici? poursuivit Gromph, agacé, quand il reconnut le phylactère d'Arklem Greeth.

Il avait interrogé en détail cette liche folle pendant de nombreux mois, quand Jarlaxle était pour la première fois revenu le voir, afin de rassembler des informations à propos de la puissance primordiale libérée et de la magie déclinante de la Tour des Arcanes.

—La puissance primordiale se réveille, dit Jarlaxle, qui semblait avoir repris le contrôle de lui-même, après les observations mordantes de son aîné. Je veux à tout prix éviter ça. Interroge une nouvelle fois Greeth, je t'en supplie – et oui, je te paierai. Je veux connaître le meilleur moyen pour retrouver Gontelgrime et comment procéder une fois sur place.

—Je t'ai dit comment procéder.

—J'ai besoin de détails, Gromph, insista le mercenaire. Où dois-je placer les coupes, par exemple ?

—Si cet endroit n'était pas condamné à jamais par du magma, suite à la première colère de la puissance primordiale, tu veux dire ? répondit Gromph. Je ne sais pas où les disposer, quoi qu'il en soit, et Greeth non plus. Tu ne peux qu'espérer que la cité de Gontelgrime t'indique elle-même le chemin, si tu dois un jour retrouver cet endroit.

Jarlaxle haussa les épaules.

—Quand tu en auras terminé avec lui, je voudrais que tu expulses Arklem Greeth de son phylactère et que tu l'emprisonnes dans un… endroit isolé, afin que je puisse de nouveau contrôler la gemme.

—Non.

—Non ?

—La magie de la gemme est la seule à pouvoir contenir la liche.

—Il existe certainement d'autres phylactères.

—Aucun qui soit capable de retenir Greeth sans être convenablement enchanté, ce que je serais incapable de faire. Si un jour tu m'apportes un tel contenant, Jarlaxle, et si je suis convaincu qu'Arklem Greeth peut y être enfermé, alors j'y placerai son esprit. D'ici là, il reste dans ce joyau en forme de crâne. Il ne m'a guère apprécié, loin de là, au cours de ces longs mois d'interrogatoires, et je n'ai aucune intention de laisser une puissante liche se lancer à ma recherche. J'ai eu l'occasion de jouer à ce genre de jeu, et ce ne fut pas une expérience des plus plaisantes.

—Ma lutte contre la puissance primordiale sera plus difficile sans la gemme, expliqua Jarlaxle. Cet endroit est infesté de morts-vivants, les fantômes de Gontelgrime.

—Alors on peut dire que tu as un problème, convint Gromph.

Jarlaxle dévisagea quelques secondes l'indomptable magicien, puis il lui lança la gemme, pour qu'il procède à un nouvel interrogatoire.

— Une semaine, dit Gromph. Et apporte ton or.

Jarlaxle se garda bien de réclamer un délai plus court. Il s'inclina et prit congé.

Le sourire aux lèvres, Gromph suivit du regard le départ du mercenaire, après quoi il plaça le crâne au bord de son bureau et se remit à écrire.

Seulement un temps, toutefois. Il sentait quelque chose de curieux émaner de cette gemme. Après l'avoir observée un moment, il sortit de son armoire le grimoire contenant l'incantation adéquate.

Cette même nuit, Gromph fit revenir Jarlaxle.

— Tu as récemment rencontré un esprit de Gontelgrime, dit l'archimage au mercenaire, que cette question surprit.

— À Luskan, confirma Jarlaxle. Plusieurs d'entre eux étaient à la recherche de mon associé, le nain Athrogate. Ils lui ont demandé son aide pour sauver ce qui reste de leur cité natale.

Gromph Baenre brandit bien haut la gemme.

— Ton phylactère en a capturé un. (Jarlaxle écarquilla les yeux.) Ou peut-être est-ce Greeth qui a attrapé un fantôme pour tromper sa solitude.

— Greeth est donc libre ? s'inquiéta Jarlaxle.

Le sourire de son frère chassa cette alarmante hypothèse avant même que ce dernier ne lui réponde.

— Il est toujours enfermé dans ce crâne, mais il s'y trouve maintenant en compagnie du nain. La chance te sourit… comme toujours.

— « *Aidez-nous ! Aidez-nous !* » récita Gromph, dans un très vieux dialecte nain. « *Faites asseoir un roi sur le trône de Gontelgrime et maîtrisez la bête, nous vous en supplions !* »

— Qu'est-ce que ça veut dire ?

L'archimage eut un geste d'impuissance.

— Je ne peux que te répéter ce que ce nain fantôme m'a dit. Je lui ai posé une foule de questions, qui ont toutes provoqué différentes variantes de cette réponse.

— Ce nain peut-il me guider jusqu'à Gontelgrime ? s'enquit Jarlaxle.

— Au moment même où nous parlons, cet esprit est consumé par Arklem Greeth, expliqua Gromph. Il s'en nourrit, comme toi ou moi nous dévorerions un steak de rothé. Il ne le lâchera plus, et je n'ai pas pour projet d'entrer dans cette chose et de l'affronter pour sauver un nain.

» Tu possèdes les coupes magiques, ainsi que les fioles d'eau pure, et tu t'es déjà rendu à Gontelgrime.

— Penses-tu que ça puisse marcher ? Reste-t-il assez de magie résiduelle de la Tour des Arcanes ?

Gromph haussa les épaules, plutôt amusé de ne pas connaître la réponse à cette question.

— Jusqu'à quel point mon frère se sent-il chanceux ?

Dahlia courait dans le champ et entre les arbres qui bordaient la portion la plus active de l'Anneau de Terreur grandissant. Elle prenait soin d'éviter la cendre noire nécromantique, car, même si sa broche la protégeait des pouvoirs absorbeurs de vie de cette substance, elle avait toujours la sensation que sa simple présence au sein d'un Anneau de Terreur donnait quelque emprise sur elle à Szass Tam et à ses principaux agents, parmi lesquels Sylora, qu'elle haïssait tant.

Ou peut-être simplement des renseignements à son sujet. Quoi qu'il en soit, cela ne lui plaisait guère.

Elle retrouva Sylora à la limite de l'anneau. Les pouvoirs aspirants de ce dernier effleuraient la roche volcanique. Suivant le regard de la magicienne, elle remarqua une main grise translucide qui dépassait du sol, se serrant et se desserrant alternativement, comme si l'Anneau de Terreur faisait profondément souffrir ce fantôme.

— Ce n'est pas un zombie, fit remarquer Dahlia. Cela veut-il dire que l'Anneau de Terreur se renforce ? Est-il capable de faire venir des nécrophages, des âmes-en-peine, des spectres et des fantômes ?

—Celui-ci était déjà un fantôme avant d'arriver par ici, expliqua Sylora. L'Anneau de Terreur l'a attrapé et retenu. Il y en a d'autres : des fantômes qui se déplacent en groupes, chargés d'une mission. (Elle se tourna vers Dahlia et la regarda droit dans les yeux.) Des nains fantômes.

—De Gontelgrime, déduisit l'elfe.

—Oui. Apparemment, certains habitants de ce complexe ont survécu au réveil de la puissance primordiale. Ferme les yeux et ouvre ton esprit, et tu les entendras.

Dahlia obtempéra et perçut presque instantanément les mots « *Aidez-nous !* » dans son esprit.

—Ils veulent être libérés de l'anneau, imagina-t-elle, ce à quoi Sylora réagit en secouant la tête.

Dahlia se concentra de nouveau sur la mélopée télépathique des esprits nains. *Aidez-nous*, entendit-elle encore. *La bête se réveille. Aidez-nous !*

La guerrière ouvrit grand les yeux et resta bouche bée.

—Ils ont quitté Gontelgrime pour nous avertir du réveil de la puissance primordiale ? finit-elle par s'étonner.

—On dirait bien, répondit Sylora. Et s'ils sont venus jusqu'ici, il est probable qu'ils se soient également rendus en d'autres endroits. Je me demande qui répondra à leur appel…

—Personne, dit aussitôt Dahlia. Et qui pourrait trouver Gontelgrime, s'il prenait la peine d'essayer ?

—Je connais une personne qui en serait capable, peut-être deux.

L'elfe réfléchit quelques instants avant d'acquiescer.

—Certains fantômes pourraient avoir atteint la cité souterraine de Luskan, dit-elle. Les racines de la Tour des Arcanes conduisent là-bas.

—Que faut-il donc que nous fassions ?

Pour Dahlia, le ton déterminé sur lequel Sylora avait posé cette question ne laissait aucun doute quant à ses intentions.

—Quand la puissance primordiale s'éveillera de nouveau, la dévastation qu'elle engendrera consolidera notre œuvre, poursuivit-elle. Cela provoquera un carnage suffisamment conséquent pour achever l'Anneau de Terreur, ce qui assurera notre victoire face aux Nétherisses. Je ne laisserai pas passer, ni même seulement retarder, cette occasion.

— Tu veux que je me rende à Luskan pour y défier Jarlaxle et Athrogate ?

— As-tu vraiment besoin de me le demander ?

— Ne sous-estime pas ces deux-là, avertit Dahlia. Ils sont déjà redoutables en duo, et Jarlaxle a des amis puissants.

— Prends une dizaine d'ashmadaï – ou même une vingtaine si tu l'estimes nécessaire – et Dor'crae, répondit Sylora.

— La liche nous serait utile.

— Valindra reste avec moi. Elle a presque complètement repris ses esprits, mais ses pouvoirs ne lui sont pas encore tout à fait revenus. On ne peut pas prendre le risque de la perdre.

Ces derniers mots frappèrent Dahlia aussi sûrement qu'un éclair.

— Contrairement à moi ?

Sylora rit au nez de l'elfe, puis elle s'intéressa au nain fantôme emprisonné dans la lave solidifiée. Son visage, qui en était sorti, affichait une grimace de désespoir, ce qu'apprécia la Thayenne.

— Et à Dor'crae ? insista Dahlia, uniquement parce qu'elle avait aperçu le vampire non loin de là et savait qu'il avait capté leurs dernières paroles.

— Dor'crae est suffisamment agile pour s'échapper si c'est nécessaire, répondit Sylora du tac au tac.

Elle semblait toujours avoir une longueur d'avance sur Dahlia, qui était par ailleurs tout à fait consciente de devoir cette situation à son incapacité à se remettre de l'échec subi à Gontelgrime. Elle évoluait de façon plus hésitante depuis son retour de la cité enfouie. Alors qu'elle avait autrefois été si agressive, elle n'était désormais plus que… réactive. Or des êtres comme Sylora s'attaquaient continuellement à ce genre d'indécision.

— Trouve-les et arrange-toi pour savoir s'ils retournent à Gontelgrime, ordonna Sylora.

—Je doute qu'ils soient à Luskan. Il y a maintenant dix ans que…

—Vas-y! s'écria la sorcière. S'ils y sont, s'ils retournent à Gontelgrime, alors arrête-les. Sinon, débrouille-toi pour savoir si d'autres personnes comptent répondre à l'appel de ces nains fantômes. Je ne devrais pas avoir à t'expliquer ça.

—Inutile, répondit Dahlia, d'une voix basse mais ferme. Je comprends ce qui doit être fait.

—As-tu rencontré ce champion de l'enclave des Ombres, qui hante le bois du Padhiver?

—Oui. C'est un humain. Il a en lui quelque chose en plus qui lui vient des Ombres.

—Tu l'as affronté? (Dahlia acquiesça et Sylora, impatiente, lui fit signe de préciser.) Il s'est enfui, mentit Dahlia. Il est plus doué pour se cacher que pour se battre, même s'il reste assez doué lames en main. J'imagine qu'il doit la plupart de ses faits d'armes à l'effet de surprise.

Sylora parut quelque peu embarrassée, l'espace d'un instant, et jeta un coup d'œil derrière elle, en direction du bois du Padhiver.

—Je ne le retrouverai sans doute pas de sitôt, poursuivit l'elfe, qui ne voulait pas voir la magicienne changer d'avis.

L'idée de s'éloigner de cette cruelle personne, au moins pour un temps, était assez séduisante aux yeux de la guerrière, qui n'avait en outre aucune envie de croiser une deuxième fois la route du Gris.

—C'est donc la magie qui se chargera de lui, dans ce cas, dit Sylora. (Dahlia retint un soupir de soulagement.) Quant à toi, file à Luskan, et dépêche-toi. Retrouve tes vieux compagnons et assure-toi que ni l'un ni l'autre, ni qui que ce soit d'autre, ralentisse la furie de notre bête fougueuse.

Dahlia hocha la tête et commença à s'éloigner.

—Ne me déçois pas sur cette mission, conclut Sylora, sur un ton qui en disait long sur les terribles conséquences d'un éventuel échec.

Les oreilles soudain aplaties, Guenhwyvar laissa échapper un grondement sourd, avant de se ramasser sur elle-même, ses pattes arrière tapotant le sol, comme si elle se préparait à bondir.

Drizzt acquiesça quand il vit la pose prise par la panthère, ce qui confirmait la sensation qui venait de le submerger, tel un coup de froid surnaturel qui lui avait donné la chair de poule. Il sentait la présence de quelque chose, et cette chose était peut-être originaire du plan des Ombres, ou au moins de l'enclave des Ombres, mais il ne discernait rien de plus.

Il avança lentement, peu désireux de provoquer un assaut de la part d'un être ou d'une force qu'il ne voyait pas. Les mains sur les poignées de ses cimeterres, il décrivit un cercle derrière Guenhwyvar et, certain qu'elle intercepterait toute agression portée à l'avant ou sur les côtés, le drow concentra son attention derrière lui.

Il se sentit alors plus rassuré, ses sens lui révélant que cette chose, quelle qu'elle soit, s'en était allée, après l'avoir frôlé. Il commença à se détendre légèrement.

Le cri de Bruenor mit un terme à ce répit.

Drizzt s'élança en courant vers la grotte basse de plafond dans laquelle ils avaient dressé leur campement, Guenhwyvar sur ses talons. Il se présenta enfin à l'entrée de la cavité, cimeterres en main, et s'y précipita, prêt à lutter aux côtés de son ami.

Mais Bruenor ne se battait pas. Loin de là. Le dos contre le mur du fond de la grotte et les mains tendues devant lui, comme s'il cherchait à se rendre, il respirait difficilement, le visage figé, quelque part entre l'effroi et…

Et quoi donc? se demanda Drizzt.

— Bruenor? murmura-t-il.

S'il sentait de nouveau quelque chose – une sorte de présence glaciale et surnaturelle, comme à l'extérieur –, il ne voyait rien qui justifiât la terreur du nain. Celui-ci ne parut même pas remarquer son compagnon.

— Bruenor? répéta-t-il, plus fort.

— Y réclament mon aide, expliqua le nain. Mais j'sais pas c'qu'y veulent que j'fasse!

—Qui ça, « ils » ?

—Tu les vois pas, l'elfe? (Drizzt plissa les yeux et scruta plus attentivement la cavité faiblement éclairée.) Des fantômes. Des nains fantômes. Y m'demandent d'les aider.

—De les aider pour quoi?

—J'suis un gnome barbu si j'le sais!

La voix brisée sur ces derniers mots, Bruenor afficha soudain une expression déroutée. Il écarquilla tant les yeux que Drizzt redouta de les voir sortir de leurs orbites.

—L'elfe…, balbutia Bruenor, dont les mots semblaient lutter pour contourner un énorme nœud dans la gorge. L'elfe…

Drizzt constata que son ami était si lourdement appuyé contre la paroi rocheuse qu'il serait vraisemblablement tombé sans ce mur. Tapie au pied du drow, Guenhwyvar grondait, clairement agitée.

Tandis que Bruenor cherchait à reprendre son souffle, Drizzt, lames brandies, avança de quelques pas assurés, prêt à frapper fort si nécessaire. Bruenor chuchotait quelque chose, que Drizzt ne comprit que lorsqu'il se fut approché de l'ancien roi.

—Gontelgrime…

—Quoi? s'exclama l'elfe noir, les yeux écarquillés.

—Des fantômes, bredouilla Bruenor. Les fantômes de Gontelgrime. Y m'demandent d'les aider. Y parlent d'une bête qui s'est réveillée.

Drizzt regarda autour de lui. Il sentait le froid, certes, mais ne voyait ni n'entendait rien.

—Demande-leur où, dit-il. Peut-être pourront-ils nous guider.

Quand il vit Bruenor secouer la tête et se redresser, le drow se rendit compte que la sensation étrange s'était dissipée, que les fantômes étaient partis.

—Les fantômes d'Gontelgrime…, dit Bruenor, d'une voix encore très tremblante.

—Ils te l'ont précisé? Ou bien tu le déduis toi-même?

—Y m'l'ont dit, l'elfe. C'est bien la vérité.

Ces mots produisirent un effet curieux sur Drizzt, en particulier venant de Bruenor, qui l'entraînait dans une quête insensée, à la recherche de Gontelgrime, depuis des décennies. En y réfléchissant plus longuement, il comprit la surprise éprouvée par son ami, car c'est bien souvent quand on croit fermement en quelque chose qu'on est choqué par sa confirmation.

Bruenor détourna le regard un moment, les yeux dans le vague, puis il cilla lentement, comme s'il venait de recevoir une révélation.

—La bête, l'elfe, dit-il.

—Quelle bête?

—Elle s'réveille… une fois d'plus.

Bien qu'ayant saisi l'accent porté sur ces derniers mots, Drizzt ne comprit pas où son ami voulait en venir.

—La dernière fois qu'elle s'est réveillée, Padhiver a disparu, précisa Bruenor.

—Le volcan?

Bruenor acquiesça, comme si tout s'éclairait dans son esprit.

—Oui, c'est ça. C'est la bête.

—Ils te l'ont dit?

—Non, reconnut Bruenor. Mais c'est ça.

—Tu ne peux pas en être certain.

Le nain hochait toujours la tête.

—T'as senti la terre trembler sous tes pieds, dit-il. T'as vu la montagne gonfler. La bête s'réveille. La bête de Gontelgrime. (Il regarda le drow droit dans les yeux.) Y m'demandent mon aide, l'elfe, et j'vais les aider, ou j'suis un gnome barbu!

Plus déterminé que jamais, Bruenor se précipita vers son paquetage et se mit à farfouiller dans ses cartes.

—Maintenant, on sait dans quelle zone se trouve cet endroit! Elle existe, l'elfe! Gontelgrime existe!

—Nous allons donc y aller? demanda Drizzt.

Bruenor considéra son compagnon, comme si la réponse à sa question était si évidente qu'il ne pouvait qu'avoir perdu la tête.

— Et empêcher un volcan d'entrer en éruption ? précisa le drow.

La bouche grande ouverte, Bruenor cessa de remuer ses cartes.

Comment empêchait-on un volcan d'entrer en éruption ?

15

TOUS LES CHEMINS MÈNENT À LUSKAN

É quipé d'une pile de petits galets, Bruenor se mit au travail. Une par une, il sortit les cartes de son sac et les déroula avec soin sur le sol moussu, calant chaque coin avec une pierre.

Il essaya tout d'abord de les classer par régions, sélectionnant celles qui plaçaient Gontelgrime près du volcan entré en éruption. Il se pencha en arrière, puis s'agenouilla, en se grattant la barbe à plusieurs reprises, pensant sans cesse aux fantômes venus le trouver pour lui demander son aide.

Gontelgrime était une réalité. Cette cité existait vraiment.

Quiconque aurait observé Bruenor Marteaudeguerre en cet instant lui aurait donné cent cinquante ans de moins que son âge, tant il avait l'air d'un jeune nain fougueux impatient de partir à l'aventure. Les années ne voûtaient plus ses solides épaules, et ses yeux n'avaient que rarement autant brillé, pleins de promesses et d'espoir.

Or quelqu'un l'observait, précisément. Un être à la peau aussi noire que du charbon. Un individu agile, vif et redoutable. Et ce n'était pas Drizzt.

Bruenor crut avoir perdu la vue, quand il fut brusquement plongé dans une obscurité totale. Il poussa un cri et s'affaissa en arrière, roulant sur la hanche avant de lever un bras devant lui pour se protéger, tout en fouillant à tâtons le sol de son autre main, à la recherche de sa hache.

Un bruit sec éclata près de lui, et il éprouva aussitôt une violente piqûre sur le bras. Une autre suivit, puis une autre, et ainsi de suite, une série de minuscules explosions qui le désorientèrent.

— L'elfe! cria-t-il, espérant que Drizzt ne soit pas trop loin, tout en continuant, malgré la gêne occasionnée par ces agressions, de chercher frénétiquement son arme.

Enfin, il mit la main dessus. Ce n'est qu'alors, tandis que les bruits secs ne s'arrêtaient plus, qu'il identifia un bruissement de parchemin.

— L'elfe! beugla-t-il encore.

Prenant soudain conscience de l'erreur qu'il avait commise en reculant, il se rua en avant.

Il sortit aussitôt de l'étrange sphère d'obscurité impénétrable, rampant et trébuchant à la fois jusqu'au carré de mousse sur lequel il avait disposé les cartes.

Elles avaient disparu.

Horrifié, le nain se tourna vers la forêt et vit des buissons remuer. Il se leva d'un bond et se lança à la poursuite du mystérieux voleur. Dès qu'il aperçut celui-ci, son cœur fit un bond dans sa poitrine et ses jambes ralentirent d'elles-mêmes. Il s'agissait d'un elfe noir… un elfe noir qu'il n'avait aucune chance de rattraper.

— L'elfe! hurla-t-il à pleins poumons.

Il s'élança tout de même aux trousses du voleur, essayant au moins de ne pas perdre des yeux le drow qui prenait la fuite.

— Fais venir ta foutue panthère, l'elfe! brailla-t-il. Appelle ta panthère!

Sa course l'entraîna sur une crête, puis dans un vallon semé d'arbres. Bien que ne voyant plus le fuyard, il escalada le versant opposé. Une fois parvenu au sommet, il constata que les sous-bois étaient plus clairsemés et le champ de vision dégagé; hélas, le voleur demeurait introuvable.

Bruenor s'arrêta et fureta à droite et à gauche, tendant son cou épais, mais prenant peu à peu conscience qu'il avait perdu ses chères cartes. Le souffle court, il repartit en courant par où il était venu, tourna à droite en direction du sud-est, espérant contre tout espoir que, une fois parvenu au sommet suivant, il apercevrait de nouveau le voleur.

Il n'en fut rien.

Bruenor appela encore plusieurs fois Drizzt en hurlant, tout en courant vers la crête ouest, avant de se diriger vers le nord, vers l'est et enfin de nouveau vers l'ouest.

Peu après, il repéra un mouvement en bordure du campement. Il s'empara de sa hache, espérant que le voleur fût de retour, malheureusement la silhouette sombre qui se montra n'était pas celle qu'il espérait. Guenhwyvar bondit jusqu'à lui, oreilles aplaties et babines retroussées.

— Retrouve-le, la panthère! la supplia Bruenor. Un foutu drow m'a volé mes cartes!

Guenhwyvar dressa les oreilles et tourna la tête à droite et à gauche, afin de profiter d'une vue d'ensemble.

— Allez, vas-y! lui cria le nain.

Avec un rugissement qui se répercuta tout auteur d'eux, Guenhwyvar bondit vers l'ouest.

Un peu plus tard, tandis que Bruenor hochait la tête avec enthousiasme en songeant au félin parti sur les traces du voleur, Drizzt débordla à ses côtés, cimeterres en main.

— Un elfe m'a volé mes cartes! lui cria le nain. Un drow!

— Par où s'est-il enfui?

L'ancien roi regarda autour de lui, puis jeta sa hache, qui se planta dans la terre, et, impuissant, leva ses mains vides et tremblantes.

— Par où? insista Drizzt.

Bruenor secoua la tête et fit un geste de désespoir.

— Où étais-tu quand il a agi? demanda Drizzt.

Quelques secondes durant, le nain parut perturbé par cette question. Enfin, il se reprit et conduisit Drizzt jusqu'à la zone recouverte de mousse. L'enchantement d'obscurité s'était estompé; les galets empilés étaient donc bien visibles, quelques-uns dispersés sur le sol. Mais il ne restait aucune carte, et le sac dans lequel Bruenor les rangeait avait disparu lui aussi.

—Y m'a noyé dans une foutue sphère de ténèbres, grogna Bruenor, en piétinant l'herbe de rage. Y m'a aveuglé et frappé avec…

Drizzt se pencha, afin d'inciter son ami à se montrer plus explicite.

—… avec des abeilles, dit Bruenor, incapable de trouver mieux.

—Des abeilles?

—Ça ressemblait à des abeilles. J'ai été mordu, piqué. Quelque chose…

Il secoua sa tête chevelue et tendit un bras. En effet, entre son bracelet de force et sa manche courte, sa peau était constellée de petites marques.

—Y m'a fait reculer en m'attaquant et en a profité pour prendre les cartes.

—Tu es certain que c'était un drow?

—J'l'ai vu quand j'suis sorti d'l'obscurité.

—Où ça?

Bruenor conduisit Drizzt à l'endroit concerné, d'où il désigna la crête qui donnait sur le vallon. Le drow s'agenouilla et examina les arbustes et la terre. Pisteur de talent, il repéra sans difficulté la trace du voleur, ce qui était plutôt surprenant, si l'on songeait que Bruenor avait évoqué un elfe noir. Il la suivit jusque dans le vallon, où elle devint nettement moins précise, les moindres indices ou feuilles brisées ayant été écrasés par les multiples allers et retours d'un nain.

Quand il retrouva enfin la bonne piste, Drizzt se rendit compte qu'elle menait vers le nord-ouest. Les deux compagnons grimpèrent donc au sommet de la crête qui pointait dans cette direction, d'où ils scrutèrent l'horizon.

—La route passe par là-bas, fit remarquer le drow.

—La route?

—La route qui conduit à Port Llast.

—La panthère est partie par là, dit Bruenor, en désignant l'ouest. Elle l'a peut-être retrouvé.

Ils reprirent leur chemin, Drizzt suivant facilement les traces du voleur – encore une fois, trop facilement.

Ils avaient à peine parcouru une centaine de mètres quand ils entendirent un grondement, un peu plus loin.

— Sacrée panthère! s'écria Bruenor, qui s'élança en avant, imaginant déjà trouver Guenhwyvar juchée sur le voleur.

Ils trouvèrent le félin dans un petit pré, la fourrure hérissée et montrant les dents en grondant furieusement.

— Eh bien? s'étonna le nain. Par les Neuf Enfers, où…?

Drizzt fit taire son ami d'une main sur l'épaule.

— Regarde par terre, lui chuchota-t-il, avant de s'approcher de Guenhwyvar.

— Hein?

Bruenor ne tarda pas à comprendre.

Sous Guenhwyvar, le sol entre les brins d'herbe était blanc, et non pas brun. Les muscles contractés, la panthère essayait de lever les pattes. En vain, elle restait figée.

— On dirait de la colle à mouche, dit Drizzt, en s'approchant de l'étrange surface magique. Guen?

L'animal répondit par un grondement triste.

— Y l'a collée au sol? demanda Bruenor, quand il eut rejoint son compagnon. Il a attrapé ta panthère?

Ne trouvant rien à dire, le drow, inquiet, poussa un soupir. Il sortit la figurine en onyx et pria Guenhwyvar de repartir. Incapable de se déplacer, comme elle en avait l'habitude quand elle quittait son être physique pour se fondre dans la fumée grise qui la renvoyait chez elle, sur le plan Astral, elle disparut tout de même peu après, laissant Drizzt et Bruenor seuls dans le pré.

— Il a mes cartes, l'elfe, dit le nain, abattu.

— Nous le retrouverons, promit Drizzt.

Il ne révéla pas à son ami que la piste laissée par le voleur drow était trop évidente pour ne pas être remarquée, et qu'elle avait été intentionnellement établie. Ils étaient guidés pour une raison bien précise. Drizzt était convaincu de savoir vers où, et par qui.

Le drow fit tomber le sac de son épaule et le lâcha sur la table, entre Jarlaxle et lui.

— Je crois que je les ai toutes, dit-il.

— T'en es pas sûr ? demanda Athrogate, un peu plus loin dans la pièce. On parle d'un problème capital, là, et tu *crois* qu'tu les as toutes ?

Jarlaxle adressa un sourire désarmant au nain et revint à Valas Hune, l'un de ses éclaireurs les plus expérimentés.

— Je suis certain que tu t'es emparé des plus importantes, dit-il.

— Bruenor était en train de les étaler sur le sol, précisa Valas. Je les ai toutes prises, ainsi que celles qu'il n'avait pas encore sorties du sac. Peut-être en a-t-il caché ailleurs. Je ne peux en être certain…

— T'es pas censé être un éclaireur ?

— Pardonne mon ami, intervint Jarlaxle. Cette mission revêt une importance particulière pour lui.

— Parce que c'est lui qui a libéré la puissance primordiale, tu veux dire ? lâcha Valas, en accompagnant ses mots d'un regard narquois en direction du nain.

Celui-ci fut stupéfait par cette pique ; qui donc était au fait de ce voyage à Gontelgrime, tant d'années auparavant ? Il lança un regard aussi furieux que suspicieux à Jarlaxle, qui ne paraissait pas surpris le moins du monde.

— Peu de choses échappent à l'attention de Valas Hune, mon ami, expliqua Jarlaxle à Athrogate. Mais rassure-toi ; il fait partie des très rares personnes au courant des événements gênants survenus à Gontelgrime.

— Alors pourquoi y s'est pas assuré d'avoir pris toutes les cartes ?

— Le roi Bruenor n'est pas seul, rappela Valas Hune. Je n'avais pas vraiment envie de devoir justifier à Drizzt Do'Urden ma présence dans le campement.

— C'est quelqu'un de raisonnable, dit Jarlaxle.

— Beaucoup de drows morts ne seraient pas d'accord avec toi, répondit Valas. D'autre part, mon ami, tu n'as pas côtoyé Drizzt depuis longtemps. Je me suis renseigné sur ses exploits et j'ai discuté avec ceux qui ont voyagé à ses côtés. Je ne les ai pas souvent entendus prononcer le mot « raisonnable ».

Jarlaxle leva les sourcils, trahissant une légère surprise, qu'il dissimula aussitôt.

— Tu aurais l'occasion de mieux le connaître, si tu décidais de nous accompagner à Gontelgrime, rappela-t-il à son éclaireur.

Valas secoua la tête avant même que son supérieur ait terminé sa phrase.

— Une puissance primordiale ? dit-il. Peut-être aurions-nous autant intérêt à nous rendre sur un autre plan pour y affronter un véritable dieu, même si d'après moi, nous ne remarquerions pas la différence au cours des quelques secondes qui nous resteraient à vivre.

— Je n'ai aucune intention de me battre contre la puissance primordiale.

— Je m'inquiéterais plutôt de ses intentions à elle, si j'étais à ta place, ce qui, heureusement, n'est pas le cas. (L'éclaireur désigna le sac.) Tu as donc tes cartes, comme tu me l'as demandé.

— Et toi, ton or, bien mérité, ajouta Jarlaxle, en lançant une bourse à Valas.

— J'ai appris autre chose, dit Valas, avant de se montrer plus précis, voyant l'air suspicieux pris par son chef. Pour le même prix.

— Ils suivent ta trace ?

— Si ce n'est pas le cas, alors Drizzt est loin d'être le pisteur que tu me décris.

— Bon, alors ?

— Il y a beaucoup d'agitation dans le Sud. Les Nétherisses sont sur le point d'entrer en guerre contre les Thayens, dans le bois du Padhiver.

— Oui, oui, à propos de l'Anneau de Terreur.

— Et plus encore ; les habitants de la région sentent que la puissance primordiale se réveille, si c'est bien ce qui est en train de se produire.

— Ils devraient avoir peur ! intervint Athrogate. Le sol tremble !

— Certains l'attendent avec impatience, répondit Valas Hune.

— Et d'autres veulent l'arrêter, dit Jarlaxle. Ceux qui l'espèrent vont évidemment tenter de neutraliser ceux qui veulent l'étouffer.

— C'est toujours une possibilité, convint l'éclaireur. D'ailleurs, une bande est entrée à Luskan seulement quelques heures avant moi. Ils se sont introduits en ville par petits groupes, mais mes contacts à la porte m'ont assuré qu'ils avaient tous les mêmes objectifs et la même origine. Les vêtements de marchands ordinaires dont ils sont vêtus n'ont pas empêché mes contacts, très observateurs, de repérer que les habits de ces nouveaux venus cachaient tous la même cicatrice – une scarification – sous un col, une cape ou autre.

— Des ashmadaï, commenta Jarlaxle.

— Et en nombre important, confirma Valas. Ils sont accompagnés par une elfe de la surface assez originale, aussi élégante que séduisante, armée d'un bâton de marche.

Jarlaxle hocha la tête, indiquant ainsi à son éclaireur qu'il était inutile de poursuivre. Il était logique, évidemment, que les Thayens envoient une expédition de ce côté – jusqu'à preuve du contraire, Luskan était l'entrée de Gontelgrime, et selon toute vraisemblance le point de départ de quiconque désirerait enrayer la catastrophe sans doute déjà bien lancée.

— As-tu demandé à des éclaireurs de les surveiller ? s'enquit Jarlaxle.

— À quelques-uns, oui.

— L'équipe habituelle ?

Valas acquiesça, puis ajouta :

— Ils savent comment t'adresser directement leurs rapports, par l'intermédiaire de notre ami, au *Coutelas*.

— À t'entendre, on dirait qu'tu t'en vas, fit remarquer Athrogate.

— Je suis convoqué en Outreterre, brave nain. Il y a en ce monde d'autres problèmes que ceux dont tu es témoin.

Athrogate commença à protester, pour être aussitôt réduit au silence par un geste de Jarlaxle. La vérité sur cette question était des plus simples : Bregan D'aerthe et Kimmuriel avaient considérablement réduit leur présence à Luskan au cours des dernières années, cela pour une bonne raison. Avec la disparition de Padhiver, Luskan était devenue beaucoup moins rentable pour la bande. D'ailleurs, si Jarlaxle s'intéressait personnellement à cette affaire, principalement par rancune envers Sylora Salm et en raison de la traîtrise de cette dernière, c'était d'un point de vue personnel et non professionnel. Si Jarlaxle avait promu Kimmuriel à un rang presque aussi élevé que le sien, c'était en grande partie pour leur permettre de ne pas mêler ces deux aspects. C'est ainsi que Jarlaxle avait loué les services de Valas Hune et de Gromph avec ses propres fonds, sans demander d'aide à Kimmuriel ou à Bregan D'aerthe. La puissance primordiale, l'Anneau de Terreur, le conflit entre Thay et Nétheril… Rien de tout cela n'avait d'importance, d'un point de vue financier, pour Bregan D'aerthe, qui restait avant tout une entreprise à but lucratif.

Jarlaxle lança une autre bourse remplie d'or à Valas Hune qui, clairement surpris, lança à son chef un regard trahissant sa curiosité.

— Pour tes renseignements supplémentaires, expliqua Jarlaxle. Et offre de ma part une bouteille du meilleur cognac à Kimmuriel, pour compenser le fait qu'il ait dû se passer des services de son meilleur éclaireur et voleur.

— De « son » éclaireur ? dit Valas Hune, avec un sourire entendu.

— Pour le moment, répondit Jarlaxle. Quand je regagnerai l'Outreterre, une fois cette nouvelle affaire réglée, je reprendrai ce qui est à moi, y compris les services de Valas Hune.

L'éclaireur sourit et s'inclina.

— J'attends ce jour avec impatience, mon ami, dit-il avant de disparaître sans plus attendre.

— Tu crois qu'c'est elle ? demanda Athrogate à Jarlaxle.

— Ça ne me surprendrait pas, même si j'ai évidement l'intention de le vérifier, assura le mercenaire.

— C'est pas logique, l'elfe. Pourquoi Dahlia s'promènerait-elle tranquillement dans Luskan ?

— Dix années se sont écoulées.

— C'est sûr, mais qui pourrait oublier quelqu'un comme elle, même au bout d'dix ans ? Elle entre en ville avec son chapeau et son bâton ! Comment on pourrait n'pas être mis au courant ?

— Pourquoi penserait-elle que nous sommes toujours dans cette cité ? dit Jarlaxle. Et franchement, pourquoi s'en inquiéterait-elle ?

— Ce serait pas nous, par hasard, les types dont parlait ton ami ? Tu sais, ceux qui veulent remettre la puissance primordiale dans sa cage ?

— Peut-être, dit Jarlaxle, avec un air indifférent, car il considérait le problème d'un autre point de vue.

Il avait plus ou moins surveillé Dahlia, au cours des années qui avaient suivi l'éruption. Il savait qu'elle s'était rendue dans le bois du Padhiver pour y servir Sylora, contribuer à la création de l'Anneau de Terreur et harceler les Nétherisses. Leur rencontre à Gontelgrime avait toutefois suffi à lui faire comprendre qu'un tel rang ne convenait pas à la fougueuse et indépendante guerrière elfe, sans compter que Sylora l'avait trahie dans la cité souterraine.

Dahlia aurait bien entendu pu entrer à Luskan sous un déguisement. À vrai dire, la concernant, le seul fait de porter des vêtements ordinaires aurait suffi pour cela. Était-ce parce qu'elle ne craignait rien de la part de Jarlaxle qu'elle avait franchi la porte de la cité d'une façon si effrontée ?

Ou était-ce parce qu'elle voulait qu'il la retrouve ?

Le drow hocha la tête, songeant aux multiples possibilités, sans oublier que deux autres visiteurs de marque ne tarderaient pas à faire leur entrée dans la ville.

— Où vas-tu ? demanda Athrogate, quand il vit Jarlaxle se diriger vers la porte.

— Discuter avec les contacts de Valas Hune. Quant à toi, rends-toi au *Coutelas* et transmets mon amour à Shivanni Gardpeck. Et parle-lui des visiteurs que nous attendons.

— Lesquels ? Les fanatiques ou Drizzt et Bruenor ?

Jarlaxle réfléchit un instant à la question du nain, avant de répondre :

— Oui.

— Il y a beaucoup de monde, ici, dit Devand, le commandant de l'escouade ashmadaï venue à Luskan en compagnie de Dahlia.

— C'est une ville.

— Je pensais que ça ressemblerait davantage à Port Llast. Luskan n'est donc pas un avant-poste pirate ?

— Luskan est bien plus que ça, répondit Dahlia. Enfin, elle l'était…

En effet, la cité avait considérablement perdu de son éclat depuis la dernière venue de l'elfe. Les rues étaient crasseuses, tandis que les maisons vides, dont certaines étaient partiellement incendiées, semblaient avoir remplacé bon nombre de logements occupés et que les échoppes étaient en majorité fermées. De nombreux regards froids et malintentionnés suivaient le groupe depuis les ombres des ruelles et des terrains laissés à l'abandon.

Dahlia reporta son attention sur les fanatiques.

— Un drow et un nain, dit-elle. Nous sommes à la recherche d'un drow et d'un nain. Les elfes noirs ne sont certainement pas très nombreux à Luskan ; soyez sûrs que le premier que vous croiserez connaîtra celui que nous cherchons. Séparez-vous en petits groupes de trois ou quatre et fouillez les tavernes et les auberges. Il y en a beaucoup à Luskan, enfin, il y en avait beaucoup, et celles qui subsistent doivent être faciles à trouver. Observez et écoutez. Nous en saurons beaucoup plus sur cette cité dans peu de temps.

Et d'ajouter, en s'adressant à Devand :

— Quant à toi, rassemble tes trois meilleurs guerriers. Nous allons nous aventurer dans la ville souterraine, où vivait autrefois Valindra. C'est là que se trouvent les racines de feu la Tour des Arcanes qui m'ont guidée jusqu'à Gontelgrime et la puissance primordiale, la première fois, ainsi que les tunnels qui nous y reconduiront, si nous devons nous lancer à la poursuite de nos ennemis.

— Nous aurions dû faire venir Valindra, fit remarquer Devand.

— Sylora n'a pas voulu accéder à cette demande, dit Dahlia. Et j'en suis soulagée. La liche n'est pas encore contrôlable, ni même prévisible.

Devand s'inclina légèrement et baissa les yeux comme il convenait, sans insister davantage.

Plus tard, le chef ashmadaï ayant choisi de talentueux guerriers, ceux-ci ne ralentirent pas Dahlia quand, depuis Illusk, elle redescendit avec impatience dans les entrailles de Luskan. Les sceptres des ashmadaï renfermaient également un peu de magie, ce qui leur permit d'éclairer le groupe avec l'intensité d'une modeste torche ; enchanté de façon plus puissante, celui de Devand était aussi lumineux qu'une lanterne de bonne taille. Équipés de ces armes et de leurs broches, ils ne furent pas inquiétés par les nombreuses goules et autres morts-vivants qui hantaient ce dédale. Ils atteignirent rapidement l'ancienne demeure de Valindra.

L'endroit correspondait en tout point aux souvenirs de Dahlia, quoique plus poussiéreux. En dehors de ce détail, rien n'avait changé : les meubles, les vieux grimoires, et les divers candélabres décorés étaient toujours en place…

Tout… sauf la seconde gemme en forme de crâne. Le phylactère d'Arklem Greeth avait disparu.

Dahlia resta songeuse un instant, se demandant si cette absence signifiait que la puissante liche s'était enfin échappée. Ou peut-être Jarlaxle avait-il quitté la ville, emportant avec lui la prison de Greeth. Elle l'imaginait mal abandonner un tel trésor derrière lui.

L'elfe fit l'effort de retenir un soupir de déception ; elle avait tant espéré que Jarlaxle soit resté à Luskan.

— Les racines ! s'écria Devand, à l'extérieur de la pièce.

Elle sortit de la cavité et trouva le chef ashmadaï et ses guerriers en train d'inspecter la voûte et de suivre les tubes verts autrefois reliés à la Tour des Arcanes.

— Les racines ! répéta Devand, quand elle les eut rejoints.

— Par là-bas, dit-elle, après avoir acquiescé, en désignant un tunnel qui filait vers le sud-est. C'est le chemin qui mène à Gontelgrime. (Elle désigna Devand, puis un autre ashmadaï.) Vous deux, suivez cette piste et voyez si elle est encore praticable.

— Jusqu'où ? demanda Devand.

— Aussi loin que possible. Tu te rappelles comment retourner en ville ?

— Bien sûr.

— Bon, allez-y, alors. Avancez tant que vous le pourrez, jusqu'à la fin de la journée et au bout de la nuit. En chemin, recherchez des traces d'un passage récent – une outre jetée ou les cendres d'une torche, des traces de pas… n'importe quoi.

Après s'être inclinés, les deux fanatiques se mirent en route.

Dahlia et les autres regagnèrent Luskan et le point de rendez-vous convenu avec le reste de l'équipe, une auberge miteuse au sud de la ville, non loin d'Illusk. Les petits groupes s'y retrouvèrent les uns après les autres et firent leur rapport sur la progression de l'inspection des divers établissements disséminés dans la cité. Ils tâtaient le terrain, comme ils en avaient reçu l'ordre, mais personne n'avait encore aperçu d'elfe noir.

Dahlia encaissa ces nouvelles stoïquement, en assurant à ses soldats qu'ils n'en étaient qu'aux débuts de leurs recherches, que ce balayage de la ville servirait de fondation à leurs objectifs.

— Apprenez à connaître la cité, ses habitudes et ses résidents, leur demanda-t-elle. Gagnez la confiance des locaux. Vous avez de l'argent, faites-le couler à flots pour offrir des boissons en échange d'informations.

Une fois de plus, l'elfe espéra secrètement que Jarlaxle n'ait pas quitté Luskan.

Elle ne resta pas aussi calme quand, avant l'aube suivante, Devand fut de retour et lui apprit que le chemin qui menait à Gontelgrime n'existait plus.

—Les galeries se sont effondrées et sont infranchissables, lui assura-t-il.

—Repose-toi un peu, ordonna-t-elle. Puis prends la moitié de l'escouade avec toi et explore chaque tunnel jusqu'au bout.

—C'est un vrai labyrinthe, là-dessous, protesta Devand. Rempli de goules, qui plus est.

—Chaque tunnel, j'ai dit, insista Dahlia, sur un ton qui ne laissait aucune place au débat. Ce dédale constituait l'entrée de Gontelgrime. Si la cité souterraine est définitivement coupée de Luskan, alors nous serons en mesure de retourner auprès de Sylora et de lui assurer que personne – en tout cas d'ici – n'empêchera la bête de s'éveiller.

Devand n'eut rien à redire à cela et partit se reposer, laissant Dahlia seule dans sa petite chambre de l'auberge. Elle y fit quelques pas, puis s'approcha de l'unique fenêtre, crasseuse, d'où elle contempla la Cité des Navigateurs.

—Où es-tu, Jarlaxle ? murmura-t-elle.

16

Un drow et un nain

— Tu savais depuis l'début qu'c'était lui, conclut Bruenor, quand il devint clair que Drizzt avait l'intention de suivre la piste du voleur jusqu'à la Cité des Navigateurs.

— Je savais seulement que c'était un drow qui avait pillé notre campement, répondit Drizzt.

— C'est c'que j't'ai dit.

— En effet. Et je savais qu'il voulait qu'on le suive. Les traces laissées derrière lui étaient trop évidentes.

— Il était pressé, rappela Bruenor, mais Drizzt secoua la tête. Bon, ça doit être lui, alors. (L'elfe noir ne réagissant pas, il poursuivit.) Y voulait qu'on l'suive, tu crois ? (Drizzt acquiesça.) C'rat l'regrettera quand j'lui mettrai la main dessus.

Et le nain d'agiter le poing en l'air.

Drizzt se contenta de sourire et pensa à autre chose, tandis que son ami se lançait dans une de ses habituelles diatribes, promettant toutes sortes de souffrances au voleur qui lui avait dérobé ses précieuses cartes.

Le drow était certain qu'il s'agissait de Jarlaxle, ou de quelqu'un qui était à la solde de ce dernier. Jarlaxle connaissait mieux que quiconque la passion qu'entretenait Bruenor à propos de Gontelgrime. La personne qui s'était introduite dans le campement, quelle qu'elle soit, était intervenue pour s'emparer des cartes ; elle avait attendu le moment propice, l'instant où ils étaient les plus vulnérables.

Mais pourquoi ? Pourquoi Jarlaxle aurait-il cherché à les contacter de cette manière ?

En levant les yeux sur les imposantes montagnes qui se dressaient au nord, Drizzt estima que Bruenor et lui atteindraient Luskan le lendemain, sans doute avant le déjeuner.

Ils campèrent cette nuit-là près de la piste et profitèrent d'un bon repos, sans être dérangés, jusqu'au moment où, à l'aube, le sol se mit à trembler.

— La voie est bloquée, dit une voix, sur le côté.

Dahlia se retourna, stupéfaite.

— Jarlaxle…, souffla-t-elle, même si elle ne distinguait pas vraiment le drow, dans les ombres de cette ruelle.

— Tes éclaireurs t'ont dit la vérité. Il n'existe plus d'accès à Gontelgrime, en tout cas pas depuis la croulante Luskan.

Dahlia avança doucement, cherchant à apercevoir l'elfe noir. Il s'agissait bien de la voix de Jarlaxle – mélodieuse et harmonieuse, comme on pouvait s'y attendre de la part d'un elfe, et notamment d'un elfe cultivé – mais, à vrai dire, Dahlia n'avait aucune certitude à ce sujet. Elle ne l'avait pas entendue depuis une décennie, et quand bien même…

— Je te connais, reprit la voix. Je sais ce que renferme ton cœur. Je te fais confiance pour utiliser ceci à bon escient, quand l'occasion se présentera.

— Que veux-tu dire ? demanda l'elfe.

Ne recevant aucune réponse, même après qu'elle eut reposé sa question, Dahlia se précipita vers l'endroit d'où elle estimait que le drow lui avait adressé la parole.

Sur un tonneau vide retourné, elle aperçut un morceau de tissu, sur lequel était disposé un petit coffret contenant une bague en verre.

Elle ferma la boîte et l'enveloppa dans l'étoffe, avant de la glisser dans sa poche, sans cesser une seconde de regarder de chaque côté de la ruelle, ainsi que sur les toits, à la recherche d'un indice, n'importe lequel.

— Jarlaxle ? murmura-t-elle de nouveau.

Soudain, elle songea combien ses espoirs étaient ridicules ; elle s'était laissée aller à rêver de quelque chose de très improbable.

Elle sortit de la ruelle en courant et descendit la rue jonchée d'ordures jusqu'à l'auberge, puis elle gagna sa chambre, en se disant qu'elle avait vraisemblablement rencontré un agent de Sylora.

Car la sorcière thayenne, qui ne lui faisait jamais confiance, l'éprouvait sans arrêt. Malheur à Dahlia si Sylora découvrait un jour que la fidélité de l'elfe à son égard n'était pas absolue.

Ils étaient arrivés à Luskan par ce côté un nombre incalculable de fois, pourtant Drizzt et Bruenor s'arrêtaient systématiquement sur la même colline, au sud de la porte sud de la cité, pour profiter de la vue sur le port. Même si d'autres cités portuaires, telles Eauprofonde ou Portcalim, étaient pourvues de quais nettement plus développés et comptaient toujours beaucoup plus de navires en escale que Luskan, on ne trouvait nulle part autant de diversité entre les vaisseaux que dans la bien nommée Cité des Navigateurs. On y retrouvait la lie de la côte des Épées – des pirates, des contrebandiers et uniquement les marchands les plus hardis –, des voyous qui équipaient leurs navires comme à leur habitude, avec des voiles faites de vêtements cousus ensemble et parfois une catapulte de tour de château fixée sur le pont arrière pour faire bonne mesure.

De petites embarcations s'agitaient contre les quais situés en eau peu profonde, avirons tournés vers le ciel, tandis que goélettes à un mât et caravelles aux voiles carrées étaient majoritaires sur la deuxième partie des quais, au large de laquelle d'autres navires étaient au mouillage. Enfin, un trio de trois-mâts imposants était amarré non loin de la digue la plus avancée dans la mer.

La Cité des Navigateurs porte bien son nom, pensa Drizzt, qui ne put s'empêcher de remarquer qu'il ne reconnaissait que très peu de ces vaisseaux, pourtant presque tous dans leur port d'attache.

— Notre ami a intérêt à être là, dit Bruenor, rompant le charme de cette pause. Et il a intérêt à avoir mes cartes. Toutes mes cartes, et crois pas qu'j'm'en rendrai pas compte s'il en manque une !

— Nous le saurons bientôt, promit Drizzt.

— On va l'savoir tout d'suite, oui !

— Jarlaxle… demain, assura le drow, avant de se mettre en route sur la piste qui menait à la cité. Il est tard. Trouvons une auberge pour la nuit et pour nous débarrasser de la poussière accumulée durant le voyage.

Alors qu'il commençait à protester, Bruenor s'arrêta net, puis Drizzt lui adressa un sourire.

— Au *Coutelas* ? dit le nain, presque avec respect, tant cet établissement était chargé d'histoire pour les deux amis, et notamment pour Drizzt.

C'était au *Coutelas* que Drizzt et Wulfgar avaient pour la première fois rencontré le capitaine Deudermont, de l'*Esprit follet de la mer*, l'un des vaisseaux les plus légendaires de Luskan. C'était au *Coutelas* que Wulfgar, brisé, s'était réfugié après être revenu des Abysses, quand il s'était retrouvé embourbé dans l'apitoiement et les boissons fortes. Delly Curtie, un temps femme de Wulfgar – et par conséquent belle-fille de Bruenor –, avait été serveuse dans cet établissement, que dirigeait le jovial et bien informé…

— Arumn Gardpeck…, dit Bruenor, en se remémorant le nom de l'aubergiste.

— Un homme bon, à la tête d'une belle taverne, convint Drizzt. À l'époque où les gens fortunés venaient encore à Luskan, avant que les pirates ne s'y imposent, ils descendaient dans des auberges beaucoup plus sophistiquées, sur les collines, alors qu'ils auraient été plus à l'aise dans les lits d'Arumn Gardpeck.

— C'est sûr. Comment s'appelait c'maigrichon, déjà, avec une face de rat ? Celui qui avait volé l'marteau d'mon gamin ?

Drizzt n'eut aucune difficulté à visualiser ce gredin, assis sur un tabouret du bar d'Arumn. Il s'y tenait en permanence, sans cesse à jacasser, et était affublé d'un nom peu commun, un nom plutôt idiot…

Incapable de se souvenir de ce nom, le drow secoua la tête.

— D'après c'que j'ai entendu dire, c'est encore un membre d'la famille d'Arumn qui tient l'auberge, dit Bruenor. Comment s'appelle cette fille, déjà ? Shibanni ?

— Shivanni Gardpeck. Elle prétend être l'arrière-arrière-arrière-petite nièce d'Arumn, il me semble.

— Tu crois qu'c'est vrai ?

Drizzt haussa les épaules. Tout ce qui lui importait était que le *Coutelas* existe toujours. Que Shivanni soit ou non une descendante d'Arumn, elle devait en tout cas être issue d'une lignée semblable. Si le gros Arumn était effectivement son ancêtre, ce dernier aurait été ravi de le savoir et de la connaître.

Les deux compagnons franchirent la porte ouverte de la cité, suivis par de nombreux regards. Il n'y avait qu'une poignée de soldats sur les murailles, tandis qu'aucun n'était visible sur les tours. Ces hommes, peut-être au service de l'un ou l'autre des Hauts Capitaines qui dirigeaient Luskan, avaient l'allure de voyous indépendants avant tout – une bande de filous liés que n'unissaient ni uniformes, ni code de conduite, ni notion du bien commun à Luskan.

On ne fermait plus les portes de la ville. Si Luskan s'était mis en tête de sélectionner ses visiteurs, elle se serait sans doute retrouvée déserte en peu de temps. Cela dit, les chiens qui franchissaient ces portes faisaient presque figure d'anges, comparés aux rats qui débarquaient des navires en escale au port.

— Tiens, un nain et un drow, leur lança un soldat, quand ils entrèrent dans la cité.

— De quoi t'es l'plus fier, toi ? De ta vue ou d'ton esprit, qui a réussi à analyser c'que tu voyais ? répliqua Bruenor.

— Vous formez un spectacle inhabituel, c'est tout, gloussa l'homme.

— Tu peux le lui accorder, chuchota Drizzt à son ami, avant de s'adresser à l'inconnu. Quelles sont les nouvelles à Luskan, cher monsieur ?

—Comme d'habitude, répondit le garde, manifestement de bonne humeur. (Il se leva et s'étira, le dos craquant sous la tension, puis il avança d'un pas vers les visiteurs.) Trop de cadavres bloquent les canaux et trop de rats encombrent les rues.

—Quel capitaine servez-vous, je vous prie? demanda le drow.

—Eh bien, inconnu à la peau sombre, je ne vis que pour servir la Cité des Navigateurs, et personne d'autre! déclara le soldat, l'air blessé et une main sur le cœur.

Bruenor lança un regard peu amène au drow qui, mieux versé dans les us et coutumes de cette cité sauvage et chaotique, sourit et hocha la tête, n'ayant pas imaginé recevoir une autre réponse.

—Quelle est votre destination? ajouta le garde. Je peux peut-être vous orienter. Êtes-vous à la recherche d'un navire ou d'une auberge en particulier?

—Non, lâcha platement Bruenor, répondant ainsi clairement aux deux questions.

Il fut ainsi stupéfait quand il entendit Drizzt répondre:

—Nous ne sommes que de passage. Pour ce soir, nous cherchons une chambre. Nous partirons peut-être dès demain vers le nord. (Après avoir salué le soldat, il commença à s'éloigner, puis il s'adressa à Bruenor de façon très peu discrète.) Viens, Shivanni nous attend.

—Ah! dit le garde, sur quoi les deux compagnons se retournèrent. Vous trouverez de la bonne boisson à Luskan, pas de doute. Une cargaison de bière claire est arrivée en provenance de la Porte de Baldur il y a deux jours.

—Formidable, répondit Drizzt, avant d'entraîner Bruenor avec lui.

—Depuis quand t'es aussi bavard, l'elfe? (Drizzt haussa les épaules, comme s'il ne saisissait pas.) Il aurait pu connaître le nom d'Shivanni!

—Si Jarlaxle souhaite nous rencontrer, pourquoi lui compliquer la tâche? répondit l'elfe noir, l'air désinvolte.

—Et s'y nous cherche pas?

—Dans ce cas, nous n'aurions jamais su que notre campement avait été pillé par un drow, comme nous n'aurions jamais trouvé une piste si évidente jusqu'ici.

—Ou alors c'était une fausse piste, qui nous a conduits ici en nous persuadant qu'elle était due à Jarlaxle.

Bruenor hocha la tête à plusieurs reprises en songeant à cette hypothèse, comme s'il venait d'avoir une révélation.

—Dans ce cas aussi, je voudrais bien trouver Jarlaxle, car toute personne nous poussant à venir ici doit l'inquiéter tout autant. Il ferait alors un excellent allié.

—Bah !

—À ma connaissance, nous n'avons aucun ennemi ici, poursuivit le drow. Nous évoluons au grand jour, sans rien à cacher ni mauvaises intentions.

—T'es ami avec les Hauts Capitaines, maintenant ?

—En supposant qu'il en reste, je les tuerais tous si l'occasion se présentait – s'ils ressemblent à ceux qui ont vaincu le capitaine Deudermont, il y a des décennies.

—J'suis sûr qu'y seraient ravis d'entendre ça.

—Je n'ai pas l'intention de le leur dire.

—Un nain et un drow, exactement ce que vous cherchez, dit le garde à la séduisante femme qui l'avait précisément engagé pour repérer ces deux individus.

La commanditaire, une ashmadaï de la bande de Dahlia, acquiesça.

—Aujourd'hui ?

—Il y a moins d'une heure.

—Tu en es certain ?

—Un nain et un drow…, dit l'homme, pince-sans-rire, comme s'il était impossible de se tromper au sujet d'un duo si improbable.

La femme se pourlécha les lèvres et sortit une petite bourse. Elle se tourna en l'ouvrant, afin de ne pas en dévoiler le contenu, puis elle tendit deux pièces d'or à son vis-à-vis.

— Par où sont-ils partis ?

— Je n'ai pas pris la peine de les suivre du regard, répondit le garde, en haussant les épaules.

L'ashmadaï poussa un soupir suivi d'un léger grondement de frustration. Après avoir considéré cet idiot d'un air méprisant en secouant la tête, elle fit mine de s'éloigner.

— Pourquoi m'en serais-je donné la peine, alors que je savais où ils se rendaient ? ajouta le voyou.

Elle fit volte-face, les mains sur les hanches, fusillant cet insolent du regard, et patienta quelques instants, sans rien entendre de plus.

— Eh bien ? dit-elle enfin.

— Vous m'avez payé pour surveiller l'arrivée d'un nain et d'un drow à la porte. Je me suis donc posté à la porte et j'ai vu arriver un nain et un drow.

L'ashmadaï plissa les yeux d'une façon menaçante, qui ne parut pas inquiéter le garde. Après un nouveau soupir, elle se saisit de sa bourse.

— Une pièce d'or pour le nom de la personne qu'ils doivent rencontrer, dit l'homme, avec un large sourire. Avec une deuxième, je vous donne le nom de l'endroit où ils vont la retrouver et, pour trois pièces d'or, je vous indique en plus comment vous y rendre.

— Dis-moi tout, lâcha-t-elle, en jetant deux pièces aux pieds du garde.

Le voyou regarda la monnaie et, après un haussement d'épaules, accepta le marché.

— Le maigrichon, insista Bruenor, appuyé sur le bar, sa barbe gris et orange couverte de mousse de bière.

Face à lui, Shivanni Gardpeck, une main sur la hanche, se tapotait de l'autre le menton. Cette femme attirante approchant la quarantaine était dotée d'un corps généreux, tout en courbes, et de longs et épais cheveux châtain foncé. Drizzt ne lui trouvait guère de ressemblance physique avec son lointain oncle Arumn, cependant sa façon de se comporter trahissait un certain air de famille.

—L'époque d'Arumn ne date pas d'hier, marmonna-t-elle.

—C'est très vieux, lui accorda Bruenor. Mais des histoires à son sujet ont bien dû s'transmettre dans la famille ?

—Bien sûr.

—L'histoire du marteau volé de Wulfgar ?

Shivanni acquiesça et se mordit la lèvre inférieure, comme si elle avait un nom sur le bout de la langue.

—Ah! Par la barbe des gnomes, se lamenta Bruenor, quand elle leva les mains en un geste d'impuissance.

Il vida sa chope, rota – évidemment – et fit signe à Drizzt qu'il était prêt à se rendre dans leur chambre.

Alors qu'ils avaient gravi la moitié de l'escalier, les deux amis furent arrêtés par Shivanni.

—Ça va me revenir, croyez-moi! leur assura-t-elle.

—Un homme à face de rat avec un marteau qui n'était pas le sien, répondit Bruenor, sur un ton léger.

Cette conversation l'avait ramené des décennies en arrière, dans un endroit qu'il appréciait grandement. Sa voix semblait en effet emplie de soulagement. Un grand sourire aux lèvres, il leva les mains, comme si tout allait pour le mieux dans le meilleur des mondes.

Deux heures plus tard, enfoncé dans un fauteuil, le nain ronflait bruyamment. Drizzt hésita à le réveiller, sachant que dans le cas contraire celui-ci se réveillerait vraisemblablement au milieu de la nuit, de mauvais poil à cause d'un estomac réclamant son dû.

Bruenor cessa de ronfler, grogna et gloussa quelque peu, puis il ouvrit un œil paresseux et vit une main sombre posée sur son épaule.

—L'heure du festin du soir a sonné, dit Drizzt, à voix basse mais avec assez de fermeté pour que Bruenor ne lui morde pas la main.

Le nain se débarrassa de lui d'une secousse et referma les yeux, tout en émettant quelques bruits étranges avec les lèvres, alors qu'il se calait plus profondément encore dans le fauteuil.

Drizzt analysa quelques instants cet échec, après quoi il passa de l'autre côté de son ami, se pencha près de lui et lui murmura à l'oreille :

— Des trolls verts...

Les yeux soudain grands ouverts, Bruenor bondit instantanément du fauteuil et se réceptionna en position de combat.

— Où ça ? Comment ça ?

— Des couverts, rectifia Drizzt. Ça fait longtemps que tu n'en as pas utilisé. (Bruenor lui lançant un regard noir, il désigna la porte.) En route pour le festin du soir ?

— Bah ! Notre conversation d'tout à l'heure m'a remis en tête des vieux souvenirs, l'elfe, qui sont ensuite devenus des rêves. Et tu viens d'les chasser.

— Des souvenirs de Wulfgar ?

— Oui. D'mon garçon et d'ma gamine.

Drizzt approuva d'un signe de la tête, bien placé pour connaître le réconfort apporté par ce genre de rêves. Il offrit un sourire compatissant à son ami et s'inclina.

— Si je l'avais su, je serais parti dîner sans toi.

Bruenor dissipa cette hypothèse d'un geste de la main et se frotta le ventre de l'autre. Il attrapa son casque à une corne et se l'enfonça sur le crâne, puis se cala le bouclier sur l'épaule et, enfin, s'empara de sa hache.

— Pas besoin d'foutus couverts, dit-il, en brandissant son arme. Si y a vraiment un troll vert, on l'découpera en morceaux suffisamment petits pour être avalés, crois-moi.

Alors que Bruenor et lui n'avaient descendu que la moitié de l'escalier, quelque chose parut étrange à Drizzt, dans la salle commune. Shivanni ne se trouvait pas derrière le bar. Ce fait, bien qu'inhabituel, n'offrait pas matière à soupçons, mais il y avait autre chose, quelque chose qu'il lui était difficile de définir. Parvenus au rez-de-chaussée, les deux compagnons dénichèrent une petite table près du bar, tandis que Drizzt observait toujours la salle et les clients.

— Rien ne te paraît bizarre ? demanda-t-il discrètement à Bruenor.

Le nain était en train de s'installer, sa hache posée contre sa chaise et le bouclier placé avec soin sur la hache, de façon à lui permettre de s'asseoir confortablement. Il regarda autour de lui, puis se tourna, perplexe, vers le drow.

Drizzt ne put que secouer la tête, jusqu'au moment où son malaise lui parut plus clair : il n'y avait aucune personne âgée dans la taverne, aucun individu crasseux et mal rasé donnant l'impression de sortir tout droit d'une bouteille de rhum ou de débarquer d'un pont de vaisseau pirate.

L'assistance avait quelque chose de trop… uniforme.

— Ne t'éloigne pas de ta hache, murmura Drizzt, alors qu'une serveuse – qu'il ne reconnut pas, ce qui n'avait rien d'étonnant, vu la rareté de ses passages à Luskan ces derniers temps – approchait.

— Salutations, les accueillit-elle.

— De même, jeune fille, répondit Bruenor. Dis-moi, comment t'appelles-tu ?

Elle sourit et détourna le regard d'un air modeste mais sans rougir du tout, comme le remarqua Drizzt. Il remarqua également, quand elle effectua ce demi-tour, une impressionnante brûlure entre le sein et la clavicule gauches.

Inspectant de nouveau la pièce du regard, l'elfe noir vit un homme de grande taille se pencher, ce qui dévoila une portion de peau entre son pantalon et sa tunique… ainsi qu'une cicatrice similaire à la précédente. Il observa ensuite une femme installée à une table située en face de la sienne. Son angle de vue lui permit de repérer, sous l'encolure de la robe de cette cliente, une cicatrice – non, plutôt une scarification – identique à celle de la serveuse.

Il reporta son attention sur Bruenor, qui commandait un ragoût et une cruche sans fond remplie de bière de la Porte de Baldur.

— Non, attends ! s'écria Drizzt.

— Hein ? Mais j'ai faim ! protesta le nain. Tu m'as réveillé et j'ai faim !

— Moi aussi, mais nous sommes en retard pour notre rendez-vous, insista le drow, en se levant.

Bruenor le regarda comme s'il avait perdu l'esprit.

— Je suis sûr que Wulfgar aura de la venaison à bord de son navire, ajouta Drizzt.

Son ami le regarda quelques instants sans ciller, l'air dérouté, avant de comprendre.

— Ah, j'espère bien, dit-il, en se levant à son tour.

Il fut aussitôt imité par tous les clients du *Coutelas*.

— Intéressant…, commenta Drizzt, les mains sur les poignées de ses cimeterres.

— Sois raisonnable, le drow, dit la serveuse. Tu n'as nulle part où t'enfuir. Nous souhaitons vous parler à tous les deux, en privé et dans le lieu de notre choix. Donne-nous tes armes, ça t'évitera de verser trop de sang.

— Tu me demandes de me rendre ? dit tranquillement Drizzt, sur un ton légèrement railleur.

— Regarde autour de toi ; nous sommes beaucoup plus nombreux.

— J'vois qu't'as jamais rencontré mon ami, toi, dit Bruenor qui, d'un coup de hache, cala fermement son bouclier sur son bras.

La serveuse jeta son plateau et recula, mais pas assez vite. Les armes de Drizzt jaillirent en un éclair, si bien que la lame de *Scintillante* se retrouva presque aussitôt sur le cou de la jeune femme.

— J'parie qu'le premier sang versé sera l'tien, lui dit Bruenor.

— Peu importe, répondit-elle, avec un étrange sourire. Vous n'irez jamais à Gontelgrime, quel que soit mon sort. Il vous reste la possibilité de renoncer à cette idée sans combattre. Sinon, nous vous y obligerons en vous tuant. À vous de voir.

Bruenor et Drizzt échangèrent un regard, puis un hochement de tête.

Le drow mit son cimeterre en action. Il ne trancha pas le cou de la serveuse, mais coupa la bretelle de sa robe. Le tissu retomba sur sa poitrine. Réagissant d'instinct, comme l'avait prévu le drow, elle rattrapa la bretelle. Drizzt avança d'un pas et la frappa au visage avec le pommeau de *Scintillante*. L'impact la projeta au sol.

Dans toute la pièce, de sous les tables ou de sous les capes, les autres sortirent leurs armes, principalement de curieux sceptres, entre le bâton et la lance.

D'un coup de hache porté vers le bas, Bruenor crocheta un pied de la table, qu'il envoya dans le même mouvement sur les adversaires les plus proches, qui furent ainsi repoussés.

—On s'bat ou on fuit ? demanda-t-il à Drizzt, tout en se ruant derrière son ami, pour intercepter un trio d'agresseurs.

Les yeux brillants d'enthousiasme de l'elfe noir – ainsi que sa réaction – fournirent sa réponse au nain. Le drow enjamba vivement la serveuse qui se débattait à terre, pour riposter aux coups des deux individus suivants par une série de solides parades et de contres en zigzag. En un clin d'œil, il les fit reculer et les contraignit à produire de sérieux efforts pour suivre le rythme de ses cimeterres.

Bruenor leva son bouclier et encaissa le violent coup de sceptre d'une ashmadaï, puis il donna un coup de hache par en dessous, que l'humaine parvint à esquiver. Deux guerriers tieffelins, postés sur la droite de leur complice, se jetèrent dans ce qui ressemblait à une ouverture.

Bruenor était trop expérimenté et trop malin pour commettre un impair si grossier. Derrière sa frappe tout à fait authentique, il accentua volontairement son élan et se dressa sur la pointe du pied avant, de façon à pivoter avec une synchronisation parfaite pour opposer son bouclier aux deux nouveaux ennemis. Le blason de la chope débordante de mousse se montra résistant face au choc d'une extrémité de sceptre en pointe, après quoi le nain n'eut qu'à lever légèrement son bouclier pour dévier un coup porté de haut en bas par l'autre monstre.

Levant encore plus haut son bouclier – et donc les armes des tieffelins –, le nain se lança en avant par en dessous et assena un deuxième coup de hache. Le sang coula de la cuisse de l'adversaire de droite, et un cri de douleur résonna, tandis que le demi-démon reculait et s'effondrait en s'agrippant à sa jambe entaillée.

Bruenor sauta par-dessus le tieffelin, qu'il gratifia au passage d'un coup de pied en plein visage pour faire bonne mesure, puis il se glissa sous une table. Après s'être retourné, il la souleva et la projeta – avec les nombreuses chopes et assiettes qui y étaient disposées – sur les deux poursuivants restants.

Avec violence, Drizzt se rua entre les deux ashmadaï qui s'en étaient pris à lui, un demi-orque à la démarche pesante et un humain à la peau basanée, peut-être un Turmien.

Ils s'écartèrent tous deux, non sans déplorer de multiples coupures sur les bras et le torse, et firent de leur mieux pour se protéger, tandis que le drow se lançait avec ardeur sur d'autres ennemis.

Drizzt savait que la vivacité jouait en sa faveur. Bruenor et lui devaient s'agiter furieusement pour repousser tout assaut organisé de la part de leurs adversaires, et c'était ainsi qu'il aimait se battre.

Il courut jusqu'à une table, s'y jucha d'un bond et, de là, sauta encore, ses lames fendant les airs à chaque pas, fracassant bâtons et lances, tranchant étoffes et peaux. Cris, hurlements, craquements de bois et bris de verre marquaient le passage de cette tornade noire qui semait une destruction absolue. Il lui arriva plus d'une fois de s'arrêter brutalement et de se retourner, pour mettre en échec des poursuivants par une série de parades et de ripostes.

Lors d'une de ces manœuvres en pivot, Drizzt abattit selon deux angles différents ses lames, qui percutèrent si brutalement la lance qui le menaçait qu'elle fut arrachée des mains de l'humaine qui la maniait. La femme leva les bras, redoutant d'être massacrée par les cimeterres, mais Drizzt n'oubliait pas que ceux qui se trouvaient derrière lui devaient se rapprocher à grande vitesse.

Après un autre saut, il prit appui sur deux chaises, un pied sur chacune, puis il bondit de nouveau, décrivant un salto arrière qui lui permit de passer par-dessus son poursuivant immédiat, lequel fut incapable de freiner son élan et frappa par erreur un de ses complices. Avant même que cette erreur soit commise, Drizzt se réceptionna derrière l'homme qu'il venait de survoler, et *Glacemort* entailla l'arrière des jambes du malheureux, juste sous les fesses.

Quel cri l'ashmadaï poussa!

Drizzt fit un tour sur lui-même pour contenir les autres ennemis; pas moins de cinq individus formaient un demi-cercle face à lui. Il se baissa, peu désireux de trop s'engager mais prêt à réagir, les forçant à faire le premier geste.

Il parvint à jeter un coup d'œil en direction de Bruenor et vit son ami juché sur le bar et tout aussi cerné que lui.

— Meurs bien, l'elfe! lui cria le nain.

— C'est ce que j'ai toujours voulu! cria le drow en retour, sans la moindre nuance de regret dans la voix.

Avant qu'il n'ait eu le temps de passer à l'action, une autre voix s'éleva par-dessus le tumulte.

Tous les regards se portèrent vers la porte; une créature des plus extraordinaires venait d'entrer au *Coutelas*: une elfe vêtue de cuir noir, de bottes montantes, d'une jupe courte à la coupe aguicheuse et d'un large chapeau, mais également équipée d'un bâton de marche métallique.

— Qui sont ces types? demanda-t-elle.

— Le nain et le drow! cria un humain.

— Ce ne sont pas ceux-là!

— Un nain et un drow... ça ne court pas les rues! s'écria un autre ashmadaï.

— J'connais un autre nain et un autre drow qui voyagent ensemble, intervint Bruenor.

— Tu penses à nous, peut-être? dit une voix – celle de Jarlaxle – depuis l'escalier.

Tous les yeux se tournèrent vers les marches, où se tenaient un deuxième drow et un deuxième nain.

— Un nain et un drow, un drow et un nain, ça vaut cent fois mieux qu'une vache et un lapin! Bwahaha! ajouta Athrogate, avec un enthousiasme déchaîné.

De toute évidence surpris, les fanatiques attendirent des instructions.

— Rendez-vous, alors, rendez-vous tous! exigea l'un d'eux. Vous ne retournerez pas auprès de la bête!

— La bête ? répondit Jarlaxle. Oh, mais si, nous allons l'approcher – oui, roi Bruenor, il parle bien de Gontelgrime, que tu convoites tant. J'ai beaucoup de choses à te raconter.

— Quand on aura écrabouillé ces idiots, y veut dire, rugit Athrogate, qui se jeta par-dessus la rampe, ses morgensterns tournoyant de chaque côté.

Il s'était jeté d'assez haut, et bien que sa chute fût tout à fait inattendue, les fanatiques postés en dessous eurent le temps de s'écarter. Il se réceptionna sur une table, qu'il fracassa instantanément sous son poids, tout en faisant voler assiettes et verres, avant de toucher le sol en poussant un grognement sonore. Tout témoin doutant de la capacité des nains à rebondir aurait compris son erreur ; crachant quelques morceaux de nourriture, de breuvages divers et de débris de céramique et de verre, Athrogate se retrouva d'un bond sur ses pieds. Plus surprenant encore, ses morgensterns n'avaient pas une seconde cessé de tourner, au bout de leurs chaînes.

— Bwahaha ! rugit-il.

Choqués, les ashmadaï reculèrent. Cette réaction ne dura qu'un temps, au bout duquel deux guerriers se jetèrent sur lui.

Ils firent un vol plané peu après, l'un éjecté par un coup de morgenstern enchantée – le nain avait activé la magie de celle-ci, de façon que sa tête s'enduise d'huile d'impact – et l'autre crocheté par la tête et la chaîne de l'autre arme à hauteur d'un bras, alors qu'il tentait une parade. Il avait ensuite suffi à Athrogate de se retourner et de tirer sur sa morgenstern pour lancer son adversaire dans une pirouette, à la fin de laquelle, comme le nain, il s'était écrasé sur une table.

— Bwahaha !

— Allez, vas-y, dit Drizzt à Bruenor.

Les deux nains avaient déjà eu l'occasion de combattre côte à côte, avec une grande efficacité. Sans la moindre hésitation, profitant de la distraction provoquée par l'intervention d'Athrogate, Bruenor chargea, renversant au passage chaises et tables, balayant verres et assiettes, meubles et outils divers avec sa hache, pour les projeter sur les ashmadaï les plus proches, ce qui ne fit qu'ajouter à la confusion générale.

Athrogate le vit venir et se lança dans le même genre de dévastation, visiblement plus que ravi de retrouver le roi Bruenor pour une bonne bagarre.

Des ashmadaï se ruèrent vers le bas de l'escalier, mais Jarlaxle ne leur prêta pas attention, si ce n'est le temps de jeter dans leur direction la plume de son chapeau à large bord. Cette plume se changea presque instantanément en un oiseau géant incapable de voler. L'animal poussa un cri digne de son imposante masse, qui se réverbéra contre les murs de la taverne. Il se mit ensuite à battre des ailes avec rage, tout en tendant son long cou mince pour donner de violents coups de bec aux ennemis les plus proches, alors que ses puissantes pattes martelaient le sol, au point d'en faire craquer les planches.

Jarlaxle ne profitait même pas du spectacle, ayant oublié sa plume sitôt après l'avoir jetée. Il savait son animal assez efficace pour lui offrir le temps dont il avait besoin. Son attention était concentrée sur la porte, sur Dahlia, la dernière à être entrée dans la taverne. Il essayait de jauger l'elfe, guettant un temps mort dans ses mouvements. Il l'imagina de nouveau en train de prononcer les mots qu'elle lui avait soufflés. Son expression correspondait-elle à ses paroles?

Tout en se rappelant que ce détail importait peu, Jarlaxle sortit sa baguette favorite et la tendit en direction de Dahlia.

La rixe battait son plein en contrebas, Bruenor et Athrogate luttant juste en dessous de lui, tandis que Drizzt exécutait un ballet dévastateur de l'autre côté. Pourtant, Dahlia n'avait pas encore eu la moindre réaction. Peut-être était-ce parce qu'il restait encore une bonne dizaine de ses soldats entre l'ennemi et elle, ou peut-être était-ce pour une autre raison, comme osait l'espérer Jarlaxle.

Mais c'était à elle de faire un choix, pas à lui.

Il prononça un sort qui libéra le pouvoir de la baguette. Une épaisse petite boule verte d'une indescriptible substance semi-liquide jaillit de l'extrémité de l'artefact, traversa la pièce et s'écrasa sur Dahlia, qui disparut sous le projectile, quand ce dernier se plaqua entre le montant de la porte et le mur.

Une deuxième boule fut lancée, avant même que la première ait fait mouche, et noya davantage Dahlia, désormais entièrement recouverte. Quiconque se tournant vers la porte pour la première fois en cet instant n'aurait jamais deviné qu'une elfe s'y était trouvée une seconde auparavant.

Pensif, Jarlaxle considéra la matière visqueuse collée au mur.

Au bas de l'escalier, son oiseau géant poussa un cri de protestation, qui fut suivi d'un hurlement ashmadaï lorsque l'animal se vengea du coup de sceptre reçu. Le sourire du mercenaire s'évanouit quand il se tourna vers Drizzt, dont il observa la furie débridée. Il l'avait vu se battre à de nombreuses reprises, mais jamais de cette façon. Les lames du rôdeur dégoulinaient de sang, tandis que ses coups étaient tout sauf mesurés.

Comme durant la bataille face aux zombies de cendre, dans la forêt, Drizzt Do'Urden se fondit en lui-même et laissa libre cours à sa frustration, sa peur et sa colère. Il était le pur combattant, le Chasseur, un rôle qu'il chérissait depuis des décennies, depuis le fléau magique, depuis que l'injustice et la cruelle réalité de ce monde avaient fait voler en éclats ses illusions… ainsi que son sens de la pondération.

Bruenor se servait des tables comme de missiles ; il les crochetait avec sa hache ou avec le pied, pour ensuite les jeter au visage des ennemis qui approchaient. Quant à Athrogate, il ne voyait dans le mobilier que des éléments gênants, rien de plus, dont le destin était d'être réduits en miettes ou renversés, pour le seul amour de la destruction.

Drizzt, lui, considérait ces tables et ces chaises comme des supports bienvenus. Son ballet aurait en effet été beaucoup moins impressionnant et moins efficace s'il avait dû l'exécuter sur un sol dépourvu de meubles. Il courut jusqu'à la table encore intacte la plus proche, s'y jucha puis bondit dans les airs avec tant de grâce que pas un verre, pas une chope, pas une assiette ne bougea sous son impulsion. Il se réceptionna sur une chaise – un pied sur le dossier et l'autre sur le siège –, qu'il fit basculer en arrière avec son élan.

Il modifia aussitôt son centre de gravité, ce qui redressa la chaise et lui permit d'esquiver une arme ashmadaï.

Puis il inversa de nouveau son mouvement et refit basculer la chaise en arrière, jusqu'à la renverser et se reposer les pieds sur le sol. Il dut sans plus attendre se pencher en arrière pour éviter ce même ashmadaï qui, après son coup manqué, cherchait à le frapper à la tête avec son sceptre.

Quand, le bras gauche tendu et emporté par son élan, le fanatique passa par-dessus Drizzt, ce dernier lui planta *Scintillante* dans les tripes. Le drow s'écarta avec vivacité et retira son cimeterre, avec lequel il frappa de nouveau son agresseur, cette fois à hauteur des jambes. Hurlant de douleur, l'ashmadaï s'écroula.

Drizzt avait alors déjà bondi sur la table suivante, d'où il sauta, les jambes repliées sous le corps, avant de se reposer en donnant un coup de pied, tout en frappant à plusieurs reprises, touchant les uns après les autres les ennemis qui le cernaient. Ces derniers l'agressaient sans retenue, mais le drow était toujours en avance d'un saut, d'une esquive ou d'un écart par rapport à eux. Un par un, ils reculèrent, blessés.

Ses ennemis étant systématiquement remplacés par des complices, le drow était tout de même piégé.

Enfin, apparemment.

Drizzt vit venir l'explosion imminente. Tandis que Bruenor et Athrogate se précipitaient en rugissant vers la table, il s'en échappa d'un bond, décrivant un salto qui lui permit de se dégager du groupe d'ashmadaï. Ils le suivirent des yeux et tentèrent de se retourner pour l'intercepter. Hélas pour eux les deux nains s'enfoncèrent dans leurs rangs à cet instant, boucliers, hache et morgensterns à l'œuvre comme des extensions des véritables armes, à savoir les nains eux-mêmes.

La table vola et les ashmadaï s'éparpillèrent. Sans cesser de hurler, les nains poursuivirent leur travail de labourage, débordant les ennemis sous le poids de leur assaut.

De son côté, Drizzt avait repris sa course et son ballet, bougeant pieds et mains si vite qu'on ne les distinguait plus qu'à peine. Il abattit ses deux lames sur la gauche, pour écarter un sceptre menaçant, puis fit de même sur la droite, juste à temps pour toucher une ashmadaï qui cherchait à s'éloigner et s'effondra à son tour un peu plus loin.

Soudain, Drizzt s'immobilisa, voyant un autre ennemi potentiel approcher : l'oiseau de Jarlaxle. Le drow se lança alors dans une démonstration effrénée avec ses lames, davantage destinée à impressionner qu'à blesser. Un sourire cruel aux lèvres, il constata que les deux ashmadaï qui lui faisaient face l'observaient avec trop d'attention pour sentir l'arrivée du monstrueux diatryma, derrière eux.

Quand l'elfe noir s'écarta, les ashmadaï s'apprêtèrent à le suivre, mais l'un d'eux reçut un coup de bec sur le crâne, avec une force propre à briser l'os, et l'autre se retrouva en train de voler dans une direction qu'il n'avait pas choisie, après avoir été frappé à hauteur de hanche avec une puissance inouïe par une patte terminée par trois griffes.

Commencé à vingt contre deux mais se déroulant désormais à vingt contre quatre – cinq en comptant le diatryma –, cet affrontement était à présent plus équilibré. Leur chef étant perdu sous un amas de substance inconnue, les ashmadaï indemnes se sentirent soudain davantage portés à se battre un autre jour qu'à insister et se diriger vers ce qui ressemblait de plus en plus à une défaite.

D'autant que l'oiseau de Jarlaxle les chassait du *Coutelas*, allant parfois jusqu'à les poursuivre dans la rue.

—Rends-toi ! dit Drizzt à une ennemie acculée loin de la porte.

Il ponctua sa demande d'une série de bottes dévastatrices qui écartèrent l'arme de l'ashmadaï à gauche, puis à droite et enfin vers le haut, le tout en une fraction de seconde. Elle était clairement dominée ; le drow pouvait la tuer sans difficulté s'il le décidait.

Mais il avait affaire à une ashmadaï.

Elle fit mine de lâcher son arme d'une main, l'autre ouverte devant elle… Puis soudain, elle attaqua.

Enfin, elle essaya.

Elle bondit en avant, poussant un cri pour accompagner sa frappe brutale, mais elle ne fendit que de l'air, déséquilibrée. À peine consciente que le drow s'était écarté d'un pas, elle se raidit quand un cimeterre plongea dans ses entrailles. L'arme se glissa jusqu'à un de ses poumons, avant d'être tournée. Le sceptre tomba à terre. La fanatique se dressa sur la pointe des pieds, les dents serrées et les mains n'agrippant que du vide.

Elle regarda Drizzt quand il retira sa lame, les mains sur son flanc éventré. Ses lèvres remuèrent, comme pour le maudire, mais aucun son n'en sortit. Elle posa un genou au sol, puis elle se laissa tomber et se recroquevilla sur elle-même.

Drizzt jeta un coup d'œil du côté de la salle, juste à temps pour voir Bruenor et Athrogate se percuter l'un l'autre, épaule contre épaule, alors qu'ils essayaient de sortir de la taverne. Ils se bousculèrent un moment avant qu'Athrogate s'efface et laisse le roi nain sortir le premier, pour aussitôt lui emboîter le pas.

Derrière eux se présenta Jarlaxle, affichant une expression mortellement sérieuse, alors qu'il regardait Drizzt.

— Qu'y a-t-il ? lui demanda ce dernier.

Les yeux du mercenaire se posèrent sur la femme qui gisait aux pieds du rôdeur. Il secoua la tête et soupira, mais ne dit rien. Il ne suivit pas les nains à l'extérieur mais s'approcha de la substance visqueuse collée au mur, juste à côté de la porte.

— Elle étouffe, fit remarquer Drizzt, en le rejoignant.

Ayant lui-même autrefois été victime de cette matière suintante, il en connaissait parfaitement les terribles effets.

— Tu préférerais la tuer avec tes lames, j'imagine, lâcha Jarlaxle avec désinvolture, ce qui lui valut un regard noir de la part du rôdeur.

Jarlaxle baissa brusquement les mains, faisant jaillir deux dagues de ses bracelets magiques. Sans quitter Drizzt des yeux, l'air sévère, il allongea ses armes – d'un nouveau mouvement de poignet – en deux épées fines. Avec un grognement inhabituel pour lui, il en plongea une dans la substance visqueuse, la traversant jusqu'à toucher le mur. Il retira l'épée et en examina la lame, toujours immaculée en dehors d'une tache verte, à peine de la taille d'un ongle.

—Pas de sang, dit-il, en haussant les épaules.

Il leva de nouveau son épée, qu'il orienta cette fois davantage vers le centre de la masse verdâtre, ce qui préfigurait un coup mortel. Une fois de plus, il se tourna vers Drizzt, un sourcil levé.

Le rôdeur ne broncha pas.

Jarlaxle soupira et abaissa la lame.

—Qui es-tu ? lui demanda-t-il, en le dévisageant. (Drizzt accepta ce regard accusateur sans réagir.) Le Drizzt Do'Urden que je connais m'aurait demandé de faire preuve de pitié.

Il pointa son épée en direction de la salle, vers l'ashmadaï tombée sous les coups de cimeterres du rôdeur.

—Doit-on appeler un prêtre ?

—Pour qu'il les soigne et qu'ils m'attaquent de nouveau ?

—Mais qui es-tu donc ?

—Quelqu'un qui n'a jamais fait bouger les choses, répondit Drizzt.

L'apathie, la désolation et surtout la froideur du ton employé par le rôdeur frappèrent Jarlaxle comme un mur d'acide. Le mercenaire laissa échapper un ricanement et se retourna vers la substance collée à la paroi, qu'il transperça violemment d'une épée, puis plus fort encore de la seconde, avant de continuer ainsi avec une rage déchaînée qui ne pouvait que tuer quiconque se trouvant piégé sous cette masse.

—Impressionnant, commenta Drizzt, qui retourna ses cimeterres, les aligna parfaitement avec leurs fourreaux et les rengaina. Et tu critiques mon manque de pitié ?

—Regarde mes lames ! s'emporta Jarlaxle, furieux, en lui présentant ses armes, que ne tachait pas la moindre goutte de sang.

—Tu le savais ! Mais comment… ? lui demanda Drizzt.

—Je suis au courant de tout ce qui se passe à Luskan.

—Alors tu sais peut-être où sont mes cartes, intervint Bruenor, depuis la porte.

Jarlaxle le salua en acquiesçant, avant de poser les yeux sur les ashmadaï à terre, dont certains se tordaient et se redressaient, nombre d'entre eux ne quittant pas du regard le trio posté près de la sortie.

—Nous avons beaucoup de choses à nous dire, dit le mercenaire. Mais pas ici.

—Avant de partir, je voudrais savoir ce qu'est devenue Shivanni Gardpeck, s'inquiéta Drizzt.

—Elle est en sécurité, le rassura Jarlaxle. Elle sera bientôt de retour avec une horde de soldats. (Il marqua une pause et regarda Drizzt droit dans les yeux.) Et avec des prêtres pour soigner les blessés…

—Elle savait qu'une telle bagarre se déroulerait dans sa taverne cette nuit ? s'étonna Drizzt, en considérant la salle dévastée.

—Elle a été suffisamment bien payée pour compenser les dégâts subis, je te le garantis, répondit Jarlaxle.

—Pour compenser les dégâts ? ricana le rôdeur, qui semblait trouver cette idée ridicule.

Et de désigner la destruction, le carnage, les blessés et les morts qui jonchaient la taverne. Les deux drows s'observèrent un moment, chacun cherchant à percer les mystères de l'autre, chacun essayant de trouver un sens à toute cette absurdité.

—L'argent peut-il aller à l'encontre du temps ? murmura Drizzt.

Le regard de Jarlaxle se fit plus réprobateur encore, tandis qu'une expression de frustration et de déception, voire de colère, se lisait sur son visage – ce qui ne fit que s'accentuer quand Drizzt resta sans réagir.

— C'foutu oiseau les pourchasse jusque sur les quais et dans l'eau ! leur annonça Athrogate, apparu à côté de Bruenor, à la porte du *Coutelas*, brisant la tension.

— Venez, leur dit Jarlaxle. Nous avons beaucoup de choses à nous dire.

D'un mouvement des poignets, il fit de ses épées des dagues, qu'il lança vers le haut. Elles se plantèrent au plafond.

— Et elle ? demanda Bruenor, en désignant la matière visqueuse collée au mur.

— Nous verrons, répondit Jarlaxle.

Athrogate ouvrant la marche, les quatre compagnons s'élancèrent dans la rue, avant de s'engager dans une ruelle. Des cris et des appels de gardes ne tardèrent pas à s'élever derrière eux. Jarlaxle sortit un trou portable de son chapeau et le plaqua contre le mur du fond de l'impasse.

Athrogate s'y jeta aussitôt et, alors que Bruenor hésitait, il ressortit le bras des ténèbres, l'attrapa par la tunique et le tira derrière lui. Drizzt sauta lestement dans le passage à la suite de son ami, aussitôt imité par Jarlaxle qui, depuis l'autre côté, récupéra le trou, refermant ainsi l'ouverture.

Ainsi s'acheva la poursuite, néanmoins ils conservèrent une bonne allure, à défaut de courir à toutes jambes, jusqu'aux appartements de Jarlaxle.

— Rends-moi mes cartes ! dit Bruenor, quand ils approchèrent de la porte.

À peine entré dans l'appartement, de surface modeste mais meublé avec luxe, Jarlaxle s'approcha d'une table et s'empara du sac volé à Bruenor, qu'il lui lança.

— Elles y sont toutes, sauf une, précisa le mercenaire. Peut-être te mèneront-elles vers de formidables trésors et des endroits mystérieux – des aventures dont tu profiteras plus tard, cependant.

— Toutes sauf une ? grogna Bruenor.

— Toutes sauf celle-ci, brave nain, répondit Jarlaxle, en sortant d'un tiroir un parchemin roulé et noué. Cette carte te conduira à l'endroit que tu désires plus que tout atteindre. Oui, roi

Bruenor, je parle de Gontelgrime. Je m'y suis rendu, et bien qu'il me soit impossible de refaire ce trajet depuis que l'explosion a fait s'effondrer les tunnels qui en permettent l'accès, je sais où se trouve Gontelgrime. (Il leva la carte devant lui). Et voici comment y aller.

Bruenor cherchait ses mots. Il haussa les épaules en direction de Drizzt, qui lui répondit de la même façon. Le roi nain revint à Jarlaxle, en passant la langue sur ses lèvres soudain devenues sèches.

— J'ai pas envie d'plaisanter avec ça, le prévint-il.

— Ça n'a rien d'une blague, répondit Jarlaxle, on ne peut plus sérieux. Je parle bien de Gontelgrime.

— Gontelgrime, dit Athrogate, vers qui Bruenor se tourna aussitôt. J'y suis allé. J'ai vu la Forge. J'ai vu l'trône. J'ai vu les fantômes…

Bruenor, qui avait si récemment croisé ces mêmes fantômes, eut le souffle coupé par ces derniers mots, alors qu'il essayait en vain de se ressaisir.

Drizzt posa sur son ami un regard qui contenait une certaine satisfaction, mais également une indifférence troublante.

Cela n'échappa pas à Jarlaxle qui, à sa grande surprise, se rendit compte qu'il en était profondément ennuyé.

17

À ÉPOQUE SANS ESPOIR, PLAN DÉSESPÉRÉ

Bruenor avait presque complètement disparu dans le fauteuil rembourré, s'y étant enfoncé un peu plus à chaque mot prononcé par Jarlaxle. Le drow venait d'exposer son plan pour reconquérir Gontelgrime. Si Bruenor avait imaginé cette mission impressionnante en y réfléchissant de façon plutôt abstraite, elle lui paraissait tout simplement terrifiante ainsi précisée.

—Alors la bête a pas laissé l'volcan entrer en éruption, dit-il, d'une voix à peine audible. La bête *est* l'volcan ?

Il se tourna vers Drizzt, se remémorant leur discussion tranquille à propos du fait d'empêcher un volcan de se déchaîner.

—C'est une puissance primordiale du Feu, aussi ancienne que les dieux, répondit Jarlaxle.

—Et aussi forte, ajouta Bruenor, ce qui poussa le mercenaire à secouer la tête.

—Elle n'a pas le cerveau d'un dieu, précisa celui-ci. Ce n'est qu'une catastrophe, dépourvue de malveillance. C'est une puissance sans intellect.

—Elle ne lèvera pas une armée de fanatiques, ponctua Drizzt.

L'expression qu'afficha alors Jarlaxle n'eut rien de rassurant.

Le regard de Bruenor se posa sur la table où étaient disposées les coupes magiques dont ils étaient censés se servir pour invoquer les élémentaires de l'Eau, des récipients dont ils espéraient qu'ils contiendraient les monstres suffisamment longtemps pour que ces derniers réactivent les racines de la Tour des Arcanes, ce qui remettrait en place l'ancienne cage. Ils devraient placer ces coupes à des endroits précis, même s'ils ignoraient encore où exactement…

—C'est une aventure, roi Bruenor! s'enthousiasma Jarlaxle, bondissant d'un pied sur l'autre. C'est le chemin qui mène à Gontelgrime, roi Bruenor! L'authentique Gontelgrime! N'est-ce pas ce que tu cherchais quand tu as renoncé au trône de Castelmithral?

—Bah! ronchonna Bruenor, avant d'écarter le drow d'un geste de la main.

Jarlaxle sourit et adressa un clin d'œil à Drizzt.

—Il est possible que d'autres options s'offrent à nous, ainsi que d'autres alliés, dit-il avant de se coiffer de son chapeau à large bord. Je reviens sans tarder.

Sur ces mots, il s'en alla, laissant ses trois compagnons dans l'appartement.

—Vous aviez besoin d'mes cartes, dit Bruenor à Athrogate.

Le nain à la barbe noire haussa les épaules, puis hocha la tête.

—Les tunnels par lesquels on est passés s'sont effondrés. On peut pas repasser par c'chemin-là.

Bruenor lança un regard inquiet à Drizzt.

—Et dans ces tunnels, il y avait ces… racines, celles de la Tour des Arcanes, qui se prolongent jusqu'à l'ancienne cité naine, ajouta le drow.

—Exact, c'est grâce à elles qu'on a trouvé le bon endroit.

—Et si ces racines sont endommagées?

Athrogate poussa un profond soupir, puis il regarda Bruenor droit dans les yeux, l'air très sérieux.

—Si tu veux pas y aller, j'te l'reprocherai pas, dit-il. C'est une folie, et on va sûrement tous mourir – enfin, y a plus de chances qu'on meure qu'on en ressorte, j'veux dire. Mais en c'qui m'concerne, j'ai pas l'choix. (Il retint sa respiration et se raidit sur son siège.) C'est moi, roi Bruenor… Jarlaxle l'a pas dit, vu qu'c'est un ami… mais c'est moi qui ai tiré sur l'levier et donc coupé la circulation dans les racines. C'est moi qui ai éteint la magie d'ces racines et libéré les élémentaires qui maintenaient la bête dans sa fosse remplie d'lave. C'est Athrogate qui a permis à la puissance primordiale d'rugir, c'est Athrogate qui a détruit Gontelgrime… et c'est Athrogate qui a tué Padhiver.

Les yeux écarquillés, Bruenor se tourna vers Drizzt, qui arborait la même expression incrédule.

—C'était pas c'que j'avais prévu, poursuivit Athrogate, la mine honteuse, après son aveu. J'pensais relancer la Forge et faire revivre la cité.

—C'est d'une stupéfiante audace, si tu n'étais pas sûr de toi, fit remarquer Drizzt.

—J'avais plus toute ma tête, marmonna le nain. Ou plutôt, y avait d'autres personnes dedans ! Un vampire, d'une part, et aussi cette sorcière thayenne.

—Celle qu'on a vue au *Coutelas* et qui a réussi à s'enfuir, alors qu'elle était piégée sous la colle de Jarlaxle ?

—Sa patronne. Celle qui s'occupe d'l'Anneau d'Terreur. J'ai été piégé et poussé à agir. (Il poussa encore un soupir.) Et j'ai été faible…

Bruenor adressa un nouveau regard interrogateur à Drizzt, qui hocha la tête.

—Bon, c'est fait, dit Bruenor à Athrogate, d'une voix ferme mais tout sauf accusatrice. Tu peux pas changer l'passé, mais il est peut-être temps de réparer les erreurs commises.

—J'dois essayer, convint Athrogate.

—Nous aussi, dit l'ancien roi nain. Et pas seulement essayer, mais réussir. Tous ceux qui voudront m'en empêcher tâteront d'ma hache, tu peux m'croire !

—Oui, mais pas avant qu'ils aient senti l'poids d'mes morgensterns ! renchérit Athrogate, qu'on aurait dit rajeuni par les encouragements de Bruenor.

Les deux nains levèrent les yeux vers Drizzt qui, amusé, se contenta de sourire.

Il était inutile pour lui de le préciser, car ses deux compagnons le savaient déjà : tout ennemi qui croiserait leur route éprouverait le tranchant des cimeterres de l'elfe noir avant la hache de Bruenor ou les morgensterns d'Athrogate.

Sur le balcon, un peu plus tard, seul avec ses pensées, Bruenor Marteaudeguerre songeait à ce qui s'annonçait. Il allait voir Gontelgrime. Sa quête serait accomplie, sa vision confirmée, son rêve réalisé. Et ensuite ? Quelle route attirerait ses pas après cela ? Qu'est-ce qui donnerait de la force à ses vieilles jambes ?

Ou était-ce là sa dernière route, avec la fin au bout ?

Il retournait ses pensées dans sa tête, acceptant finalement l'issue la plus vraisemblable, quand il aperçut un visage familier dans la rue, en contrebas.

Shivanni Gardpeck marchait d'un bon pas, quand elle fut accostée par Jarlaxle, sorti de nulle part. Ils échangèrent quelques mots que le nain n'entendit pas, puis le drow offrit une bourse bien remplie à la serveuse, comme il l'avait promis précédemment, au *Coutelas*.

Quand Shivanni fut repartie, se fondant dans la nuit, et que Jarlaxle se fut retourné vers Bruenor, ce dernier remarqua une inquiétude et une perplexité certaines sur le visage de l'elfe noir.

Jarlaxle trouva le nain qui l'attendait au sommet de l'escalier.

— Notre ami a-t-il franchi la ligne ?

Surpris par cette question, Bruenor plissa le nez en interrogeant le drow du regard.

— Drizzt, précisa le mercenaire, même si, évidemment, cela n'apportait aucune réponse à Bruenor.

— De quelle ligne tu parles ?

— Il se bat avec davantage de… de furie que dans mes souvenirs, dit Jarlaxle.

— Oui, ça fait un moment qu'ça dure.

— Depuis la mort de Catti-Brie et de Régis.

— Tu l'lui reproches ?

Jarlaxle secoua la tête, puis considéra la porte fermée de son appartement.

— Alors, a-t-il franchi cette ligne ? insista-t-il, en se retournant vers le nain. L'as-tu vu se lancer dans un combat qu'il n'aurait pas dû livrer ? Lui est-il arrivé de ne montrer aucune clémence envers quelqu'un qui l'aurait mérité ? A-t-il déjà laissé sa rage contrôler ses lames à la place de sa conscience ?

Toujours aussi perplexe, Bruenor braqua les yeux sur le drow.

— Ton air hésitant m'effraie, dit ce dernier.

— Non, finit par répondre Bruenor. Mais c'est possible qu'il ait failli l'faire. Pourquoi tu t'préoccupes de ça ?

— Par curiosité.

Bien entendu, le nain n'avala pas ce mensonge.

— Y a aussi d'autres choses, ajouta-t-il. Drizzt évite les villes. Quand on s'installe pour l'hiver, à Port Llast ou à Padhiver, avant sa destruction, ou même dans une tribu barbare, il est pas du genre à rester avec les gens – il apprécie pas la compagnie. Peut-être qu'maintenant, y serait heureux à Padhiver.

— Parce qu'il y a toujours quelqu'un, ou quelque chose, à combattre dans ces ruines.

— Oui.

— Il adore se battre.

— Y s'en est jamais caché. Bon, sois plus clair, l'elfe ; qu'est-ce que t'as en tête, pour m'poser ces questions ?

— Je te l'ai dit, je suis curieux, répondit Jarlaxle, les yeux de nouveaux rivés sur la porte.

— Alors va lui demander directement, t'obtiendras peut-être d'meilleures réponses.

— Non, j'ai d'autres affaires à traiter cette nuit.

Le mercenaire fit demi-tour en secouant la tête, puis il descendit prestement l'escalier.

Bruenor s'approcha de la balustrade et le regarda s'éloigner. Le rusé Jarlaxle ne tarda pas à disparaître. Le nain pensa un long moment à cette conversation, songeant bien moins aux raisons qui avaient poussé Jarlaxle à poser tant de questions sur Drizzt qu'à ce qu'impliquaient les inquiétudes légitimes du chef de Bregan D'aerthe.

Il se rendit compte qu'il lui était difficile de se souvenir de l'ancien Drizzt, ce drow qui affrontait les combats inévitables en haussant les épaules et le sourire aux lèvres, à la fois sûr de lui et certain d'agir en accord avec son cœur. Il avait vu son ami changer. Son sourire était devenu plus… cruel. Il ne reflétait plus seulement la nécessité de se battre mais évoquait davantage un plaisir sans mélange.

Ce n'est qu'à cet instant que Bruenor prit conscience du nombre d'années écoulées depuis la dernière fois qu'il avait vu l'ancien Drizzt.

En entrant dans la cavité souterraine qui avait autrefois appartenu à Arklem Greeth et Valindra, Jarlaxle ne fut pas surpris de découvrir qu'il n'était pas seul.

Confortablement installée dans un fauteuil, Dahlia le dévisageait.

— Tu t'es bien débrouillée, avec la bague, dit le drow, en s'inclinant.

— Sa nature m'a été révélée dès lors que je l'ai enfilée.

— Ne sois pas si modeste. Peu de gens auraient été capables de projeter cette image de façon aussi saisissante. Tes soldats n'ont pas envisagé une seconde que ce n'était pas vraiment toi qui étais apparue à la porte.

— Et toi ?

— Si je n'avais pas été au courant, pour la bague, je n'aurais pas douté de ta présence, dit Jarlaxle, en tendant la main.

Dahlia tourna la tête vers lui, puis baissa les yeux sur sa main, sans faire le moindre geste.

— J'aimerais reprendre ma bague, dit Jarlaxle.

— Elle ne contient plus de sorts, désormais.

— Il est possible de la recharger.

— J'espère bien, dit Dahlia.

La guerrière ne semblant toujours pas décidée à rendre l'artefact, Jarlaxle retira sa main.

— J'étais convaincu que tu te servirais de cette bague. Je constate que ta répugnance à l'égard de Sylora Salm est toujours aussi vive.

— Pas davantage que celle qu'elle éprouve à mon encontre.

— Elle est jalouse de ta jeunesse elfique. Elle sera vieille et laide alors que tu seras toujours magnifique.

Dahlia chassa cette réflexion d'un geste, comme si cela n'avait aucune importance, indiquant ainsi que le contentieux qui l'opposait à Sylora était ancré dans des détails plus profonds que l'apparence physique.

— Tu as donc décidé de complètement renoncer à sa cause, déduisit Jarlaxle.

— Je n'ai rien dit de tel.

— Tu ne portes pas la broche de Szass Tam.

Dahlia baissa les yeux sur son chemisier, à l'endroit où le bijou était habituellement fixé.

— Tu es sans doute capable de trouver un mensonge convain-cant pour expliquer ton attitude au *Coutelas*, cependant je doute que ce manquement au code de conduite soit accepté, dit le drow. Szass Tam prend ce genre de choses très au sérieux. Quoi qu'il en soit, jamais tu ne persuaderas Sylora de te pardonner ta participation plus que limitée dans la rixe qui s'est déroulée à la taverne. (L'elfe le cloua d'un regard dur.) Tu as donc franchi une porte à sens unique, conclut Jarlaxle. Tu ne peux plus faire marche arrière, Dahlia. Tu as abandonné Sylora Salm. Tu as abandonné Szass Tam. Tu as abandonné Thay.

— Je ne peux qu'espérer que tout ce monde me croie morte.

Jarlaxle dévisagea un moment la guerrière, afin d'y voir plus clair dans ses intentions, mais il était difficile de deviner ses pensées. Son charme évident était recouvert d'un voile de froideur, véritable bouclier qui la protégeait des émotions diverses. Il se fit la réflexion qu'elle aurait fait une excellente elfe noire.

— Bon, et maintenant, ma chère Dahlia ?

— Qui est ton ami drow ? demanda-t-elle, le regard aussi triste que sérieux.

— J'en ai beaucoup.

— Celui qui se trouvait à la taverne, précisa Dahlia. J'ai observé le combat. Brièvement. C'est un authentique combattant à deux mains, même selon les standards drows.

— Athrogate serait vexé que tu distingues ainsi le drow.

— Il en va différemment pour le nain. Il compense par la force brute ce qui lui manque en talent. Son ballet est loin d'être gracieux et, s'il est évident que ce petit être est dangereux, ce drow est beaucoup plus doué avec ses lames qu'Athrogate avec ses morgensterns.

— C'est vrai, convint Jarlaxle. Il aurait pu figurer parmi les plus grands maîtres d'armes jamais vus à Menzoberranzan, comme le fut son père.

— Qui est-il ?

Jarlaxle détourna le regard et imagina voir Drizzt dans le lointain.

— Il est celui qui s'est échappé, répondit-il.

— D'où ?

Les yeux du drow se posèrent de nouveau sur la combattante.

— De son héritage. Il s'appelle Drizzt Do'Urden. Il est aussi bien accueilli à Eauprofonde qu'à Lunargent…

Dahlia l'arrêta d'une main levée.

— C'est donc celui qu'ils appellent Drizzt, dit-elle. Je m'en doutais un peu.

— Je t'assure que sa réputation n'est pas usurpée.

— Es-tu son ami ?

— Plus qu'il ne veut bien le reconnaître, peut-être, en tout cas plus qu'il ne peut le comprendre.

Dahlia considéra le mercenaire avec curiosité, au point qu'il en fut lui-même surpris.

— Pourquoi ? demanda-t-elle, question simple mais enracinée dans des émotions profondes et complexes.

—Parce qu'il est celui qui s'est échappé.

Dahlia resta silencieuse quelques instants, hochant la tête, avant de reprendre :

—Et son ami nain ?

—Il s'agit du roi Bruenor Marteaudeguerre de Castelmithral, qui voyage désormais sous un pseudonyme. Il a renoncé à son trône pour découvrir l'endroit par lequel nous sommes déjà passés.

—Tu comptes donc te servir de ça pour le piéger et le pousser à t'accompagner à Gontelgrime, car, bien entendu, tu as pour projet d'y retourner.

—Oui… non, je veux dire, et oui, en fin de compte. Je ne veux pas les piéger. J'ai l'intention de tout leur dire. Je l'ai déjà fait, en fait.

—Et ils sont d'accord pour se jeter dans les bras d'une puissance primordiale qui se réveille ?

—Ils sont pétris d'un honneur trop dangereux pour eux, j'en ai peur, répondit Jarlaxle, avec un sourire empreint d'ironie, qui fut très vite remplacé par une expression très sérieuse. Et toi ?

—Comment ça, moi ?

—Tu as trahi Sylora Salm, Szass Tam et Thay.

—C'est toi qui le dis, pas moi.

—Tu t'es servie de la bague pour t'enfuir, alors que la Dahlia que je connais adore se battre.

—La Dahlia que tu connais ne doit sa vie qu'à sa prudence et à son intelligence.

—Peut-être pas tant que ça, quand il s'agit de Sylora.

—J'imagine que tu te crois perspicace…

—Tu as accepté la bague, puis tu en as profité. Tu as trahi Sylora au moment le plus important. L'intervention de Dahlia – de la véritable guerrière, pas de son image – aurait peut-être changé l'issue de la bataille du *Coutelas*. Pourtant, tu as choisi de ne pas mener ta mission à son terme.

—Que sais-tu de ma mission ?

—Tu as été envoyée ici pour vérifier si quelqu'un réagirait aux tremblements de terre de plus en plus fréquents, répondit Jarlaxle sans hésiter. Pour découvrir si j'avais l'intention de retourner à Gontelgrime. (Dahlia esquissa un sourire.) Eh bien tu le sais, maintenant. Oui, j'y retourne, et avec des alliés.

— Dois-je prévenir Sylora ?

— Je suppose qu'elle l'apprendra bientôt, puisque quelques-uns de tes ashmadaï ont pris la fuite, à la taverne.

— Tu connais les ashmadaï ?

Jarlaxle dressa un sourcil et leva le coin de la bouche.

— Les tunnels se sont effondrés, dit Dahlia, changeant de sujet. Il n'existe aucun chemin permettant de retourner à Gontelgrime.

— J'en connais un, répondit Jarlaxle. (Les yeux bleus de Dahlia s'illuminèrent une seconde, avant que cet éclat ne disparaisse.) Et je t'y conduirai, poursuivit le drow, révélant que le relâchement de l'elfe ne lui avait pas échappé.

— Tu te bases sur beaucoup de suppositions.

— Et pourtant, je ne me trompe pas. Quel intérêt aurais-tu à ne pas le reconnaître ? Au bout du compte – bientôt, en fait –, tu te lanceras à mes côtés, et avec mes amis, en direction de Gontelgrime.

Dahlia bondit de son fauteuil et s'empara de son bâton déployé à sa longueur maximale.

— Tu m'as déjà donné ta réponse en te servant de la bague, rappela Jarlaxle. (Malgré son air pensif, la guerrière acquiesça.) Pourquoi ? Cette voie n'est pas la plus aisée pour toi, loin s'en faut.

— Si la puissance primordiale est repoussée et ne peut déverser ses calamités, alors l'Anneau de Terreur de Sylora se soldera par un échec, répondit Dahlia. Elle ne prendra ainsi pas le dessus dans le combat qui l'oppose aux Nétherisses.

— Tu te ranges donc du côté des Nétherisses ?

Des éclairs jaillirent des yeux de l'elfe, une fois de plus la proie d'une furie débridée.

— Je les méprise autant que toi, se hâta de préciser Jarlaxle, en observant attentivement Dahlia. Cela dit, le mépris que tu éprouves à l'encontre de Sylora n'est pas moins intense.

—Szass Tam lui reprochera l'échec de l'Anneau de Terreur.

—Ce qui te ferait plaisir.

—Ce serait une des plus grandes joies de ma vie.

—Tu pourrais ainsi retourner en position de force auprès de Szass Tam ?

Quand l'elfe lui lança un nouveau regard noir, Jarlaxle comprit qu'il s'était lourdement trompé dans son raisonnement. En vérité, en ayant utilisé la bague – la porte de sortie qu'il lui avait fournie –, Dahlia avait saisi l'opportunité de se libérer non seulement de Sylora, mais également du seigneur liche de Thay lui-même. Peut-être avait-elle fini par être offensée par la fascination de ces êtres pour la mort, ou avait-elle simplement conclu – à raison – que ceux qui suivaient Szass Tam étaient destinés à un éternel assujettissement, à rester pour toujours des exécutants et ne jamais devenir des décideurs.

Jarlaxle avait bien l'intention d'approfondir ces hypothèses.

—Nous devrions partir sans tarder pour Gontelgrime, dit-il. Avant que Sylora soit mise au courant, avant qu'elle ait le temps de lancer ses laquais à nos trousses.

—Et quand elle le fera, nous les tuerons, répondit Dahlia. Peut-être ce drow, Drizzt, me montrera-t-il qu'il est digne de sa réputation.

Ces mots firent sourire Jarlaxle, qui n'avait aucun doute à ce sujet.

—Nous devrions nous mettre en route immédiatement, dit Jarlaxle à ses trois compagnons, quand il les eut rejoints, un peu plus tard. Certains de ceux qui veulent nous empêcher d'agir ont fui la ville, à n'en pas douter pour révéler nos projets à un maximum de leurs complices.

—On en sait pas assez, c'est toi-même qui l'as dit ! rappela Bruenor. Où est-ce qu'on va placer ces foutues coupes ?

—Nous en apprendrons davantage une fois arrivés à Gontelgrime, j'en suis convaincu, répondit Jarlaxle.

L'elfe noir se remémora les mots de Gromph, qu'il tenait du nain fantôme piégé dans le phylactère d'Arklem Greeth : « *Faites asseoir un roi sur le trône de Gontelgrime* ».

—Le temps joue en notre défaveur, mon ami, poursuivit-il. Nombreux sont ceux qui souhaitent voir la puissance primordiale se réveiller et exploser de nouveau, afin d'en profiter cruellement.

—Bregan D'aerthe se trouve-t-elle dans les environs ? demanda Drizzt. Prête à se mettre en marche ?

Quelque peu désarçonné, Jarlaxle resta bouche cousue.

—Uniquement nous quatre… ? dit Drizzt.

—Non, cinq, rectifia le mercenaire.

Jarlaxle se tourna vers la porte ouverte et fit un signe de la main. Dahlia fit alors son entrée.

—C'est pas la fille dans la colle ? s'étonna Bruenor.

—C'était une ruse, pour lui permettre d'abandonner ses ignobles alliés en simulant la mort, expliqua Jarlaxle.

—Des alliés qu'elle a fait venir avec elle la première fois qu'on est allés là-bas ! protesta Athrogate. C'est elle qui nous y a conduits, pour libérer la bête !

—Et tu crois qu'on va lui faire confiance ? renchérit Bruenor, les mains sur les hanches et l'air excédé.

—Dahlia a été trahie, ce jour-là, il y a si longtemps, se justifia Jarlaxle, qui se tourna vers Athrogate. Comme nous l'avons été.

—Bah ! gronda le nain. Elle nous a menés là-bas, et elle nous a piégés pour libérer la bête !

—J'ai essayé de vous arrêter, lui rappela Dahlia.

—C'est c'que tu dis maintenant.

—Je dis la vérité et tu le sais parfaitement, insista l'elfe, avant de s'adresser plus directement à Drizzt et Bruenor – surtout à Drizzt. J'ai tout autant que vous intérêt à voir la puissance primordiale remise sous contrôle.

—Pour une affaire de conscience ou de revanche ? l'interrogea Drizzt, avec un sourire entendu, ce qui lui valut un regard noir de la part de la guerrière.

Alors que Bruenor s'apprêtait à grogner quelque chose, Drizzt le fit taire d'une main sur l'épaule, puis, d'un signe de la tête, il incita Dahlia à poursuivre ses explications.

— Je paie ma désobéissance à mes maîtres – mes anciens maîtres – chaque jour depuis lors, dit-elle. Je la paie doublement, car je vois désormais les conséquences de mon échec. J'ai autrefois cru que Szass Tam était...

— Szass quoi ? s'exclama Bruenor.

Il leva les yeux vers Drizzt qui, n'en sachant pas plus que lui, haussa les épaules.

— Le seigneur et maître du royaume de Thay, expliqua Dahlia. Ses créatures contrôlent l'Anneau de Terreur du bois du Padhiver, ainsi que les zombies couverts de cendre qui écument la région.

Le nain et le drow hochèrent la tête, ayant à l'esprit les impressionnants récits au sujet de la puissante liche.

— J'ai autrefois cru que Szass Tam était un prophète, reprit Dahlia. Un grand homme promis à un destin glorieux. Je dois dire que je me suis sentie particulièrement stupide quand j'ai compris quel était le prix à payer pour en arriver là.

— Tu agis donc par vengeance, déduisit Drizzt, ayant éliminé toute composante morale dans le changement d'attitude de l'elfe.

Celle-ci le fusilla de nouveau du regard, les lèvres serrées et les yeux plissés.

— Ça fait dix ans que c'est c'que j'pense de toi, enchaîna Athrogate. Qu't'es stupide, j'veux dire.

Dahlia ne réagit à cette insulte que par un grognement, avant de poursuivre :

— Les laquais de Szass Tam, les ashmadaï fanatiques, Sylora Salm, et même mon ancien compagnon Dor'crae...

— Le vampire, marmonna Athrogate.

Bruenor le dévisagea, puis il leva les yeux vers Dahlia.

— Tes amis sont charmants, dit-il avec dégoût.

— On pourrait en dire autant d'un nain accompagné d'un drow, répliqua la guerrière. (Voyant Bruenor prendre un air

menaçant, elle leva les mains, comme pour plaider coupable.)
Ils essaieront de vous… de nous arrêter. Je les connais. Je connais
leurs tactiques et leurs pouvoirs. Je serai pour vous une alliée
très précieuse.

—Ou une dangereuse espionne, dit Bruenor.

Drizzt observa son ami, puis la combattante elfe, avant de
considérer Jarlaxle. Après tout, rares étaient les personnes à mieux
comprendre que le chef de Bregan D'aerthe ces zones troubles,
dans lesquelles moralité et pragmatisme s'affrontent. Le regard
interrogateur de Drizzt ne lui ayant pas échappé, Jarlaxle hocha
légèrement la tête.

—Nous serons donc cinq, décréta le rôdeur.

—Et nous partons immédiatement pour Gontelgrime,
ajouta Jarlaxle.

Les mains sur les hanches, Bruenor semblait loin d'être
convaincu. Alors qu'il commençait à manifester de nouveau son
mécontentement, son ami se pencha et lui murmura :

—Gontelgrime…

Ce mot suffit à rappeler au nain qu'il ne se trouvait plus
qu'à quelques jours d'atteindre un objectif qu'il visait depuis
des décennies.

—D'accord, dit Bruenor.

Il se saisit de sa hache, sans oublier de lancer à Dahlia un
regard chargé de méfiance, et fit signe à Jarlaxle d'ouvrir la marche.

18

Plongée dans les ténèbres

— Bah! J'l'ai libérée, j'peux bien la remettre dans sa cage! grogna Athrogate, alors qu'il rassemblait brutalement les assiettes du petit déjeuner.

Après trois jours de route avalée à un bon rythme depuis Luskan, Jarlaxle était certain qu'ils atteindraient leur destination – en tout cas la grotte d'où des galeries les conduiraient jusqu'à Gontelgrime – avant le coucher du soleil.

La nuit avait été ponctuée de quelques secousses et, plus inquiétant encore, le mont Chaudenow – le second pic de la montagne, soufflé lors de la première explosion, des années auparavant – était réapparu. Il grandissait un peu plus chaque jour, gonflant sous la pression de plus en plus forte de la puissance primordiale qui s'éveillait.

—T'as l'intention d'te flageller avec ça chaque seconde de chaque journée? demanda Bruenor à Athrogate, en l'aidant à démonter le campement.

Ce dernier regarda l'ancien roi sans répondre, visiblement vexé autant qu'horrifié par le souvenir de ses propres actions.

—Alors? insista Bruenor.

—T'es un roi Delzoun, dit Athrogate. J'sais bien qu'j'ai passé la plus grande partie d'ma vie à prétendre que j'me fichais d'ce genre de choses, et la plupart du temps, c'est vrai… désolé. (Bruenor accorda son pardon d'un léger signe de la tête.)

» J'ai fait plein d'choses pas convenables pour un nain Delzoun, Moradin le sait… J'ai été bandit d'grand chemin, et certains d'mes semblables ont tâté d'mes morgensterns.

— J'connais ton histoire, Athrogate. C'qui s'est passé à Adbar et tout ça.

— Oui, et j'pense que quand j'aurai fait mon temps sur c'monde – si ça doit s'produire un jour, avec cette foutue malédiction sur ma tête –, Moradin aura deux mots à m'dire, et ce sera pas qu'pour m'féliciter.

— J'suis pas prêtre, lui rappela Bruenor.

— C'est vrai, mais t'es un roi, un roi Delzoun, et ta lignée royale remonte jusqu'à Gontelgrime. C'est pas rien, d'après moi. T'es la personne la plus à même d'm'aider à tenir ma promesse. J'ai laissé sortir cette foutue bestiole, et j'compte bien la remettre en cage. J'peux pas réparer c'que j'ai fait, mais j'peux limiter les dégâts.

Bruenor observa un moment le robuste nain à la barbe noire, prenant la mesure de la souffrance sincère qui se reflétait dans les yeux de celui-ci – détail ô combien inhabituel chez ce personnage. Le roi nain hocha la tête et, après avoir reposé par terre les assiettes qu'il portait, s'approcha d'Athrogate et lui tapota l'épaule.

— Écoute-moi bien, dit-il. J'connais ton histoire d'Gontelgrime. Si j'étais pas convaincu qu't'as été piégé pour actionner c'levier, dis-toi bien qu'j't'aurais déjà fendu la tête en deux avec ma hache.

— J'suis pas l'meilleur des nains, mais pas l'pire non plus…

— Je sais. J'sais aussi qu'aucun Delzoun, qu'y soit bandit d'grand chemin, voleur ou assassin, voudrait détruire Gontelgrime. Alors arrête de t'le reprocher. T'as bien fait d'demander à Jarlaxle d'faire appel à Drizzt et moi, comme t'as bien fait d'jurer d'y retourner pour faire rentrer cette bestiole dans son trou. Moradin peut pas t'en demander plus, et moi non plus. (Il donna une nouvelle bourrade sur la solide épaule d'Athrogate.) Mais sache que j'suis content qu'tu sois avec moi. Si j'étais seul avec trois elfes, j'crois bien qu'j'me jetterais dans l'premier gouffre venu !

Athrogate regarda fixement Bruenor quelques instants, puis, quand il eut assimilé ces paroles, réagit enfin.

—Bwahaha! s'exclama-t-il, en assenant une rude tape sur l'épaule de Bruenor. C'était pas l'cas avant et j'pense qu'ce sera plus l'cas après, mais sache qu'pendant c'voyage, ma vie est à ton service! (Ce fut au tour de Bruenor d'afficher une fois de plus un air perplexe.)

» Pour c'périple, jusqu'à Gontelgrime, jusqu'au foyer des pères des pères d'nos pères, t'es mon roi!

—Tu suis Jarlaxle.

—J'accompagne Jarlaxle, nuance. Athrogate suit Athrogate, et personne d'autre. Sauf pour cette fois, uniquement pour cette fois, où Athrogate suit l'roi Bruenor.

Il fallut un certain temps à Bruenor pour digérer ces propos, après quoi il acquiesça, satisfait.

—Comme ton vieil ami, poursuivit Athrogate. Celui qui s'jette sur tout c'qu'y peut dévorer et sur la moitié du reste.

—Gaspard, dit Bruenor, qui dut fournir un violent effort pour garder la voix ferme.

Même s'il avait horreur de le reconnaître, même vis-à-vis de lui-même, le guerroyeur effréné lui manquait cruellement.

—Oui, l'Gaspard! Il était à mes côtés quand on s'est battus contre ces choses rampantes, chez Cadderly, quand on a affronté l'roi fantôme, maudit soit c'nom. Existe-t-il meilleur nain garde du corps pour un roi?

—Non, répondit Bruenor, sans la moindre hésitation.

Athrogate hocha la tête et n'en rajouta pas. Il parvint à esquisser un sourire, avant de reprendre le rangement du campement.

Bruenor se remit lui aussi au travail, le cœur un peu plus léger. Cette conversation lui avait rappelé combien il souffrait de l'absence de Gaspard Pointepique; le vieux roi se dit d'ailleurs qu'il aurait pu se montrer plus accommodant avec lui, durant ces nombreuses années de service dévoué. Il est vrai qu'il avait fini par tenir la loyauté de ce nain, aussi brave que costaud, pour une évidence!

À la lumière de ces réflexions, il considéra de nouveau Athrogate, en se reprochant sa sensiblerie. Ce nain n'était pas Gaspard Pointepique, qui aurait donné sa vie pour lui, qui se serait jeté avec joie sur la trajectoire d'une lance projetée en direction de la poitrine de son roi. Bruenor se rappela l'expression affichée sur le visage de Gaspard quand il avait dû laisser son ami au Valbise, ainsi que le désespoir et l'impuissance de dernier quand il avait compris qu'il lui était désormais impossible de continuer de marcher aux côtés de son roi.

Athrogate n'arborerait jamais, absolument jamais, cette expression. Le nain était sincère quand il regrettait les événements survenus à Gontelgrime, comme il pensait vraisemblablement chaque mot de sa promesse de fidélité à Bruenor – pour cette mission –, mais il n'était pas Gaspard Pointepique. Si un tel moment de crise se présentait, si le sacrifice ultime devenait nécessaire, Bruenor pouvait-il faire confiance à Athrogate pour offrir sa vie pour la cause? Ou pour son roi?

Bruenor fut tiré de ses pensées par un mouvement sur le côté du campement. À travers les arbres, il vit Jarlaxle et Dahlia, qui discutaient, tournés vers le sud.

—Eh, Athrogate, dit-il, quand l'autre nain s'approcha de lui. (Il désigna du menton le mercenaire et la guerrière.) Cette elfe, là, avec Jarlaxle…

—Dahlia.

—Tu lui fais confiance?

—Jarlaxle lui fait confiance, répondit Athrogate.

—C'est pas c'que j't'ai demandé.

Athrogate poussa un soupir.

—J'lui ferais beaucoup plus confiance si elle était pas si cruelle avec sa perche, reconnut-il, avant de se montrer plus précis, Bruenor ayant pris un air étonné. Ah, c'est une dure, crois-moi. Son bâton peut s'couper d'plusieurs façons et s'changer en armes qu'j'ai jamais vues jusqu'ici. Elle est vive, des deux mains. J'suis moi-même capable d'faire tournoyer mes fléaux d'armes assez vite, le gauche comme le droit, mais elle me surpasse dans c'domaine.

Elle ressemble à ton sombre ami, en fait ; ses deux mains s'battent comme deux combattants distincts, si tu vois c'que j'veux dire.

Bruenor fut encore plus surpris que précédemment ; il n'avait jusque-là jamais remarqué quoi que soit approchant l'humilité chez Athrogate.

— J'me suis battu contre ton ami, tu sais, dit Athrogate. À Luskan.

— C'est vrai. Et qu'est-ce que t'en penses ? Cette Dahlia réglerait son compte à Drizzt ?

Athrogate ne répondit pas directement, toutefois son air indiquait que c'était exactement ce qu'il estimait, ou que, en tout cas, il entretenait de sérieux doutes quant à l'issue d'un tel combat.

— Bah ! grogna Bruenor. Alors comme ça, t'as peur d'elle ?

— Bah ! grogna Athrogate en retour. J'ai peur d'personne. C'est juste que j'pense qu'Dahlia constituerait moins une menace si elle était pas si méchante.

— C'est bon à savoir, dit Bruenor, baissant la voix, quand il vit que Jarlaxle et Dahlia approchaient à grands pas.

— Nous ne sommes pas seuls, annonça Jarlaxle, quand ils furent réunis. Il y a d'autres personnes dans les environs, sans doute à la recherche de la même grotte que nous.

— Bah, mais comment y pourraient la connaître ? s'étonna Bruenor.

— Il y a au moins les ashmadaï qui passent les Escarpes au peigne fin, j'imagine, répondit Dahlia. Sylora connaît approximativement l'emplacement de Gontelgrime.

— On est loin d'la montagne, rappela Bruenor, sur un ton assez dur. Et on s'en approche par l'mauvais côté…

Dahlia plissa légèrement les yeux, indiquant ainsi à Bruenor qu'il avait touché un point sensible, ce qui lui fut confirmé quand l'elfe se tourna vers Jarlaxle.

— Sylora se doutait que j'essaierais de m'approcher de la puissance primordiale, maintenant que nous savons qu'elle se réveille, expliqua le drow. C'est pour cette raison qu'elle a envoyé

Dahlia et les autres à Luskan ; pour en avoir la confirmation et pour nous empêcher d'agir.

— À l'heure qu'il est, elle sait qu'elle a échoué, reprit Dahlia. Szass Tam et ses créatures disposent de divers moyens de communication magiques.

— Et elle te croit morte, déduisit Athrogate.

— Non, plus maintenant, intervint Bruenor, la voix chargée de soupçons. S'ils sont ici, y nous observent, et ils ont vu Dahlia.

L'elfe acquiesça, sans pour autant paraître enchantée à cette idée, ce qui fit naître un petit sourire satisfait sur le visage du roi nain.

— T'es donc maintenant une traîtresse, dit le nain. T'auras d'sérieux problèmes s'y t'capturent.

— Ça te fait plaisir de le souligner, on dirait, dit Dahlia.

— Ou alors t'es un agent double, poursuivit Bruenor. Et tu nous fais croire qu'tu leur as fait croire qu't'avais été tuée dans la bagarre.

— Non, dit Jarlaxle, sans laisser à Dahlia le temps de se justifier.

— Ah non ? dit Bruenor.

Il lâcha le sac qu'il tenait en main et se saisit de sa hache, dont il fit claquer la lame sur la paume de sa main.

— Je ferais pas ça, à ta place…, l'avertit Athrogate, d'une voix nettement plus inquiète que menaçante.

— Écoute ton ami poilu, le nain, dit Dahlia.

L'elfe fit virevolter avec aisance son bâton et, comme Bruenor avec sa hache, le plaqua dans la paume de la main.

Bruenor se détendit quelque peu, principalement parce qu'une silhouette sombre était apparue, sans un bruit, au pied d'un arbre, derrière Dahlia.

— Tu dois pas t'attendre à autre chose qu'à quelques doutes, jeune fille, tu crois pas ? répondit-il, avec un sourire désarmant. Tu nous poursuis pour nous agresser, et ensuite, on est censés t'croire d'notre côté ?

—Si j'avais pris part à la rixe, au *Coutelas*, ta mission se serait aussitôt achevée, brave nain, assura la guerrière. Et tu peux le dire à ton ami drow qui se cache derrière moi.

Derrière l'elfe, Drizzt se redressa, tandis que devant elle le visage de Bruenor se crispait, suite à cette fanfaronnade.

—J'te l'avais dit, chuchota Athrogate au roi nain.

Ce dernier comprit alors à quel point cette elfe était singulière. Il n'y avait jusqu'alors pas vraiment pensé, les événements s'étant enchaînés à un rythme effréné depuis que Drizzt et lui étaient arrivés à Luskan. Mais elle le lui montrait, en cet instant. Elle se tenait devant un roi nain, avec un légendaire guerrier drow derrière elle, sans que son expression trahisse la moindre inquiétude.

Seule une personne assez jeune pouvait se sentir si... immortelle.

Bruenor estima de prime abord qu'elle n'avait jamais été confrontée à la mort, ce qui expliquait qu'elle n'en saisisse pas la possibilité.

Après l'avoir examinée encore un moment, il comprit, au vu de l'assurance tranquille dont elle faisait preuve, qu'il s'était sans doute trompé dans sa première évaluation. Dahlia avait vraisemblablement subi une perte, une perte si intense qu'elle se moquait désormais de croiser une nouvelle fois la mort. Sa récente bravade n'avait en fin de compte peut-être pour but que de la provoquer.

Bruenor lança un regard en direction d'Athrogat. Les réticences de ce dernier vis-à-vis de Dahlia lui paraissaient à présent très pertinentes.

L'elfe était dangereuse.

—Si vous êtes tous si impatients de vous battre, vous serez bientôt satisfaits, dit Jarlaxle, essayant de briser la tension ambiante.

Malgré son apparente confiance, Dahlia se demandait si elle avait fait le bon choix. Elle garda encore un moment les yeux rivés sur le nain, tout en essayant de se débarrasser de la sensation tenace que ce vieux guerrier bourru lisait clair dans ses pensées.

Elle finit par chasser ces doutes, pour ne plus y penser. Dahlia n'avait pas de temps à consacrer à ce genre de choses.

Elle se retourna et vit Drizzt tranquillement appuyé contre un arbre, les avant-bras posés sur ses armes restées dans leurs fourreaux et les mains croisées devant lui.

— Partages-tu l'inquiétude de ton ami ? demanda-t-elle.

— Cette pensée m'a traversé l'esprit.

— As-tu fini par y croire ?

Drizzt jeta un coup d'œil à Bruenor avant de répondre, le sourire aux lèvres :

— Non.

Drizzt soutint le regard de Dahlia, soudain plus intense. Une nouvelle fois, comme cela venait de se produire avec Bruenor, l'elfe eut le sentiment qu'un de ses compagnons cherchait à lire dans son esprit. Elle avait toutefois retrouvé son assurance – grâce à la dernière réponse du drow. Elle abaissa son bâton de marche à côté d'elle et s'appuya dessus, sans détourner le regard, sans ciller, sans laisser croire à Drizzt, ce guerrier légendaire, qu'il avait pris le dessus sur elle.

Mais Drizzt fit de même.

— Nous devrions nous mettre en route, intervint Jarlaxle, qui se plaça ostensiblement entre les deux autres elfes, mettant ainsi un terme à leur échange visuel, avant de se tourner vers Drizzt. As-tu vu nos adversaires ?

— Ils viennent du sud, répondit ce dernier. J'ai repéré plusieurs groupes.

— Ils ont l'air de savoir où ils vont ?

— De chercher, plutôt. Je doute qu'ils sachent précisément où nous nous trouvons, et je suis certain qu'ils n'ont pas remarqué les grottes que nous avons aperçues à l'est.

— S'agit-il seulement des bonnes grottes ? s'inquiéta Jarlaxle. Une fois entrés, nous devons nous attendre à y être coincés par nos ennemis.

Un long silence embarrassant ponctua ces propos.

— Dépêchons-nous, finit par dire Dahlia, de façon inattendue.

Les autres pensaient en effet que ce serait Drizzt, qui avait intensément exploré les alentours, qui donnerait le signal du départ.

— Bah, tes amis essaient d'nous faire sortir d'notre cachette, et toi, tu nous dis d'surgir des hautes herbes sous l'nez d'leurs chiens d'chasse, dit Bruenor.

Dahlia secoua la tête à chaque mot.

— Ils ne cherchent pas à nous faire sortir ; il est évident qu'ils savent où nous sommes, répondit Dahlia, avant de se tourner vers Drizzt. Tu as parlé de plusieurs groupes ? (Le rôdeur acquiesça.) Sylora Salm est engagée dans une lutte désespérée contre les Nétherisses du bois du Padhiver. Elle ne peut pas se permettre de gaspiller des ashmadaï. Si elle en a envoyé un certain nombre dans les Escarpes, c'est qu'elle est certaine que nous nous y trouvons.

— Elle veut qu'on la mène jusqu'à la grotte, grommela Bruenor.

— Elle préférerait plutôt qu'aucun de nous n'y parvienne, répondit Dahlia, sans se retourner vers lui. Son seul désir est que personne ne perturbe la puissance primordiale.

— Ne souhaite-t-elle pas contrôler l'explosion de la bête ? demanda Drizzt. Afin de s'assurer que la catastrophe dont elle rêve se produise bel et bien ?

— Il y a de la malveillance dans la puissance primordiale, dit Dahlia. Ce n'est pas une force tout à fait indifférente, ni complètement dépourvue de pensée.

— Ça se discute, tempéra Jarlaxle.

Dahlia secoua de nouveau la tête.

— Songe à la précision de la première attaque, dit-elle. À la cible la plus facile à agresser et la plus proche. Très peu de personnes auraient été tuées si elle s'était déployée vers l'ouest ou vers l'est. Mais non, elle a senti de la vie à Padhiver, et elle l'a ensevelie.

—La vie est revenue à Padhiver, rappela Bruenor.

—Une nouvelle attaque sur cette cité serait une victoire pour Sylora, mais sans doute pas celle qu'elle espère, répondit Dahlia, en pivotant enfin pour faire face au nain.

—Luskan, déduisit Jarlaxle.

—La puissance primordiale a eu dix ans pour éprouver sa prison, pour s'habituer à la magie qui la retenait, pour sentir la force résiduelle de la Tour des Arcanes. Elle a peut-être même envoyé des créatures le long des racines, afin de mieux localiser la ville.

—Sylora estime donc que la bête abondera dans son sens sans qu'elle intervienne, déclara Drizzt. (Ses compagnons se tournèrent tous vers lui.) Ainsi, plus nous attendons, plus nous jouons son jeu.

Dahlia ne put réprimer un sourire, ravie de ce soutien – un soutien qui impliquait une certaine confiance non seulement en son raisonnement, mais également en sa sincérité.

—Notre meilleure façon d'agir est de nous montrer agressifs, dit-elle, en hochant la tête.

Drizzt fit de même et il en fut donc décidé ainsi.

Dahlia dévalait le versant d'un ravin, bondissant de pierre en pierre et consciente de se déplacer à une vitesse dangereuse sur ce sol inégal – mais il était plus rapide qu'elle. Et Dahlia avait horreur d'être battue. Encore moins quand des fanatiques ashmadaï se trouvaient au fond du petit canyon et que le combat était sur le point de se déclencher.

Drizzt et elle avaient atteint le sommet d'une crête après être revenus sur leurs pas pour prendre leurs poursuivants ashmadaï à revers, avec pour objectif de fondre sur eux depuis les hauteurs. Au nord-est de ce point, les nains et Jarlaxle s'étaient retranchés. À peine arrivés au bord du gouffre, Drizzt et Dahlia avaient entendu les cris des adorateurs démoniaques se répercuter sur la roche.

Sans hésiter, ils s'étaient tous deux élancés. Drizzt avait rapidement distancé Dahlia, courant avec une grâce stupéfiante

– dont Dahlia s'estimait également capable – et une vitesse qui l'était plus encore. Ses pieds étaient flous, tandis qu'il filait en avant ou bondissait d'un côté à l'autre, optant pour un chemin que Dahlia pouvait suivre, mais certainement pas à cette allure.

Elle avait donc choisi une trajectoire plus pentue, néanmoins Drizzt la devançait toujours. Elle n'en revenait pas.

Un trait argenté jaillit d'un buisson, en contrebas et sur le côté. Non seulement le drow se déplaçait à une vitesse ahurissante, mais en plus il se permettait de faire parler son extraordinaire arc en courant.

Dahlia baissa la tête et accéléra l'allure, concentrée sur le simple fait de trouver un point d'appui résistant pour chaque foulée, alors qu'elle abordait une portion particulièrement ardue. À défaut de le devancer, elle était fermement décidée à atteindre le fond du ravin en même temps que l'elfe noir.

Soudain, elle se rendit compte qu'elle n'avait plus le choix, qu'elle avait laissé son orgueil obscurcir son jugement. Elle comprit avec horreur qu'il lui était impossible de ralentir, que si elle ne continuait pas de placer un pied devant l'autre, elle trébucherait et dévalerait le reste de la pente à plat ventre.

Elle percuta un buisson, auquel elle tenta désespérément de s'accrocher, mais la plante fut déracinée et Dahlia poursuivit sa course. Elle s'aperçut alors que sa chute risquait de prendre fin brutalement : elle approchait d'une faille rocheuse, d'au moins trois mètres de profondeur, pour autant de large.

Dahlia ne prit pas le temps de réfléchir, quand elle aborda cet obstacle. Agissant purement d'instinct, elle baissa la tête et tendit sa perche devant elle. Elle en planta l'extrémité dans le sol et donna une violente impulsion. Agrippant fermement l'autre bout de son arme, elle se projeta tête en bas par-dessus le vide. Son contrôle musculaire parfait lui permit ensuite de se retourner et de se réceptionner sur ses pieds de l'autre côté de la faille. Elle réussit en outre à chasser presque instantanément l'expression choquée qui lui était venue, quand elle vit que Drizzt, plus bas, cimeterres dégainés, l'observait avec incrédulité.

Elle lui adressa un clin d'œil, afin de confirmer qu'elle avait envisagé cette pirouette dès le début de sa descente, puis elle scinda sa perche en deux paires de bâtons enchaînés et acheva sa manœuvre avec un pivot qui fit aussitôt tournoyer ses deux nouvelles armes.

Au grand dam d'un ashmadaï surgi de nulle part pour s'en prendre à elle.

Depuis une zone plus large, un peu plus au nord, Drizzt eut la surprise de voir Dahlia franchir la faille, gracieusement retournée, et retomber de l'autre côté sur ses pieds avec un équilibre parfait. En dehors de l'effet spectaculaire et de l'efficacité de ce saut, déjà remarquables, le drow fut sidéré de constater que la guerrière elfe avait presque suivi son rythme au cours de la descente – il n'oubliait pas l'action magique de ses bracelets de cheville sur ses foulées.

Quand, après l'avoir vue passer au-dessus de lui en tournoyant, il entendit les échos d'un combat, il eut envie de remonter jusqu'au bord de la faille pour se joindre à l'elfe, ou au moins pour la regarder se battre.

Mais il avait ses propres problèmes à régler, avec plus d'une dizaine d'ennemis cherchant à le coincer des deux côtés, aussi se concentra-t-il de nouveau sur ces derniers. Il se précipita du côté où le ravin se faisait plus étroit, distançant les ashmadaï et échappant aux pierres que ceux-ci lui lançaient. Dès qu'il se trouva dans la partie resserrée du gouffre, il se retourna et continua en reculant. Le goulet d'étranglement qui s'était formé à cet endroit fit trébucher ses poursuivants, qui tombèrent presque les uns sur les autres en essayant d'approcher leur cible.

Le drow se retrouva à un contre trois au lieu de un contre dix, ces trois adversaires qui plus est gênés par les parois rocheuses verticales, ce qui empêcha les guerriers placés sur les côtés d'assener de larges frappes latérales.

Drizzt recula vivement et, dès que les trois ashmadaï ayant mordu à l'hameçon se jetèrent en avant, il inversa son élan et fit de même, ses cimeterres s'abattant de tous côtés en contournant les lances adverses. D'un infime mouvement des poignets, l'elfe noir dévia ces lances vers l'intérieur, au point qu'elles furent près de se croiser devant l'ashmadaï placé entre ses compagnons.

Le drow retira aussitôt ses lames, pour frapper avec autant de vivacité que de violence ses ennemis enchevêtrés, se fendant en avant et visant à gauche, puis à droite, et enfin au milieu. Les ashmadaï tentèrent de se couvrir, de battre en retraite, de conserver un semblant de défense coordonnée, mais Drizzt était trop vif pour eux ; ses lames évitaient facilement leurs parades et ne cessaient de les piquer et de les entailler.

Les trois malheureux reculèrent tant qu'ils percutèrent leurs trois collègues postés derrière eux, ce qui ne fit qu'accentuer le désordre de cette mêlée.

Drizzt insista avec acharnement.

Un ashmadaï parvint à effectuer un lancer sur le drow, dont il visa la poitrine. Drizzt n'avait pas encore réagi quand quelque chose tomba des hauteurs à côté de lui, ce qui perturba sa concentration au point de l'empêcher de se défendre.

Deux barres métalliques reliées jaillirent devant lui et écartèrent proprement la lance. Consciente du soulagement éprouvé par Drizzt de la voir à ses côtés, Dahlia lui adressa un clin d'œil, puis ils progressèrent ensemble, lames virevoltantes et bâtons tournoyants.

Les ennemis connaissaient Dahlia – certains l'appelaient par son nom – et leurs voix étaient chargées d'effroi.

—On bat en retraite ? demanda Drizzt à Dahlia, ce qui semblait la décision à prendre.

Leurs adversaires déséquilibrés et désorientés, ils avaient la possibilité de courir jusqu'à l'autre bout du ravin, pour y retrouver leurs compagnons, lesquels se trouvaient près des grottes.

Mais le sourire de Dahlia trahissait une volonté tout autre.

Et quel sourire ! Plein de vie et de l'envie de se battre, épanoui face au défi à relever, dépourvu de la moindre trace de peur. Quand Drizzt Do'Urden avait-il pour la dernière fois vu un tel sourire ? Quand Drizzt Do'Urden avait-il pour la dernière fois arboré lui-même un tel sourire ?

Ses pensées le propulsèrent des années en arrière, dans une tanière du Valbise, quand il avait accompagné le jeune Wulfgar face à une tribu de verbeegs.

La réaction sensée était la retraite, pourtant, sans pouvoir expliquer pourquoi, Drizzt chassa cette éventualité et se rua aux côtés de Dahlia vers une zone plus dégagée, où ils risquaient d'être attaqués sur les côtés, voire cernés, par leurs ennemis supérieurs en nombre.

Ils ne luttèrent pas vraiment côte à côte, ni dos à dos. Le ballet que décrivirent Drizzt et Dahlia ne semblait fondé sur aucune organisation. Le drow laissa la guerrière mener la charge et se contenta de réagir à chacun de ses virages et bonds.

Elle se rua en avant, tandis qu'il coupait son sillage pour couvrir le flanc de son alliée, puis, quand elle repassa devant lui, il bascula de l'autre côté, toujours derrière elle, avant de s'arrêter net et d'inverser sa course. Ainsi, quand Dahlia mit fin à sa charge, il surgit à sa hauteur, un peu plus loin, élargissant leur front de dévastation.

Leurs armes parlaient à chaque pas, lames et bâtons tournoyant et plongeant pour trancher, piquer et repousser les ennemis. Les ashmadaï ne cessaient de crier les uns sur les autres, essayant de coordonner leur défense face à ce duo, mais avant que quoi que ce soit de tel se forme, Drizzt et Dahlia agissaient ou se déplaçaient d'une façon inattendue. Par conséquent, l'ensemble de cet affrontement restait des deux côtés une série de réactions impromptues.

Il rampa le long de la branche, aussi silencieux qu'un félin en chasse. Il voyait sa proie, plus bas, qui ne l'avait pas repéré. Barrabus le Gris était presque étonné de voir son audacieux plan fonctionner.

Il savait que la championne thayenne, la dangereuse Dahlia, était partie vers le nord, en compagnie de ses nombreux ashmadaï, et que Sylora avait elle aussi tourné le regard dans cette direction, vers la montagne qui grandissait. Barrabus se demandait s'il parviendrait à contourner les protections et les gardes, s'il réussirait à s'approcher de son ennemie ultime.

S'il se débarrassait de Sylora Salm, peut-être Alegni l'autoriserait-il à quitter la déserte Padhiver et à reprendre ses activités dans le confort d'une véritable cité.

Il s'aventura un peu plus loin sur la branche qui surplombait le campement dressé à la hâte. Sylora se trouvait à peine trois ou quatre mètres plus loin et plus bas, lui tournant le dos et penchée en avant, les yeux baissés sur la souche d'un gros arbre.

Bien que s'estimant capable de bondir et de l'atteindre de l'endroit où il était posté, Barrabus se laissa vaincre par sa curiosité. Il avança encore un peu sur son perchoir, jusqu'à apercevoir par-dessus l'épaule de Sylora la souche, qui était remplie d'eau.

Des images s'agitaient dans ce récipient improvisé, devenu un bassin de scrutation.

Incapable de résister, Barrabus tendit la tête vers le bas et sur le côté, les yeux grands ouverts.

Il discerna des mouvements de combat dans le liquide, de minuscules silhouettes entremêlées qui s'affrontaient. Il identifia certains protagonistes comme étant des ashmadaï, dont les gestes étaient étonnamment défensifs, loin d'être aussi agressifs que ce qu'il avait l'habitude de voir chez ces fanatiques. Il comprit les raisons de ces hésitations quand il aperçut l'un de leurs adversaires, même si ce qu'il vit le rendit encore plus perplexe. Ces barres métalliques, ces mouvements acrobatiques – c'était forcément Dahlia.

Mais pourquoi Dahlia se battait-elle contre des ashmadaï?

Ce n'était peut-être pas elle. Peut-être existait-il d'autres guerrières comme elle, songea Barrabus, que cette hypothèse mit mal à l'aise. Une Dahlia lui suffisait amplement.

Il ne comprenait pas.

Les bâtons tournoyant devant elle parurent fusionner et ne formèrent bientôt plus qu'une unique longue perche.

Oui, c'était bien Dahlia. Barrabus n'avait désormais plus de doute à ce sujet. Il la vit s'arrêter brusquement devant un trio d'ashmadaï, qui eurent un mouvement de recul. Elle planta le bout de son arme sur le sol et se propulsa en hauteur. Toutefois, au lieu de se lancer sur ses adversaires, elle se projeta en arrière.

C'est alors qu'un autre combattant, apparemment allié à Dahlia, chargea dans l'espace ainsi libéré.

Le tueur vit une peau noire, et deux cimeterres fendant les airs avec une précision dévastatrice.

Barrabus le Gris se figea sur la branche – agir de n'importe quelle autre façon l'aurait tout simplement fait chuter de l'arbre. Incapable de respirer, il eut la sensation que le monde s'était arrêté de tourner.

Barrabus, qui ne voulait déjà pas affronter Sylora la sorcière en combat à la loyale, était encore moins motivé à l'idée de devoir faire face à Valindra Manteaudombre.

Il retenait toujours son souffle, incapable d'aspirer la moindre bouffée d'air. Il se tourna de nouveau vers le bassin de scrutation, mais celui-ci, miséricordieux, était redevenu opaque.

Quand il fut enfin sorti de sa transe, Barrabus le Gris se glissa jusqu'au tronc de l'arbre et disparut dans la forêt.

Drizzt bondit sur la droite, en passant devant Dahlia, et se lança dans une roulade, sous les bâtons en action. Son intervention entre l'elfe et son adversaire, un tieffelin, détourna juste assez l'attention de ce dernier pour permettre à Dahlia de le frapper en pleine mâchoire et de l'envoyer ainsi tituber un peu plus loin.

Drizzt se releva devant deux fanatiques, ses lames déjà au travail pour parer et dévier leurs assauts effrénés. Quelques secondes lui suffirent pour les mettre sur la défensive. De plus en plus vifs, ses cimeterres abandonnèrent rapidement les contres pour procéder à des frappes agressives.

Tout en se battant, il pivota autour de ses cibles, afin d'apercevoir son alliée. Il eut alors la surprise de constater que Dahlia n'était plus équipée de ses barres ou de sa perche. Elle luttait désormais avec un étrange objet, qu'il ne put décrire que comme un triple bâton, formé d'une partie centrale plus longue que les deux latérales, lesquelles tournoyaient furieusement. L'espace d'une fraction de seconde, Drizzt observa cette étrange arme, qui semblait offrir une infinité de combinaisons.

Bien entendu, il n'eut pas le temps de contempler à loisir cet objet unique en son genre, d'autant qu'un troisième ashmadaï se joignit aux deux adversaires qu'il affrontait déjà. Il devait rester en mouvement, comme le faisait Dahlia. Ils ne pouvaient pas se permettre de se faire surprendre et d'être cernés.

Drizzt recula vivement vers Dahlia.

— Par-dessus ! l'entendit-il crier, derrière lui.

Il eut le réflexe de baisser ses cimeterres, attirant ainsi l'attention du trio qui lui faisait face. Il ne fut guère surpris quand Dahlia sauta au-dessus de lui, après avoir pris appui d'un pied sur son dos, mais les ashmadaï furent quant à eux totalement pris au dépourvu, comme l'indiquèrent leurs expressions.

En retombant, Dahlia toucha un adversaire d'un coup de pied, puis fit de même sur un deuxième, avant de faire revenir devant elle son arme – redevenue une longue perche –, qu'elle fit glisser dans ses mains de façon à la projeter comme une lance, jusque dans la gorge du troisième ashmadaï. Elle s'écarta sans attendre, planta la perche au sol et se propulsa de nouveau dans les airs.

Cela se poursuivit ainsi un moment, Drizzt agissant près du sol et courant de tous côtés, tandis que Dahlia lui sautait par-dessus, enchaînant les bonds.

Cependant, malgré cette nouvelle technique, les elfes perdaient progressivement leur élan initial, à mesure que les ashmadaï s'organisaient en groupes défensifs plus efficaces. Drizzt et Dahlia ne pouvaient l'emporter – ils l'avaient su dès le début. Il était temps pour eux de songer à fuir.

La distraction nécessaire pour cela apparut sur la crête peu après. Comme toujours, la fidèle Guenhwyvar entra dans la mêlée au bon moment. Avec un rugissement qui secoua la roche et attira tous les regards vers elle, l'immense panthère se jeta des hauteurs sur le groupe d'ashmadaï le plus dense.

Tandis que ceux-ci s'éparpillaient, hurlant en plongeant de tous côtés, Drizzt et Dahlia se replièrent dans l'étroit ravin, qu'ils suivirent jusqu'à son autre extrémité, bondissant par-dessus les pierres en direction de la grotte où les attendaient Bruenor et les autres.

— C'est une amie ? demanda Dahlia avec une moue malicieuse, en désignant le félin.

Drizzt lui répondit par un sourire qui s'élargit encore lorsqu'il entendit le tumulte derrière eux.

Il fit passer Dahlia devant lui, lui faisant confiance pour ouvrir la route, tandis qu'il surveillait d'éventuels poursuivants. Quand ils atteignirent enfin la vallée rocailleuse qui donnait sur les grottes, Drizzt fit appel à ses bracelets de cheville magiques pour rattraper l'elfe.

Ils traversèrent une clairière où s'étaient visiblement déroulés des combats ; plusieurs ashmadaï gisaient à terre, dont deux étaient encore en train de gémir. Une femme, accrochée tête en bas à un arbre, appelait à l'aide, les jambes engluées par quelque substance crachée par la baguette magique de Jarlaxle.

Voyant Dahlia se diriger vers la malheureuse, Drizzt grimaça, certain que l'elfe comptait fendre en deux le crâne de l'ashmadaï piégée. Il fut aussi surpris que soulagé quand Dahlia se contenta de donner une petite claque à cette femme, avant de poursuivre son chemin en riant.

Après avoir quitté cet endroit, les deux elfes escaladèrent un monticule rocheux, d'où ils aperçurent un vallon percé de plusieurs entrées de grotte.

— Par ici ! s'écria Bruenor, de l'une d'elles.

Drizzt et Dahlia le rejoignirent aussitôt.

— Et ta panthère ? dit Dahlia, en se retournant.

— Guenhwyvar est déjà retournée sur le plan Astral, où elle attend mon prochain appel, expliqua Drizzt.

Elle hocha la tête et entra dans la grotte sombre, sous les yeux de Drizzt, ravi de la voir se soucier de son félin.

Ils durent ensuite ramper, y compris Bruenor, pour aller plus loin que la première cavité, ce qui ne les empêcha pas de progresser à vive allure, motivés par les échos de la poursuite qui se précisait derrière eux. Ils débouchèrent sur un espace moins important que le précédent, mais plus haut de plafond, dans lequel Athrogate et Jarlaxle les attendaient. Quand elle se releva, Dahlia donna un petit coup sur son arme, qui se transforma en un bâton de marche surmonté d'une lueur bleutée.

—C'est par ici? s'enquit Drizzt.

—J'espère, répondit Jarlaxle. Nous avons vérifié les grottes aussi vite que possible. Voici la seule qui nous a paru prometteuse.

—Mais il pourrait en exister d'autres dans les environs, que nous n'aurions pas encore découvertes? insista Drizzt, quelque peu inquiet.

Jarlaxle haussa les épaules.

—La chance a toujours été de ton côté, mon ami. C'est d'ailleurs la seule raison pour laquelle je t'ai convié à ce périple.

Peu rassurée par ces mots, Dahlia se sentit mieux quand elle vit Drizzt sourire.

Les cinq compagnons se faufilèrent à travers un dédale de tunnels, parfois si étroits qu'ils durent ramper, et furent un temps contraints de patauger dans un torrent souterrain peu profond. Ils se heurtèrent à de nombreuses voies sans issue, tandis que d'autres galeries, plus nombreuses encore, se terminaient sur des carrefours ou débouchaient sur de multiples passages. Ils n'avaient alors d'autre choix que de se fier à leur instinct. Dahlia semblait complètement perdue; il faut dire que les races capables de s'orienter mieux que les nains dans les tunnels obscurs étaient rarissimes, et on comptait les elfes noirs parmi elles.

Ils ne tardèrent pas à entendre des cris, loin derrière eux dans les tunnels, et comprirent que les ashmadaï continuaient la poursuite en Outreterre.

Ils finirent par emprunter un long boyau rectiligne, qu'Athrogate reconnut comme étant un conduit par lequel passait la lave. Il était en effet orienté dans la bonne direction et suivait une douce pente descendante, aussi le groupe le suivit-il à une bonne cadence. Au bout d'un moment, une brume froide les frôla et fila le long du tunnel, dans la direction d'où ils venaient. Le souffle coupé, Dahlia se retourna pour la suivre du regard.

—Tu sais c'que c'était? lui demanda Bruenor, qui avait remarqué le trouble de l'elfe.

—Un froid de mort, dit Drizzt.

—Vraiment? demanda Jarlaxle à la guerrière.

—Dor'crae…, confirma Dahlia, en hochant la tête.

—Le vampire, précisa Athrogate.

Bruenor lâcha un grognement et secoua la tête de dégoût.

—Il va les guider jusqu'à nous, dit Dahlia.

Les compagnons comprirent alors de quelle façon les ashmadaï les avaient si facilement repérés.

—Il revient peut-être de Gontelgrime, fit observer Drizzt. Si tel est le cas, alors nous sommes sur la bonne voie.

Cette pensée rassurante en tête, ils se remirent en marche à bonne allure, et durant un long moment. Des heures durant, le conduit de lave se poursuivit en suivant la même pente agréable. Enfin, ils en atteignirent l'extrémité; le tunnel virait sèchement vers le bas et se prolongeait selon une pente presque verticale qui plongeait vers des ténèbres sans fond. Il n'y avait aucune autre voie en dehors de ce trou, et ils n'avaient remarqué aucun passage latéral au cours de leurs heures de marche.

—Espérons que ta chance tienne toujours, dit Jarlaxle à Drizzt.

D'une poche magique, le mercenaire sortit une bonne longueur de fine corde. Il en tendit un bout à Drizzt et l'autre à Athrogate, à qui il ordonna de le fixer solidement.

Sans la moindre hésitation, Drizzt l'attacha à sa taille et s'approcha du gouffre, dans lequel il ne tarda pas à disparaître.

Alors qu'il s'était laissé glisser sur presque toute la longueur de la corde, le rôdeur appela ses compagnons :

— Le conduit reprend ensuite une pente marquée mais praticable !

Quelques instants plus tard se produisit un éclair, suivi d'une réponse sèche :

— Drizzt ? appela Jarlaxle.

— J'ai fixé une autre corde, dit le rôdeur, depuis les ténèbres. Dépêchez-vous !

— On ne pourra pas remonter, dit Jarlaxle à Bruenor, s'en remettant apparemment au nain.

— C'est qu'c'est l'bon chemin, alors, estima Bruenor, qui se lança le long de la corde.

Quand il atteignit le fond du trou, d'où Drizzt leur avait parlé, il trouva la deuxième corde, fermement fixée dans la roche de la voûte par une flèche enchantée de *Taulmaril*.

Le tunnel se poursuivit ainsi, entre trous verticaux et pentes douces, et les cinq compagnons le suivirent sans trop de soucis. Ils touchaient aux limites de leur résistance mais n'osaient pas s'arrêter pour se reposer, alors que pourtant la fin ne semblait pas en vue.

Après s'être glissés dans un étroit conduit et sous un passage en arche, ils découvrirent, au détour d'un virage sec de la galerie, la lueur de lichens de l'Outreterre. Peu après, ils prirent pied sur une crête qui dominait de très haut une vaste cavité. Des stalagmites géantes se dressaient tranquillement autour d'un étang calme. Drizzt et Bruenor clignèrent des yeux, incrédules, quand ils aperçurent les sommets ouvragés de ces monticules – des tours de guet –, puis l'immense muraille qui s'élevait à l'autre bout de la cavité.

Bruenor Marteaudeguerre déglutit difficilement et lança un regard à l'autre nain.

— Eh oui, roi Bruenor, dit Athrogate, avec un grand sourire. J'espérais qu'cette caverne ait résisté à l'explosion, pour qu'tu puisses voir la porte d'entrée. La voilà, ta cité d'Gontelgrime.

19

À TRAVERS LES YEUX D'UN ANCIEN ROI

—C'est de la chance pure et simple, insista Dor'crae. Il y a au moins dix autres grottes dans lesquelles ils auraient pu…

—Ce sont des elfes noirs en Outreterre, crétin! l'interrompit Sylora. Ils ont sans doute écarté les autres grottes en en respirant simplement les courants d'air. (Dor'crae haussa les épaules et tenta de répondre, mais Sylora le fit taire d'un grondement.)

» Je ne les laisserai pas étouffer la puissance primordiale. Son réveil scellera le sort des Nétherisses établis sur le nord de la côte des Épées et contribuera à l'achèvement de l'Anneau de Terreur, ce qui m'assurera la victoire.

—Certes, ma dame, répondit Dor'crae en s'inclinant. Mais ils constituent une force redoutable. Dahlia, cette traîtresse, sème la peur parmi les courageux ashmadaï, tandis que cet elfe noir, Drizzt, est une légende dans le Nord. Cela dit, nous avons ici affaire à une puissance primordiale, une entité d'essence divine. Elminster lui-même aurait-il été capable, même dans la fleur de l'âge, de calmer une telle bête?

—Elle a été piégée pour servir Gontelgrime, qui est devenue sa prison un millénaire durant.

—Une prison verrouillée par la Tour des Arcanes, qui n'existe plus.

— Mais qui suinte de magie résiduelle, rappela Sylora. S'il existe un moyen de refermer cette prison, l'intelligent Jarlaxle l'a découvert, sois-en certain. Ils forment une menace.

— Les ashmadaï sont lancés à leur poursuite, assura Dor'crae. D'après ce que j'ai vu au cours de ma récente visite à Gontelgrime, la puissance primordiale a truffé ce lieu endormi de redoutables gardes, de puissantes créatures issues du plan du Feu qui ont répondu à son appel incohérent. Une petite armée d'hommes-lézards à la peau rouge erre dans ces galeries.

— Des salamandres…, dit Sylora, d'une voix songeuse. Tu as donc le temps de retourner là-bas pour te joindre à la bataille.

L'air soudain terrorisé de Dor'crae fit naître un sourire sur les lèvres de la sorcière. Le vampire se montrait hésitant depuis le début, craignant toujours que Dahlia fasse passer ce dixième diamant, celui qui le représentait, de son oreille droite à son oreille gauche.

— Je ne veux pas prendre le moindre risque, reprit Sylora, un peu plus tard. L'éveil de la puissance primordiale pour qu'elle provoque de nouveaux ravages n'arrive qu'au deuxième rang de mes priorités. Malheureusement, mon objectif le plus important reste soumis à la pression mise par les Nétherisses qui m'affrontent pour la maîtrise du bois du Padhiver, et même si je lutte de toutes mes forces, je n'ose pas partir d'ici. C'est pourquoi je t'envoie à Gontelgrime, avec respect et en toute confiance.

— J'en suis honoré, ma dame, répondit en s'inclinant Dor'crae, à qui le manque de sincérité de ces compliments n'échappa toutefois pas.

— Valindra t'accompagnera. (Le vampire se raidit à ses mots, les yeux grands ouverts de surprise et d'appréhension.) Elle est maintenant beaucoup plus lucide. Et sache ceci : Valindra Manteaudombre déteste Jarlaxle plus que quiconque. Elle n'apprécie pas plus l'autre drow, d'ailleurs, qu'elle tient en grande partie pour responsable de la mort d'Arklem Greeth.

— Elle est imprévisible, rarement capable de contenir ses pouvoirs, avertit Dor'crae. Il suffirait qu'elle subisse une crise de nature magique pour déclencher ce que précisément tu redoutes le plus.

Sylora plissa les yeux, rappelant ainsi au vampire qu'elle n'appréciait guère le fait de voir son jugement si hardiment remis en question. Elle n'insista cependant pas davantage, consciente que les craintes de Dor'crae étaient fondées. Pour tout dire, alors qu'elle réfléchissait à sa décision, la sorcière se demanda si le vampire n'avait pas raison, si Valindra ne risquait pas d'être le « fragment d'os en trop », comme le disait le vieux proverbe thayen.

Cherchant une façon de revenir sur son ordre, Sylora songea qu'elle pouvait toujours prétendre n'avoir mentionné Valindra qu'afin de tester la compréhension qu'avait Dor'crae de la situation. Cette remarque lui parut toutefois d'une extrême platitude, aussi l'écarta-t-elle sans plus attendre, ce qui ne laissait plus qu'une possibilité à cette femme entêtée, incapable de reconnaître ses erreurs.

— Valindra te fera retourner plus rapidement dans les cavernes, dit-elle. Une fois sur place, elle se déplacera aussi vite que toi dans les tunnels.

— À moins qu'elle s'égare, osa suggérer Dor'crae, ce qui lui valut un regard noir de la part de Sylora.

— Tu la guideras, ordonna la magicienne. Quand vous aurez rattrapé nos ennemis, désigne-lui les deux drows et rappelle-lui qui ils sont et ce qu'ils ont infligé à sa chère Tour des Arcanes et à Arklem Greeth. Il ne te restera alors plus qu'à admirer avec respect et admiration la puissante liche, quand elle fera s'effondrer l'ancestrale cité de Gontelgrime sur nos adversaires.

— Bien, ma dame, répondit Dor'crae, en s'inclinant de nouveau et sur un ton tout sauf satisfait.

— Songe un peu que si Valindra mène l'assaut sur nos ennemis, tu n'auras peut-être pas à affronter Dahlia, même si je sais combien tu désires la défier, lâcha Sylora, par simple plaisir.

Ce sarcasme mordant, expression crue des peurs de Dor'crae, rendit muet le vampire, dont la silhouette parut se dégonfler quand ses épaules s'affaissèrent.

Il savait que Sylora avait raison.

Comme la cavité externe, l'entrée circulaire avait presque entièrement résisté au cataclysme. Le trône était toujours présent, témoin silencieux des passages précédents, tel un gardien du passé fidèle à son poste.

Drizzt, bouche bée, contempla cet endroit les yeux écarquillés comme l'avaient fait Jarlaxle et Athrogate – et même Dahlia – la première fois qu'ils avaient traversé cette salle d'audience. Encore plus touché que le drow, Bruenor faillit s'effondrer, tant il était bouleversé.

Drizzt reprit ses esprits quand il se tourna vers son ami – son cher compagnon depuis tant de décennies, qui se trouvait aujourd'hui au seuil de l'endroit auquel il avait voué sa vie plus d'un demi-siècle durant. Les yeux baignés de larmes et haletant, Bruenor ne respirait plus qu'en forçant l'air à entrer et sortir de ses poumons.

— L'elfe…, murmura-t-il. Tu vois ça, l'elfe ?

— Dans toute sa gloire, mon ami, répondit Drizzt.

Alors qu'il allait ajouter autre chose, Bruenor s'éloigna de lui, comme attiré par une force invisible. Le nain traversa la pièce, sans regarder autour de lui, les yeux rivés sur son objectif, sur le trône qui l'appelait. Quand il monta sur la petite estrade, ses quatre compagnons le rejoignirent en toute hâte.

— Fais pas ça ! tenta de l'avertir Athrogate, que Jarlaxle fit taire aussitôt.

Bruenor tendit un bras hésitant vers l'un des accoudoirs du trône fabuleux, puis il retira aussitôt la main et bondit en arrière, les yeux écarquillés. Il se mit ensuite à sautiller sur place, décrivant des cercles, regardant de tous côtés et les mains écartées, comme s'il hésitait entre fuir et combattre.

Alors que les autres se précipitaient vers lui, Bruenor, qui avait soudain retrouvé son calme, se retourna vers le trône.

— Qu'est-ce qui s'est passé ? demanda Athrogate.

— C'fauteuil est pas comme les autres, répondit Bruenor.

— Tu crois qu'tu m'l'apprends ? s'exclama Athrogate, qui avait été projeté à travers la pièce par la puissance de ce trône.

(Bruenor le regarda, sourcils froncés, aussi enchaîna-t-il, après un regard lancé à Jarlaxle.) Oui, c'est un magnifique objet.

— C'est bien plus que ça, dit Bruenor, le souffle coupé.

— Il est imprégné de magie, dit Dahlia.

— Rempli de magie, confirma Jarlaxle.

— Rempli d'souvenirs, rectifia Bruenor.

Drizzt s'approcha de Bruenor et tendit lentement le bras vers le trône.

— Fais pas ça, l'avertit Bruenor, avant de désigner Jarlaxle. Surtout pas toi ni lui. Aucun d'vous. Juste moi.

Drizzt consulta du regard Jarlaxle, qui acquiesça.

— Que sais-tu à ce sujet ? lui demanda-t-il.

— Ce que je sais ? répondit Jarlaxle. Je sais quels étaient mes espoirs, en tout cas. Cet endroit pullule de fantômes, de magie et de souvenirs. J'espérais qu'un roi Delzoun – notre ami Bruenor, en l'occurrence – trouve une façon d'accéder à ces souvenirs.

Le drow regardait de nouveau le roi nain, comme les autres, quand il acheva sa phrase.

— Voyons ça, dit Bruenor, en se redressant.

Après avoir pris une profonde inspiration, il avança sur l'estrade et se présenta devant le trône. Les mains sur les hanches, il l'observa un long moment, puis il hocha la tête, se retourna et se laissa tomber sur le fauteuil en agrippant ostensiblement les accoudoirs.

Le souffle court, Athrogate baissa la tête.

Bruenor ne fut pas rejeté par le trône ancestral. Il observa durant quelques secondes ses quatre compagnons… qui soudain disparurent. Leurs silhouettes se mirent à trembler et osciller, avant de s'évanouir dans le néant.

Le nain n'était pas seul. Autour de lui, la pièce grouillait d'autres nains et résonnait de l'écho de mille conversations.

Bruenor s'arma de courage et ne céda pas à la panique, convaincu que ce phénomène était dû à la magie du trône. Il n'avait pas été séparé de ses amis, pas plus que ceux-ci ne lui avaient été enlevés ; son esprit s'était simplement tourné vers les siècles écoulés, vers le passé de Gontelgrime.

Devant lui se tenait un groupe d'elfes, dont la plupart étaient vêtus de robes généralement portées par des magiciens et à côté desquels se trouvaient des nains à l'air important – de toute évidence des chefs de clan, au vu de leur allure et atours royaux.

Bruenor dut faire un effort pour continuer de respirer quand il aperçut, sur le plastron de l'un d'eux, les armoiries de la chope débordante de mousse du clan Marteaudeguerre. Gandalug ! Était-ce Gandalug, le premier et neuvième roi de Castelmithral ? Était-ce possible ?

Ce nain ressemblait étrangement au fondateur de Castelmithral, cependant il s'agissait plus vraisemblablement du père de ce dernier, ou du père de son père. Gandalug n'avait en effet jamais parlé de Gontelgrime au cours de la courte période durant laquelle Bruenor l'avait connu, après son évasion de la prison temporelle drow. D'après ce qu'avait compris Bruenor, Gontelgrime était en outre une cité trop ancienne, par rapport à Castelmithral, pour que ce nain soit Gandalug Marteaudeguerre.

Le symbole arboré sur ce plastron, la chope débordante de mousse, n'était toutefois pas une coïncidence et prouvait que c'était un ancêtre de Castelmithral qui se tenait devant lui, devant le roi de Gontelgrime. Bruenor fut alors submergé avec chaleur et sérénité par une sensation de communauté et d'éternité, comme s'il faisait partie d'un tout plus important.

Il se força à ne pas se laisser aller à cette diversion attirante pour se concentrer sur le moment présent, ayant enfin compris qu'il voyait à travers les yeux du roi de Gontelgrime, comme si sa propre conscience avait franchi les océans du temps pour se voir accorder un siège dans le passé. Il fit alors l'effort de garder l'esprit clair, de simplement assimiler ce dont il était témoin – il interpréterait tout cela plus tard.

Ses autres sens ne tardèrent pas à se joindre à sa vue, ce qui lui permit de parfaitement entendre la conversation qui se déroulait autour de lui.

Ces gens discutaient de la Tour des Arcanes, dont étaient originaires les elfes visiteurs. Ils évoquaient les racines de magie et parlaient de piéger une puissance primordiale dans le feu des fourneaux de Gontelgrime.

Bruenor avait du mal à en croire ses yeux et ses oreilles. Les elfes redoutaient de voir leur cadeau fait aux nains dérobé par leurs cousins à la peau sombre, les drows, qui risquaient alors de semer la dévastation sur Faerûn. Les nains parlementaient vigoureusement. L'un d'eux fit remarquer qu'ils avaient déjà débattu de ce problème avant que le clan Delzoun aide à bâtir la Tour des Arcanes dans ce village éloigné.

Ce village… pas cette cité.

Bruenor sentait la tension du corps qui l'abritait, du roi nain assis sur le trône de Gontelgrime. Sentant ses muscles se contracter aussi nettement que s'il s'était agi des siens, il se demanda si ses amis observaient son corps, dans un futur lointain, et le voyaient agripper les accoudoirs du trône et se tortiller d'une rage grandissante.

Une elfe s'approcha de lui – elle lui rappelait énormément dame Alustriel de Lunargent – et s'exprima dans un dialecte, du nain ancien malmené par un accent elfique, que Bruenor éprouva des difficultés à saisir. Il comprit tout de même qu'elle promettait au roi que son peuple respecterait leur accord.

— *Mais tou né dois pas oublier qué nous rédoutons dé voir la bête libérée*, dit-elle d'une voix chantante. *Et qué les drows lâchent les feux vers la surface.*

— *Aucun drow mettra l'pied dans mon royaume*, répondit sèchement le nain.

— *Tou né lé toléreras pas.*

— *Jamais !*

Alors que cette discussion se poursuivait, Bruenor fut pris de vertige quand il comprit qu'il assistait à l'instant le plus crucial de l'histoire du clan Delzoun, au marché conclu avec les magiciens. La Tour des Arcanes avait offert à son peuple le pouvoir de façonner de légendaires armes et armures en or. Ce traité avait donné au clan Delzoun la suprématie sur leurs semblables établis dans le Nord et avait abouti à la création de royaumes qui avaient survécu jusqu'à l'époque de Bruenor.

Il était témoin du plus grand moment de l'histoire de son clan, peut-être du plus grand moment de l'histoire des nains de Faerûn.

— *Tou auras tes feux*, conclut l'elfe majestueuse, avant de s'incliner.

La pièce se brouilla de nouveau, les images oscillant comme l'air sur une pierre chaude en un jour de canicule.

Quand Drizzt et les autres commencèrent à reprendre forme devant lui, Bruenor repoussa ces visions. Pas maintenant ! Il ne devait pas encore les retrouver ; il lui restait encore trop de choses à apprendre.

— Bruenor ! entendit-il Drizzt l'appeler.

Il laissa la voix du drow glisser plus loin, sombrer dans le vide, tandis qu'il franchissait de nouveau les siècles.

L'image de ses amis se dissipa et fut bientôt remplacée par une autre. Il ne se trouvait plus dans la salle d'audience. Il aperçut deux elfes, mains tendues, postés devant une niche ouverte dans une paroi. Dans ce renfoncement était disposée une coupe remplie d'eau, semblable à celles que Jarlaxle avait apportées avec lui. Le liquide dans le récipient, en rotation grâce aux incantations des elfes, se mua en un tourbillon de brume et prit une forme vivante, plus ou moins humanoïde.

Cet être resta dans un premier temps minuscule, dans la niche. L'eau contenue dans la coupe ne donnerait pas naissance à l'ensemble de la bête ; elle n'était qu'un intermédiaire qui servait à la faire venir. La silhouette se mit à grandir, jusqu'à emplir cet espace réduit, dont elle donna l'impression de vouloir jaillir, telle une vague déferlante.

Quelque chose l'attrapa à ce moment de l'intérieur de la paroi. Bruenor vit l'élémentaire s'allonger vers le haut et être aspiré dans une cheminée donnant sur ce creux. Il comprit qu'une racine de la Tour des Arcanes se trouvait au sommet de ce conduit et que cet élémentaire avait été mis en place en tant que barreau vivant de la cage de la puissance primordiale.

Ainsi cela se poursuivit-il, les elfes disposant les coupes magiques à leur place.

Bruenor perdit toute notion du temps, alors que les galeries de Gontelgrime défilaient autour de lui. Puis il vit, à travers les yeux du roi de Gontelgrime – dont il ignorait toujours le nom –, la gigantesque et légendaire Forge de Gontelgrime, vision d'une netteté à couper le souffle, qui lui donna réellement la sensation d'être sur place.

Le complexe dans son ensemble lui devenait familier, comme si son sang Delzoun lui transmettait la mémoire de ce roi inconnu. Il comprenait désormais parfaitement le rôle tenu par les nains dans la création de la Tour des Arcanes, ainsi que le présent offert en retour à Gontelgrime par les elfes.

Quand il vit la salle de la Forge, la légendaire Forge de Gontelgrime, il se sentit inspiré.

Puis, lorsqu'il vit la puissance primordiale, libérée des profondeurs et piégée dans la cavité enflammée, sous la Forge, il eut peur.

Cette entité n'était pas un roi orque, ni un géant, ni même un dragon. C'était une divinité liée à la terre, une force de la nature, littéralement parlant, capable de modifier la forme des continents.

Que pouvait-il faire contre cette chose ?

Il assista à la mise en eau des racines de la Tour des Arcanes, qui commencèrent ainsi à nourrir de puissance océanique les élémentaires prisonniers. Il vit et entendit le violent flux d'eau vivante être précipité dans la cavité et plonger par-dessus le rebord d'une fosse, dans laquelle il se mit à tournoyer avec puissance contre les parois, au-dessus de la puissance primordiale. Et ce, pour toujours. Enfin, c'est ce que tous espéraient.

Quand il vit la Forge de Gontelgrime s'allumer pour la première fois grâce à la chaleur de la puissance primordiale, et son éclat se refléter sur les visages stupéfaits des nains et des elfes, il sut qu'il était témoin du plus grand instant de gloire de son peuple.

Puis il fut de retour dans la salle d'audience, où mille nains brandissaient des chopes débordantes de mousse pour fêter l'événement. Le visage du roi était strié de larmes, et Bruenor était incapable de préciser s'il s'agissait des siennes ou de celles de son hôte.

Les sons s'étouffèrent, les images se brouillèrent, les formes oscillèrent et perdirent leurs couleurs, puis il entendit le vacarme d'une bataille, tandis que les nains de cette époque révolue étaient devenus des fantômes, rien de plus.

Il était de nouveau Bruenor Marteaudeguerre, juste Bruenor, assis sur un trône, au centre d'une pièce circulaire dans laquelle ses quatre compagnons défendaient leur vie face à un essaim de grandes et maigres créatures humanoïdes. Armés de lances et de tridents, ces êtres se tenaient debout comme des humains, à ceci près que des flammes s'agitaient vivement à leurs pieds – non, pas des pieds, des queues. Ils ne ressemblaient à des hommes qu'au-dessus de la taille, le bas de leur corps rampant sur les dalles comme des serpents. De longs os noirs leur ressortaient dans le dos et des bois de cerf tordus étaient plantés sur leur tête.

Un vieux souvenir très vague revint à Bruenor. Il les reconnaissait – il en avait entendu parler. C'était un genre d'élémentaires... des salamandres.

Les yeux soudain grands ouverts, il bondit en rugissant du trône et s'équipa dans la foulée de son bouclier et de sa hache. Les combattants, amis ou ennemis, qui se tournèrent vers lui quand il poussa ce cri le virent débordant de puissance et de force, les muscles contractés et le regard chargé d'un feu intérieur.

Il plongea sans retenue sur le groupe de salamandres le plus proche, qu'il dispersa à grands coups de hache. Un trident chercha à le frapper de la gauche, mais son bras portant le bouclier fut plus vif et dévia cette agression vers le haut. Le nain enchaîna avec un solide contre de sa hache.

La créature s'effondra, coupée en deux à hauteur de la taille.

Comme si les dieux eux-mêmes avaient investi son corps, le roi Bruenor continua de semer la terreur en hurlant, tout en appelant ses alliés – non pas Drizzt et les autres, mais les fantômes de Gontelgrime – à la rescousse.

— Par les fesses dures de Moradin…, marmonna Athrogate, non loin du trône.

Le nain luttait pour empêcher les hommes-serpents d'approcher de Jarlaxle, qui se concentrait sur Drizzt et Dahlia, guettant la moindre ouverture, tandis que ces derniers se croisaient, bondissaient et se retournaient. Quand une telle occasion se présentait, l'agile drow lançait une dague et ne ratait presque jamais la créature visée.

Les quatre compagnons se battaient à merveille ensemble – à l'image de ce qu'avaient accompli trois d'entre eux à l'Envol de l'Esprit, tant d'années auparavant –, pourtant le roi Bruenor provoquait à lui seul davantage de ravages parmi les nombreuses salamandres.

Quand il avait vu son ami se joindre à la mêlée, Drizzt avait commencé à se diriger vers lui, suivi à chacun de ses mouvements par Dahlia, avant de rapidement changer d'avis. En considérant Bruenor, il recula et songea plutôt à maintenir sa position.

La bataille bascula rapidement quand de plus en plus de nains fantômes surgirent dans la salle. Au fond de la pièce, des salamandres cherchaient à cerner Bruenor, apparemment avec succès. Regrettant sa précédente décision de ne pas l'aider, Drizzt hurla en direction de son ami, qu'il crut perdu, convaincu que son hésitation en était responsable.

Mais Bruenor fit face à ses adversaires avec des yeux fous et un sourire cruel, puis il leva le pied et l'abattit violemment au sol. Une déflagration d'éclairs se propagea en cercle autour de lui, projetant les salamandres dans les airs comme des feuilles mortes prises dans une rafale de vent.

— Par les Neuf Enfers! s'exclama Athrogate.

— Drizzt? s'enquit Jarlaxle, clairement dérouté.

Près de Drizzt, Dahlia, dont la propre arme était capable de lancer de tels éclairs, en eut le souffle coupé, n'en croyant pas ses yeux.

Quant à Drizzt Do'Urden, il ne put que secouer la tête.

En hauteur, dans les ombres de la grande salle, une autre paire d'yeux observait le déroulement de la bataille, espérant vivement voir les créatures de la puissance primordiale se charger de son travail à sa place. Peut-être pourrait-il quitter d'un coup d'ailes cette cavité et rejoindre Valindra et les ashmadaï, à qui il donnerait alors le signal du retour vers le bois du Padhiver.

Il le souhaitait ardemment.

Hélas pour lui, Dor'crae assista avec stupéfaction à l'intervention d'un Bruenor Marteaudeguerre renforcé par les dieux, suite à quoi l'issue de l'affrontement changea du tout au tout. Les yeux rivés sur le trône, il prit peur, dépassé par les événements. D'abord, Valindra, à qui Sylora avait offert un puissant cadeau, puis maintenant ce nain déchaîné…

Il se retourna en direction de la caverne qui marquait l'entrée de Gontelgrime, songeant aux ashmadaï et à Valindra, qui ne tarderaient plus à approcher, puis il repensa aux avertissements de Sylora et aux pouvoirs qu'elle avait accordés à la liche. La perspective de faire confiance à Valindra, et surtout à la puissance qu'elle avait reçue, lui donna envie de se réfugier à Thay et de tenter sa chance face à Szass Tam.

Il reporta son attention sur la bataille, espérant contre toute logique que les laquais de la puissance primordiale trouveraient, d'une façon ou d'une autre, un moyen de mettre un terme à la menace qui se dressait contre les plans de sa maîtresse.

L'explosion de puissance divine mit fin à l'assaut. Les salamandres se ruèrent aussi vite que possible vers les issues les plus proches, laissant des traînées de feu dans leur sillage.

Bruenor s'élança aux trousses d'un groupe de ces créatures, puis il effectua un bond d'une dizaine de mètres pour retomber au milieu de ses cibles, qu'il massacra tour à tour avec sa hache. Durant cet assaut, le nain encaissa plusieurs coups, chacun arrachant un cri de douleur à Drizzt, qui se précipita vers son ami.

Bruenor ne parut remarquer aucune de ces frappes.

Quand ses quatre compagnons l'eurent rejoint, le roi nain se tenait au milieu d'une demi-douzaine de bêtes tuées. Les autres ennemis s'étaient enfuis, pourchassés par les nains fantômes.

Sans quitter ses amis du regard, Bruenor cligna plusieurs fois des yeux.

— Qu'as-tu fait ? lui demanda Jarlaxle.

Bruenor haussa les épaules.

Drizzt l'examina de plus près, allant jusqu'à lui écarter le col, sans déceler de blessure.

— Comment as-tu fait ça ? s'enquit Dahlia. Frapper ainsi du pied, comme un dieu de la foudre ?

Bruenor haussa de nouveau les épaules et secoua la tête. Après être resté un moment songeur, il s'adressa à Jarlaxle :

— Je sais où placer tes coupes.

— Comment pourrais-tu le savoir ?

Bruenor réfléchit quelques instants. En effet, comment était-ce possible ?

— Gontelgrime me l'a dit, répondit-il en souriant.

20

Puissants pouvoirs ancestraux

Les ashmadaï entrèrent dans la cavité circulaire avec hésitation, alors que les échos de la bataille s'étaient depuis longtemps dissipés. Valindra Manteaudombre ouvrait la marche, accompagnée d'une quarantaine des meilleurs guerriers de Sylora. Le regard de la liche se posa presque instantanément sur le trône, vers lequel elle se mit aussitôt à dériver en flottant, tandis que ses soldats se déployaient pour inspecter les cadavres éparpillés sur le sol.

Elle s'immobilisa devant le trône, dont elle sentit la puissante magie. En tant que magicienne de la célèbre Tour des Arcanes, elle avait passé sa vie à étudier l'Art. Avant l'apparition du fléau magique et avant de sombrer dans la mort puis, à cause d'Arklem Greeth, dans la non-vie, elle avait été une grande magicienne, dotée d'une érudition irréprochable et d'une renommée très étendue.

Devenue liche, Valindra avait survécu au fléau magique, même si ce mal avait certainement blessé son esprit. Ses sensations enfin retrouvées, elle rassemblait ses nouveaux pouvoirs dans le cadre des énergies inconnues de la période qui avait succédé au fléau magique.

Ses pouvoirs ayant résisté aux spectaculaires changements intervenus sur Faerûn, elle se sentit projetée dans le passé par le trône. La magie renfermée dans cet objet était ancienne et résonnait en Valindra, qui éprouvait un bien-être qu'elle n'avait pas ressenti depuis des décennies.

Elle émit quelques roucoulements et gémissements devant le trône, vers lequel elle tendit ses mains pâles, sans jamais toucher le puissant artefact. Perdue dans ses pensées et dans ses souvenirs datant de l'époque plus riante qu'elle avait vécue en tant que magicienne vivante, elle ne vit même pas deux de ses commandants ashmadaï s'approcher d'elle.

— Dame Valindra, dit l'un d'eux, un tieffelin fortement charpenté.

Ne recevant pas de réponse de la part de la liche, il répéta ces mots, plus fort.

Valindra sursauta et se retourna vers lui, ses yeux fantomatiques agités de flammes rouges menaçantes.

— Nous pensons que ces cadavres proviennent du plan du Feu, dit-il. Des créatures au service de la puissance primordiale, peut-être ?

L'expression affichée par Valindra indiquait qu'elle n'avait pas vraiment entendu la question, sans parler de la comprendre.

— En effet, intervint une autre voix.

Les deux ashmadaï et Valindra virent alors surgir, de derrière le trône, une chauve-souris, qui donna l'impression de se retourner sur elle-même, avant de prendre une forme humanoïde.

— Ce sont des serviteurs de la puissance primordiale – de véritables adorateurs, expliqua Dor'crae. Ces salamandres, ainsi que de gros lézards rouges, plus profondément dans le complexe, et même un petit dragon rouge, ont répondu à l'appel du volcan.

— Il y en a d'autres ? demanda un commandant.

— Énormément, répondit Dor'crae, en contournant l'estrade pour s'approcher du trio.

— Peut-être rempliront-ils notre mission à notre place, dans ce cas. Peut-être l'ont-ils déjà fait.

Cette hypothèse fit rire Dor'crae qui, d'un geste du bras, suggéra à ses alliés de mieux observer le résultat de la bataille – une bataille qu'il avait suivie depuis les ombres de la haute voûte.

—Je ne…, commença-t-il, avant de remarquer que Valindra ne lui prêtait guère attention, les yeux rivés sur le trône. Je ne compte pas trop sur les résidents de ce complexe pour vaincre des adversaires tels que Jarlaxle et ce nain hideux, ou Dahlia et Drizzt Do'Urden. (Ne s'adressant plus qu'aux deux ashmadaï, il jeta un nouveau regard en direction de Valindra, qui montait sur l'estrade, sans quitter le trône du regard, comme en transe.) Alors qu'ils étaient déjà bien assez redoutables, ils le sont désormais encore plus. Je les ai observés dans cette même pièce, aidés par cet autre nain, un roi nain, apparemment, qui semble avoir gagné en force grâce à la magie.

Les deux ashmadaï se consultèrent du regard, le visage crispé, puis revinrent à Dor'crae, clairement perturbés.

—Grâce à la magie contenue dans ce trône, poursuivit le vampire, en se tournant vers Valindra, qui ne parut pas l'entendre. Un genre de magie ancestrale a décuplé ses forces !

—Oui, de la magie…, minauda Valindra, un bras tendu devant elle.

Soudain, elle baissa la main et la plaqua sur l'accoudoir du trône.

Les yeux grands ouverts, elle lâcha un sifflement de protestation. Il était évident qu'elle luttait de toutes ses forces pour rester accrochée à l'artefact, qui donnait l'impression de vouloir la projeter sur le côté. Entêtée, la liche résista en grognant, puis elle se retourna et s'assit sur le trône, dont elle agrippa les deux accoudoirs.

Grondant et se débattant violemment, sifflant et crachant un torrent d'injures, elle se cambra, poussée par une force invisible, mais parvint à se rasseoir de force, tout en proférant des insultes à l'encontre d'un roi nain. Pour les témoins de la scène, c'est-à-dire les deux ashmadaï et le vampire, près du trône, ainsi que les nombreux autres soldats présents dans la pièce, elle faisait penser à un halfelin en train d'essayer de repousser la charge d'une ombre des roches.

La lutte s'intensifiait. Des éclairs bleutés et noirs jaillirent du fauteuil, obligeant Dor'crae et les ashmadaï à reculer.

Le trône de Gontelgrime rejetait aussi clairement que violemment Valindra, qui ne voulait pas l'accepter.

Enfin, avec un fracas qui secoua la cavité et se répercuta très loin dans le complexe de Gontelgrime, le trône expulsa la liche, en la projetant dans les airs. Alors qu'elle retombait pour s'écraser, Valindra se stabilisa et se redressa grâce à sa magie, pour ensuite flotter à quelques centimètres du sol.

— Valindra ? l'appela Dor'crae, que la liche n'entendit pas.

Elle glissa de nouveau vers le trône, les mains tendues comme des griffes prêtes à tuer. Dans un sifflement de haine, elle fit jaillir des éclairs du bout de ses doigts. Les voyant simplement disparaître dans le siège magique, Valindra, furieuse, fit apparaître une boule de feu, qu'elle lança aussitôt.

— Écartez-vous ! ordonna le commandant ashmadaï.

Les guerriers s'éloignèrent en une véritable débandade.

La boule de feu de Valindra avala le trône, l'estrade et une bonne partie du sol. Les flammes enragées s'étendirent jusqu'à la liche elle-même, qui ne parut pas s'en soucier. Aucun ashmadaï ne fut pris dans cette explosion, même si l'un d'eux vit sa cape prendre feu et fut contraint de se rouler frénétiquement à terre pour l'éteindre.

Quand les flammes et la fumée se dissipèrent, le trône réapparut, intact.

Valindra se précipita dessus en hurlant et en lâchant des éclairs, puis elle lui assena mille griffures et coups de poing.

— Elle est puissante, ça ne fait pas l'ombre d'un doute, murmura le chef ashmadaï, en s'approchant de Dor'crae. Mais sa présence m'effraie.

— Sylora Salm a décidé qu'elle devait nous accompagner, lui rappela le vampire. Ce n'est pas sans raison, et ce n'est pas à toi de remettre en question cette décision.

— Bien entendu, répondit l'humain, en baissant les yeux.

Dor'crae le fusilla un peu plus longtemps du regard, afin de s'assurer que ce soldat ait compris où était sa place. Ils ne pouvaient pas se permettre de propos aussi irrespectueux, pas face à des ennemis si puissants. Cela dit, quand il se retourna vers le trône et considéra Valindra qui se débattait de toute sa folie, Dor'crae prit conscience qu'il partageait l'opinion du fanatique.

Jamais ils ne contrôleraient la liche ; il savait sans le moindre doute que si une cible se présentait à portée de boule de feu et qu'une escouade entière d'ashmadaï se trouvait dans la zone de déflagration, elle n'hésiterait pas un instant.

Une secousse agita le sol rocheux et fit légèrement trembler les cinq compagnons. Drizzt ne parut pas s'en inquiéter dans un premier temps, avant de changer d'avis quand il regarda Bruenor.

— Que se passe-t-il ? demanda Jarlaxle au roi nain, devançant Drizzt.

— Bah, la bête a roté, rien d'plus, dit Athrogate, pourtant contredit par l'expression de Bruenor.

— C'était pas la bête, dit-il. Nos ennemis sont entrés derrière nous. Ils affrontent les anciens.

— Les anciens ? répétèrent en chœur Drizzt et Dahlia, qui échangèrent un regard, surpris.

— Les nains de Gontelgrime, expliqua Jarlaxle.

— Le trône, rectifia Bruenor. Ils ont frappé le trône.

— Mais pourquoi ?

Bruenor secoua la tête : le trône ne courait aucun danger selon lui. Et d'ajouter, après avoir observé les alentours :

— Les fantômes sont partis.

Les autres firent de même et, en effet, ne virent aucun fantôme dans la large galerie, alors qu'il y en avait encore quelques-uns seulement quelques instants auparavant.

— Y sont partis s'battre pour l'trône de Gontelgrime, précisa Bruenor.

— Et que faisons-nous, maintenant ? s'enquit Drizzt.

Sur le point de répondre, Jarlaxle, comme les autres, s'en remit à Bruenor.

—On continue, répondit ce dernier, avant de se remettre en marche, aussitôt suivi par Athrogate, qui dut s'activer pour se maintenir à sa hauteur.

—Il semble très sûr de lui, fit observer Dahlia à Drizzt et Jarlaxle, tandis que les nains s'éloignaient. À chaque virage et chaque tunnel latéral.

C'était vrai, mais si Drizzt avait confiance en son ami – quel autre choix avaient-ils, de toute façon ? –, il était sérieusement inquiet. Dans le voisinage de la salle d'audience, ils avaient suivi des passages dégagés et en bon état – en tout cas pas assez endommagés pour que Jarlaxle, Athrogate ou Dahlia s'en soient aperçus –, mais peu après avoir descendu la première longue volée de marches, les cinq compagnons avaient remarqué de plus en plus de ruines et de décombres. Certains boyaux avaient été éventrés, tandis que le deuxième escalier auquel les avait conduits Bruenor s'était révélé impraticable.

Sans se laisser démonter, le nain avait alors opté pour un autre itinéraire.

S'il ignorait quel genre de magie se trouvait dans le trône, Drizzt espérait qu'elle contenait bel et bien la mémoire de Gontelgrime, et non quelque illusion placée dans l'esprit de Bruenor par leurs ennemis – comme cela avait été le cas pour Athrogate.

Jarlaxle accéléra le pas, afin de veiller sur les nains.

—Tu t'es bien battue, dans le canyon, dit Drizzt, à voix basse.

Dahlia se tourna vers lui, les sourcils levés.

—Je me bats toujours bien ; c'est pour ça que je suis en vie.

—Tu te bats souvent, alors, dit le drow, avec un léger sourire.

—Quand il le faut.

—Peut-être n'es-tu pas aussi envoûtante que tu le crois.

—Ce n'est pas nécessaire, répondit Dahlia du tac au tac. Je me bats bien.

—L'un n'empêche pas l'autre.

—Et bien sûr, tu en es la preuve vivante…

Sur ces mots, Dahlia pressa l'allure, distançant un Drizzt amusé.

—Il en sort par tous les tunnels! s'écria le commandant ashmadaï, tandis que l'ensemble de ses soldats se repliaient vers le passage par lequel ils étaient entrés dans la salle.

Les silhouettes dépourvues de couleurs des nains fantômes se déversaient dans la pièce circulaire par toutes les issues qui leur faisaient face, en rangs et avec autant de discipline qu'une armée de vivants.

—Peuvent-ils nous toucher? Nous blesser? demanda une femme, en claquant des dents, la température ayant soudain sensiblement baissé.

—Ils peuvent vous réduire en lambeaux, assura Dor'crae.

—Alors battons-nous! cria le commandant.

Autour de lui, tout le monde poussa un cri de guerre.

Tout le monde, sauf Dor'crae, qui songeait qu'il était peut-être temps pour lui de se métamorphoser en chauve-souris et de s'enfuir. Et sauf Valindra, qui éclata d'un rire dément et puissant, si hystérique que les acclamations s'éteignirent les unes après les autres, à mesure que les regards ashmadaï se posaient sur elle.

—Les affronter? dit la liche, quand elle eut enfin capté l'attention générale.

Puis elle se remit à glousser, apparemment de façon incontrôlable. Elle tendit une main maigre devant elle, paume ouverte vers la voûte, ferma les yeux et son rire se mua en une incantation.

Ayant déjà été témoins de la puissance destructrice de sa magie, les ashmadaï se précipitèrent derrière elle, prêts à prendre la fuite.

La pièce ne fut toutefois pas noyée par une boule de feu. Un sceptre apparut dans la main de Valindra. Au premier regard, cet artefact ressemblait beaucoup à ceux dont étaient équipés les ashmadaï, qui crurent alors bon d'exprimer leur joie. Cependant, ils furent tous réduits au silence quand ils observèrent cet objet plus attentivement.

Les sceptres des ashmadaï, ces bâtons qui leur servaient également de lances, étaient rouges quand ils les recevaient, avant de pâlir avec le temps et l'usage, ce qui expliquait que nombre d'entre eux possédaient des armes de teintes variées, plus proches du rose que du rouge. Tel n'était pas le cas du sceptre écarlate de Valindra. Il semblait avoir été sculpté dans un rubis géant, d'un rouge très riche, une nuance si douce et si profonde que plusieurs ashmadaï tendirent les bras, comme pour y plonger les doigts.

L'empoignant avec force, Valindra le brandit horizontalement au-dessus de sa tête, chaque extrémité de l'artefact luisant d'un violent éclat rouge.

— Qui est votre maître ? cria-t-elle.

Déconcertés, les ashmadaï échangèrent quelques regards, certains articulant «Asmodée», tandis que d'autres chuchotaient «Valindra ?» avec un air interrogateur.

— Qui est votre maître ? hurla Valindra.

Accentuée par magie, la voix de la liche emplit la cavité et se répercuta sur la roche, tandis que les bouts de son sceptre brillaient de nouveau, en écho à son cri.

— Asmodée ! s'écria le commandant, immédiatement suivi par ses soldats.

— Priez-le ! ordonna Valindra.

Les fanatiques tombèrent à genoux en cercle autour de la liche. Le bras droit passé sur les épaules de son voisin, chaque ashmadaï tendit le bras gauche vers cet époustouflant sceptre. Ils se mirent ensuite à chanter tous en chœur, puis le cercle commença lentement à tourner vers la gauche, les guerriers se traînant sur la roche dure.

Quelques pas en retrait, Dor'crae observait la scène, sidéré. Il connaissait ce sceptre. Szass Tam l'avait conservé à Thay, sachant pertinemment qu'il s'agissait de l'artefact le plus précieux des ashmadaï. Dor'crae avait depuis le début soupçonné Sylora Salm de l'avoir emporté avec elle en partant à l'ouest, étant donné que la quasi-totalité des ashmadaï s'étaient installés dans le bois du Padhiver et lui obéissaient sans réserve. Quand Valindra s'était jointe à eux, de nombreuses années auparavant, le pouvoir exercé par Sylora sur la liche n'avait fait que confirmer ces soupçons.

Dor'crae avait du mal à croire que Sylora ait donné le sceptre à Valindra, à cette créature morte-vivante aussi instable que puissante.

Le vampire chassa ces pensées. Ce n'était pas le moment. Ses guerriers étaient à genoux et les nains approchaient à grands pas.

— Valindra ! appela-t-il.

Plongée dans son incantation, la liche ne parut pas l'entendre.

— Valindra, ils arrivent ! cria-t-il, sans plus de succès.

Les premiers fantômes prirent une teinte rougeâtre quand ils approchèrent du sceptre de rubis. Dor'crae les vit hésiter, certains visages se crispaient de douleur. De la fumée se mit alors à sortir des extrémités de l'artefact, pour décrire un cercle entre Valindra et les nains les plus proches, puis descendit en tourbillonnant vers le sol, et même plus bas, donnant l'impression de se glisser dans les dalles. La roche fondait, se liquéfiait, tandis que des bulles rouges se formaient et éclataient, libérant une âcre fumée jaune.

Les nains s'arrêtèrent tous en même temps et levèrent les bras pour se protéger les yeux.

Il sortit du sol, comme jailli d'un étang peu profond. Son énorme tête apparut la première, hérissée de piques et de rangées de protubérances osseuses rouges. Deux cornes noires partaient de chaque côté, pour se recourber vers le haut puis l'intérieur, leurs fines extrémités se faisant face. Ses yeux sauvages ne contenaient pas de pupilles, uniquement des flammes et rien d'autre – des yeux de diable enragé –, et de sa large bouche sortait un sifflement permanent, ce qui dévoilait d'immenses canines et des rangées de dents capables d'arracher de la chair. Alors qu'il montait encore, comme s'il grimpait sur une échelle disposée dans le sol fondu, son corps nu et glorieux sortit de la lave sans la moindre brûlure ou égratignure. Enfin, quand elles furent sorties du trou, ses ailes rouges parcheminées se déployèrent.

Cette créature était entièrement rouge, aussi brûlante que les feux des Neuf Enfers, la peau tendue sur ses muscles noueux et ses os saillants. Des piques noires alignées dans son dos formaient une crête acérée jusqu'à la base de la colonne vertébrale, qui se poursuivait par une impressionnante queue rouge, dont l'extrémité noire et piquante était chargée de venin. Les longues griffes qui terminaient ses mains étaient elles aussi d'un noir brillant, qui évoquait de l'obsidienne polie. Dans sa main droite, le monstre tenait une gigantesque massue, d'un noir intense et pourvue d'une tête à quatre lames, une de chaque côté. Cette arme exhalait de la fumée, ainsi que d'occasionnelles flammes, à hauteur de sa tête coupante.

Le fiélon sortit enfin du bassin bouillonnant, un énorme pied prenant appui sur la roche solide, que ses griffes noires éraflèrent.

La bête ne portait qu'un pagne vert orné d'un crâne de fer à l'avant, des bracelets de force en cuir serrés sur ses avant-bras musculeux et quelques bijoux macabres : un collier de crânes, de taille humaine mais qui semblaient plus petits sur ce diable mesurant deux mètres cinquante, et d'autres crânes attachés à sa queue qui fouettait l'air.

Les ashmadaï se mirent à gémir et se prosternèrent, face contre terre, n'osant même pas regarder cet impressionnant monstre.

Il ne s'agissait pas d'Asmodée, évidemment, car le seul fait d'oser l'invoquer les aurait tous tués. Néanmoins, Valindra fit un bond considérable dans l'estime de Dor'crae en cet instant de gloire, si bien qu'il se sentit idiot d'avoir douté de Sylora Salm. Grâce à ce sceptre, la liche avait lancé un appel en direction des Neuf Enfers… et avait été entendue.

Bien que n'étant lui-même pas très versé dans les créatures diaboliques, Dor'crae, comme n'importe qui ayant passé un certain temps en compagnie de sinistres magiciens, connaissait les êtres primaires des plans inférieurs. Valindra, qui avait donc bien été entendue, avait reçu en retour les services d'un diantrefosse, l'un des serviteurs personnels du dieu infernal, un duc des Neuf Enfers, qui n'avait de comptes à rendre qu'aux archidiables en personne.

La bête parcourut du regard ses ennemis fantomatiques, puis se tourna à demi vers Valindra et les ashmadaï à plat ventre.

Elle tendit ensuite la main vers le sceptre, sur lequel elle referma ses doigts griffus.

Une nouvelle fois, Dor'crae songea qu'il était certainement temps pour lui de partir, cependant le diantrefosse n'arracha pas l'artefact des mains de Valindra. Il donna plutôt l'impression de lui transmettre sa puissance par l'intermédiaire de cet objet.

Le sceptre se mit à briller si intensément que le vampire fut contraint de se retourner et de lever le bras pour s'abriter derrière sa cape. En tant qu'être mort-vivant, il avait lui aussi soumis de faibles humains à sa volonté un nombre incalculable de fois. À cet instant, il prit conscience de l'horreur infligée à ses anciennes victimes.

Il se retrouva à genoux malgré lui. Incapable de regarder davantage le diantrefosse, il se couvrit le visage des deux mains et se pencha pour embrasser le sol. Tremblant et impuissant, il pouvait mourir – encore – sur-le-champ. Il n'avait aucun moyen de s'échapper. Aucun espoir.

— Dor'crae, entendit-il – davantage dans ses pensées que par ses oreilles – quand Valindra s'adressa à lui, d'une voix ténue et très, très lointaine. Dor'crae, lève-toi !

Le vampire osa lever la tête. Valindra n'avait pas bougé ; elle brandissait toujours au-dessus d'elle le sceptre, dont les extrémités émettaient des ondes de lumière rouge chargée d'énergie.

Le diantrefosse, qui avait lâché l'artefact, se tenait devant elle. Le sceptre semblait avoir rétréci et le duc des diables grandi.

Dor'crae souffrait toujours et n'entrevoyait pas le moindre espoir, pourtant il osa se redresser à genoux, puis se lever.

— Les serviteurs de la puissance primordiale ne devineront pas que nous souhaitons également la voir libérée, avertit le vampire. Il y a aussi le dragon… le dragon rouge qui vit dans les profondeurs…

Valindra lui sourit et haussa les épaules, tandis que les ashmadaï se levaient péniblement. Dor'crae se demanda si Valindra les avaient tous appelés de façon individuelle, par leurs noms, et en même temps.

— Passe devant, Beealtimatuche, dit la liche.

Le diantrefosse ouvrant la marche, la procession frôla les nains fantômes prostrés et saisis de douloureuses convulsions avant de sortir de la salle.

Les ashmadaï ne disaient rien mais leurs visages, épanouis de respect, d'émerveillement et d'allégresse, parlaient pour eux. On ne pouvait pas en dire autant de Dor'crae. Il avait connu des magiciens ayant invoqué des êtres des plans inférieurs – généralement des démons mineurs ou des diablotins. Il avait également entendu parler de ceux qui avaient osé faire venir des créatures plus puissantes, démons, diables ou élémentaires.

Ces dernières tentatives ne s'étaient jamais bien terminées. En considérant le sceptre – la source du pouvoir d'invocation –, il devina d'instinct que le gros de son énergie avait été dépensé pour faire apparaître le monstre – un diable puissant qui devait être sérieusement contrôlé.

Les diantrefosses n'obéissaient qu'aux archidiables – et à présent à Valindra Manteaudombre, pour l'un d'eux.

Mais pour combien de temps ?

21

L'héritage, le destin

D rizzt s'appuya contre le mur d'une niche défensive creusée dans le tunnel large de trois mètres. En face de lui, Dahlia était tapie dans un renfoncement similaire. Ils entendaient les échos de leurs poursuivants, en qui ils avaient reconnu des élémentaires au service de la puissance primordiale. Le drow se tourna de l'autre côté, où la galerie débouchait sur une pièce carrée dont la porte brisée ne suffirait pas à ralentir les bêtes lancées à leurs trousses.

— Dépêchez-vous ! murmura Drizzt, en pensant à Bruenor et aux autres.

Bruenor avait décrété que c'était dans cette pièce que se trouvait l'endroit où disposer la première coupe magique, qui serait ainsi connectée aux racines de la Tour des Arcanes.

L'elfe noir considéra les nombreux panneaux métalliques régulièrement espacés sur la paroi, tous ornés de diverses représentations naines, mais aucun pourvu d'indication susceptible d'aider à faire le bon choix. Un bruit, dans le tunnel, sortit Drizzt de ses pensées. Il hocha la tête en direction de Dahlia.

Armée de son triple bâton, la guerrière lui répondit avec un sourire enthousiaste, qui se dissipa toutefois presque immédiatement. Elle leva la main et ses doigts se lancèrent dans une série de gestes complexes.

— *Ton épée.*

Drizzt baissa les yeux sur son cimeterre fixé à sa ceinture, *Glacemort*, et comprit ce qui inquiétait l'elfe. Un trait bleuté brillait à l'endroit où la poignée était calée sur le fourreau. *Glacemort* avait toujours cette teinte, qui s'intensifiait facilement, notamment en présence d'une créature de feu. Il est vrai que ce cimeterre était une ancienne arme du givre, conçue pour affronter des êtres brûlants et assoiffée de sang d'élémentaire de Feu.

Drizzt n'avait cependant jamais vu son épée briller dans son fourreau. Il en agrippa la poignée et la sortit légèrement. La niche fut aussitôt baignée d'une lueur froide.

Il la glissa dans son étui et prit une profonde inspiration, puis il se dit que ce phénomène était dû à la proximité de la créature de feu ultime, à savoir la puissance primordiale.

Il releva les yeux vers Dahlia pour lui répondre et, soudain, il prit conscience d'un détail plutôt inattendu : la guerrière s'était exprimée par l'intermédiaire du jargon drow. Drizzt n'avait encore rencontré aucun non-drow capable de se servir de ce langage tout en signes.

— *Comment se fait-il que tu maîtrises ce mode de communication ?* lui demanda-t-il, de la même façon.

Le séduisant visage de Dahlia se crispa, tandis qu'elle essayait, sans succès, visiblement, de suivre les mouvements de ses doigts.

Le drow reprit, plus lentement :

— *Tu parles comme une drow.*

Dahlia fit un geste évasif de la main, indiquant ainsi qu'elle ne possédait qu'une connaissance limitée de ce langage, avant d'afficher un sourire modeste en haussant les épaules.

Drizzt était tout de même impressionné. Rares étaient les individus non drows, et par conséquent n'ayant pas reçu de formation adéquate dès leurs plus jeunes années à l'Académie, capables de seulement former les mots les plus simples dans ce complexe langage codé.

Dans le tunnel, une porte s'ouvrit à toute volée. Dahlia se plaqua contre la paroi et serra son bâton magique.

De son côté, Drizzt sortit une flèche de son carquois enchanté et l'encocha sur *Taulmaril*. Un genou à terre, il jeta un coup d'œil dans la galerie et vit une horde de salamandres à la peau rouge se glisser dans sa direction.

—Vite, le nain, dit Jarlaxle, en lançant un regard nerveux vers la porte du couloir. Je crois que nos ennemis ne sont plus très loin.

Les mains sur les hanches et examinant le mur latéral de la cavité, Bruenor poussa un retentissant «Harrumff». Pas moins de dix panneaux étaient alignés sur cette paroi, et autant de l'autre côté.

—Ouvre-les tous, suggéra le drow.

Bruenor secoua la tête.

—Y faut qu'ce soit l'bon. Les autres sont piégés. Les ouvrir nous tuerait à coup sûr.

Athrogate, qui, tandis que Bruenor parlait, s'était approché de l'un de ces compartiments vers lequel il tendait déjà le bras, recula précipitamment et, haletant, se tourna vers Bruenor.

Ce dernier désigna le panneau situé deux emplacements plus loin que celui devant lequel se tenait Athrogate.

—Celui-là, dit-il.

—T'es sûr ?

—Oui, assura Bruenor.

Athrogate avança de quelques pas et tira sur la poignée, mais rien ne se produisit.

Des cris retentirent dans la galerie.

Athrogate tira de toutes ses forces, sans aucun résultat. Il lâcha prise en poussant un grognement, puis se cracha dans les mains et se remit à l'ouvrage – enfin, il s'y apprêta. Bruenor intervint ; après s'être approché, il agrippa la poignée d'une main et se mit à parler dans une langue qui ressemblait beaucoup au nain – au point qu'il fallut un bon moment à Athrogate pour se rendre compte qu'il n'en comprenait pas un mot.

Bruenor n'eut ensuite qu'à tirer légèrement pour que le panneau s'ouvre et révèle le compartiment secret.

—Par les Neuf Enfers, mais pourquoi...? se lamenta Athrogate.

—Ce mécanisme est lié à la magie du trône? se demanda Jarlaxle à haute voix, avant de rejoindre Bruenor sans perdre une seconde.

Il plaça la coupe dans l'étroite et profonde cavité, puis fouilla dans son sac un instant avant d'en sortir une minuscule fiole, qu'il tendit au nain.

—Pour activer la magie de la coupe..., commença le drow, que Bruenor fit taire en levant la main.

Il savait ce qu'il devait faire, de même qu'il connaissait les mots correspondants. Il ôta le bouchon de l'ampoule et versa l'eau magique dans le récipient. Il se mit ensuite à doucement agiter le liquide, en entonnant à voix basse une incantation.

Alors qu'elle tourbillonnait dans la coupe, l'eau parut gagner en volume et en consistance, jusqu'au moment où elle forma une silhouette, qui s'éleva au-dessus du rebord de son contenant. Cet humanoïde liquide se gonfla de puissance et parut même un temps furieux d'avoir été aspiré de son plan d'origine.

Il se développa tant que, devenu trop volumineux pour rester dans le compartiment, il sortit de son trou, dominant le nain de toute sa taille. Jarlaxle recula et Athrogate, tout en criant à Bruenor de s'écarter, se saisit de ses morgensterns, même s'il aurait été bien incapable de préciser de quelle façon il comptait blesser cette créature avec ces armes.

Bruenor ne s'inquiétait pas, loin de là, sachant que cet être lui obéirait, puisque c'était lui qui l'avait fait venir, par l'intermédiaire de la magie de la coupe. Il contourna l'élémentaire sans plus de cérémonie que s'il s'était agi d'une plante en pot, puis disposa la coupe plus profondément dans le compartiment. Il désigna ensuite l'étroit boyau, faisant ainsi comprendre à la créature qu'il désirait la voir retourner dans l'obscurité. L'autre bout du compartiment débouchait en effet sur une racine de la Tour des Arcanes, pourvue en ce point d'un emplacement vide réservé à l'élémentaire.

Celui-ci se gonfla encore plus, furieux, et d'épais appendices aux allures de bras se formèrent de chaque côté, terminés par d'immenses poings liquides prêts à frapper Bruenor.

Le nain se contenta de gronder en désignant le compartiment, forçant l'élémentaire à lui obéir. Quand la créature fut retournée dans son trou, Bruenor leva la main vers le panneau, puis il suspendit un instant son geste, le temps d'écouter les sons qui résonnaient dans cet espace confiné, dans lequel on aurait cru entendre des vagues se briser sur un rivage.

Soulagé d'avoir été obéi par l'élémentaire, Bruenor inspira une large bouffé d'air et ferma le compartiment, avant de se retourner vers Jarlaxle, qui gardait la porte.

— Il faut partir, lui dit le drow.

Le nain secoua la tête.

— Le deuxième est aussi ici, dit-il, en désignant la paroi opposée, tandis que le vacarme s'intensifiait dans le tunnel.

— Alors fais vite, brave nain, s'exclama Jarlaxle.

Le drow sortit deux fines baguettes et se plaqua contre le mur, près de la porte.

Taulmaril le Cherchecœur décochait les unes après les autres ses flèches, qui laissaient derrière elles un sillage argenté dans la galerie. Un genou à terre, Drizzt était penché à l'extérieur de la niche et s'efforçait de maintenir l'intensité de ce tir de barrage, abattant des salamandres à chaque coup, parfois deux d'une seule flèche, et même trois en une occasion.

Ces pertes ne faisaient toutefois qu'enrager davantage les monstrueuses créatures, que Drizzt savait ne pas être en mesure de toutes repousser. Elles se battaient pour la puissance primordiale, pour leur dieu. Quand les cadavres se furent entassés dans le tunnel, d'autres salamandres les enjambèrent. Et quand le drow tua ces dernières, les autres bêtes, furieuses, adoptèrent une nouvelle tactique ; elles se mirent à pousser ces amas de chair, au lieu de les escalader.

Le drow grimaça et continua de tirer – que pouvait-il faire d'autre ? Tendant à son maximum la corde de *Taulmaril*, il décocha d'autres flèches au centre de la masse. Les projectiles lumineux trouèrent les corps entassés, qu'ils traversèrent parfois pour toucher les élémentaires vivants postés derrière.

La pression ne s'affaiblit pourtant pas. Drizzt était sur le point de remplacer *Taulmaril* par ses cimeterres quand deux véritables éclairs, lancés derrière lui, se propagèrent dans le boyau. Il sursauta et fut temporairement aveuglé, ce qui le contraignit à se réfugier dans la niche. Lorsqu'il se posta de nouveau près du bord du renfoncement, il aperçut un fouillis de morceaux de cadavres, noircis et fumants, tandis que des salamandres s'activaient derrière ces premiers rangs décimés pour reformer leur mur mobile.

Drizzt remit alors son arc mortel en action. Derrière lui, depuis la porte de la salle des panneaux, Jarlaxle fit de nouveau parler ses baguettes, qu'il orienta cette fois vers la voûte. Les éclairs jumeaux rebondirent contre la roche et plongèrent sur les salamandres abritées.

— Englue-les! cria Drizzt, sans trouver de meilleur mot.

— Écarte-toi! lui répondit Jarlaxle.

Drizzt plongea dans la niche.

Une boule de matière visqueuse verte passa devant lui et s'écrasa au sol, juste devant le mur de cadavres. Cela ne freina pas les salamandres qui, déchiquetant leurs macabres fortifications, se lancèrent à l'assaut, soutenues par une volée de lances, qui se fracassèrent un peu partout dans le tunnel.

— Ils approchent, cria Dahlia, de l'autre côté.

— Tenez-vous prêts! lança Jarlaxle, depuis la porte.

Un double éclair éclata entre Drizzt et Dahlia et secoua la roche.

— Maintenant! hurla la guerrière, juste après la déflagration, avant de bondir dans le tunnel, brandissant son triple bâton.

Cimeterres en main, Drizzt la rejoignit, juste à temps pour abattre *Glacemort* sur sa droite et dévier ainsi un trident lancé sur Dahlia. Les monstres se lancèrent à l'assaut à trois de front, frappant furieusement le drow et l'elfe.

Les armes de Drizzt décrivaient des cercles devant lui, parant chaque attaque – parfois une, parfois deux, en fonction de la cible visée par la créature placée entre ses deux congénères. Malheureusement, la portée de ces longs tridents et lances l'empêchait de se fendre en avant après ses parades, et il ne voulait pas abandonner sa position à côté de Dahlia. À eux deux, ils formaient une solide résistance – plus que simplement défensive, comme Drizzt s'en rendit compte quand ils accordèrent leur rythme. Alternativement entier, en deux parties, trois, ou même scindé en deux paires de barres métalliques, l'étonnant bâton de Dahlia leur permettait de procéder à toute une variété de bottes et de contres. Drizzt se concentrait désormais plus spécifiquement sur la défense, écartant sans difficulté les frappes de la salamandre qui lui faisait face et bloquant également sans cesse celles de la créature du milieu.

—Compris ! s'écria Dahlia, ayant apparemment saisi l'intention de l'elfe noir.

Elle recula d'un pas et laissa Drizzt œuvrer sur la largeur du tunnel, repoussant lances et tridents les uns après les autres à une cadence folle. Il s'activait d'une paroi à l'autre, les pieds flous tant il se déplaçait vite, les mains à peine plus nettes tandis que ses lames repoussaient toutes les attaques.

Alors qu'il reculait sur sa gauche, il entendit un claquement à côté de lui. Il s'agissait d'une nouvelle incarnation de l'époustouflante arme de Dahlia : quatre barres identiques reliées bout à bout, dont l'elfe se servait presque comme d'un fouet. Et avec une grande efficacité, comme s'en rendit compte la salamandre postée à l'extrême droite de Drizzt, quand elle fut touchée au front, d'un coup aussi puissant que précis.

Alors que cette créature s'effondrait, morte, une lance fut projetée du rang suivant. Drizzt procéda à une impeccable déviation pendant que Dahlia reformait son bâton, puis il se rua aussitôt après de l'autre côté, ne laissant ainsi aucune brèche se former dans la défense.

—Par-dessus ! cria Dahlia, derrière lui.

Il se baissa d'instinct à l'instant précis où l'elfe se propulsa en l'air au-dessus de lui grâce à son arme. Elle se réceptionna en souplesse, à portée des lances et des tridents.

— Par-dessus ! cria-t-elle encore, alors qu'elle avait à peine touché le sol, sa perche plutôt encombrante dans cet espace réduit.

Son saut n'avait été qu'une diversion, rien de plus. Elle s'éleva de nouveau, repartant en arrière. Trois lances la visèrent, mais aucune ne l'atteignit.

Drizzt s'élança en avant sous Dahlia et surgit au milieu des salamandres. Ses cimeterres s'abattirent à gauche, à droite, puis il écarta les bêtes d'un coup central dévastateur. Il bloqua ensuite une lance projetée, suivie d'une deuxième et d'une troisième, tandis que la foule toujours plus dense des créatures chargeait, protégée par des boucliers, comme pour le repousser vers la salle des panneaux.

— Par-dessus ! Ton arc ! cria Dahlia.

Sans vraiment comprendre ce qu'elle avait en tête, mais sans poser de questions, Drizzt se laissa tomber en roulade arrière, tandis que l'elfe plantait sa perche à côté de lui et s'élevait une fois de plus.

Après avoir orienté sa chute vers la niche, Drizzt se redressa en rengainant ses cimeterres, avant de se saisir de *Taulmaril*, sur lequel il encocha immédiatement une flèche.

Dahlia n'avait pas retouché le sol. Toujours dans les hauteurs, agrippant fermement le sommet de l'*Aiguille de Kozah*, elle faisait pleuvoir sans interruption des coups de pied, aussi violents qu'imprévisibles, sur ses ennemis. Quand ceux-ci parvinrent à lever leurs boucliers pour se protéger, elle continua de frapper, afin de conserver sa position surélevée.

Drizzt se mit alors à tirer sous elle. Ses flèches filèrent sous la protection brandie d'une créature, dont elles déchiquetèrent le torse avant de faire exploser le bouclier de son voisin.

Dahlia poussa un hurlement et donna un coup de pied brutal sur un bouclier, ce qui la repoussa en arrière, alors que des lances se dressaient vers elle, depuis le deuxième rang de créatures. Elle se réceptionna à côté de Drizzt en une roulade parfaitement maîtrisée, les yeux écarquillés.

— On dégage ! s'écria-t-elle.

Sans laisser au drow le temps de lui demander pourquoi, elle s'élança vers la salle des panneaux.

Une flèche vola, puis une autre, après quoi Drizzt dut se réfugier dans la niche pour éviter un mur de lances projetées. Il jaillit aussitôt de son abri, avec en tête l'idée de couvrir la fuite de Dahlia, mais il vit soudain les rangs ennemis s'éclaircir, les salamandres plongeant sur les côtés ou se plaquant contre les parois pour céder le passage.

C'est alors que Drizzt vit ce que Dahlia avait aperçu de sa position surélevée. La même pensée lui vint alors à l'esprit : *on dégage !*

— Et de deux ! déclara Bruenor, quand il eut glissé la deuxième coupe au fond du compartiment, puis refermé le panneau.

Ils entendirent, de l'autre côté du battant métallique, l'eau précipitée, quand l'élémentaire se connecta aux racines de la Tour des Arcanes. Le nain hocha la tête, satisfait, et ajouta :

— Deux sur dix !

— Vite, passe devant, le pressa Jarlaxle, insistance inutile au vu du vacarme qui se déchaînait dans le tunnel, au-delà de la porte brisée.

Ils se tournèrent tous les trois – Bruenor, Jarlaxle et Athrogate – dans cette direction et virent Dahlia débouler dans la pièce et décrire un salto en l'air. Elle planta son bâton sur le côté et roula un peu plus loin, puis se propulsa à l'autre bout de la pièce, s'éloignant ainsi des trois témoins de la scène.

— Qu'est-ce que… ? dit Bruenor, qui n'eut pas le temps d'achever sa question.

Une immense gerbe de flammes s'engouffra par la porte, avec en son centre une silhouette sombre : Drizzt, éjecté par la puissance du souffle.

Le drow retomba rapidement au sol, les flammes dissipées, et, tandis que des volutes de fumée s'élevaient de sa cape, il leva les yeux vers ses amis, *Taulmaril* dans une main et *Glacemort*, qui luisait furieusement, dans l'autre.

— Génial, ils ont un dragon, ironisa-t-il.

Bruenor, bouche bée, écarquilla les yeux, tout comme Athrogate, et les deux nains coururent à toutes jambes et en hurlant vers le fond de la pièce, bientôt rejoints par Dahlia.

Pour faire bonne mesure, Jarlaxle lança un nouvel éclair dans l'encadrement de la porte, puis il eut la sagesse d'y ajouter une boule de matière visqueuse magique, dans l'idée de ralentir les poursuivants. La substance collante eut en outre l'intérêt de surprendre trois lances en plein vol.

— Deux élémentaires sont en place, dit Jarlaxle à Drizzt, quand les drows se retrouvèrent, fermant la marche. Plus que huit et on y sera presque !

Drizzt ne se retourna pas, les yeux rivés sur Bruenor qui, à l'autre bout de la salle, était déjà prêt à fermer la lourde porte.

— Tu as entendu ce que je viens de dire ? répondit le rôdeur, qui regarda derrière lui en secouant la tête. Ils ont un dragon !

— Pas très gros, rétorqua le mercenaire.

Drizzt secouait encore la tête quand ils passèrent devant Bruenor, qui claqua le battant de pierre derrière eux. Non loin de lui se tenait Athrogate, une lourde barre de fer en main. Les deux nains eurent tôt fait de verrouiller la porte.

— «J'ai déjà vu des vaches cuites, j'ai déjà vu des truies cuites», se mit à chanter Athrogate. «Mais j'suis certain d'jamais avoir vu d'drow cuit ! Mais tu sens pas l'brûlé et t'as pas l'air grillé, c'qui fait qu'j'peux pas m'empêcher d'me demander : Ho ho, l'drow, t'es sûr qu't'es bien chaud ?» Bwahaha !

— Question pertinente, bien que posée de façon stupide, convint Jarlaxle, tandis que le groupe s'éloignait en courant.

Drizzt ne répondit pas. Tout en songeant à ce détail, il accéléra l'allure et doubla ses quatre compagnons, avant de se passer *Taulmaril* sur l'épaule et de dégainer son deuxième cimeterre.

—Sacrée bonne lame, expliqua Bruenor aux trois autres, un peu plus tard.

—*Glacemort…*, dit Jarlaxle, comprenant soudain.

—Cette foutue épée repousse les flammes? demanda Athrogate.

—J'l'ai déjà eue en main, sur l'dos d'un dragon en feu, répondit Bruenor.

—Un dragon en feu? répéta Athrogate, alors que Jarlaxle, distancé d'un pas, articulait en silence les mêmes mots.

—Oui, j'l'ai cuit moi-même.

Le mercenaire sourit et secoua la tête, sachant pertinemment qu'il aurait eu tort de ne pas croire les extravagants récits rapportés par les deux vieux aventuriers qu'étaient Drizzt Do'Urden et Bruenor Marteaudeguerre.

Son sourire s'évanouit quand il regarda devant lui, en direction de Drizzt, dont la seule façon de se déplacer trahissait un changement d'attitude. Drizzt avait souvent paru insouciant au combat, qu'il appréciait presque, et Jarlaxle ne pouvait nier que ce côté avait son charme. Néanmoins, ce qui restait de ce comportement désinvolte avait changé, et de façon spectaculaire. Peut-être cette évolution était-elle difficile à remarquer pour quelqu'un qui ne connaissait pas le véritable Drizzt Do'Urden, mais pour Jarlaxle, cela sautait aux yeux. Il s'excusa auprès des nains et de Dahlia et accéléra pour rattraper Drizzt.

—On enchaîne les combats, fit-il remarquer.

Drizzt hocha la tête, visiblement peu préoccupé par cet état de fait.

—Mais ça vaut le coup, pour le bien que nous allons accomplir ici, pas vrai? ajouta Jarlaxle.

Drizzt regarda le mercenaire comme s'il avait cru ce dernier pris de folie, avant de répondre :

—J'ai passé un demi-siècle à chercher cet endroit, pour aider mon ami.

—Le fait que notre intervention puisse sauver une ville te laisse donc froid?

Drizzt haussa les épaules.

— T'es-tu rendu à Luskan dernièrement ?

Jarlaxle passa outre à cette question et poursuivit :

— Serais-tu venu ici, si ce n'avait pas été pour Bruenor ?

Quand il vit les yeux de Drizzt lancer des éclairs de colère, Jarlaxle n'attendit pas que celui-ci réponde. Il l'empoigna par le revers de la tunique et le plaqua contre la paroi.

— Sois maudit et puisses-tu finir dans les toiles de Lolth ! s'emporta-t-il. Ose affirmer que tu t'en moques !

— Qu'est-ce que ça peut te faire ? gronda Drizzt en levant les mains pour repousser Jarlaxle, qui renforça sa prise.

— Quelqu'un qui n'a jamais fait bouger les choses ? dit le mercenaire, le visage à quelques centimètres de celui de Drizzt, qui soutint son regard sans répondre. C'est ce que tu as dit, au *Coutelas*. C'est ainsi que tu t'es décrit quand je t'ai posé la question. « Quelqu'un qui n'a jamais fait bouger les choses ». (Jarlaxle ferma les yeux et lâcha enfin Drizzt, avant de reprendre, plus calmement.) Tu penses vraiment ce que tu dis ?

— Qu'est-ce que tu veux, fils Baenre ?

— Juste la vérité – ta vérité. Tu crois vraiment ne jamais avoir provoqué le moindre changement ?

— Peut-être n'y a-t-il rien à faire bouger, répondit Drizzt, qui donna l'impression de cracher chaque syllabe.

— Pas à long terme, tu veux dire. (Drizzt prit le temps de réfléchir à ces mots, puis il acquiesça.) Parce qu'ils auraient de toute façon tous fini par mourir ? Catti-Brie ? Régis ?

Drizzt lâcha un grognement et secoua la tête. Il fit mine de se remettre en route, mais Jarlaxle l'agrippa par l'épaule et le plaqua de nouveau contre la paroi, le visage empreint d'une telle colère que la main du rôdeur se posa aussitôt sur la poignée de son cimeterre.

— Ne redis jamais ça ! lui lança le mercenaire, postillonnant à chaque mot.

Drizzt glissa les mains entre les bras de Jarlaxle, qui commençait à relâcher sa prise, et le repoussa.

—Qu'est-ce que ça peut te faire ? lui demanda-t-il une fois de plus.

—Tu es celui qui s'est échappé, répondit Jarlaxle. (Drizzt le dévisagea, comme s'il n'avait pas la moindre idée de ce qu'il voulait dire.) Tu ne comprends pas ? Je ne te perdais pas de vue – nous te suivions tous. Quand une Mère Matrone, ou à peu près n'importe quelle femme de Menzoberranzan, était présente, nous crachions ton nom avec haine, en promettant de venger Lolth et de te tuer.

—Tu en as eu l'occasion.

Jarlaxle poursuivit, comme si Drizzt n'avait rien dit :

—Mais quand elles n'étaient pas parmi nous, le nom de Drizzt Do'Urden était prononcé avec jalousie, souvent avec respect. Tu ne comprends pas, n'est-ce pas ? Tu ne te rends même pas compte de la discorde que tu as semée parmi nous, à Menzoberranzan ?

—Mais comment… ? Pourquoi… ?

—Parce que tu es celui qui s'est échappé !

—Tu es ici, avec moi ! Es-tu lié à la Cité de la Reine Araignée par autre chose que ta volonté ? Que Bregan D'aerthe ?

—Je ne parle pas de la cité, idiot, répondit Jarlaxle, en baissant la voix.

Drizzt dévisagea de nouveau le mercenaire, ne voyant pas du tout où ce dernier voulait en venir.

—L'héritage, expliqua Jarlaxle, d'une voix ténue, en entendant les autres approcher. Le destin…

22

PROGRESSIONS PARALLÈLES

De grandes colonnes étaient alignées dans la salle, disposées régulièrement en trois longues rangées. Chacune était une œuvre d'art, produit des efforts de cent artisans nains, décorée et sculptée d'une façon unique, avec une touche personnelle et un grand amour. Les siècles de poussière accumulée ne ternissaient en rien la majesté des lieux. En traversant cet endroit, les cinq compagnons, notamment Bruenor et Athrogate, n'eurent aucune difficulté à imaginer les réunions qui s'y étaient autrefois tenues. Malgré l'éveil de la puissance primordiale, qui avait provoqué des dégâts considérables, une bonne partie de la gloire de l'ancienne cité de Gontelgrime demeurait intacte. Ils avaient franchi des dizaines de cavités et suivi de nombreux escaliers et couloirs pourvus de portes qui donnaient sur des lieux de résidence, des caves, des ateliers, des cuisines, des salons de réception et des salles d'entraînement. Avant la libération de la puissance primordiale, Gontelgrime avait été plus vaste que Castelmithral et les citadelles d'Adbar et de Felbarr réunies – un glorieux berceau pour le clan Delzoun.

—J'ai perdu le compte, dit Bruenor, quand ils furent presque parvenus à la moitié de l'immense pièce.

Les mains sur les hanches, il examina le panneau métallique fixé sur la plus proche colonne et secoua la tête.

—Vingt-trois, dit Drizzt, sur qui tous les regards se posèrent. C'est le vingt-troisième compartiment de la salle.

Vu l'assurance avec laquelle le drow s'était exprimé, sans parler de la fiabilité de ses propos d'une manière générale, personne ne douta de ses mots, néanmoins les compagnons se retournèrent tous, surpris d'être déjà passés devant tant de colonnes géantes. Il est vrai que les dimensions de cette cavité étaient hors normes, avec une voûte invisible dans les ombres.

Bruenor secoua la tête, regarda à gauche, puis à droite, avant de désigner le pilier central de la rangée suivante.

— Le panneau du milieu, déclara-t-il. Le vingt-quatrième.

Il avança jusqu'au battant de métal en toute confiance – aussi sûr des connaissances acquises grâce au trône magique que du compte de Drizzt – et l'agrippa par le rebord, avant de l'ouvrir facilement. Ce compartiment se distinguait des six précédents, parce qu'il était à la fois moins profond et plus haut. Bruenor y glissa la tête. Il aperçut, très loin, sans doute au sommet de la colonne, la lueur verte familière.

— Racine, annonça-t-il triomphalement.

Il plaça la coupe, la septième sur dix, après quoi Jarlaxle lui tendit une fiole. En entonnant l'incantation adéquate, Bruenor en vida le contenu dans le récipient et observa le tourbillon qui s'ensuivit, tandis que l'élémentaire prenait forme.

La racine magique l'attrapa presque aussitôt.

— Y en a pas d'autre dans cette pièce, dit le nain, en refermant le panneau. Le prochain se trouve vers le sud.

— En avant, alors, dit Dahlia, en se mettant en marche.

Bruenor l'arrêta tout de suite :

— Vers le sud. Donc à gauche.

Dahlia eut un geste d'impuissance, puis les nains et Jarlaxle se dirigèrent vers une porte située sur le côté de la cavité.

— Comment le sait-il ? demanda l'elfe à Drizzt, quand celui-ci l'eut rejointe.

— Le trône, j'imagine…, répondit le drow.

— Non, je ne te parle pas de l'agencement du complexe. Comment peut-il… comment parvenez-vous tous à déterminer où se trouve le sud ou le nord ?

Drizzt hocha la tête en souriant. Il aurait volontiers répondu, s'il avait su quoi dire. Les créatures issues de l'Outreterre ressentaient ce genre de choses de façon innée.

—Peut-être est-ce lié à l'attraction des corps célestes, hasarda-t-il. L'énergie du soleil et de la lune, quand ces astres se croisent, se propage peut-être jusque si bas.

—Je ne la sens pas, dit l'elfe, l'air revêche.

—Quand tu te trouves à la surface et que tu veux t'orienter, comment fais-tu? lui demanda Drizzt, avec un grand sourire. (Dahlia le regarda en fronçant les sourcils.) Tu observes le ciel, ou l'horizon s'il t'est familier. Tu sais de quel côté le soleil se lève et se couche, ce qui te permet de déterminer les quatre points cardinaux.

—Mais il est impossible de le deviner sous terre.

Drizzt haussa les épaules.

—Quand tu te trouves en pleine forêt, par une nuit noire, ton ouïe n'est-elle pas plus affûtée?

—C'est différent.

—Vraiment?

Alors qu'elle s'apprêtait à répondre, Dahlia se tut et s'arrêta de marcher, puis elle dévisagea quelques secondes l'elfe noir.

—Après un certain temps en Outreterre, tu te rendrais peut-être compte que tu te diriges aussi facilement qu'à la surface, ajouta ce dernier.

—Qui voudrait passer plus de temps en Outreterre que la durée de notre périple?

Cette remarque narquoise et sèche surprit Drizzt. Il songea à évoquer les merveilles que l'on trouvait dans le monde souterrain qui s'étendait sous Faerûn. Même Menzoberranzan – que Dahlia, en tant qu'elfe de la surface, ne pouvait sans doute voir qu'avec des yeux d'esclave potentielle – était un endroit d'une beauté à couper le souffle. Drizzt avait choisi de vivre à la surface, et il aimait sincèrement les étoiles, et même l'éclat du soleil, qui avait pourtant longtemps blessé ses yeux sensibles. Il trouvait forêts et cours d'eau magnifiques, tout comme les nuages et les champs qui se déployaient à perte de vue, sans parler de la grandeur des montagnes. Cependant, il n'ignorait pas que l'on trouvait autant de beauté sous terre, même s'il n'y pensait que rarement. Il ne s'était pas souvent aventuré en Outreterre au cours du dernier demi-siècle, ce qui expliquait peut-être qu'il en soit venu à la considérer d'un œil nouveau. Il en appréciait la splendeur, qu'elle soit due aux nains ou à la nature.

Il ne dit toutefois rien de tout cela à Dahlia. Elle n'était pas à son avantage en ces lieux, hors de son élément et entourée de quatre compagnons qui, eux, étaient parfaitement à l'aise. Conscient qu'elle n'aimait pas cela, Drizzt, quand il l'observa de nouveau alors qu'elle marchait à côté de lui, vit de la vulnérabilité en elle. Elle s'était élancée dans la mauvaise direction, avant d'être rappelée par Bruenor. Elle était incapable de s'orienter. Son armure parfaite comportait en fait une fissure.

Et dans cette fissure, Drizzt avait remarqué une cicatrice, une blessure ancienne et profonde, une douleur fugace derrière l'éclat toujours intense de ses yeux bleus, une hésitation dans sa démarche toujours assurée, un côté défensif dans ses épaules toujours redressées.

Il fut lui-même surpris par ses déductions, tandis qu'en cet instant elle était plus attirante que jamais. Bien entendu, il s'était déjà extasié sur la beauté peu ordinaire de cette elfe, en particulier sur la grâce de son ballet mortel au combat.

Mais il venait de découvrir quelque chose d'autre, quelque chose d'attachant, d'intéressant.

— Plaquez-le à terre! Plaquez-le! ordonna Stokely Torrent d'Argent à ses nains.

C'est exactement ce que fit l'escouade, tirant de chaque côté jusqu'à clouer le gros reptile rouge contre le sol. Plus loin, d'autres nains, aidés par les fantômes, affrontaient les salamandres. Toutefois leur victoire sur l'arme secrète de leurs ennemis, un terrifiant et vorace lézard de feu de plus de cinq mètres de long, leur avait assuré un succès plus général.

Stokely avança et tua lui-même le monstre, même si plusieurs lourds coups de hache furent nécessaires pour en venir à bout.

Quand, avec l'arrière-garde, il eut rejoint les autres soldats, les combats avaient pris fin. Des salamandres mortes ou blessées jonchaient le vaste tunnel enfumé, dans lequel gisaient également trois nains de Stokely. Les deux prêtres qui accompagnaient la vingtaine de guerriers se mirent activement à l'ouvrage. Hélas, l'un des trois blessés mourut sur place, dans cette profonde galerie de Gontelgrime, tandis qu'un autre dut être transporté.

Mais les nains se remirent en route sans se décourager, suivant les fantômes et leur destin.

À peine une heure plus tard, alors qu'ils n'avaient pas encore pris leur déjeuner, ils entendirent du bruit dans un tunnel latéral – comme un détachement qui se précipitait vers eux.

Hésitant, Stokely lança un coup d'œil devant lui. Il leur était peut-être possible d'échapper aux élémentaires, mais si, ce faisant, ils tombaient sur davantage de résistance un peu plus loin, ils seraient piégés.

— En position, les gars! dit le chef nain à ses camarades. Y a encore des bêtes à tuer.

Pas un nain ne se plaignit, les visages graves et les armes tournant sous les articulations blanchies. Les quelques fantômes qui les avaient guidés en silence depuis le Valbise se glissèrent dans le tunnel, pour y trouver la force qui approchait, mais aucun écho de combat ne parvint au groupe de Stokely.

Juste un appel, un cri de joie:

— Mirabar!

Et soudain, ils surgirent: cinquante guerriers d'élite du Bouclier de Mirabar.

— Salutations! répondirent Stokely et ses soldats.

Le soulagement fut général, ces deux détachements ayant enchaîné les combats face aux laquais de la puissance primordiale au cours des derniers jours.

— Stokely Torrent d'Argent, du Valbise, à votre service! dit le chef des nains du Nord.

Un vieux guerrier à la barbe grise sortit des rangs de Mirabar.

— Du Valbise ? dit-il. Vous êtes des Marteaudeguerre, alors ?

— Oui, et on vous salue, répondit Stokely. Castelmithral est notre demeure ancestrale, et Gontelgrime encore plus !

— Torgar Frappemarteau, à ton service. Et salut à toi aussi, cousin. J'ai vécu à Castelmithral pendant quarante ans. J'étais au service du roi Bruenor, qu'Moradin l'étreigne, puis du roi Banak, avant d'être rappelé par Mirabar.

— T'étais présent quand l'roi Bruenor est mort ?

— Aucune complainte sera jamais assez triste pour retracer c'moment, répondit Torgar. Les pierres ont paru bien lourdes sur sa tombe. Un jour sinistre pour Castelmithral.

Stokely hocha la tête.

— Un jour sinistre pour tous les nains, dit-il simplement.

Peut-être discuterait-il plus tard de la « mort » du roi Bruenor avec Torgar. Le protocole exigeait une certaine discrétion quand il était question de la mort simulée d'un roi nain ayant renoncé à son trône, cependant, après tant d'années, quelques chuchotements ne seraient pas inconvenants.

— Torgar ! s'écria quelqu'un, sur le côté. Par les sales fesses d'Obould !

Quand il se tourna vers le nain qui venait de crier, Torgar, dont le visage s'illumina instantanément, fut assailli de souvenirs oubliés d'une ancienne guerre.

— Toi ? Ici ? C'est possible ? répliqua le chef du détachement de Mirabar. Ou j'vois plus d'fantômes qu'prévu ?

Il ne s'agissait pas d'un fantôme.

Drizzt se lança en roulade avant, légèrement sur la droite, ne se préoccupant plus de la salamandre du cœur de laquelle il venait de retirer ses lames, puis il se releva, cimeterres brandis en direction des deux dernières bêtes. Il entendit un son écœurant derrière lui, suivi d'un grognement et d'un bruit sourd ; la salamandre de tête venait de s'écrouler à terre.

Il fit décrire à ses lames parallèles deux cercles opposés de chaque côté de son corps. Chacune coinça ainsi une lance. Avec une violente expiration, le drow écarta ses armes – et donc les lances – de chaque côté, puis il s'immobilisa soudain, se pencha en arrière et sauta pour assener un double coup de pied aux deux salamandres qui lui faisaient face. Il se réceptionna sur le dos, mais ses muscles agirent avec une telle perfection, se contractant aussitôt, que quiconque assistant à la scène aurait juré – comme ce fut à coup sûr le cas de ses deux adversaires stupéfaits – qu'un mystérieux contrepoids l'avait soulevé et aidé à se relever.

Il frappa de nouveau de ses deux cimeterres, et perça la gorge de la bête de droite tout en entaillant l'épaule de l'autre. Grâce à *Glacemort*, Drizzt ne ressentait pas plus qu'auparavant la terrible chaleur émise par ces créatures.

La salamandre blessée recula précipitamment pour mettre un peu de distance entre l'elfe noir et elle, tout en tentant de redresser son arme et de trouver un moyen de se défendre.

Alors qu'il s'apprêtait à poursuivre son effort, Drizzt fut survolé par une silhouette. Agrippée à sa perche, Dahlia ponctua sa descente d'un coup de pied sur la tête du monstre, qui fut projeté à terre. Elle se réceptionna à califourchon sur sa cible et l'empala de son bâton brusquement retourné. Quand le métal toucha la roche, l'*Aiguille de Kozah* libéra un violent éclair.

Tenant son arme d'une main tendue, l'autre bras écarté, Dahlia semblait jouir de cette énergie, de cette puissance. Elle rejeta la tête en arrière et ferma les yeux, la bouche grande ouverte et le visage paré d'une expression de pure extase.

Drizzt était incapable de la quitter des yeux ! Si un autre ennemi s'était alors jeté sur lui, il aurait certainement été tué !

Dahlia conserva cette pose un long moment, durant lequel Drizzt garda les yeux rivés sur elle.

— On a un problème, intervint la voix de Jarlaxle, qui les sortit tous deux de leur transe.

— Il n'a pas réussi à invoquer l'élémentaire ? demanda Drizzt.

— La coupe est en place, répondit le mercenaire. La huitième, sur les dix. Mais le neuvième panneau est détruit, ainsi que le compartiment qui se trouvait derrière.

Après avoir échangé un regard inquiet, Drizzt et Dahlia suivirent Jarlaxle dans le couloir et traversèrent plusieurs petites pièces avant de retrouver la grande salle où les attendaient Bruenor et Athrogate – tous deux les mains sur les hanches et les yeux posés sur un impénétrable amas de gravats et une paroi effondrée.

— C'était ici, confirma Bruenor. Y a plus rien.

— Qu'est-ce que ça implique ? s'enquit Dahlia. On ne peut plus faire rentrer la bête dans son trou ?

— Bah, neuf monstres liquides feront l'affaire ! beugla Athrogate, avant d'insister, avec conviction, quand les autres se tournèrent vers lui. On a pas l'choix !

Près de lui gisaient deux salamandres mortes, toutes deux abattues par ses soins quand le groupe était entré pour la première fois en cet endroit. Afin de vigoureusement ponctuer son propos, le nain s'assit sur ces cadavres et lança un enthousiaste « Bwahaha ! », avant d'assener une bourrade sur l'épaule du roi Bruenor.

Drizzt eut alors la surprise de voir Bruenor répondre à l'identique à son compagnon nain.

— Alors en route ! déclara-t-il. Ces adorateurs d'démons nous arrêteront pas, pas plus qu'cette puissance primor… prim… pas plus qu'cette bestiole du volcan ! J'ai encore un monstre liquide à mettre à sa place et un gros levier à actionner, et on pourra ensuite dire au monde entier qu'les fantômes d'Gontelgrime se reposent d'nouveau tranquillement !

Ils se remirent donc en marche. Voir Bruenor si vif, tapageur et plein d'entrain réchauffa le cœur de Drizzt, qui observa un long moment son vieil ami. Peu à peu, toutefois, son regard glissa vers Dahlia, qui marchait en silence à côté de lui. C'est alors qu'il remarqua trois trous dans son oreille droite, juste au-dessus de l'unique diamant qu'elle y portait.

Trois boucles d'oreilles manquantes ?

Le drow devina que ce détail avait une signification. Une nouvelle fois surpris par cette énigmatique elfe, il le fut encore plus par sa propre réaction, quand il se rendit compte combien il désirait connaître cette histoire.

Le bruit de ruissellement de l'eau, au-dessus de leurs têtes, inquiéta tous les ashmadaï.

— La magie est de retour! s'écria Valindra. La Tour des Arcanes répond à l'appel de nos ennemis!

— Qu'est-ce que ça signifie? demanda le commandant ashmadaï.

— Ça veut dire que vous allez échouer, que votre Anneau de Terreur ne chantera pas les louanges d'Asmodée, gronda Beealtimatuche, le diantrefosse.

Tout le monde, à l'exception de Valindra, recula face à la puissance de la voix furieuse du démon.

— Non, rectifia la liche, qui brandit son sceptre pour couper court à toute protestation du monstre. Cela veut dire que nous devons nous dépêcher.

— Fonçons droit à la Forge, proposa le chef ashmadaï, déjà présent il y a si longtemps, quand Sylora était intervenue pour remplacer Dahlia, alors hésitante.

Une énorme chauve-souris jaillit à cet instant des profondeurs du tunnel. L'animal se retourna devant Valindra et Beealtimatuche, puis s'allongea jusqu'à reprendre la forme humaine de Dor'crae, visiblement très soucieux.

— C'est l'eau…, le prévint Valindra, qu'il détrompa en secouant la tête.

— Nos ennemis bloquent le passage, apprit-il à ses complices. Les serviteurs de la puissance primordiale – pas la bande de Dahlia.

— Alors ils mourront! rugit Beealtimatuche, qui fut acclamé par les fanatiques.

Mais Dor'crae secouait toujours la tête.

— Ils ont un dragon, précisa-t-il. Un dragon rouge.

Après avoir frappé le sol de son pied griffu, si fort qu'il y laissa un trou et secoua les parois, le diantrefosse fila comme une furie, les fanatiques s'écartant vivement de son chemin. L'une d'eux ne s'étant pas esquivée assez vite, le démon s'en débarrassa d'un coup de sa massue enflammée. Ses vêtements de cuir et ses cheveux en feu, la malheureuse fut projetée contre la paroi avec une violence telle qu'on entendit ses os se briser dans un craquement écœurant.

Elle s'effondra sous les acclamations des ashmadaï, masse difforme de sang et de chair enflammée.

23

JOSI... JOSI PETITEMARES

Agrippant fermement son bâton, Dahlia était prête à bondir et frapper l'être – qui ou quoi qu'il soit – qui approchait de la petite pièce dans laquelle elle patientait en compagnie des nains.

Elle se détendit quand Drizzt apparut dans le passage en arche.

— Nos ennemis sont proches, dit-il. Il y en a un peu plus loin dans chaque galerie et chaque salle.

Depuis l'autre porte de la pièce, celle par laquelle les cinq compagnons étaient entrés, Jarlaxle ajouta :

— D'autres ne sont pas non plus très loin derrière nous.

— Nous allons donc encore nous battre, conclut Dahlia, sans la moindre nuance de regret ou de peur.

Elle hocha la tête en direction de Drizzt, qui lui rendit son regard assuré.

— Et jusqu'à la Forge d'Gontelgrime ! dit Athrogate. Si cent hommes-lézards s'dressent face à moi, alors cent hommes-lézards mourront ! Pas vrai, roi Bruenor ?

Et d'assener une bonne bourrade à Bruenor.

Ce dernier, occupé à examiner le mur, ne réagit que par un grognement.

— Dépêchons-nous ! dit Drizzt. Mieux vaut éviter de nous faire rattraper par ceux qui sont derrière pendant que nous affronterons ceux qui sont devant.

Il se dirigea vers l'arche, suivi de près par Dahlia. De l'autre côté, Jarlaxle entra dans la pièce et les rejoignit, aussitôt imité par Athrogate, après une dernière claque sur l'épaule de Bruenor.

Mais celui-ci ne grogna même pas, cette fois, une main levée pour sentir le relief de la paroi rocheuse sculptée.

— Bruenor, l'appela Drizzt. Il faut y aller.

Le nain adressa un signe désinvolte de la main à ses compagnons et se plongea davantage dans son étude. Son esprit dérivait sur les siècles, à travers les révélations du trône magique.

C'est cette pièce, songea-t-il. *C'est forcément cette pièce. Si seulement j'pouvais trouver un loquet!*

Des bruits, issus du tunnel qu'ils venaient d'emprunter, se firent entendre.

— Bruenor, insista Drizzt, plus discrètement, avant de se précipiter auprès de son ami, qu'il agrippa d'une main sur l'épaule. Allez, viens! L'ennemi approche. Il faut filer!

— Oui, allez-y, rétorqua le nain, agacé.

Il appuya plus fortement la main sur le mur, espérant ne pas être pris dans un piège mortel. Était-il possible que des siècles d'inactivité aient détraqué les mécanismes? Cette pensée ébranla Bruenor. Il s'agissait de Gontelgrime, après tout, l'apogée de la civilisation naine.

— Les nains construisent les choses pour qu'elles durent, dit-il à haute voix.

— Construisent quoi?

Bruenor leva enfin la tête vers Drizzt, puis il désigna du menton la paroi, avant de s'écarter d'un pas. L'elfe noir s'approcha de la roche, ne sachant pas vraiment ce qu'il devait y trouver. Bruenor ne lui avait pas dit pourquoi ce bas-relief particulier l'intéressait, alors que de telles sculptures abondaient dans Gontelgrime.

Il observa le mur quelques instants, puis les autres revinrent sur leurs pas pour supplier le drow et le nain de sortir de cette pièce, qui prenait peu à peu des allures de piège – ou de tombe.

Drizzt secoua la tête, non pas pour répondre à ses amis, mais simplement parce qu'il ne relevait aucune anomalie dans le bas-relief, pas le moindre détail surprenant. Il ferma les yeux et, les mains tendues devant lui, parcourut lentement la paroi du bout des doigts. Soudain, il ouvrit les yeux, un curieux sourire aux lèvres.

— Alors ? lui demanda Bruenor.

Drizzt retira une main, puis l'autre, à l'exception d'un doigt, qu'il fit encore un peu glisser sur la roche, tandis que son sourire s'élargissait avec assurance.

Bruenor leva la main et Drizzt écarta la sienne.

Le nain ferma les yeux et caressa l'endroit désigné.

— Brave nain futé, dit-il, songeant à l'artisan qui avait conçu ce mécanisme.

Il n'y avait pas de joint. Il n'y avait pas de différence de couleur ou de forme. En ce point précis, dont la surface n'excédait pas celle du bout d'un doigt boudiné de nain, la paroi n'était pas faite de roche, mais de métal…

Bruenor y appliqua un ongle et poussa avec force.

— Du plomb, déclara-t-il.

— C'est un bouchon, dit Drizzt.

— Oui, qu'il faut faire fondre, intervint Jarlaxle, qui semblait toujours avoir réponse à tout.

— Fondre ? s'étonna Drizzt, sceptique. Nous pourrions faire un feu et chauffer un tisonnier de fortune, mais nous n'avons pas le temps de porter un tel objet à la température nécessaire.

— Qu'y a-t-il derrière ? demanda Dahlia.

— Notre évasion, si j'lis correctement sur leurs visages, répondit Athrogate.

Bruenor se retourna vers le mur, puis vers Drizzt, qui se demandait de quelle façon ils allaient franchir cet obstacle. D'autres bruits retentirent dans le tunnel, les ennemis désormais très proches de la salle.

— Marque-le ! ordonna le rôdeur, avant de s'écarter, révélant ses intentions quand il décrocha *Taulmaril* de son épaule.

Bruenor regarda autour de lui, puis il farfouilla dans ses poches et dans son sac, cherchant un moyen de s'acquitter de sa tâche. Il sortit l'une de ses cartes et en déchira un coin, qu'il se fourra dans la bouche. Il se rapprocha immédiatement du point repéré sur la paroi, qu'il caressa de nouveau avec délicatesse, tout en mâchonnant. Quand il eut retrouvé la surface en plomb, il cracha le morceau de parchemin mouillé dans sa main, le colla sur le mur et s'éloigna.

Drizzt avait déjà encoché une flèche sur son arc, qu'il leva, avant de viser avec grand soin.

Enfin, il tira. Un violent éclair illumina la pièce et le projectile enchanté toucha sa cible. Il fit fondre le papier, s'enfonça dans le bouchon de plomb et détruisit pour toujours le loquet qui se trouvait derrière. Le drow et le nain savaient tous deux avoir pris un risque, car, en agissant de la sorte, qui savait si Drizzt n'avait pas également condamné la porte secrète ?

Ils entendirent des pierres glisser derrière le mur, sans pour autant être en mesure de deviner si ce son était prometteur ou s'il ruinait leurs espoirs.

C'est alors que la roche se mit à grincer, tandis que des contrepoids actionnaient quelque mécanisme invisible. Une portion commença à glisser, dévoilant les contours d'une porte de taille naine. De la poussière s'éleva et une odeur de moisi, très ancienne, les prit à la gorge. Avec un grognement de protestation, la porte disparut dans la roche, sur la droite.

—Comment le savais-tu ? demanda Dahlia, le souffle coupé.

—Il est malin, ce trône, pas vrai ? gloussa Athrogate.

—On y va, et vite ! dit Jarlaxle.

Alors que Drizzt se dirigeait vers l'ouverture, Bruenor l'arrêta du bras.

Le roi nain pénétra le premier dans ce réduit. Le conduit, qui n'avait pas servi depuis une éternité, donnait sur une volée de marches assez raide au bout de quelques mètres à peine.

Athrogate, qui fermait la marche, remit en place le lourd panneau de pierre derrière le groupe.

Ils descendirent donc, Bruenor imprimant une allure soutenue sur le périlleux escalier taillé dans la roche. Pas une seconde il ne songea au risque de chuter ; il savait vers quoi il se dirigeait.

Les marches prirent fin sur une étroite galerie, qui déboucha elle-même un peu plus loin sur une vaste cavité baignée d'une lueur orangée : la Forge de Gontelgrime.

Bruenor s'arrêta net, les yeux écarquillés et bouche bée.

— T'as vu ça, l'elfe ? parvint-il à murmurer.

— Je le vois, Bruenor, répondit Drizzt, d'une voix étouffée et empreinte de respect.

Il n'était pas nécessaire d'être un nain Delzoun pour saisir la solennité et la majesté de l'endroit. Comme aspiré par des forces invisibles, Bruenor avança vers l'immense fourneau central, semblant grandir à chaque pas sous l'effet d'une magie et d'une force ancestrales.

Il s'arrêta devant le fourneau ouvert et contempla les flammes, pleines de vie depuis que la puissance primordiale avait été libérée pour la première fois. Son visage rougit sous cette chaleur, mais il ne s'en soucia guère.

Il resta ainsi un très, très long moment.

— Bruenor ? osa l'appeler Drizzt, après un certain temps. Bruenor, il faut faire vite !

Le nain ne donna pas l'impression de l'avoir entendu.

Le drow contourna son ami pour que celui-ci le voie, mais en vain ; le nain avait les yeux fermés. Quand il les ouvrit légèrement, l'esprit visiblement ailleurs, il remarqua à peine Drizzt et les autres.

Il leva sa hache et avança vers le fourneau ouvert.

— Bruenor ?

Il retira son bouclier et le déposa sur le rebord, devant les flammes, puis il cala sa hache dessus.

— Bruenor ?

Sans s'aider d'aucun outil, le nain attrapa son bouclier par son bord en fer et le glissa dans le feu, tout en chantant dans une langue qu'il savait inconnue des autres, une langue qu'il ne comprenait pas non plus lui-même.

—Bruenor!

Alors qu'ils s'attendaient tous à voir le bouclier, principalement fait de bois, prendre feu, il n'en fut rien.

Bruenor continua de chanter quelques instants, puis il se pencha et attrapa de nouveau le bord du bouclier.

—Bruenor! s'écria Drizzt, en se ruant vers lui, peut-être pour l'écarter.

Le drow aurait aussi bien pu tenter de pousser le fourneau. Il heurta violemment le bras du nain, qui ne bougea pas d'un centimètre, malgré le poids de la charge de l'elfe noir. Bruenor, qui s'était à peine rendu compte de l'incident, sortit son bouclier, sur lequel se trouvait toujours sa hache aux nombreuses ébréchures.

Sans les tremper dans de l'eau, il remit le bouclier en place et se saisit de la hache, après quoi il recula, se retourna vers le reste du groupe et, secouant la tête, sortit de sa transe.

—Comment se fait-il que tes bras ne soient pas brûlés jusqu'aux os? s'étonna Dahlia. Pourquoi la peau de tes doigts ne s'est-elle pas parcheminée sous la morsure du feu?

—Hein? dit le nain. D'quoi tu parles?

—Le bouclier, dit Jarlaxle, tandis qu'Athrogate riait sottement.

—Hein? répéta Bruenor, avant de se retourner pour jeter un coup d'œil sur son bouclier.

Le bois n'avait pas changé, si ce n'est qu'il avait peut-être un peu foncé sous l'effet des flammes. En revanche, le contour, autrefois en fer noir, brillait désormais d'une teinte argentée et ne comportait plus aucune entaille. Le plus beau était encore la chope débordante de mousse, en son centre. Ce blason scintillait également, au point que la mousse semblait réelle, blanche et brillante.

—La hache, ajouta Jarlaxle.

Comment aurait-on pu ne pas remarquer les changements intervenus sur cette arme? Sa tête argentée étincelait et son tranchant était parcouru de scintillements. Quant aux innombrables ébréchures dues à mille combats, elles étaient toujours présentes – les dieux nains n'avaient évidemment pas commis l'outrage de faire disparaître ces symboles d'honneur —, néanmoins la hache semblait à présent dotée d'une force supplémentaire, que tous ressentaient, une puissance intérieure qui brillait, comme pour supplier d'être lâchée sur un ennemi.

— Qu'as-tu fait ? demanda Jarlaxle.

— J'leur ai parlé, marmonna Bruenor, avant de frapper la hache contre le bouclier.

Soudain, un bruit se fit entendre à l'autre bout de la cavité. Drizzt décrocha *Taulmaril* de son épaule, tandis qu'Athrogate, puis Bruenor, se portaient à sa hauteur, chacun d'un côté. Jarlaxle, quant à lui, recula de quelques pas et produisit deux baguettes.

— Ils arrivent, dit Dahlia, juste derrière Drizzt.

De son bâton, elle écarta le drow et se posta entre Athrogate et lui.

Drizzt baissa les yeux vers Bruenor, qui arborait une étrange expression. Après avoir rapidement rendu son regard au drow, le nain prit sa hache dans la main qui tenait déjà son bouclier, qu'il leva devant lui. Les yeux rivés sur le dos de cette protection, il prit un air encore plus étonné et y plongea sa main libre, comme s'il cherchait à y attraper quelque chose.

Ils furent tous abasourdis quand Bruenor replia le bras ; le nain tenait une chope remplie d'un liquide dont la mousse débordait. En se tournant de nouveau vers l'objet magique, il prit un air encore plus ébahi. Il tendit le récipient à Drizzt, allongea le bras dans le bouclier et sortit une autre chope.

— Hé, j'peux en avoir une ? demanda Athrogate.

Drizzt lui donna celle qu'il tenait et se tourna juste à temps vers Bruenor pour le débarrasser de la deuxième, qu'il tendit à Dahlia. Le rôdeur garda la troisième, la quatrième échut à Jarlaxle et Bruenor se réserva la cinquième et dernière chope.

— Voilà un bouclier qui mérite d'être porté ! s'enthousiasma Athrogate.

— On a d'bons dieux, commenta Bruenor, ce qui fit sourire l'autre nain.

— Qu'est-ce que c'est ? s'enquit Dahlia.

— Du tord-boyaux, j'espère ! lâcha Athrogate.

Les deux drows échangèrent un regard incertain, puis considérèrent leurs boissons d'un œil hésitant, contrairement à Bruenor et Athrogate, qui portèrent un toast et avalèrent de grandes gorgées de ce mystérieux breuvage.

Les deux nains donnèrent l'impression de se gonfler de pouvoir. Athrogate écrasa dans la main le godet métallique, qu'il jeta sur le côté, avant de se saisir de ses morgensterns.

— Par les fesses de Moradin et la barbe de Clangeddin, qui a jamais vu pareil tableau ? déclama-t-il. Un groupe de cinq combattants, armes en mains et prêts à s'lancer à l'assaut ! Mais mes dieux s'interrogent, secouent la tête et s'grattent la peau, quand y voient un roi partager leur élixir avec une elfe et deux drows !

— Bwahaha ! s'écria Bruenor.

— Buvez, idiots ! dit Athrogate aux elfes. Et sentez la puissance des dieux nains s'propager dans vos membres !

Drizzt se lança le premier ; il prit une grande lampée, puis hocha la tête avant de vider sa chope et de la jeter par terre.

Bruenor cligna des yeux. La pièce lui parut soudain plus claire, plus précise, et quand il souleva sa hache et son bouclier, ceux-ci lui semblèrent plus légers.

— C'est un genre de potion, dit Jarlaxle. Quel remarquable bouclier !

— Contemplez la Forge de Gontelgrime, dit Bruenor. C'est d'la magie ancestrale. D'la bonne magie.

— D'la magie naine, ajouta Athrogate.

Des bruits dans le tunnel leur remirent à l'esprit le problème imminent.

— Ils ont un dragon, rappela Drizzt. Nous devrions nous déployer.

— Reste près d'moi, l'elfe, lui dit Bruenor, tandis que les autres s'écartaient de chaque côté.

— Non, Bruenor devrait immédiatement se diriger vers le levier, fit remarquer Jarlaxle.

— Oui, et j'connais l'chemin, ajouta Athrogate.

Alors qu'il avait déjà fait un pas vers une petite porte latérale, un vacarme, de l'autre côté, l'arrêta net. Ils virent tous le dragon jaillir du tunnel.

En tout cas, ça ressembla un temps à un dragon, jusqu'au moment où ils se rendirent compte qu'il ne s'agissait que de la tête de l'animal, projetée depuis la galerie. Elle rebondit sur le sol, roula et s'immobilisa devant les cinq compagnons, qu'elle parut regarder de ses yeux morts.

—Que Lolth nous garde…, haleta Jarlaxle.

Le diantrefosse sortit du tunnel et abattit sa massue enflammée sur une paroi dans un fracas tonitruant. Il bondit en avant et s'arrêta, les bras écartés, le torse bombé et la queue s'agitant avec impatience, puis il rejeta la tête en arrière et lâcha un rugissement démoniaque.

—Bon, au moins, l'dragon est mort, dit Bruenor.

Derrière le fiélon surgirent du boyau les forces ashmadaï, menées par quatre légionnaires infernaux, de diaboliques guerriers vraisemblablement invoqués par le diantrefosse, qui se postèrent des deux côtés. Si ce déploiement ne suffit pas à troubler les cinq compagnons, le dernier personnage à faire son apparition s'en chargea.

Valindra Manteaudombre n'avait plus rien à voir avec la créature désorientée que Jarlaxle avait connue au cours de ces dernières décennies. Brandissant un sceptre étincelant, elle sortit du tunnel en flottant, un sourire haineux aux lèvres et les yeux emplis de vengeance.

—Mourez bien, dit Dahlia.

—Josi Petitemares, murmura Drizzt à Bruenor.

—Hein ?

—Le type à la face de rat, au *Coutelas*, il y a longtemps.

—Ah…, dit le nain, qui regarda le drow avec un air étonné. C'est maintenant qu'tu m'dis ça ?

Drizzt haussa les épaules.

—Je ne voudrais pas mourir avec un souvenir qui m'asticote au fond de l'esprit, dit-il. Toi non plus, j'imagine.

Sur le point de répondre, Bruenor haussa les épaules à son tour et se retourna vers la mort personnifiée, qui approchait.

—Athrogate et Bruenor… partez…, ordonna Jarlaxle, posté derrière eux. Lentement, mais tout de suite.

Athrogate se glissa derrière Drizzt pour s'approcher de Bruenor, qu'il essaya d'entraîner avec lui, mais le roi nain ne bougea pas.

—J'vais pas abandonner mes amis.

—Mille amis de mille autres amis mourront si nous ne terminons pas cette mission, dit Drizzt. Vas-y.

—L'elfe…, répondit Bruenor, en agrippant l'avant-bras du rôdeur.

Celui-ci baissa les yeux vers son plus ancien et plus cher compagnon, puis il hocha gravement la tête.

—Vas-y, insista-t-il.

C'est à cet instant que des flammes agressives jaillirent de tous les fourneaux de la cavité, de puissants jets qui se déployèrent dans la salle et en roussirent les parois.

—La bête! s'écria Dahlia. Elle a deviné notre plan!

La pièce se mit à trembler violemment, le sol se souleva, se voila, et des débris commencèrent à pleuvoir de la voûte.

—Allez, dépêche-toi! cria Drizzt à Bruenor.

Sans laisser le temps au roi nain de protester, Athrogate l'empoigna avec tant de vigueur que ses pieds décollèrent du sol.

Le diantrefosse poussa un rugissement et ordonna à ses troupes postées à gauche de se ruer derrière le fourneau principal pour intercepter les nains. Le diable tituba ensuite de quelques pas en arrière, puis encore une fois, frappé par deux éclairs jaillis des baguettes de Jarlaxle, et enfin une troisième fois, plus sévèrement, quand une flèche de *Taulmaril* se planta dans sa poitrine.

Beealtimatuche sourit pourtant de plus belle. Il disparut soudain, en un clin d'œil de drow, pour se rematérialiser devant l'un des deux elfes noirs. Tout en crachant du feu, il abattit sa massue à quatre lames sur sa victime impuissante.

Au même moment, Drizzt courait dans la direction opposée, afin de couvrir Bruenor et Athrogate, si bien qu'il ne vit pas le monstre porter ce terrible coup, contrairement à Athrogate.

— Jarlaxle! hurla ce dernier, avec une émotion et une douleur telles que Drizzt eut le sentiment que le robuste nain venait de perdre son meilleur ami.

Le rôdeur se retourna et aperçut une silhouette sombre rouler au pied du démon, puis s'enflammer. Incapable de reprendre sa respiration, Drizzt ne se ressaisit qu'avec difficulté.

Toute sa vie durant et à travers le vaste monde, rien ne lui avait paru plus éternel, bien qu'assurément peu digne de confiance, que cet étrange drow, si curieusement attachant.

Triomphant, le diantrefosse se tenait à califourchon sur la masse inerte qui se consumait, son regard chargé de haine cherchant déjà sa prochaine victime.

24

Anciens rois et dieux ancestraux

Bruenor adressa un salut à Drizzt et se précipita vers la première porte d'une enfilade disposée dans le petit tunnel, Athrogate sur ses talons.

Drizzt ne le vit pas, mais n'eut d'autre choix que de faire confiance à son ami. Le regard lancé en direction de Jarlaxle ainsi que le choc éprouvé à la mort du mercenaire lui avaient coûté de précieuses secondes. Il rejoignit en toute hâte Dahlia, qui se défendait déjà furieusement avec son triple bâton pour contenir le flot d'ashmadaï. Il sortit sa figurine en onyx et appela Guenhwyvar, à qui, quand elle se matérialisa, il ne demanda pas de rester près de lui, mais plutôt de semer le chaos dans les rangs ennemis.

Le félin bondit et Drizzt se lança dans la bataille – avec violence. Inquiet au sujet de son ami nain et – de façon étonnante – indigné par la mort de son autre… ami, le drow chargea sur le premier guerrier ashmadaï venu, ses cimeterres tournoyant autour de lui. Il toucha quatre fois le sceptre du fanatique avant même que cet adversaire, un hideux demi-orque, comprenne ce qui l'avait agressé.

Frappant ce bâton de droite et de gauche, sans se soucier de l'écarter, Drizzt eut tôt fait de déséquilibrer ce soldat dépassé. Après une cinquième touche, le drow dévia le sceptre sur la droite, puis l'envoya voler d'un coup de poing inattendu. À la seconde où le torse de l'ashmadaï ne fut plus protégé, *Scintillante*, guidée par la main gauche de Drizzt, intervint et ouvrit en deux le ventre du demi-orque. Ce dernier se fendit vers l'avant, ce dont profita le drow pour le frapper à revers, à hauteur de la tempe, et ainsi le faire basculer sur le côté.

Drizzt présenta alors *Glacemort* dans toute sa puissance, à l'horizontale, tout en avançant vers l'ennemi suivant. L'elfe noir n'eut toutefois pas le temps de profiter de l'ouverture qui se présentait ; il dut écarter *Scintillante* pour bloquer une lance projetée sur lui.

Heureusement, Dahlia saisit cette opportunité. Redevenu une longue perche, son bâton se glissa sous la lame dressée de Drizzt et frappa l'ashmadaï en pleine poitrine. Un éclair naquit sous l'impact et projeta le fanatique en arrière. Éjecté du sol, ce dernier ne retomba jamais : une épée à longue lame lui transperça le torse en plein vol.

Le diable des légions n'eut aucune difficulté à maintenir le malheureux en l'air d'un seul bras. Il le laissa ainsi suspendu quelques secondes, bras et jambes écartés, tandis que son sang s'écoulait de sa blessure. En regardant au-delà de son bouclier humain, le monstre sourit au drow et à l'elfe – il lâcha même un petit rire. Puis il fit parler son immense épée, qui, en deux coups, trancha le fanatique, lequel retomba aux pieds du démon en deux morceaux.

Drizzt brandit *Scintillante* horizontalement devant lui, le bras gauche tendu, et plaqua la main droite contre la joue, *Glacemort* dressée au-dessus de l'autre lame. Il se baissa quelque peu, le pied droit reculé supportant une bonne partie de son poids. À côté de lui, Dahlia scinda de nouveau son arme en trois parties, dont elle fit lentement tourner le bout pointé sur le fiélon.

Les trois compagnons infernaux de l'immense diable s'écartèrent.

— Tu aurais dû garder la panthère avec toi, murmura-t-elle.

Drizzt secoua la tête.

— Il faut reculer jusqu'au tunnel, pour en protéger l'accès.

Ils avaient hélas pris trop de retard. Le diantrefosse surgit à cet instant d'un nouveau portail dimensionnel à l'entrée de la galerie. Après avoir lâché un rire moqueur, il se lança à la poursuite des nains.

Drizzt se précipita dans cette direction, malheureusement les diables de moindre importance étaient eux aussi capables de se téléporter, ce que firent deux d'entre eux, bloquant ainsi le passage. Les deux elfes étaient désormais cernés par les quatre fiélons, qui se mirent à frapper leur épée à lame noire sur leur bouclier en fer.

Dahlia lança un regard à Drizzt, dont le désespoir fut balayé par le sourire espiègle et malicieux de la guerrière.

— Tu as bien conscience que nous avons affaire à des diables ? lui demanda-t-il.

— Nous savons qui ils sont, mais eux ne savent pas qui nous sommes, répondit Dahlia.

Elle bondit sans plus attendre sur le fiélon le plus proche, l'extrémité de son arme tournoyant à une vitesse folle. Le diable éleva son bouclier, afin d'y mettre un terme, mais il ne s'agissait là que d'une diversion. L'elfe poussa en avant la partie centrale de l'*Aiguille de Kozah*, qu'elle planta dans la joue de la créature, laquelle recula vivement.

En un clin d'œil, Dahlia remit son bâton à l'horizontale, de façon plus conventionnelle, les deux bouts toujours en rotation, et, d'un vif jeu de mains vers le haut et le bas, bloqua avec efficacité l'attaque du deuxième diable. Celui-ci s'était suffisamment avancé pour permettre à une barre tournoyante de le toucher doulou-reusement à l'avant-bras.

Voyant Dahlia avancer, Drizzt se plaqua dos à dos contre elle, puis fit entrer ses cimeterres en action, si vifs qu'ils en devinrent flous, enchaînant les frappes sur le côté, si bien qu'il finit par écarter l'épée du diable des légions qui le harcelait. Il toucha encore cette lame à plusieurs reprises avant d'attaquer à son tour par le haut, forçant ainsi son adversaire à lever son bouclier pour bloquer cette botte. Sans laisser le temps à son vis-à-vis de procéder à un contre avec son arme, Drizzt se glissa sous le bras levé, comme pour contourner son ennemi.

Celui-ci pivota, aussitôt imité par le drow, qui se faufila par l'autre côté, à portée de frappe du diable. Drizzt dressa *Scintillante* et emporta au passage le bras qui tenait l'épée adverse. Puis il recula pour rejoindre Dahlia, non sans plonger, d'un coup à revers, la lame de *Glacemort* dans la chair de cet être issu des enfers. L'arme glaciale but le sang brûlant du fiélon qui hurlait en agonisant.

Drizzt pivota sur le côté quand le deuxième diable des légions se présenta. Concentré sur son assaut, le monstre ne saisit pas immédiatement l'échange auquel s'étaient livrés les deux elfes. Le drow fit tournoyer ses lames pour tempérer l'attaque lancée par les deux créatures agressant Dahlia, qui leur tourna le dos, pleinement confiante en Drizzt tandis qu'elle se chargeait du troisième. Ses paires de barres ne se distinguaient plus qu'à peine, tant elles tournaient vite, variant les angles de façon à contourner le bouclier adverse. Le fiélon tenta de la contrer par une frappe soudaine, en tendant un peu trop le bras, que Dahlia évita aisément avant de réagir. Son arme de droite s'abattit violemment sur le bouclier, libérant au passage une puissante décharge d'énergie qui perturba le diable et l'empêcha de redresser à temps sa protection, ou de lever son épée pour contrer l'attaque à venir. Dahlia bénéficia donc d'une ouverture nette de l'autre côté.

La barre métallique fracassa le crâne du diable, qui recula en chancelant, déséquilibré et étourdi – ce qui ne constituait pas une défense efficace face à une adversaire du calibre de l'impitoyable Dahlia.

Les deux elfes prirent rapidement le dessus sur leurs ennemis, cependant Drizzt ne songea pas un instant à la victoire ; ils étaient entourés d'ashmadaï, tandis que le diantrefosse devait se rapprocher de Bruenor.

Par pure chance, le drow aperçut Valindra, les yeux écarquillés et arborant un grand sourire, qui tendait un bras vers lui. La liche lança alors dans sa direction une… une boule de feu ?

Ruisselants de sueur et sous une chaleur qui leur piquait les yeux, Bruenor et Athrogate parvinrent à la dernière porte et gagnèrent la saillie qui faisait le tour de la fosse de la puissance primordiale. Comme chaque fois, Athrogate se retourna aussitôt pour refermer le battant derrière eux. Seul un nain Delzoun récitant les vers convenus était en mesure d'ouvrir ces portes, après tout.

C'est du moins ce qu'il croyait.

Alors qu'il poussait l'ultime battant de mithral, Athrogate vit le précédent exploser, expulsé de ses gonds, et voler dans le tunnel, tordu et marqué par la massue du diantrefosse. Beealtimatuche aperçut le nain et éclata de rire.

Athrogate claqua la dernière porte.

— D'l'autre côté, par la passerelle ! cria-t-il à Bruenor, en poussant le roi à se presser.

Quand il entendit du bruit dans la galerie qu'ils venaient d'emprunter, Bruenor s'arrêta et se retourna.

Le panneau de mithral sauta de ses gonds et vola en tournoyant dans les airs, avant de retomber dans l'abîme de feu.

Beealtimatuche posa le pied sur la saillie.

— Vas-y ! File ! beugla Athrogate à l'intention de Bruenor.

Après avoir poussé le roi nain vers le petit pont qui enjambait le gouffre, il se rua dans la direction opposée, morgensterns en action, prêt à affronter ce diable.

Bruenor avança de quelques pas hésitants, puis il s'arrêta et fit volte-face. La vision troublée, il sentit ses muscles se gonfler, tandis que des souvenirs d'époques très lointaines emplissaient ses pensées. Il entendait en lui les voix de rois morts depuis des lustres. Il sentait en lui la force des dieux nains.

Comme dans un rêve, Bruenor observait la scène qui se déroulait sous ses yeux ; Athrogate, sans peur, frappait avec furie. Il abattit une de ses morgensterns sur l'avant-bras du diantrefosse, ce qui eut seulement pour effet de le faire grimacer. Il ne fut même pas déséquilibré quand l'autre fléau d'armes du nain intervint, percutant la massue du diable.

Coincée autour des quatre lames de son ennemi, cette morgenstern fut arrachée au nain et retomba au sol avec grand fracas, près de la porte.

Sans se laisser démonter, il s'empara à deux mains de l'arme qu'il lui restait et assena un puissant coup vers le haut.

C'est alors qu'Athrogate, avec ses siècles d'expérience du combat, doté d'une force de géant et plus résistant qu'aucun nain ayant jamais vécu, fut simplement balayé comme un enfant. Il fut projeté à terre et roula jusqu'à la fosse, dans laquelle il bascula. Il eut l'immense mérite de contrôler cette chute et de se rattraper de sa main libre au rebord de l'abîme.

—Va-t'en, pauvre fou! hurla-t-il à Bruenor. Bah, fonce au levier, ou tout est perdu!

Il ponctua ses mots d'un dernier acte de rébellion; en laissant échapper un grognement, il fit passer l'épaule par-dessus le rebord de la fosse, ce qui lui offrit un point d'appui pour lancer sa dernière arme en direction du diantrefosse, qui se dirigeait vers Bruenor.

La morgenstern atteignit sa cible, mais Beealtimatuche n'en fut pas affecté. Ce geste coûta toutefois son équilibre à Athrogate.

Il cria une dernière fois à Bruenor de s'enfuir en courant, d'une voix de plus en plus faible à mesure qu'il chutait.

Bruenor ne l'entendit pas. Il ne prit pas non plus la fuite en courant. Ce n'était plus Bruenor, dans le corps du roi nain. Dans ce réceptacle physique se trouvaient les anciens rois, le sang des Delzoun, ainsi que les dieux ancestraux des nains – Moradin, Clangeddin et Dumathoïn –, qui lui demandaient de défendre leur bastion le plus sacré.

Bruenor ne s'enfuit pas. Il n'avait pas peur.

Il se gonfla d'une force titanesque, grâce à la potion fournie par son bouclier enchanté, grâce à son passage sur le trône des rois, grâce à la gloire de Gontelgrime elle-même. Quiconque l'observant en cet instant ne l'aurait jamais pris pour un nain, tant son pouvoir l'avait fait se développer. Cette enveloppe plus volumineuse ne retenait qu'avec difficulté la puissance qu'elle renfermait, les muscles contractés à l'extrême.

Il frappa sa hache contre son bouclier et avança, prêt à se battre.

Le drow se retourna et se jeta sur Dahlia, qu'il plaqua à terre avec lui, une seconde avant que la puissante boule de feu de Valindra n'explose juste au-dessus d'eux. Malgré cet exploit acrobatique, les deux elfes auraient certainement été grillés si Drizzt n'avait pas tenu en cet instant *Glacemort* dans la main droite. Brillant d'un bleu enragé, la lame fit parler sa magie et repoussa les flammes avec une efficacité telle que Drizzt et Dahlia ne furent que légèrement incommodés.

D'une roulade, il se dégagea de l'elfe, terrifié à l'idée que les trois diables des légions survivants se jettent sur eux, mais ces fiélons ne firent pas un geste, de toute évidence aussi surpris que lui par la boule de feu. Les flammes ne causèrent aucun dommage à ces créatures des enfers, néanmoins la stupeur consécutive à la déflagration offrit aux deux elfes le temps dont ils avaient besoin pour se replacer en position défensive.

Attaquant de nouveau les deux diables qu'il avait pris à Dahlia, Drizzt chercha à les séparer en faisant décrire des cercles à ses lames. Il s'était rendu compte qu'il bénéficiait d'un avantage, l'adversaire que Dahlia avait blessé un peu plus tôt étant désormais presque aveugle d'un œil. Écartant les fiélons l'un de l'autre, il fit parler ses cimeterres de façon indépendante, parant un coup d'épée de la main droite et harcelant le diable blessé de la gauche.

Toujours patiemment dans l'attente d'une ouverture, même s'il savait que les ashmadaï se lançaient de nouveau à l'attaque, il entendit derrière lui un craquement, suivi de la détonation d'un éclair. Dahlia avait achevé leur troisième adversaire.

Le drow avança d'un pas et lâcha une frappe, qui fut interceptée avec violence par le bouclier ennemi. Drizzt pivota aussitôt après, décrivant un tour complet sur lui-même, qui le décala assez nettement sur la gauche en une fraction de seconde. Comme il l'avait espéré, la créature ne distingua pas assez précisément son mouvement pour réagir à temps, ce qui lui permit d'agresser des deux lames cet ennemi qui, de son épée, lui opposa une série de parades frénétiques.

Drizzt aurait été en mesure de les contourner si telle avait été son intention, mais au lieu de cela, il se porta de l'autre côté, inversant son élan, et conclut sa manœuvre par deux coups, dont l'un dépassa juste assez le bouclier pour toucher sévèrement le bras dressé du fiélon.

Drizzt l'abandonna aussitôt et sans hésiter, concentrant son attention sur le dernier diable qui, de façon prévisible, se jetait à cet instant avec fureur sur lui.

Celui qu'il venait de blesser tenta de faire de même. Essai infructueux, puisque la silhouette volante de Dahlia lui assena en plein visage un double coup de pied, qui le rejeta en arrière.

— La liche! s'écria l'elfe en se réceptionnant en souplesse. C'est maintenant qu'on va mourir…

Drizzt ne répondit que par un grognement et continua de se battre, déterminé à au moins tuer le fiélon avant d'être balayé par l'inévitable et mortelle agression de Valindra.

C'est à cet instant qu'un autre cri fendit l'air étouffant de la Forge sacrée de Gontelgrime, un cri débordant de passion et de résolution, un hurlement que Drizzt Do'Urden avait entendu quantité de fois au cours de sa vie. Malgré la surprise qu'il éprouva, il songea que ce son ne lui avait jamais paru si doux.

— Mon roi!

C'est ainsi qu'ils déboulèrent dans la cavité: les Marteaudeguerre du Valbise, le Bouclier de Mirabar et des vingtaines de fantômes de Gontelgrime.

Tels deux immenses arbres renversés l'un contre l'autre, telles deux montagnes basculant dans une vallée, le roi nain et le diantrefosse se jetèrent l'un sur l'autre. Ils étaient tous deux équipés d'une arme, une massue et une hache, mais celles-ci semblaient inoffensives en regard de la puissance pure que dégagea la collision de leurs deux corps. Ils s'agrippèrent l'un l'autre et pivotèrent ensemble. Beealtimatuche fit passer sa queue par-dessus l'épaule et piqua la joue du nain, qui ne parut même pas s'en rendre compte.

Il poussa brusquement le fiélon sur sa droite et vers le bas, puis ce dernier brisa l'étreinte et bondit en arrière, aussitôt imité par Bruenor. L'épaule gauche en avant, le roi se précipita, brandissant son bouclier, en une charge aussi soudaine que brutale. Il percuta le diable qui se retournait et l'envoya voler en arrière, si bien que la créature tomba presque dans la fosse.

Presque, car elle déploya alors ses ailes parcheminées et revint à l'assaut, bondissant et volant à la fois, pour ensuite fondre sur Bruenor en lui assenant un terrible coup de massue enflammée.

Malgré son bouclier bien en place, Bruenor aurait dû être écrasé par cette frappe. Son bras aurait dû se briser sous le seul poids du puissant diable.

Mais tel ne fut pas le cas. Le coup de hache par lequel il enchaîna contraignit Beealtimatuche à s'écarter subitement pour éviter d'être éventré.

Le nain ne s'en tint pas là ; après avoir encaissé une nouvelle frappe sur son bouclier indestructible, il répliqua, à plusieurs reprises, tout en avançant.

Beealtimatuche en fit autant, mais la défense adverse ne voulut pas céder, aussi le diable dut-il reculer. Prenant son arme à deux mains, il s'en servit pour bloquer la hache. Des étincelles et des flammes jaillirent des armes puissamment enchantées. Bruenor fit ensuite glisser son bouclier dans son dos et se saisit de sa hache à deux mains. Les deux combattants insistèrent, les deux armes se bloquant l'une l'autre ; c'était à qui lâcherait prise le premier. Telle une cloche des enfers, la hache aux nombreuses ébréchures et la massue enflammée résonnaient, l'ouvrage des diables contre celui des dieux.

Rugissant de rage, hurlant à la bête de quitter ce lieu sacré, Bruenor assena un nouveau coup… et manqua sa cible.

Il fut déséquilibré, le diable ayant retenu sa frappe. Bruenor avança le pied droit et le planta solidement au sol, avant de se jeter de l'autre côté, en inversant son sens de rotation et en recalant son bouclier sur le bras. Tout en encaissant un rude coup de massue – un coup assommant qui lui étourdit le bras –, le nain continua de pivoter. Il tendit le bras droit et abattit sa hache, alors à sa portée maximale.

Il la sentit fendre la chair du diable qui, la hanche profondément entaillée, poussa un hurlement.

Soudain, Beealtimatuche disparut – il s'évapora.

Bruenor se jeta aussitôt en avant et pivota pour lever son bouclier de l'autre côté, tout juste à temps, car son adversaire était réapparu derrière lui. Il ne parvint qu'en partie à bloquer la massue, qui accrocha le bord du bouclier et l'atteignit dans le dos. Il fut projeté en avant et s'écrasa à plat ventre contre la roche.

Il se releva d'un bond, se retourna dans la foulée et contra l'attaque suivante d'une puissante frappe.

Il perdait son sang, mais il en allait de même pour Beealtimatuche, dont la jambe blessée était ruisselante.

Pour Valindra Manteaudombre, la liberté était à portée de main. Quand elle en aurait terminé avec Drizzt et cette agaçante Dahlia, et quand elle aurait mis un terme à la menace constituée par Sylora, sa propre place parmi les fidèles de Szass Tam serait assurée.

Le drow et Dahlia se battaient toujours non loin du fourneau principal, à une certaine distance du tunnel latéral. Ils ne pourraient pas indéfiniment esquiver sa magie, or Valindra était une liche ; elle avait l'éternité pour les tuer, si besoin était.

Ses yeux brillaient de satisfaction. Elle entendit le choc provoqué par la rencontre entre les nains – tout juste arrivés et accompagnés de leurs cousins fantômes – et ses légions ashmadaï, mais elle ne s'en soucia guère. Tout ce qu'elle désirait était de se débarrasser d'une elfe et de ce dernier drow.

Soudain, une panthère déchaînée de trois cents kilos la percuta par-derrière, dissipant ainsi l'énergie que la liche venait de réunir pour son sort. Guenhwyvar se réceptionna en se retournant, ses griffes raclant le sol. À peine blessée, Valindra commença à lancer un autre sort, dont les ondes d'anti-magie heurtèrent de plein fouet le félin, qui s'apprêtait à se jeter sur elle. Les mouvements de l'animal se firent alors très lents, comme s'il se déplaçait dans de l'eau. Malgré ses efforts et sa fidélité envers Drizzt, Guenhwyvar se sentit obligée de regagner son plan Astral natal, incapable de passer outre à la persuasion de la liche, dont le sort brisait la magie, maintenant la panthère auprès du drow. Elle se métamorphosa donc en une fumée grise et, avec un gémissement plaintif adressé à Drizzt pour lui faire part de son échec, Guenhwyvar disparut.

Valindra se remit à son ouvrage, mais trop tard, car derrière elle se produisait un événement qu'elle ne pouvait prendre à la légère, à savoir un nouveau détachement se joignant à la mêlée. Les salamandres surgirent du même tunnel par lequel Valindra, Beealtimatuche et leurs laquais étaient entrés dans la Forge. Beaucoup couraient, certains montaient d'immenses lézards rouges, et tous fonçaient droit sur Valindra.

La liche se retourna et siffla dans leur direction, puis elle lança le sort qu'elle destinait aux elfes. Les créatures du dieu du feu, les enfants des flammes, reculèrent, se ratatinèrent et moururent d'une façon impressionnante sous les vagues de glace meurtrière projetées par Valindra.

La liche siffla encore et hurla sa colère, furieuse d'avoir vu son instant de gloire interrompu. Du bout de ses doigts jaillirent des éclairs, qui décimèrent les rangs des créatures qui s'engouffraient encore dans la cavité, aussitôt repoussées avec une force mortelle dans le boyau.

Sans cesser de siffler, elle agita les bras ; une gigantesque tempête se déclencha au-dessus de l'entrée de la galerie, faisant pleuvoir neige et grêle sur quiconque osait franchir ce seuil.

Valindra se retourna ensuite pour lancer un sort mortel sur les elfes détestés. Des feux internes brûlant dans ses yeux rouges, elle commença son incantation, puis se mit à hurler de façon incohérente, prise dans une colonne de lumière inexpliquée – une lumière brillante, brûlante.

Elle se débattit et tenta tout de même de lancer son sort, en vain. De la fumée s'élevait de sa chair décomposée, qui partait en lambeaux sous l'effet de la lueur éclatante.

La cavité se mit à trembler. Les fourneaux vomirent de nouveau des flammes, la puissance primordiale réagissant à l'assaut porté contre ses serviteurs, et la salle fut si secouée que la plupart des combattants qui s'y trouvaient furent projetés au sol.

Mais pas Valindra, qui flottait au-dessus de la catastrophe.

Hélas pour elle, la lumière ne faiblissait pas, l'agressait, la brûlait et l'aveuglait presque. Elle parvint à se retourner et aperçut enfin son agresseur. Malgré sa souffrance, elle écarquilla les yeux.

Le nouveau venu porta la main à son chapeau à large bord et leva sa baguette ; un deuxième rayon submergea la liche.

Elle partait vraiment en fumée, désormais, tandis que sa peau se craquelait.

Avec un cri qui prit le dessus sur le chaos qui régnait dans cet espace clos, Valindra s'agita sauvagement et, par pure terreur, réussit à cracher un sort qui la métamorphosa en âme-en-peine. Tandis que son cri résonnait dans la cavité, la liche se glissa dans une fissure du sol et disparut pour ne plus revenir, s'éloignant des lieux du désastre en se faufilant entre les pierres.

Valindra était une liche, après tout. Elle avait l'éternité pour les tuer, si nécessaire. Drizzt, Dahlia et… Jarlaxle attendraient.

Il fit de son mieux pour ne pas se laisser distraire par le chaos soudain intervenu dans la salle, où une bataille faisait désormais rage qui opposait trois forces distinctes, chacune haïssant les deux autres. Il tenta d'ignorer jusqu'à la cavité, devenue une armée à part entière, avec son sol agité de secousses et ses parois tremblantes, tandis que des pierres tombaient dangereusement de la voûte et que les fourneaux crachaient un feu capable de fondre la chair avant de carboniser les os.

Face à un adversaire aussi impressionnant que le diable des légions qui se dressait devant lui, Drizzt devait relativiser ces manifestations.

Alors que les combats qui se déroulaient à côté de lui ne présentaient plus le moindre intérêt, il était décidé à se servir de la salle à son avantage. Vif et agile à l'extrême, le drow tirait le meilleur parti des secousses, plutôt que de lutter contre elles. Quand le sol s'élevait vers la gauche, il s'orientait lui-même vers la gauche. Il se laissait guider, ses pieds reprenant appui dès que nécessaire, quelle que soit la direction qu'il devait prendre, pour conserver un parfait équilibre et gagner en vitesse. Si le combat exigeait qu'il se déplace vers le bas de la pente, il se servait de l'élévation de la roche comme d'un tremplin et bondissait de l'autre côté, décrivant parfois un salto.

Largement accoutumé aux luttes acharnées, son diabolique adversaire n'avait aucun mal à rester debout, en dépit des tremblements, mais il était incapable de suivre Drizzt, qui accompagnait le rythme des cahots furieux de la puissance primordiale.

Peu à peu, en plus de réagir à la perfection à cette agitation, le drow se mit à anticiper les secousses. Suffisamment sûr de lui pour se savoir capable de corriger sa trajectoire en cas d'erreur, Drizzt leva ses cimeterres devant son visage et, après avoir passé un poignet par-dessus l'autre, il abattit ses lames en une double frappe circulaire vers le bas. Voyant le fiélon brandir son bouclier afin de bloquer l'attaque, l'elfe noir écarta davantage les bras, faisant ainsi reculer le diable, qui ne put se servir de son bouclier et de son épée que de façon défensive.

Drizzt se tourna encore un peu plus sur la gauche, forçant l'ennemi à se pencher et pivoter. Quand le sol s'inclina de gauche à droite, le drow se servit de son élan pour rapidement revenir vers la droite, puis il profita de l'élévation de la roche sous ses pieds pour bondir. Revenu sur la gauche, tout comme le fiélon, qui s'était laissé guider par l'inversion de pente, le drow repassa immédiatement de l'autre côté.

Drizzt sauta par-dessus la lame ennemie et se réceptionna en parfait équilibre sur le sol agité, sur le flanc exposé du diable, dont l'épée et le bouclier étaient orientés de l'autre côté. Il frappa profondément, une seule fois – c'est avec *Glacemort* qu'il éventra cette créature de feu. Une seule morsure avait suffi.

Drizzt resta immobile quelques instants, sa victime pétrifiée par la douleur, au bout de son arme, tandis que du sang chaud dégoulinait de la blessure en libérant des bulles. De quelques mouvements de poignet, le drow déchira les organes du fiélon, puis retira sa lame.

Le diable des légions s'effondra à terre, grésillant, et disparut dans une fumée noire mêlée de vapeur de sang.

Drizzt se retourna pour aider Dahlia... et s'arrêta net. Admiratif, il l'observa pivoter et frapper, progressant par une série de rotations, chacune ponctuée d'une frappe de barres métalliques, dont l'angle n'était jamais le même, avec parfois un éclair pour couronner le tout, tandis qu'en d'autres occasions elle se contentait de force brute. Le diable des légions ne pouvait lutter face à la vitesse et la précision de la guerrière.

Elle frappa encore à plusieurs reprises son adversaire, qui s'effondra lui aussi au sol après cette charge tournoyante.

L'elfe se tourna vers Drizzt, et tous deux échangèrent sourires et hochements de tête.

—Mon roi ? entendit le drow, derrière lui.

Il se retourna et secoua la tête, incrédule.

Drizzt ayant jeté un rapide coup d'œil en direction du tunnel latéral avant de poser les yeux sur ce nain, son vieil ami, ce dernier interpréta instantanément ce geste et se précipita à toutes jambes vers la galerie.

Drizzt et Dahlia n'avaient pas fait deux pas pour suivre le nain qu'une horde d'ashmadaï déferla sur eux.

Encore des ennemis à tuer...

Le bouclier de Bruenor heurta la massue, qu'il freina plus ou moins, mais elle s'abattit avec assez de force pour faire sauter son casque à une corne et lui entailler le crâne.

Le nain sortit toutefois gagnant de cet échange d'un genre très spécial, puisque sa puissante hache s'écrasa sur les côtes du diantrefosse, où elle laissa une blessure impressionnante.

Ils se jetèrent une nouvelle fois l'un sur l'autre, deux titans au corps à corps, se donnant des coups de tête, se mordant et se débattant avec violence.

Le fiélon était cependant mieux armé. Sa queue, qui semblait agir de sa propre volonté, ne cessait de fouetter le dos de l'armure de Bruenor, à la recherche d'un point faible. De ses bras osseux et striés d'arêtes, le monstre arrachait la peau des bras du nain. Quant à sa bouche, si large et plantée de dents acérées…

Bruenor leva la tête vers cette gueule béante, puis vers les yeux sauvages du fiélon, qui cherchait à le mordre. Au lieu d'essayer d'esquiver cette attaque, le nain répondit en chargeant lui-même. Poussé par ses robustes jambes, il percuta violemment du front la mâchoire grande ouverte.

Du sang se mit à couler sur son visage – il devina qu'il s'agissait de son propre sang, néanmoins il savait avoir porté un sérieux coup à son adversaire.

Les bras passés autour du diable, le nain prit sa hache dans la main gauche, puis ramena sa main libre devant lui et poussa le monstre à hauteur de la gorge. Bruenor y mit toutes ses forces. Les anciens rois et les dieux ancestraux ajoutèrent les leurs.

Il finit par écarter Beealtimatuche. À demi aveuglé par son propre sang, Bruenor distinguait à peine le diable titubant. Il ne vit pas beaucoup plus nettement la silhouette, plus petite, qui se rua soudain sur le fiélon pour l'agresser avec une rage inouïe. Il ne vit pas grand-chose, donc, mais il entendit un cri réconfortant, une déclaration d'amitié familière depuis tant de décennies…

— Mon roi !

Bruenor reculant d'un pas chancelant, tout en essuyant ses yeux baignés de sang. C'était Gaspard Pointepique !

Bien sûr que c'était Gaspard.

Sur le moment, Bruenor ne s'étonna pas vraiment de la soudaine apparition du guerroyeur effréné. En vérité, il aurait plutôt eu tendance à se demander comment Gaspard aurait pu ne pas être présent alors que Bruenor et la cité de Gontelgrime elle-même avaient le plus besoin de lui.

Bruenor trouva donc tout à fait logique de voir Pointepique déchirer la peau du diable, profondément planter la pique de son casque, ainsi que celles qu'il portait aux poings, aux genoux et aux orteils, frappant et donnant des coups de pied, tandis que son armure hérissée d'arêtes ouvrait des pans entiers de peau rouge.

Bruenor reprit sa hache en main et, l'espace d'un instant, il se demanda s'il lui serait nécessaire de terminer son travail.

Mais Beealtimatuche était un diantrefosse, un duc des Neuf Enfers, un diable doté d'une extraordinaire puissance.

Gaspard tressaillit quand la queue empoisonnée le piqua à l'arrière du crâne. Il cessa de s'agiter et fut écarté par le monstre, qui sifflait et rugissait de plus belle, la longue pointe du casque du nain plantée dans le torse. Pointepique se releva, les yeux rivés sur le diable et ne conservant son équilibre qu'au prix de sérieux efforts.

D'un revers de la main, le fiélon éjecta le guerroyeur effréné, qui se fracassa contre la paroi, non loin de la porte détruite.

Bruenor vit Gaspard Pointepique s'affaisser sur le sol.

Avec une rage qui dépassa tout ce qui bouillonnait dans l'esprit du roi nain – l'histoire de Gontelgrime, la gloire des dieux nains, l'essence même de sa nature de nain, un nain Delzoun, un Marteaudeguerre –, Bruenor chargea de nouveau.

Sa furie grandissait à chaque frappe. Il encaissait de rudes coups de massue enflammée, dont il ne tenait pas compte, libérant sa rage par l'intermédiaire de la lame de sa terrible hache. Dans la cavité résonnaient les échos du choc des armes – non pas contre une autre arme ou un bouclier, mais contre la chair ennemie. Ils s'attaquaient sans répit, chacun titubant après chaque coup reçu, sans toutefois céder de terrain.

Quand la massue de Beealtimatuche se présenta, une fois de plus, Bruenor leva son bouclier et se décala sur la droite. L'arme percuta le bouclier, pas assez fort pour envoyer voler le nain, mais suffisamment pour accélérer sa rotation et l'aider à bondir.

Le roi Bruenor s'éleva donc en pivotant, tout en se saisissant à deux mains de sa hache, qu'il leva au-dessus de la tête. Il retomba lourdement, son corps entier dédié à cet effort, les muscles hurlant de protestation et les nerfs à vif.

La hache s'abattit précisément entre les deux cornes tournées vers l'intérieur. La puissance de la Forge de Gontelgrime et celle des anciens rois et des dieux ancestraux se déversa par le biais du roi Bruenor et de cette arme.

Avec un terrifiant craquement, la lame fendit en deux le crâne de Beealtimatuche, qui tomba à genoux.

La tête dodelinant de façon incontrôlée, le diantrefosse essaya tout de même de rester debout.

Sa rage n'étant pas encore assouvie, Bruenor se débarrassa de sa hache et de son bouclier, après quoi il se jeta sur le fiélon, qu'il agrippa d'une main à la gorge, avant de plaquer l'autre sur son entrejambe. Le nain se redressa de toute sa taille et souleva Beealtimatuche. Il avait repris un aspect de nain – les pouvoirs du trône, de la potion, des rois et des dieux s'estompaient peu à peu –, pourtant il ne fléchit pas et, bras tendus à la verticale, il maintint la créature au-dessus de lui.

Puis il se dirigea vers le bord de la fosse. Il baissa les yeux vers les feux de la puissance primordiale et vit la bête, tel un œil enflammé qui le dévisageait.

Enfin, il jeta le diable dans le gouffre.

Puis Bruenor tomba à genoux, ses forces l'abandonnant. Son sang se déversait par une dizaine de profondes entailles. Il se mit à plat ventre, la tête au-delà du bord de l'abîme, pour suivre la chute du monstre.

Il remarqua alors une silhouette naine, sur une saillie située une dizaine de mètres plus bas, dans un état inquiétant mais pas morte, une main levée vers lui et gémissant même son nom.

Mais ce cri était trop lointain pour être entendu par Bruenor, en pleine agonie. Beaucoup trop lointain.

— La passerelle! Le levier!

Gaspard Pointepique sentait le poison couler dans ses veines.

Maudit poison, j'suis plus en état d'représenter dignement la Brigade Tord-boyaux, se lamenta-t-il.

Il avait assisté à la victoire de Bruenor, qu'il avait ensuite vu s'effondrer. Durant un moment, il crut s'en satisfaire, estimant que son roi et lui partageaient une mort glorieuse. Que pouvait souhaiter de plus un nain voué à la protection de son roi ? Quel plus grand honneur pour un guerroyeur effréné ?

Mais soudain lui revint à l'esprit un cri lointain.

— La passerelle ! Le levier !

Gaspard vit Bruenor se relever. Il vit son roi avancer en titubant. En titubant !

Bruenor se dirigeait vers le petit pont, un pas à la fois, entêté comme jamais.

Il n'y arriva pas. Il retomba. Il tenta de se redresser sur les coudes, de ramper, puis, constatant qu'il en était incapable, il essaya de glisser comme un serpent.

Il n'alla nulle part.

Ce fut donc au tour de Gaspard Pointepique de faire appel aux pouvoirs tout-puissants de son héritage, de puiser au-delà des dernières forces de son vieux corps brisé. Le guerroyeur se leva et avança d'une démarche chancelante. Perdant l'équilibre, il passa devant Bruenor et manqua de peu de basculer par-dessus le rebord de la fosse.

Il se rattrapa *in extremis*, puis il releva son roi, qu'il accompagna en le soutenant fermement vers la passerelle qui surplombait le gouffre infernal, foyer de la puissance primordiale.

Drizzt n'avait qu'une chose en tête : atteindre ce tunnel latéral et rejoindre son ami nain. Bien que ravi d'avoir vu Gaspard réussir à s'y glisser, il n'était guère rassuré : les secousses se faisaient de plus en plus violentes. Le diantrefosse avait également emprunté cette galerie et Bruenor n'avait manifestement pas atteint le levier.

Le drow essayait de se frayer un chemin jusqu'à l'entrée du boyau, mais un nouvel ennemi se présentait systématiquement sur son chemin. Déchaînés, ses cimeterres se chargèrent de l'ashmadaï le plus proche d'un coup de haut en bas, mais, alors que ce dernier s'écroulait, un autre se rua sur l'elfe noir.

Avec un grognement de frustration, Drizzt se mit en position, prêt à tuer ce nouvel adversaire.

C'est alors que Dahlia passa devant lui – au-dessus de lui, plus exactement, grâce à sa perche – et, dès qu'elle eut reposé le pied au sol, écarta l'ashmadaï de son arme.

—Vas-y! cria-t-elle à Drizzt.

Il ne voulait pas abandonner l'elfe, mais Bruenor avait besoin de lui. Il courut jusqu'au tunnel, avant de se retourner pour repousser un éventuel poursuivant.

Il ne vit que Dahlia qui, lui tournant le dos, empêchait les ennemis de progresser.

Drizzt bondit dans la cavité de la fosse, dont les environs étaient jonchés de débris – des pierres noires, de la lave qui refroidissait, deux morgensterns et une quantité incroyable de sang. Devant lui se trouvait le gouffre, cet abîme rougeoyant. La bête bouillonnait, crachait des rochers, dont certains retombaient dans les flammes tandis que d'autres, fumants, rebondissaient sur le sol de la cavité. Sans un seul regard sur les côtés, le drow, hypnotisé par le spectacle de la puissance primordiale enragée, courut jusqu'au bord de la fosse, redoutant le pire.

Il vit l'œil même du chaos. La lave vomissait des traits de feu qui s'élevaient très haut, des pierres surgissaient des flammes et étaient projetées vers lui. Drizzt, qui avait déjà eu affaire à des dragons, comprit que la puissance primordiale se situait un cran au-dessus de ces bêtes.

Un mouvement le sortit de sa rêverie.

—Bruenor! s'écria-t-il.

Ce n'était pas Bruenor. C'était Athrogate, perché sur une saillie, grièvement blessé et tentant de se protéger des rochers et des flammes. Avec une détermination inouïe, le nain parvint à tendre le doigt vers la droite de Drizzt. Suivant la direction indiquée, le drow aperçut ses amis, Bruenor et Gaspard, qui progressaient péniblement à l'autre bout d'une étroite passerelle enjambant le vide.

Il fit un pas vers ses compagnons – enfin, presque un pas – et vit la puissance primordiale bondir sur lui.

Drizzt se jeta sur le côté, tandis qu'une colonne de lave jaillissait de la fosse, traversait la cavité et disparaissait dans un trou percé dans la voûte.

—Bruenor! hurla le drow, en se bouchant les oreilles pour étouffer le rugissement de la bête.

Il fut précipité au sol, les bras toujours sur la tête, alors qu'il pleuvait des rochers et des morceaux de lave en fusion. Cela parut se prolonger une éternité, alors qu'en réalité, la colonne de feu retomba au bout de quelques secondes. S'il n'avait pas eu *Glacemort* en main, l'elfe noir aurait vraisemblablement été réduit en cendres.

Drizzt se releva d'un bond et appela le nain. La passerelle avait disparu, anéantie par la force de l'éruption – mais Bruenor et Gaspard, de l'autre côté, se soutenant l'un l'autre, se dirigeaient lentement vers un passage en arche.

En prenant soin de conserver *Glacemort* dans la main droite, Drizzt sortit une corde de son sac, à l'extrémité de laquelle il fit habilement un nœud, toujours sans lâcher sa lame glaciale. Il inséra ensuite la pointe d'une flèche dans le nœud, avant de finalement prendre le risque de rengainer *Glacemort* pour se saisir de *Taulmaril*.

Soudain, il perçut un battement d'ailes derrière lui. Il eut tout juste le temps de plonger en roulade sur le côté, avant de lâcher l'arc et de dégainer ses cimeterres en se retournant. Le danger passé – en ce qui le concernait, en tout cas –, il se rendit compte qu'il avait failli être poussé dans le gouffre par une chauve-souris géante. L'animal l'avait griffé au passage, comme le rôdeur le constata quand il porta la main à sa tempe et sentit quelque chose d'humide et chaud – son sang.

Pas encore remis de ses émotions, Drizzt suivit des yeux la créature, qui franchit l'abîme d'un coup d'ailes. Quand elle fut parvenue de l'autre côté, juste devant le passage en arche, elle se retourna d'une façon étrange dans les airs avant de se poser.

Ce n'était plus une chauve-souris mais un homme, qui lança un regard en direction du drow.

Maudissant son hésitation, ce dernier rengaina ses lames et s'empara de son arc, puis de la flèche, dont il détacha la corde avant de la décocher.

Le vampire se montra plus vif et se glissa dans le renfoncement. Le projectile ne toucha que de la roche, sur laquelle il déclencha une pluie d'étincelles.

— Non, Bruenor, non…, balbutia Drizzt, qui reprit la corde et la noua à une autre flèche.

Il visa au-dessus de l'ouverture. La flèche se planta dans la paroi et enfonça profondément la corde dans la roche.

C'est alors que se produisit une certaine agitation derrière lui ; il se retourna juste à temps pour voir Dahlia courir vers lui.

— Dor'crae ! hurla-t-elle.

Elle lâcha son bâton et passa en trombe à côté de Drizzt, à qui elle arracha la corde des mains avant de se lancer au-dessus de la fosse. L'obstacle franchi, elle lâcha prise et se réceptionna en courant, puis disparut dans le passage.

Lâchant une bordée de jurons, le drow se mit à fouiller frénétiquement dans son sac, en quête d'une autre corde. Il leva toutefois la tête quand une nouvelle silhouette fit son apparition ; les yeux écarquillés, il découvrit qu'il s'agissait de Jarlaxle.

— Mais comment… ? lâcha-t-il.

Le mercenaire répondit par un sourire et porta la main à sa bouche, exhibant ainsi la bague qu'il avait donnée à Dahlia avant le combat intervenu au *Coutelas*.

— Fais-moi traverser ! lui cria Drizzt, qui n'avait pas le temps de résoudre ce mystère.

Une violente secousse se produisit, si forte que Drizzt en fut projeté au sol. Jarlaxle, qui avait réussi à ne pas chuter, ramassa les deux morgensterns et les observa de près, le visage figé de perplexité et d'effroi.

— Athrogate ? hasarda Drizzt.

Ils entendirent justement à cet instant précis le nain crier, depuis la fosse.

Jarlaxle remisa les morgensterns dans une sacoche magique, se précipita vers le bord du gouffre et se pencha au-dessus des flammes.

— Bruenor est passé de l'autre côté! lui cria Drizzt. Le levier!

Jarlaxle se retourna vers lui, le visage crispé de douleur.

— Ne fais pas ça! hurla Drizzt.

— Je le dois, mon ami, comme tu dois rejoindre ton Bruenor, répondit le mercenaire, en haussant les épaules.

Il recouvrit d'une main son emblème de la Maison Baenre, puis, après un dernier salut adressé à Drizzt, il se jeta dans la fosse.

Grondant de frustration et pestant contre la folie générale, le rôdeur reprit la corde, qu'il entreprit d'attacher à une flèche.

C'est alors que la puissance primordiale rugit de nouveau ; une colonne de lave jaillit de la fosse et s'éleva vers la trouée de la voûte et au-delà.

— Jarlaxle…, gémit Drizzt à plusieurs reprises.

Cette fois, au lieu de se boucher les oreilles pour se protéger du rugissement du volcan, il s'activa sur le nœud de la corde.

Dahlia posa le pied sous le passage en arche juste à temps pour voir Gaspard Pointepique, la gorge ouverte, s'effondrer sur la roche, à côté de Bruenor. Haletant, le nain leva les bras, n'agrippant que de l'air tandis qu'il tentait désespérément d'attraper le vampire.

Dor'crae fit volte-face, le visage maculé du sang de Gaspard.

— Sale bête…, gronda Dahlia.

— Tu peux quitter cet endroit et te racheter, répondit Dor'crae. Qu'as-tu gagné ici, mon amour ?

Il fut brusquement interrompu quand Dahlia traversa la petite pièce d'un bond et le harcela de coups de poing et de pied.

Mais rien de plus, hélas, car elle avait laissé l'*Aiguille de Kozah* dans la grande cavité. Malgré les talents de lutteuse de

Dahlia, même désarmée, le vampire à la force surnaturelle n'eut aucun mal à la plaquer contre la paroi, en lui clouant les bras de chaque côté.

— Je vais enfin me régaler, se réjouit Dor'crae.

Soudain, il se figea et ses yeux s'écarquillèrent.

— Ça fait mal ? lui demanda Dahlia, en enfonçant plus profondément son doigt prolongé de la pointe en bois de sa bague dans la poitrine du vampire. Dis-moi que ça fait mal.

Dor'crae rejeta la tête en arrière et se mit à trembler, tandis que sa peau se couvrait de volutes de fumée.

Dahlia enfonça un peu plus son pieu dans le cœur du vampire.

— Ah… mon roi…, entendit-elle murmurer derrière elle, vers le bas, d'une voix chargée de gargouillis.

Elle se retourna et aperçut un nain ensanglanté vêtu d'une étrange armure. Après être parvenu à se dresser sur un coude, le blessé tendit son autre bras en direction de Bruenor Marteaudeguerre.

Aussi impossible que cela puisse paraître, le guerroyeur effréné se redressa à genoux et souleva Bruenor, avant de retomber avec lui juste à côté du levier. Tel un père aimant, Gaspard soutint la main de Bruenor et la plaça sur le mécanisme, avant de la recouvrir de la sienne.

— Mon roi, répéta-t-il, visiblement au bout de lui-même.

Sa tête retomba et il ne bougea plus.

— Mon ami, répondit Bruenor.

Après un bref regard en direction de Dahlia, le roi nain rassembla ses forces et tira.

Durant tout ce temps, Dor'crae ne cessa d'implorer l'elfe, bredouillant, lui promettant qu'il ferait l'impossible pour arranger les choses avec Sylora.

— Tu penses que je vais te laisser t'envoler, alors que je suis perdue ? répondit Dahlia, le visage collé à celui du vampire, afin de lui montrer l'absence totale de pitié dans ses yeux bleus.

Comme pour lui répondre, peut-être, mais plus sûrement du fait du levier remis en place, la puissance primordiale rugit une nouvelle fois, ce qui secoua la pièce.

Dahlia tenta de plonger plus profondément sa pointe en bois, mais le tremblement de terre la déséquilibra et Dor'crae, désespéré, parvint à se dégager. Sévèrement blessé, le vampire, qui ne voulait plus avoir affaire à Dahlia, se métamorphosa en chauve-souris.

Le jet de lave et les projections de pierres noires contraignirent Drizzt à se protéger et s'abriter. Sur le moment, il crut qu'ils avaient échoué, que le volcan était de nouveau entré en pleine éruption. Il fut donc grandement soulagé quand la colonne de lave retomba dans la fosse, au bord de laquelle il se précipita, arc en main.

Sans la protection de *Glacemort*, la chaleur était extrême, néanmoins il ne put s'empêcher de jeter un regard vers le bas, malgré ce qu'il redoutait d'apercevoir.

La surface de la lave était désormais beaucoup plus proche, à peine cinq ou six mètres plus bas que le sol de la cavité, si bien que l'elfe noir était assailli par des vagues de chaleur. La roche en fusion avait englouti la saillie sur laquelle Athrogate s'était réfugié, tandis que Jarlaxle n'était évidemment visible nulle part, s'étant jeté dans le vide presque au moment où la lave avait jailli.

Pour la deuxième fois de la journée, Drizzt secoua la tête en songeant à la perte de Jarlaxle, que même *Glacemort* n'aurait pas protégé de la colonne incandescente.

Il décocha une flèche, fixant ainsi sa deuxième corde non loin de la première, désintégrée par l'éruption. Sans même éprouver la solidité du point d'attache, sans penser une seconde qu'il risquait à tout instant d'être avalé par une nouvelle colonne de lave, le drow angoissé se lança et atteignit facilement le côté opposé.

Alors qu'il reprenait son équilibre, il dut se baisser de nouveau, pour éviter la chauve-souris géante déjà aperçue, qui sortit du passage en arche. Voyant l'animal, sans doute gravement blessé, voler avec difficulté, Drizzt fit glisser son arc de l'épaule, dans l'idée d'abattre la créature.

Il n'eut cependant pas à se donner cette peine. Alors que la chauve-souris franchissait la fosse, un déluge, peut-être toutes les eaux de la mer des Épées, se lança à l'assaut de la puissance primordiale en se déversant par la trouée de la voûte telle une cascade géante. À l'intérieur de ce rideau écrasant et translucide, Drizzt distinguait toujours la chauve-souris, qui résistait aux tonnes d'eaux, grâce à son vol aussi magique que physique.

Cela n'aida toutefois pas beaucoup le vampire, qui reprit sa forme humaine, les yeux tournés vers Drizzt, lequel était incapable de préciser si cette créature le voyait ou non. Coincé dans l'élément liquide, Dor'crae tendit les mains, l'air plaintif et le visage tordu de douleur.

Puis, à l'image de tant de morceaux de roche noire, il fut déchiqueté et balayé par la chute d'eau.

Quand cette intervention s'interrompit, aussi brusquement qu'elle avait débuté, Drizzt sut que la cage de la puissance primordiale avait été remise en place, qu'ils avaient gagné, car, au-delà du bord de la fosse, il voyait de l'eau, non pas un simple étang, mais de l'eau qui tourbillonnait furieusement contre les parois du gouffre.

Plus bas, la puissance primordiale réagit ; une nouvelle secousse se produisit et la colonne de lave tenta de s'élever, emplissant la cavité de vapeur d'eau. L'élément liquide ne céda pas et la bête sombra dans les profondeurs. Les lieux retrouvèrent un calme qu'ils n'avaient pas connu depuis de nombreuses années.

Drizzt ne s'éternisa pas à observer ce spectacle ; dès qu'il eut repris son équilibre, il se rua dans le renfoncement.

Dahlia était assise contre la paroi du fond, épuisée et ruisselante de sueur, ce qui ne l'empêcha pas de hocher la tête en direction du drow pour lui confirmer que tout était rentré dans l'ordre. L'elfe noir ne regardait de toute façon pas la guerrière, c'était impossible, étant donné ce qui se présentait juste devant lui.

Gaspard Pointepique n'était plus. Il gisait sur le dos, la gorge en sang et les yeux grands ouverts ; sa poitrine ne se soulevait plus.

Drizzt dut reconnaître une certaine sérénité sur le visage du guerroyeur effréné, mort d'une façon digne de ce qu'avait été sa vie : au service de son roi.

Ce roi, le plus cher ami de Drizzt, était également allongé là, à moitié sur le flanc, le visage plus ou moins tourné vers le sol et un bras tendu, agrippant encore le levier du bout des doigts.

Drizzt se précipita auprès de lui et le retourna en douceur. Il fut stupéfié de constater que Bruenor Marteaudeguerre était encore en vie.

—J'les ai trouvées, l'elfe, dit-il, avec ce sourire qui avait apporté tant de joie au drow durant la majeure partie de sa vie. J'ai trouvé mes réponses. J'ai trouvé la paix.

Drizzt aurait voulu le réconforter, lui assurer que les prêtres allaient bientôt les rejoindre et que tout irait bien, mais il devinait, avec une certitude absolue, que c'en était terminé, que ces blessures étaient trop sévères pour un vieux nain.

—Repose en paix, mon ami…, articula-t-il, sans être certain d'avoir émis le moindre son.

Le visage serein de Bruenor, qui hocha imperceptiblement la tête et afficha un léger sourire de satisfaction, indiqua à Drizzt que son compagnon mourant l'avait entendu, et qu'en effet tout allait bien.

Épilogue

Au bord de la fosse, Drizzt suivait du regard les eaux agitées et les élémentaires. De temps à autre, il distinguait un visage liquide dans le tourbillon incessant, tandis que plus bas, beaucoup plus bas, il apercevait la puissance primordiale, tel un œil furieux rivé sur lui.

— Elle était exactement à cette place quand nous l'avons trouvée, lui dit Dahlia, qui s'approcha en lui passant un bras, de façon très naturelle, autour de la taille. Nous avons réussi. Bruenor a réussi.

Drizzt, qui ne quittait pas des yeux la paroi opposée, essayait de percer l'eau du regard, en direction de la saillie où s'était réfugié Athrogate et où Jarlaxle avait disparu, mais, hélas, il n'y avait rien. Évidemment. Quel être aurait survécu au souffle de la puissance primordiale ?

Le drow s'étonnait de souffrir à ce point. Il ne s'agissait pas seulement de Bruenor ; il déplorait également la perte de Gaspard, ainsi que celle de Jarlaxle et même d'Athrogate !

Il avait à peine croisé la route du mercenaire ou de l'ami nain de celui-ci au cours des dernières années, néanmoins il avait toujours été rassuré par le simple fait de les savoir présents non loin de là, à Luskan.

Ils étaient morts à présent, comme Gaspard Pointepique, comme Bruenor Marteaudeguerre en personne. Même si son cher ami s'était éteint comme il l'avait toujours souhaité, non seulement en ayant trouvé Gontelgrime, mais aussi en sauvant cette cité d'une destruction totale, la profonde douleur que ressentait Drizzt le propulsait à une autre époque et en un autre lieu, quand il avait vu Catti-Brie et Régis, chevauchant une licorne fantomatique, se fondre dans un mur de Castelmithral pour gagner le repos de Mailikki.

Il n'avait jamais imaginé éprouver de nouveau une telle souffrance.

Il s'était trompé.

De l'autre côté de la fosse, quelques nains sautèrent dans la cavité. Stokely Torrent d'Argent et Torgar Frappemarteau aperçurent Drizzt et Dahlia, qu'ils hélèrent, tandis que d'autres nains les rejoignaient.

Dahlia laissa glisser son bras du dos de Drizzt et lui prit la main.

—Lance une flèche et partons d'ici, lui murmura-t-elle.

En un sombre, très sombre endroit, Jarlaxle Baenre ouvrit les yeux et osa produire un peu de lumière. Il entendit le bruit de l'eau, et sut ce que cela signifiait. Puis il sentit Athrogate bouger à côté de lui.

Il vit son élémentaire, le dernier des dix, celui qui n'avait pas été mis en place et qui montait toujours la garde à l'entrée de la bulle portable dont il s'était servi pour échapper, avec Athrogate, à la puissance primordiale. La créature du plan élémentaire de l'Eau paraissait affaiblie, ce qu'elle devait certainement à la lutte menée face aux flammes destructrices. Jarlaxle la sentit également agitée, à la fois ravie et frustrée.

—Je te libère, dit le drow.

L'élémentaire sauta de la bulle et se jeta dans le tourbillon d'eau enchantée.

Le drow glissa une bague à son doigt, ajusta son cache-œil et délaissa son corps, le temps d'un sort de clairvoyance, pour trouver des réponses, qu'il obtint dès que sa vision s'éleva hors de la fosse.

Il aperçut Drizzt et Dahlia en compagnie des nains, de l'autre côté, et des silhouettes immobiles allongées dans la petite salle.

Il se tourna vers Athrogate, qui gisait face contre terre, meurtri, la peau couverte de cloques et une jambe brisée.

—Il est temps de partir, lui murmura-t-il, avant de sortir une autre bague, un artefact de téléportation qui les reconduirait chez eux.

—J'm'en sortirai pas, répondit le nain, d'une voix à peine audible, tout juste capable de respirer.

—Mes prêtres nous retrouveront à Luskan, assura le drow en souriant. Ils te soigneront, mon ami. L'heure de mourir n'a pas sonné pour toi. Les tiens se sont suffisamment sacrifiés pour aujourd'hui.

Alors que l'elfe noir commençait à invoquer sa magie, Athrogate l'agrippa rudement par le bras, exigeant son attention.

—T'aurais pu m'laisser! dit-il avec rage.

Jarlaxle acquiesça avec bienveillance, puis reprit son incantation, avant d'être de nouveau interrompu :

—Attends! C'est fait? Le roi Bruenor a réussi?

Jarlaxle sourit chaleureusement, ses yeux rouges au bord des larmes.

—Vive le roi, répondit-il à son ami barbu. Vive le roi Bruenor.

Bruenor Marteaudeguerre, huitième et dixième roi de Castelmithral, fut enterré à côté du cairn de Gaspard Pointepique, avec son casque à une corne, son bouclier enchanté et sa hache aux innombrables ébréchures – car quel autre nain que Bruenor Marteaudeguerre aurait mérité de se servir de telles armes ?

On avait envisagé de rapatrier le corps de Bruenor à Castelmithral pour y célébrer ses funérailles – Stokely avait même suggéré que le Cairn de Kelvin, au Valbise, constituerait un tombeau approprié –, mais nains et elfes avaient fini par estimer que Gontelgrime, la cité Delzoun la plus ancienne et la plus sacrée, conviendrait mieux.

Ils ensevelirent donc leurs héros, très nombreux en ce jour funeste, puis explorèrent ce qui restait de l'ancienne cité de Gontelgrime. À l'extérieur de la grande muraille, dans l'immense caverne où se trouvait l'étang, ils se firent leurs adieux. Stokely et Torgar offrirent tous deux un foyer à Drizzt, au Valbise ou à Mirabar, propositions qu'il déclina sans même y réfléchir. Sa place n'était à aucun de ces deux endroits, il le savait, pas plus qu'à Castelmithral.

Sa place n'était nulle part, apparemment.

Quand il sortit enfin des tunnels, à l'est de la montagne, Guenhwyvar à ses côtés, Drizzt Do'Urden se tourna vers le nord, en direction du Valbise, la région où il s'était le plus senti chez lui, où il avait connu ses meilleurs amis.

Mais il était seul, désormais.

— Dans quelle direction tes pas vont-ils te porter, le drow ? lui demanda Dahlia, en se portant à sa hauteur.

Guenhwyvar lui offrit un léger ronronnement.

— Et les tiens ? répondit Drizzt.

— Oh, j'ai l'intention d'en finir avec Sylora Salm, crois-moi, assura la guerrière elfe, sans hésiter un instant. Je retourne au bois du Padhiver dire à cette sorcière que son Anneau de Terreur est un échec, que sa bête est de nouveau en cage. Je lui dirai tout ça, et ensuite je la tuerai.

Drizzt resta pensif quelques secondes avant de rectifier :

— Et ensuite, *nous* la tuerons.

Dahlia lui adressa un grand sourire ; c'était exactement ce qu'elle désirait entendre.

Drizzt la contempla de la tête aux pieds et se rendit compte qu'elle avait retiré le dernier diamant de son oreille droite, pour l'accrocher à son oreille gauche.

Il y avait une histoire là-dessous. Il y avait de nombreuses histoires dans les souvenirs et dans le cœur de cette elfe pour le moins surprenante.

Il voulait toutes les entendre.

Bruenor Marteaudeguerre se redressa sur les coudes, ouvrit les yeux et secoua la tête pour s'éclaircir les idées.

Il fut cependant encore plus perdu quand il constata qu'il se trouvait dans une forêt, au printemps, et non plus dans les sombres tunnels de Gontelgrime.

— Eh ? lâcha-t-il, en se levant d'un bond, avec une énergie et un entrain qu'il n'avait pas connus depuis des siècles. Gaspard ? Drizzt ?

— Bonjour, dit une voix, derrière lui.

Il se retourna et vit Régis, plein de vie et en parfaite santé, avec un sourire jusqu'aux oreilles.

— Ventre-à-Pattes… ? balbutia Bruenor.

Il bégayait, tentant de poursuivre, quand un autre personnage sortit de la petite maison située derrière Régis. Bouche bée, Bruenor n'essaya même pas de prononcer un mot. Ses yeux s'emplirent de larmes ; il contemplait son garçon, Wulfgar, redevenu un jeune homme grand et fort.

— Tu as appelé Gaspard, dit Régis. Il était avec toi quand tu es mort ?

Ce dernier mot frappa le nain comme une pierre, car, en effet, il était mort, bel et bien mort. Comme les deux compagnons qui se trouvaient devant lui, en ce lieu qui le déroutait tant – ce n'était certainement pas la Forge de Moradin.

— Gaspard Pointepique est maintenant auprès d'Moradin, dit Bruenor, davantage à lui-même qu'aux autres. Forcément. Mais pourquoi j'y suis pas, moi ?

Il remarqua à peine la musique qui s'élevait dans son dos mais, quand il releva la tête, il vit que Wulfgar, un air enchanté sur le visage, regardait derrière lui. Régis avait lui aussi les yeux rivés derrière Bruenor. D'un signe du menton, le halfelin suggéra au nain de se retourner, ce qu'il fit.

Son regard se posa sur un petit étang calme, puis sur les arbres qui bordaient le plan d'eau.

Elle était là, en train de danser. Sa fille adorée. Vêtue d'une robe blanche à nombreux plis et superbes lacets, ainsi que d'une cape noire qui volait derrière elle, suivant chacun de ses mouvements et virages.

—Par les dieux…, haleta le nain, bouleversé.

Pour la première fois de sa longue vie qui venait de prendre fin, Bruenor Marteaudeguerre tomba à genoux, littéralement assommé par l'émotion. Le visage dans les mains, il se mit à sangloter.

Des larmes de joie, des larmes de juste récompense.

LES ROYAUMES OUBLIÉS

Achevé d'imprimer en février 2012
N° d'impression 1112.0246
Dépôt légal, mars 2012
Imprimé en France
81120690-1